D0272018

De twee gezichten van de liefde

Lucía Etxebarria

De twee gezichten van de liefde

Een roman over de liefde en andere leugens

Vertaald door Ilona van der Werff-Nieuweboer
en Felicitas van Wijk-Gertenaar

ARENA

Oorspronkelijke titel: *De Todo lo Visible y lo Invisible*

Omslagontwerp: Suzan Beijer, Amsterdam
Omslagillustratie: *Desnudo con margarita*, Lucía Etxebarria en Juan Pedro López (acryl, gemengde techniek)
Foto auteur: Jerry Bauer
Typografie: Suzan Beijer, Amsterdam
ISBN 90 6974 456 2
NUR 302

Voor mijn moeder

En voor Julián Hernández Rodríguez,
die Borges zo bewondert.
Een brief, een afscheid.

Bij het drukken van deze roman werd de uitgeverij erop gewezen dat er een gedichtenbundel bestaat met dezelfde titel, gepubliceerd in mei 2000. Lucía Etxebarria en de uitgeverij bedanken de auteur, don Javier Sangro, dat hij zo genereus is geweest toe te staan dat beide boeken dezelfde titel hebben.

Altijd, op de achtergrond, is macht in het spel. Wie macht heeft spreekt, wie macht heeft wordt gezien en wie die niet heeft wordt onzichtbaar. Dat is een sociologisch-politieke kwestie die uiteindelijk literair wordt, van literaire waarde.

Olvido García Valdés

Schepper van hemel en aarde, van al wat zichtbaar en onzichtbaar is…

Uit de katholieke geloofsbelijdenis

I

Bloedsap

Toen het leven ontstond
Gaf de schepper mij vorm
Met het sap van de bomen
Met het nectar van de vruchten
Hij gebruikte de stokroos van de heuvel
De bomen en de struiken
De bloemen van de brandnetel
In mij zitten sporen van het eeuwige in de natuur

Toegeschreven aan de bard uit Wales Taliesyn

Waarom moet het slachten van een os of een schaap erger zijn dan het verdriet over het kappen van een spar of een eik, als ook deze bomen een levende ziel hebben?

Porphyrius

De boom van Diana

Ik slaap, ik slaap, ik slaap, ik slaap, ik ben een boom, een plant en ik denk, ik denk, ik denk, ik denk en het sap borrelt in mij en ik zuig druppels van de grond op en door de plantaardige gangen breng ik ze omhoog naar mijn kruin. Ik breng ze naar mijn kruin. Het gedeelte van mijn lichaam dat in de aarde staat geeft me een onwankelbaar evenwichtig gevoel. Wortels, voeten van hout en vezels die houden van de aarde. Ik ben een boom: de kern van de wereld. Een complete en volmaakte structuur. Plotseling voel ik dat iemand aan mij komt en mij heen en weer schudt om mij wakker te krijgen, ik ga door achtereenvolgende lagen slaap omhoog naar de werkelijkheid en ga omhoog omhoog omhoog omhoog omhoog omhoog omhoog omhoog

Omhoog

Omhoog

Omhoog

Omhoog

Wanneer Ruth haar ogen opendoet begrijpt ze aanvankelijk niet wat er gebeurt. Voordat ze de man ontwaart die aan haar schudt vermoedt ze het. Ze vermoedt het door de zure adem die in vlagen op haar afkomt, als een klap in haar gezicht, door de druppels speeksel die op haar gezicht vallen. De man roept 'wakker worden, wakker worden!' en blijft aan haar schudden. Omdat Ruth haar ogen niet lang kan openhouden, heeft ze er geen idee van wie die man is of hoe hij eruitziet. Ze kent hem niet, dat is zeker, want ze herkent de stem niet die tegen haar schreeuwt. Ruth weet wel een beetje wat er gebeurt: ze is geen boom meer, ze wordt weer mens, ze heet Ruth. Dit is haar kamer. Ruth ligt in bed, en er is een onbekende die haar wakker probeert te maken. Maar haar oogleden zijn zwaar en haar hoofd tolt en haar gevoel voor de realiteit zakt langzamerhand weg en Ruth heeft geen zin geconfronteerd te worden met die man of met welke situatie dan ook buiten haar droom, dus sluit ze uiteindelijk haar ogen weer en probeert terug te keren naar die onzichtbare wereld en begint af te dalen en gaat verder omlaag omlaag omlaag omlaag en...

Omlaag

Omlaag

Omlaag

Omlaag

Ik schreeuwde toen mijn bloed sap werd, toen de bladeren zich meester maakten van mijn armen, toen mijn voeten wortels kregen, toen mijn vingers gingen ontkiemen in de aarde, toen mijn haren die bladeren waren geworden verstrikt raakten in de loofrijke architectuur van de takken. Maar de beelden van de droom bewegen in haar hoofd heen en weer als in een cocktailshaker, omdat die onbekende persoon niet bereid is haar met rust te laten en blijft schudden aan dat lichaam dat in de zichtbare wereld is gebleven en niet in een bos maar in een kamer, in een bed, en er zit niets anders op dan weer omhoog te gaan en verder omhoog omhoog omhoog omhoog omhoog omhoog en

Omhoog

Omhoog

Omhoog

Omhoog

De onbekende probeert Ruth rechtop te zetten. Zijn geschreeuw overstemt een geroezemoes van stemmen nog verder weg, waarvan Ruth niet kan horen wat ze zeggen. Maar langzaamaan begint ze de ene toon van de andere te onderscheiden en beseft ze dat er nog meer mensen, drie of vier, mannen en vrouwen, in die kamer zijn. 'Is ze in orde? Is ze in orde?' Die zenuwachtige mannenstem komt haar bekend voor. 'Ze is bewusteloos,' antwoordt de man. 'Haal de brancard, we nemen haar mee.' De onzichtbare wereld trekt hard aan Ruth, naar beneden, vastbesloten om Ruth in een boom te veranderen, en Ruth biedt geen weerstand en laat zich vallen en gaat verder omlaag omlaag omlaag omlaag omlaag omlaag omlaag omlaag omlaag

Omlaag

Omlaag

Omlaag

Omlaag

Ik schreeuwde toen mijn armen weer takken werden, mijn benen stammen, mijn haren bladeren, ik schreeuwde terwijl mijn lichaam weer oker en groen werd, geelgrijs als mijn ogen, ik schreeuwde terwijl ik dacht dat een nimf weinig kan doen tegen de wil van een god. Iemand neemt Ruths lichaam mee, het omhulsel met daarboven de dromen van Ruth, en door die plotselinge beweging wordt ze misselijk en even wakker, en dat brengt haar opnieuw tot de werkelijkheid omhoog omhoog omhoog omhoog omhoog omhoog omhoog omhoog omhoog

Omhoog

Omhoog

Omhoog

Omhoog

Ruth ligt op de brancard. Iemand neemt haar razendsnel mee. De achtergrondkleuren, het vervaagde landschap, maar met bekende contouren, waarin ze zich beweegt komen haar bekend voor. Natuurlijk, het is de woonkamer in haar huis. Iemand doet de buitendeur open en Ruths lichaam verlaat haar territorium. Maar Ruth wil weer boom worden en is niet bereid zich bezig te houden met dat vervoer. Ze weet niet wie haar lichaam meeneemt en evenmin waarom of waarnaartoe. En het kan haar niet schelen. Ruth laat zich meeslepen naar beneden, naar het bos. Ruth wil weer boom worden omlaag omlaag omlaag omlaag omlaag omlaag

Omlaag

Omlaag

Omlaag

Omlaag

Ik kan niet meer rennen, omdat ik niet de hoer van een god wilde zijn. Omdat ik niet wilde meedoen aan die absurde verkoop van mijn lichaam, ben ik een laurier geworden.

En nu ben ik mijn eigen baas, een majestueuze boom die waardig midden in de grond groeit. Paradijs van overvloed en rust, laboratorium van sap en water, lange houten nerven, navelstreng van wortels en aarde... Het is onmogelijk de kuilen en obstakels te ontwijken. Twee personen slepen Ruth, op de brancard, de trappen af. Ruths lichaam gaat omhoog en omlaag. Zo kun je onmogelijk slapen, in die onzichtbare wereld blijven, hoe je het ook probeert, en er zit niets anders op dan weer omhoog te gaan en verder omhoog omhoog

Omhoog

Omhoog

Omhoog

Omhoog

De brancard gaat het portaal uit en iemand duwt hem, als een zetpil, een ambulance in, aan de achterkant. Dit is ernst, zegt Ruth tegen zichzelf. Ze willen me terughalen, ze willen me niet rustig laten slapen. Maar ik wil niet terugkeren, ik wil hoe dan ook mijn ogen niet meer openen, ik wil boom zijn, ik wil boom zijn, ik wil geen nimf meer zijn, en Ruth duikt het donker in, doet krampachtig haar ogen dicht en gaat verder omlaag omlaag

Omlaag

Omlaag

Omlaag

Omlaag

Ik ben de gevangene van mijn wortels, de wind en de zon en de regen en de vleugels van de vogels strelen me, en ik word in slaap gesust door de muziek die nooit ophoudt, die nooit minder wordt, die nooit stopt, ik voel hoe ik beweeg in de wind alsof hij me wiegt, op de maat van de muziek die golft tot in het oneindige als de transparante beekjes uit het land van de nimfen; de vogels nestelen in mijn takken, en kietelen mijn nerven en de zon schijnt op mijn bladeren tussen de felgroene takken, op mijn prachtige groene kleed en ik slaap, ik slaap, ik slaap, ik slaap, ik ben een boom, een plant, en ik denk, ik denk, ik denk, ik denk en het sap borrelt in mij...

Fundación Jiménez Díaz
Clínica de Nuestra Señora de la Concepción
Avenida de los Reyes Católicos, 2
Ciudad Universitaria
28040 Madrid

VERSLAG SPOEDEISENDE HULP
ZIEKTEGESCHIEDENIS **758346**
SPOEDEISENDE HULPNUMMER **503502973**
Zuid opname

De Siles Swanson, Ruth OPNAME **28/07/1998** TIJD **22.48**
GEBOORTEDATUM **03/01/1965** ONTSLAG TIJD
GESLACHT **vrouw**

ADRES
Echegaray, 14,3
Madrid
TEL

BESTEMMING

VERZ **ziekenfonds**
INST **hoofdkantoor Insalud**
VERZEKERINGSNUMMER
CODE **16999000000S**

DIAGNOSE **medicijnvergiftiging**

Vrouw, 33 jaar
Reden van komst. Medicijnvergiftiging
Patiënte binnengebracht door 061, die verklaart dat patiënte vijf uur geleden 65 stuks Orfidal en 45 stuks Lexatin heeft ingenomen. De patiënte weigert het inbrengen van een maagsonde en elke medewerking. Anexate i.v. gegeven waardoor het bewustzijnsniveau van de patiënte verbetert, zij weigert nog steeds elke medewerking.
Patiënte bij bewustzijn en georiënteerd. Normale ademhaling. Wijde pupillen en intacte lichtreacties.

Fundación Jiménez Díaz
Clínica de Nuestra Señora de la Concepción
Avenida de los Reyes Católicos, 2
Ciudad Universitaria
28040 Madrid

VERSLAG SPOEDEISENDE HULP 2

De Siles Swanson, Ruth

BLOEDBEELD	Witte bloedlichaampjes:	6100	N	62,4%
			L	30,8%
	Rode bloedlichaampjes:	5'17/Hb=14'2/Ho=44'6/MCV=86'2		
	Bloedplaatjes:	125		

ALCOHOL niet aantoonbaar

CHEMIE

Glucose=85	Natrium=137
Ureum=18	Kalium=3,7%
Creatine=0,7	

VENEUZE BLOEDGASSEN

Ph=74	pCO_2=29,7	SBC=21

28/07 a 29/07 24.00

De patiënte is opnieuw buiten kennis. Onmogelijk wakker te krijgen.
Haar familie is gewaarschuwd en komt hierheen.
Plan: nieuw onderzoek door psychiatrie.

Ruth wordt wakker in een ziekenhuis

Omhoog

Omhoog

Omhoog

Omhoog

Het eerste wat Ruth ziet is het plafond. Vierkante grijze platen die naar het oneindige leiden. Tl-buizen. Licht. Dat vreemde, spookachtige, zwavellicht. Die afschuwelijke gele lichtinval van boven, mistroostig en traag, dik en melkachtig. De geur: een bijna tastbare geur van ontsmettingsmiddelen. Het gevoel. Het ruwe gevoel van grove katoen dat langs Ruths lichaam schuurt. En dan realiseert Ruth zich: ze ligt onder een goedkoop katoenen laken. Ze ligt op een brancard. Ze kan niet overeind komen, dus kijkt ze om zich heen. Aan beide kanten: brancards en nog meer brancards. Bulten in witte stof. Handen die aan een kant hangen. In de steek gelaten mensen bij elkaar. Ruth draait haar hoofd om en kijkt in twee vurige ogen die op haar gericht zijn en haar met hun pupillen doorboren. Het is een jong meisje met kort haar en wallen onder haar ogen.

'Hallo, je bent eindelijk wakker.'

Het lukt Ruth niet om iets terug te zeggen. Ze weet nog niet goed waar ze is. Ze probeert zich te herinneren waar ze is en dan begrijpt ze het. Ze ligt in een ziekenhuis. Ze ligt niet in een kamer, dus moet het een staatsziekenhuis zijn. Omdat er een beddentekort is, liggen de patiënten boven op elkaar in de gangen. Ze weet het weer. Ze herinnert zich de pillen die ze heeft ingenomen. Maar ze leeft. Iemand is haar huis binnengekomen en heeft haar naar een ziekenhuis gebracht. Ze moet weten wat er is gebeurd. Ze komt overeind en ziet vaag een balie aan het eind. Ze besluit met de verpleegster te gaan praten, Ruth springt uit bed. En dan klinkt er een vreselijk kabaal, een metaalachtig en piepend geluid, dat diverse redenen heeft die we zouden kunnen verklaren als we alle aanwezige elementen van elkaar scheiden en ze een voor een gaan beschrijven:

A Het getemperde geknars van een zware machine die over de vloer wordt gesleept. Want Ruth heeft zich tot ze zich ging bewegen niet gerealiseerd dat ze op diverse plaatsen van haar lichaam verbonden is aan een hele serie kabels en elektroden. Dat netwerk zit vast aan een vierkante machine, met veel lampjes, waar als vangarmen, als de tentakels van een kwal, de slangen uitkomen die via de zuignappen aan de uiteinden vastzitten aan Ruths lichaam. En dat is nog niet alles, er hangt een enorme fles, een infuus met een zoutoplossing die haar lichaam inloopt via een slang, met aan het eind een naald die in haar onderarm steekt en die bovendien nog vastzit met een hechtpleister. Die zoutoplossing druppelt gelijkmatig Ruths lichaam, Ruths bloed in, dat vloeibare zuur van plasma en resusfactor dat haar bloedlichaampjes, haar leven, haar eigen wanhoop vervoert.

B De verpleegster die ziet dat het infuus bijna valt rent snel naar Ruth toe en pakt haar bij haar schouders om te beletten dat ze zich beweegt en schreeuwt als een gek: 'Maar meisje…! Wat doe je? WIL JE WELEENS STILSTAAN?'

C Een jongen, die op een brancard precies achter die van Ruth ligt, laat een bewonderend gefluit horen. Ruth is namelijk behoorlijk van slag omdat het effect van de pillen nog niet is uitgewerkt of door de shock om in een ziekenhuis wakker te worden en heeft zich niet gerealiseerd dat ze naakt is en dat ze bij het opstaan de in de zaal aanwezige personen verblijd heeft met een genereuze aanblik op haar niet minder genereuze anatomie.

'GA ONMIDDELLIJK TERUG IN BED!' schreeuwt de verpleegster.

'IK WIL HELEMAAL NIET NAAR BED! IK WIL NAAR HUIS!' antwoordt Ruth op dezelfde toon en zelfs nog iets harder.

'JIJ BLIJFT HIER, MEISJE! Je kunt pas naar huis als je ontslagen bent.

En ik waarschuw je dat als je zo blijft schreeuwen we je naar de psychiatrische afdeling sturen, en daarvandaan is het echt moeilijk om naar huis terug te gaan.'

Hoe gedesoriënteerd Ruth ook is, ze beseft dondersgoed wat die waarschuwing (of bedreiging) inhoudt en ook dat de verpleegster het over een reële optie heeft. Bovendien wil Ruth niet dat de hele afdeling weet waarom ze hier is, dus zwijgt ze en gaat terug naar bed. Daar neemt ze de foetushouding aan en doet het ruwe laken over zich heen om zich tevergeefs klein te maken en te verdwijnen. De meest adequate uitdrukking om haar gemoedstoestand te definiëren zou zijn: 'Ruth wil dood', letterlijk gesproken, want Ruths grote probleem is dat ze een mislukte zelfmoordpoging heeft gedaan. Het ergste is dat het al de tweede keer in drie maanden is. Eerst op Valentijnsdag en dan nu. Je moet je wel overbodig of een idioot vinden. Ze begint wild en hees te snikken en het lijkt meer op een dierlijk, klaaglijk gegrom dan op gehuil. Twee keer, het twee keer proberen en twee keer falen. Ruth is niet alleen wanhopig, maar bij alle problemen waardoor ze de inhoud van diverse buisjes pillen heeft ingenomen, voegt zich ook het onverdraaglijke gevoel zich onsterfelijk belachelijk gemaakt te hebben. Vandaar dat de verpleegster haar met 'meisje' heeft aangesproken, ook al is Ruth drieëndertig en ze daarom (en volgens de statistieken die de gemiddelde levensverwachting schatten op zestig jaar) de helft van haar leven erop heeft zitten, het leven dat haar zo moeilijk valt. Daarom rolt Ruth zich op – haar armen om haar knieën tegen haar kin aan – om te genieten van de dag die niet meetelt, van de duisternis van een vervlogen dag, van een dag die triest gevuld is met bloed en met het serum van de slangen, van een niet geleefde dag, een alleen maar slapend doorgebrachte dag. Het weefsel van de tijd is als het verband van een zieke. Ruth voelt de dreiging van de seconden die onverbiddelijk druppelen als het serum, verborgen en waakzaam, en ze weet niet wat ze moet doen aan dat geraas vanbinnen dat haar snikkend blijft roepen, de stem van Diana die ze jammer genoeg niet is geworden, de onverbiddelijke pijn nog in leven te zijn.

'Psss…'

Ruth opent haar ogen en rolt zich langzaam af, als een luie slang. Haar hoofd komt onder het laken vandaan en ze kijkt om zich heen op zoek naar degene die naar haar heeft gesist. Tegenover haar ligt een bleek meisje met kort bezweet haar en koortsige ogen.

'Jij bent Ruth, jij bent echt Ruth, hè?'

Ruth knikt heel langzaam en nog wat verward met haar hoofd op en neer. Omdat ze nog versuft is van de pillen kan ze niet snel en adequaat reageren. Ze weet niet of ze dat meisje kent, en als ze haar niet kent, wat het meest waarschijnlijk is, had ze beter haar eigen identiteit niet prijs kunnen geven. Maar Ruths harde schijf werkt veel minder snel dan normaal en ze beseft, als het al te laat is, dat haar hoofd automatisch ja heeft gezegd, hoe langzaam dan ook.

'Ik heb je meteen herkend toen ik je in bed zag liggen. En toen je overeind kwam wist ik het zeker…'

Ruth knikt weer en is niet in staat iets anders te doen.

'Wat leuk…' Het meisje knikt met haar hoofd naar Ruth. 'Die haarspeld,' zegt ze wijzend op haar eigen halfgeschoren hoofd om de verklaring toe te lichten. 'Ze hadden me al verteld dat je margrieten spaarde.'

Ruth herhaalt het gebaar van het meisje, alsof ze in een spiegel kijkt, in een van die duizenden spiegels die Ruth in de ogen van anderen ziet, of alsof ze een chimpansee is, en haar vingers stuiten inderdaad op een haarspeld die ze op het gevoel herkent: het is een oude speld die ze jaren geleden in Londen heeft gekocht en die ze vreemd genoeg, in tegenstelling tot de talloze haarspelden die ze in haar leven heeft gebruikt en altijd minder lang zijn meegegaan dan een snoepje voor de schoolpoort, al die tijd niet is verloren. Ze doet hem uit en geeft hem met een langzaam gebaar – ze is nog steeds verdoofd en haar bewegingen zijn nog wat ongecoördineerd – aan het meisje dat op haar beurt snel en begerig de haarspeld vastpakt, alsof ze bang is dat Ruth spijt zal krijgen van haar beslissing.

'En waarom ben jij hier?' vraagt Ruth met holle stem.

'Voor hetzelfde als jij.'

Ruth vraagt liever niet wat 'hetzelfde als jij' betekent, als het meisje weet wat Ruth heeft gedaan, en als ze het weet, hoe ze daar dan achter is gekomen. Een spiraal van angst kronkelt door Ruth heen, een beklemmend gevoel dat haar verstikt, dat naar binnen glipt en van haar keel, waardoor ze niet meer kan ademen, afzakt naar haar donkere pas leeggepompte maag. Ruth begraaft zich weer onder haar laken en sluit haar ogen. Een opkomende genadige droom laat de wereld, het ziekenhuis, het bos van Diana verdwijnen, wist alles uit en Ruth verliest haar bewustzijn, en de echo van duizenden voorbije levens klinken nog na in de stille polsslag van haar bloed.

Omlaag

Omlaag

Omlaag

Omlaag

Fundación Jiménez Díaz
Clínica de Nuestra Señora de la Concepción
Avenida de los Reyes Católicos, 2
Ciudad Universitaria
28040 Madrid

VERSLAG SPOEDEISENDE HULP 3

De Siles Swanson, Ruth

Verslag van de dienstdoende psychiater, dokter Prieto:
Mededelingen betreffende 33-jarige vrouw na het innemen van 1 doosje Orfidal en 1 doosje Lexatin. Naar het schijnt heeft een vriend die in het bezit is van de sleutels van haar huis haar bij binnenkomst bewusteloos aangetroffen en 112 gewaarschuwd. Patiënte weigerde mee te werken. Wij hebben geen maagsonde kunnen inbrengen. Ze voelt zich erg slaperig, spreekt heel zacht en geeft onsamenhangende antwoorden, waardoor volledig psychologisch onderzoek momenteel niet mogelijk is. De patiënte blijft nadrukkelijk herhalen dat ze met rust gelaten wil worden.
De patiënte is onder invloed van B7S en kan het A.V. niet tekenen. Ze moet op Spoedeisende Hulp blijven tot de vergiftigingsverschijnselen afnemen.
Het gebruik van een mechanische fixatie wordt zo nodig geadviseerd.
Status: chaotisch, slaperig, verward. Weinig medewerkend. Terughoudend met het geven van informatie. Geen oordeel over het gebeurde.
Diagnose: medicijnvergiftiging.
Behandeling: Ze zal onder medisch-psychiatrische observatie moeten blijven tot de vergiftigingsverschijnselen zijn verdwenen.
Advies: controle en herhaalconsult psychiatrie.

Fundación Jiménez Díaz
Clínica de Nuestra Señora de la Concepción
Avenida de los Reyes Católicos, 2
Ciudad Universitaria
28040 Madrid

VERSLAG SPOEDEISENDE HULP 4

De Siles Swanson, Ruth

Dr. Sanz 29/07/98 – 12.00 uur
De patiënte vertoont weinig medewerking bij het gesprek. Ze geeft toe dat ze gisteren een grote hoeveelheid medicijnen heeft ingenomen met de bedoeling 'rustig te slapen en te verdwijnen'. Ze heeft er geen vertrouwen in dat iemand haar kan helpen en psychiaters al helemaal niet. Ze geeft toe dat er omstandigheden zijn die aanleiding waren tot dit voorval, maar ze noemt ze niet.
Dit is de tweede keer dat ze te veel medicijnen heeft ingenomen.

Fundación Jiménez Díaz
Clínica de Nuestra Señora de la Concepción
Avenida de los Reyes Católicos, 2
Ciudad Universitaria
28040 Madrid

VERSLAG SPOEDEISENDE HULP 5

De Siles Swanson, Ruth

Dr. Sanz 29/07/98 – 15.30 uur
De patiënte is zelf opgestaan en blijft volhouden dat ze naar huis wil. Gewaarschuwd door een verpleegster, breng ik opnieuw verslag uit. Ik vind de patiënte slaperig maar bij zinnen, georiënteerd en rustig. De patiënte is tegen elke opname. Haar familie, vader en zuster, die in het ziekenhuis aanwezig zijn, nemen de verantwoordelijkheid op zich om zich over haar te ontfermen bij ontslag. Gezien er in februari van dit jaar ook een medicijnvergiftiging heeft plaatsgevonden, is ons advies dat zij met spoed een psychiatrische behandeling ondergaat.

De versie van Pedro

Omhoog
Omhoog
Omhoog
Omhoog
Ruth doet haar ogen open maar ditmaal hoeft ze niet om zich heen te kijken om te weten waar ze is. Een enkel beeld is genoeg, de contouren van een margriet die ze vaag door haar halfgesloten oogleden ziet: dit is haar kamer, dit is haar bed, dit is haar met margrieten geborduurde dekbed, niets aan de hand, geen verpleegsters meer met witte schorten, geen geschreeuw meer. Ze ziet met haar ogen nog halfdicht een vage vorm, een schaduw. Het licht weerspiegelt op het goudblonde haar en vormt een aureool rond het hoofd. Het lijkt wel een aartsengel. Vier hoeken heeft mijn bed, vier engeltjes houden er de wacht. Uriël in het noorden, voor de aarde. Michaël in het oosten, voor het vuur. Rafaël in het westen, voor het water. Gabriël in het zuiden, voor de lucht. Is dat Gabriël, de blonde engel? Gabriël betekent 'God is mijn beschermer'. God is niet de beschermer van Ruth. De beschermer van Ruth heet Pedro en zonder haar ogen te hoeven opendoen weet ze dat hij het is die over haar slaap waakt.

'Hallo,' mompelt Ruth en ze doet langzaam haar ogen open om aan het licht te wennen.

Ze gaat rechtop in de kussens zitten. En dan merkt ze dat ze een wit batisten nachthemd aan heeft. Ze heeft nog nooit een nachthemd gehad, als kind droeg ze een pyjama en sinds ze niet meer thuis woont slaapt ze in haar blootje. Iemand die haar naar bed heeft gebracht moet haar dat hebben aangetrokken. En ze stelt zich voor hoe iemand haar uitkleedt, haar in bed legt, haar instopt en ze vindt dat iets gevaarlijk aantrekkelijks hebben. Het idee dat ze haar als een kind behandelen staat haar wel aan. Een wit batisten nachthemd met een geborduurd randje aan de hals. Dat moet een idee van Judith zijn geweest, denkt Ruth, het is vast een nachthemd van haar. Van wie anders?

Ze denkt aan Judith, haar zuster, haar tegenpool, het tegenovergestelde van haar, haar complement. Ze denkt aan Judith alsof ze een alternatieve dimensie binnengaat, alsof ze over de rand leunt van een put waarin haar evenbeeld haar vanaf de bodem aankijkt. Ruth had het leven van Judith kunnen kiezen. Ruth had een voorbeeldige echtgenote kunnen zijn, een zichzelf wegcijferend moedertje, een balsem om het leven van de anderen te smeren, om gekraak en frictie te voorkomen. Ze vraagt zich soms af of het huwelijk van Judith iets meer voorstelt dan slavernij onder een laagje succes. Per slot van rekening was alles van jongs af aan zo gepland dat Ruth net zo zou worden als Judith. Maar op een gegeven moment splitste de weg zich, ze gingen tegengestelde richtingen in en door haar keuze had Ruth afstand genomen van de rust van Judith, van haar eventuele geluk, maar ook van het isolement, van de onverschilligheid. Sinds Ruth haar eigen weg is gegaan, had zich tussen haar en Judith een grote kloof gevormd waar aan beide kanten de genegenheid zich uitte in woorden en gebaren in codetaal. Ze leefden in een onzichtbare toren van Babel, geen van beiden was in staat de taal van de ander te begrijpen.

De vage gestalte, Pedro, staat op uit zijn stoel en komt naar Ruth toe. Ruth herkent Pedro's zachte stem, die aangename, vertrouwde stem als een klaterende fontein; een muziekstem die de rust van de noten oproept. De stem die zoete woordjes fluistert; heldere beek uit het land van de nimfen.

'Hallo.' Pedro kust haar op het voorhoofd, als bij een klein meisje. 'Hoe voel je je?'

'Moe. Wat is er gebeurd?'

'Je wilt me toch niet vertellen dat je je niets herinnert?'

'Ik weet dat ik de hele voorraad tabletten hier in huis heb ingenomen, als je dat bedoelt.' Ruth lijkt opgewekt. Haar stem, eerst nog iel en zielig, begint weer normaal en zangerig te klinken, ook al gaat het langzaam. 'Ik herinner me dat ik in bed probeerde te komen en merkte dat er een waas voor mijn ogen kwam en de lucht dik als water werd, zodat ik niet vooruitkwam... Ik weet nog dat ik daarbij een lamp omgooide... En dat mijn arm ontzettend pijn deed... En daarna herinner ik me bijna niets meer.'

'Als je wilt kan ik je vertellen wat er is gebeurd, maar ik weet niet of het tot je doordringt of dat je nog slaapt.'

'Hoe lang heb ik geslapen?'

'Een dag of drie.'

'Nou, dan denk ik dat ik genoeg slaap heb gehad. Ik ben in een ziekenhuis geweest, toch?'

'Dat klopt.'

'Hoe ben ik daar gekomen?'

'Met een ambulance.'

'Dat snap ik. Wie heeft die gebeld? Jij, toch?'

'Ja, dat heb ik gedaan. Ik heb je de hele dag gebeld maar je nam de telefoon niet op en uiteindelijk besloot ik bij je langs te gaan.'

'Maar ik heb je toch gezegd dat het stel sleutels alleen voor noodgevallen was, dat je nooit zonder mijn toestemming in huis mocht komen...'

'Kindje, hier was duidelijk sprake van een noodgeval...'

'En hoe kon jij dat weten?'

'Ik had een voorgevoel.'

'Jij en je voorgevoelens.'

'...'

'Nou goed, sorry, ik besef dat ik je dankbaar zou moeten zijn voor je voorgevoel. Het spijt me echt. Goed, je kwam binnen, je vond me, je belde de ambulance...'

'Het ging niet zoals jij denkt. Althans, ik kreeg niet plotseling een ingeving en een visioen van mijn vriendin Ruth die wegkwijnde op het pijnbed. Onder andere, zonnestraaltje, omdat het niet eens bij me opkwam dat je voor de tweede keer dezelfde stommiteit zou uithalen. Ik dacht niet dat je zo dwaas was.'

'Zo zie je maar weer...'

'Maar omdat je niet kwam opdagen bij een colloquium waarvoor je was uitgenodigd, liefje. In het Casa de América, om precies te zijn, met Mónica Laguna en Isabel Coixet.'

'O, mijn hemel! Dat is waar ook! Het colloquium... Isabel vermoordt me...'

'Inderdaad, mevrouwtje, het colloquium. Je vrienden zaten daar met smart op je te wachten... maar mevrouw komt niet en het colloquium moest zonder haar beginnen. En toen herinnerde ik me dat Lorena had gebeld.'

'Welke Lorena? Ik ken geen Lorena.'

'Jawel, je kent wel een Lorena.'

'De secretaresse van Alquimia?'

'In hoogsteigen persoon. Slecht gekleed en nog slechter geschoeid, inderdaad. Ze had me gebeld omdat ze 's morgens een koerier naar je toe had gestuurd met weet ik wat voor papieren die je moest tekenen, en die koerier belde haar enigszins geschokt op met de mededeling dat je in je blootje de deur had opengedaan.'

'In mijn blootje, ik? Daar geloof ik niets van...'

'Geloof dat nou maar, liefje: Jij, bloot, en stoned. Dat zei de koerier die je de schrik of de vreugde van zijn leven, wie weet, bezorgd moet hebben. En toen ik zag dat je niet bij het colloquium verscheen herinnerde ik me dat van die koerier, maakte een optelsommetje en kwam hiernaartoe. En belde een ambulance.'

'Ik geloof dat ik me dat van die ambulance herinner.'

'Herinner je je nog meer?'

'Nee, ik geloof dat ik in het ziekenhuis even wakker werd... Er was een verpleegster die tegen me schreeuwde... En een meisje... Een heel raar kind op de brancard naast me... dat is alles.'

'Dus je herinnert je de scène in het ziekenhuis niet?'

'Welke scène in het ziekenhuis?'

'Zweer je dat je dat niet weet?'

'Ik zweer het je, ik weet echt niet waar je het over hebt.'

'Herinner je je niets meer? Ook niet die ruzie met je zuster of hoe je hier bent gekomen?'

'Echt niet, dat zeg ik je toch, ik herinner het me niet...'

'Nou goed dan... We brachten je naar het ziekenhuis. Ik geloof dat het al te laat was om je maag leeg te pompen, zodat ze je iets hebben ingespoten, en daarna hebben ze je norit moeten geven... Nee, norit hebben ze je al in de ambulance gegeven... En vraag me niet waar die norit voor dient, dat weet ik niet, ik heb al moeite om die naam te onthouden. En toen hebben ze je klysma's of zoiets gegeven, daar kwam ik niet helemaal achter. In ieder geval hebben we je om tien uur 's avonds gebracht en de hele nacht moeten wachten tot ze ons iets zouden vertellen. Maar niets. Ze verzekerden ons alleen maar dat je het zou halen en niet veel meer.'

'Ze verzekerden jullie? Wie is jullie?'

'Judith, je vader en mij.'

'Heb je die gebeld?'

'Natuurlijk heb ik ze gebeld. Wat had ik dan moeten doen?'

'Ze niet bellen.'

'Schatje, ik wil je er even aan herinneren dat ik geen directe familie van je ben. En als je niet wilt dat ik je vader en je zuster bel dan slik je de volgende keer geen partij pillen meer, oké?'

Pedro lijkt kwaad, zijn ogen schieten vuur. Ruth weet dat Pedro gelijk heeft, dat het logisch is dat haar vriend die 'streken', zoals hij – en niet alleen hij – dat noemt, meer dan zat is. De tweede keer, de tweede keer in zes maanden. Je moet wel een stommeling, ten einde raad, stapelgek of gewoon een echt kreng zijn. Misschien denkt Pedro nu wel dat hij haar beter had kunnen laten doodgaan, niet naar haar toe had moeten komen, niet de ambulance had moeten bellen, niet met een knagende angst in zijn maag de hele nacht had moeten opblijven, in afwachting van nieuws over het herstel van Ruth. Nee, dat denkt Pedro vast niet, hoezeer hij zich nu ook verbijt om niet uit te barsten en Ruth flink de waarheid te zeggen. In feite balanceert Pedro moeizaam en tegenstrijdig tussen geeuwen en kwaad worden, want Ruth irriteert hem en tegelijkertijd heeft hij genoeg van haar, genoeg van die zucht naar zelfdestructie die hij maar niet kan begrijpen, omdat ze tussen zijn vingers doorglipt als een stuk zeep, hoe moeilijker vast te houden hoe meer je je best doet haar te pakken.

'Waar is Julio?' vraagt Ruth.

Pedro kijkt ontwijkend en schichtig naar het plafond.

'Hoor je me niet?'

'Je denkt toch zeker niet dat mijn vriend zijn werk in de steek laat om bij jou verpleegster te gaan spelen?'

'Nee, uiteraard niet.'

'Dat is maar goed ook, want dat ontbrak er nog maar aan.'

'Goed, maak je je verhaal over het ziekenhuis nog af of niet?'

'O ja, over het ziekenhuis...' Pedro kalmeert, komt weer bij, wordt weer even beminnelijk als altijd, omdat hij toen hij naar Ruth keek (wasbleek, met verwarde haren en vlammende ogen) een warm en vertrouwd gevoel kreeg, een golf van tederheid die hem weer dichter bij zijn vriendin bracht. 'Dan eindelijk zeggen ze dat we naar je toe kunnen gaan en blijk je niet op een kamer te liggen maar op een gang, midden tussen een heleboel brancards, omdat er geen kamers meer vrij waren, zodat je zuster, want je weet hoe arrogant die is, het in haar hoofd haalt dat je onmiddellijk ergens anders naartoe gebracht moet worden, naar een behoorlijke kliniek, zei ze, en ik veronderstel dat ze de Ruber bedoelde of iets dergelijks, een kliniek met eenpersoonskamers en kleurentelevisie, of diezelfde kliniek waar ze je de eerste keer heen gebracht hebben, weet ik veel, in ieder geval begint ze om de verpleegster te schreeuwen. En wanneer de verpleegster komt, vertelt die dat er niets aan de hand is, dat je al buiten levensgevaar bent, dat het erop neer komt dat je moet slapen, waarop Judith verheugd zegt dat dat goed is, dat we je meenemen naar huis. Maar de verpleegster houdt vol dat je niet weg mag, dat je ter observatie moet blijven. En je vader, in alle rust alsof het hem niet aangaat, haalt zijn mobieltje uit zijn zak en verdwijnt in een gang. En jij bent bij dit alles in diepe slaap uiteraard, zonder iets te merken, en je zuster blijft bekvechten met de verpleegster, want je moet toegeven dat je zuster zo arrogant is als wat, en dat is ze, maar ze pakte de zaak wel resoluut aan. En zo ging het dus, jij in slaap, de verpleegster die volhield dat ze je niet konden ontslaan en je zuster, een en al pedanterie en zoetsappigheid, een en al lokken en goud, die de verpleegster niet liet gaan en hardnekkig, zonder stemverheffing, bleef volhouden dat je daar niet kon blijven, tot je vader plotseling weer verschijnt en ons meedeelt dat hij, toen wij die hele toestand hadden, ik weet niet welke vriend van hem had gesproken die blijkbaar een hoge piet in het ziekenhuis is of was in betere tijden, en dat ze weldra de adequate maatregelen gaan nemen, zo zei hij het letterlijk, dat ze weldra de adequate maatregelen gaan nemen en dat we ons verder geen zorgen hoefden te maken. Goed, we zaten daar nog een paar uur te wachten tussen een heleboel brancards, en jij maar slapen, en ten slotte moeten we naar de wachtkamer omdat er een dokter of een psychiater of iemand anders met je komt praten. Wij gaan daarnaartoe en eindelijk na tien minuten komen ze ons zeggen dat je inderdaad weg mag, onder voorwaarde dat wij een formulier tekenen waarop staat dat we de verantwoording op ons nemen. En we moesten natuurlijk zien hoe we je daar weg kregen, want je had nergens erg in. We hebben je dus wakker gemaakt. Je leek min of meer bij bewustzijn en rustig, maar je werkte niet bepaald mee; je was net een marionet, en met zijn drieën moesten we je daar in het bijzijn van iedereen de kleren aantrekken die Judith had meegenomen, alsof je een klein kind was. En jij werkte niet mee, dat zei ik je al, maar je liet het toe, niet dat je erg wakker was, maar je was ook niet bewusteloos. Je bent zelf naar buiten gelopen, steunend op ons, dat wel. Dat was alles, je vader heeft weet ik wat voor formulieren getekend en we zijn weggegaan. We stapten in de auto van je vader, hij reed, ik zat naast hem en Judith met jou achterin, en dan doe je dat pruimenmondje van je open en zegt zoiets als 'waar brengen jullie me naartoe?' en je zusje, aardig en lief als altijd, die antwoordt: 'naar huis' en jij die weer met een iel stemmetje reageert: 'naar welk huis?' en Judith die zoiets zegt van naar welk huis dat wel zou zijn, naar je eigen huis in Puerta de Hierro natuurlijk, en jij die met dezelfde zwakke stem antwoordt, dat je huis in Echegaray is en plotseling (verwacht geen betere verklaring van me, want ik zat per slot van rekening voorin en alles ging razendsnel), dus plotseling word je wakker, vraag me niet hoe, je krijgt je kracht en stem weer terug en je begint luidkeels te brullen dat je NAAR JOUW HUIUIUIUIUIS wilt en dat je in geen honderd jaar naar Puerta de Hierro teruggaat, en plotseling gooi je je op je rug en ik weet niet hoe het allemaal begon maar je zuster gaf je een ontiegelijke klap in je gezicht, zo hard gaf Glenn Ford die niet eens aan Rita Hayworth, echt waar, en toen raakte je helemaal overstuur en begon te schreeuwen, wat zeg ik schreeuwen, te krijsen, je leek wel een gewond, of liever een bezeten wild dier, en het was niet te verstaan wat je zei, als je al iets wilde zeggen, want hoogstwaarschijnlijk wilde je niets zeggen, je krijste alleen maar en ging hysterisch tekeer en schudde met je hoofd heen en weer.'

'Ik... kan het maar... niet geloven,' murmelt Ruth terwijl ze traag elke lettergreep uitspreekt, heel langzaam alsof ze ze proeft of nauwelijks de nodige kracht kan opbrengen om te praten. 'Ik herinner het me niet... Ik herinner me niets... Ik zweer het je... Ik zweer het je: je moet me geloven.'

'Ja, ja ik geloof je wel, want je was helemaal weg, je was duizelig. En bedenk wel dat dat allemaal in de auto gebeurde, midden op de Gran Vía in het spitsuur, dat ik dacht dat we eraan gingen, want je vader kon niet sturen met die toestand die jij achterin maakte en we konden ook niet stoppen omdat we juist midden in de verkeersstroom zaten. Ten slotte kon ik hen overreden terug te rijden naar je huis en dat ik me over je zou ontfermen. Maar je zuster wilde dat niet, en ik wel, en uiteindelijk keerde je vader zonder commentaar de auto en zei luidkeels tegen je dat we naar jouw huis gingen en of je alsjeblieft je mond wilde houden, dus dat deed je en je viel weer in slaap. En toen we hier aankwamen stond je zuster erop te blijven, maar ik drong aan dat ze naar huis ging, omdat dat arme mens niet had geslapen en aan het eind van haar Latijn was en dat haar kinderen, ook al hebben ze een kindermeisje en zo, haar zouden missen en haar nodig hadden, vind ik, en omdat het weer beter met je leek te gaan, je ademde normaal en er was weer kleur op je wangen gekomen, zei ik haar dat ik voor je zou zorgen en dat ik haar zou bellen zodra je wakker werd. Maar zij weigerde en wilde per se hier bij je blijven, maar ten slotte kon je vader haar overtuigen door het argument van de kinderen aan te voeren, en ben ik hier gebleven. En dat is alles.'

'Als je me had wakker gekust was het net het sprookje van de *Schone Slaapster* geweest.'

'Of van *The Matrix*.'

'Doet er niet toe. Hetzelfde verhaal in een andere versie... Mag ik wat water?'

'Er staat een glas en een kan op je nachtkastje. Wacht maar, beweeg je niet, ik pak het voor je. Blijf rustig liggen.'

'Ja.'

'Ga lekker achterover liggen.'

'Ik heb het koud.'

'Ik zal een deken voor je halen.'

'Hoe moet ik je bedanken...'

'Stel je niet aan. Even kijken... Ga iets omhoog. Ja, heel goed... Ga nu maar weer liggen dan zal ik je instoppen. En nu aan deze kant iets omhoog... En nu hier, zo krijg je het niet koud. En blijf vooral liggen, het ontbreekt er nog maar aan dat je nu kou vat. Als je iets wilt hebben, pak ik het voor je.'

'Maar ik voel me goed...'

'Voor alle zekerheid... Je hebt geen idee wat voor narigheid je veroorzaakt, echt niet. Als je de volgende keer weer zoiets stoms in je hoofd haalt moet je er in ieder geval wel even aan denken dat je een contract hebt getekend voor een film waaraan ik meewerk en dat je me een gemene rotstreek levert als je doodgaat. Ik doe een beroep op je verantwoordelijkheidsgevoel, want als ik dat op je hart doe, als ik je zou zeggen dat er mensen zijn die van je houden en die het erg zouden vinden je niet meer te zien, zou je niet eens naar me luisteren, om het zo maar eens te zeggen. Kortom, ik weet wel dat je half slaapt en dit niet het moment is voor een gesprek, maar omdat dit al de tweede keer is dit jaar, denk ik dat we eens ernstig moeten praten als je weer wakker bent. In het ziekenhuis sprak ik met je vader...'

'Mijn vader...?'

'Hij wil dat je naar een psychiater gaat. Hij kent blijkbaar een hele goede. En je weet wel dat ik gewoonlijk niet in gekkendokters geloof, maar ditmaal ben ik het met hem eens.'

'Ik heb slaap. Mijn ogen vallen weer dicht.'

'Nou, doe ze dan dicht en ga slapen, dat heb je nodig. Ik blijf hier bij je.'

'Bij me.' Ruth doet haar ogen dicht en zakt pijlsnel af naar dromenland, naar een solide oneindigheid van stilte, ondeelbaar, onoplosbaar, onbreekbaar.

Omlaag

Omlaag

Omlaag

Omlaag

De versie van Ruth

Omhoog

Omhoog

Omhoog

Omhoog

Ze doet haar ogen weer open, bijna onbewust, en het kost haar moeite, omdat ze nog zweeft in dat vage grensgebied tussen dromen en waken, om haar kamer te herkennen die nu half-duister is en schaars verlicht wordt door het nachtlampje. Hoeveel uren zijn er voorbijgegaan? Woorden blijven besluiteloos op haar lippen liggen. Ze durft Pedro die lijkt te slapen in de schommelstoel, die eerst in de zitkamer stond en nu naast haar bed, niet wakker te maken. Ze kijkt naar zijn gezicht en zijn grote, brede en halfopen mond. Uiteindelijk doet Pedro zijn ogen open omdat hij op de een of andere manier voelt, zoals altijd gebeurt in zo'n geval, dat er naar hem wordt gekeken.

'Je bent al wakker.'

'Ik ben al een tijdje wakker. Hoe laat is het?'

Pedro kijkt op zijn horloge.

'Drie minuten over tien om precies te zijn.'

'Had je niet naar huis moeten gaan?'

'Ik heb Julio gebeld dat ik niet kom. Maak je geen zorgen, ik blijf hier slapen.'

'Je bent toch niet van plan om in die schommelstoel te gaan slapen, ik ken je.'

'Nee, ik ga op de bank in de zitkamer slapen.'

'Dat is niet nodig, je hoeft echt niet te blijven slapen. Ik voel me goed.'

'Ik laat je niet alleen, dat wil ik echt niet. Hou daar maar over op. Ik blijf hier slapen, punt.'

Pedro rekt zich uit, komt moeizaam overeind uit de schommelstoel en loopt naar Ruth toe.

'Wacht eens... ja... zo, onder de deken.'

'Je behandelt me als een kind.'

'Natuurlijk, je verdient het niet om als een volwassene behandeld te worden. Je arme zus heeft wel zo'n vijfhonderd keer gebeld. Ze wilde komen, maar dat heb ik haar uit haar hoofd gepraat. Je moet me echter wel beloven dat je naar haar toe gaat als je je goed voelt.'

'Ik voel me al goed.'

'Oké, dan ga je morgen naar haar toe.'

'Dan ga ik me wel slechter voelen.'

'Luister Ruth, ik vind niet dat je dat moet zeggen. Je zus en jij zijn heel verschillend, dat ontken ik niet, maar dat arme kind heeft zich als een engel gedragen. En ze verdient het niet dat je haar zo laat schrikken. Verdomme, zelfs ik begrijp niet waarom ze zich nog ongerust over je maken. Ik zou in hun geval niet eens meer met je praten. Wil je er een eind aan maken? Oké, doe dat dan. Heb je van de eerste keer niets geleerd? Denk je er niet bij na dat het ons allemaal wat doet? Dat wij het onderwerp niet bespreken om geen zout in de wonde te strooien is een ding, maar dat we er niet kapot van zouden zijn is wat anders.'

'Ik heb nu geen zin om daarover te praten, maar je weet dondersgoed dat mijn zus en ik elkaar amper zien, dus ik geloof niet dat ik haar rekenschap verschuldigd ben van wat ik doe.'

'Het is je zus, ze heeft jarenlang bij je gewoond en ze geeft om je.'

'Oké. Ik heb je al gezegd dat ik het daar nu niet over wil hebben.'

'Besef je dan niet, Ruth, wat je ons hebt aangedaan? Begrijp me goed, ik weet wel degelijk dat je het niet voor de lol doet en dat jij er zelf het meest mee zit, maar misschien, als je eens zou leren verder te kijken dan je neus lang is, zou je begrijpen dat er mensen zijn die zich zorgen om je maken. Je bent verkeerd bezig, weet je? Jouw houding wijst op een totale afwijzing van anderen en een absolute minachting voor wat wij doen.'

'Ik twijfel er niet aan dat jij om mij geeft, dat zelfs mijn zus om mij geeft, en als ik mijn best doe dat mijn vader om mij geeft, maar jullie zijn niet verantwoordelijk voor mijn leven. Jullie levens kunnen doorgaan zonder het mijne. Ik vertel mijn zus ook niet wat zij met haar man moet doen, of mijn vader hoe hij zijn spaargeld moet beleggen, of jou hoe jij je relatie met Julio moet verdiepen. Ik heb er bij mijn zelfmoordpoging niet bij nagedacht dat ik jullie verdriet zou doen, ik weet niet eens of het wel een zelfmoordpoging was, ik weet niet eens wat ik heb gedaan, of dat ík het heb gedaan, of dat ik in de war was, of wat er is gebeurd.'

'Hoezo was je in de war?'

'Ik weet het niet, ik hoorde een stem...'

'Dat is niet in de war, maar schizofreen zijn.'

'Dat kan best, maar om mij te begrijpen zul je mijn verhaal vanaf het begin moeten aanhoren...'

'Ik heb alle tijd van de wereld en ik heb trouwens de hele dag hier naast jou liggen slapen. Dus ik ben klaarwakker. Je kunt me vertellen wat je wilt.'

'Goed, je weet dat ik soms stemmen hoor. Dat is je bekend. Net zoals toen ik de gouden ketting van mijn moeder kwijt was, herinner je je dat nog?'

'Dat kon toeval zijn of je eigen onderbewustzijn.'

'Het was geen toeval. Wij hadden ons suf gezocht in het hele huis, jij en ik. Zelfs in de stofzuigerzak en de vuilnisbak, weet je nog, en toen we hem als verloren beschouwden, hoorde ik een stem die zei: 'onder je bed', en daar lag onder mijn bed in een cirkel de gouden ketting, terwijl jij en ik wel duizend keer onder het bed hadden gekeken, weet je nog, dat kon geen toeval zijn.'

'Oké, laten we ervan uitgaan dat het geen toeval was, wat heeft dat verhaal dan te maken met jouw overdosis pillen?'

'Dat heeft er niets mee te maken: ik heb het over de stemmen. Het begon allemaal ongeveer een week geleden. Het zal twee of drie uur 's nachts zijn geweest en ik lag hier in huis in ditzelfde bed te lezen. Ik las een boek van Sylvia Plath. Heb jij een gedicht gelezen dat "Iep" heet?'

'Ik heb Sylvia Plath niet gelezen. Trekt me niet.'

'Ik ken het niet uit mijn hoofd, maar de iep is haar net komen vertellen dat zijn wortels diep wegzakken in de hel. *Ik weet wat diepte is*, zegt de boom, of zoiets dergelijks. En zij antwoordt: *Daar ben ik niet bang voor. Daar ben ik al eens geweest*. En opeens hoorde ik een stem, een heel duidelijke stem, die in het Engels tegen me zei *why don't you*? (ik las het boek natuurlijk in het Engels). Ik schrok me dood.'

'Dat was een hallucinatie, Ruth.'

'Dat kan zijn, daar ga ik niet over discussiëren. Dat is alleen nog maar het begin van het verhaal. Het echte verhaal begint op de avond voor ik het doosje pillen innam.'

'Trouwens, waar had je die verdomme vandaan? Ik dacht dat niemand je meer pillen voorschreef na de vorige keer.'

'Je zult ervan versteld staan hoe gemakkelijk het is om eraan te komen. Ik ben van apotheek naar apotheek gegaan tot ze ergens mijn verhaal dat ik het recept was vergeten geloofden en ik ze zonder recept kreeg.'

'Ik begrijp het... Maar nu verder met je verhaal. Een week geleden hoorde je een stem... En daarom probeer je je van kant te maken? Jezus, Ruth, dit is nu al de tweede keer. Eerst die toestand op Valentijnsdag, ziekenhuis, coma, we dachten echt dat je er was geweest. Je bezorgde ons de schrik van ons leven. En nu dit. Dat is al de tweede keer, verdomme. DE TWEEDE KEER!'

'Dit is niet de tweede keer. Ik heb niet geprobeerd me van het leven te beroven. Het was geen zelfmoordpoging. Deze keer wilde ik alleen maar slapen, verdwijnen, ik weet niet, maar ik dacht er niet aan me van kant te maken; om je eerlijk de waarheid te zeggen geloof ik dat ik helemaal niets dacht. Ik wilde er geen eind aan maken.'

'Nou, het scheelde anders niet veel, meisje.'

'Als ik verder mag gaan, zal ik het je uitleggen.'

'Toe maar.'

'Nou, de avond voor de ochtend van al die ellende, de ochtend dat ik al die pillen slikte bedoel ik, waren Juan en ik uit geweest...'

'Ik wist wel dat die naam zou opduiken... Ik dacht dat je het definitief had uitgemaakt met die onbenul. Jeetje, Ruth, je bent ook niet te vertrouwen.'

'Luister, we hadden in een café afgesproken zodat hij zijn spullen kon meenemen, daarna hebben we een tijdje zitten praten en ging hij met mij mee naar de première van de film van Santesmases, *De bron*... Ik weet niet hoe die heette. Iets met een bron in ieder geval. Een beetje onbegrijpelijke film, maar dat heeft er niets mee te maken. Daarna gingen we naar het bekende premièrefeestje en kwamen we Juanito tegen.'

'Welke Juanito?'

'Je weet wel, Juanito; Juanito Zonder Vrees, de acteur.'

'O die.'

'En ik had gedronken, je weet dat ik tenslotte altijd drink als ik naar dat soort feestjes ga, en ja, ik weet wat je gaat zeggen, dat ik niet had moeten drinken, maar zodra ik ergens binnenkom waar het stampvol is word ik waanzinnig bang, krijg ik ruimtevrees of hoe je dat noemt en als ik niet drink gaan mijn handen heel erg trillen.'

'Ik heb je al gezegd dat je niet meer naar premières moet gaan.'

'Ja, maar ik was het niet van plan. Juan wilde zo graag. Je weet dat hij het geweldig vindt tussen bekende mensen te verkeren.'

'Je bent nou eenmaal een verhouding begonnen met de ergste streber die er in de hofstad rondloopt.'

'Ik heb geen verhouding met hem.'

'In ieder geval besef je nog wel wat voor figuur hij is.'

'Ja, ik weet hoe hij is, ik weet dat hij graag naar dat soort gelegenheden gaat en daarom heb ik hem meegenomen, dat heb ik altijd gedaan... Toen ik dus drie glaasjes ophad kwam Juanito eraan, die allerliefst was, en begonnen we bij wijze van grap wat te flirten, eigenlijk deed ik dat alleen maar om Juan jaloers te maken.'

'Maar, hoe kon je hem jaloers maken met Juanito, een superhomo?'

'Ja, dat weet ík, maar Juan niet. En Juanito is een knappe man en hij heeft geen vriend, dus leek hij me er perfect voor.'

'Nou, ik begrijp niet waar die rare spelletjes goed voor zijn.'

'Luister, ik ook niet, maar als ik drink ben ik niet de rationele Ruth, maar de overmoedige Ruth, en ik ben ziek van jaloezie geweest vanwege de vriendin die hij in Bilbao heeft en nu, hoe zal ik het zeggen, wilde ik het hem graag betaald zetten, zodat hij zou beseffen dat ik wel zonder hem kon, dat ik een nieuw leven kon beginnen...'

'Ik betwijfel heel erg of jij of welke vrouw dan ook dat met Juanito Zonder Vrees kan.'

'Nou, na een tijdje was ik heel erg klef aan het doen met Juanito en ik hoef je niet te vertellen dat hij het spelletje graag meespeelde. Ik besefte dat de ogen van Juan uit zijn kassen vielen en waarschijnlijk ging ik te ver. In ieder geval bracht hij me toch naar huis en midden in de hal begon hij me enorm, gigantisch op mijn donder te geven, en hij vroeg of ik wilde neuken met Juanito, waarop ik zoals je zult begrijpen antwoordde met welk recht hij mij dat vroeg, en opeens gaf hij me een duw waardoor ik op de grond viel en hij wegrende, inderdaad hij rende met enorme grote stappen weg en ik probeerde achter hem aan te gaan, maar tevergeefs, en toen zag ik dat hij een taxi nam en wist ik dat hij naar het studentenhuis ging...'

'De rest weet ik.'

'Hoe weet je dat?'

'Dat weet ik omdat jouw lieve vriend de brutaliteit had om op het colloquium te verschijnen en aan eenieder die het maar wilde horen vertelde hoe jij de avond daarvoor naar het studentenhuis was gekomen om luidkeels de boel op stelten te zetten.'

'Dat klopt. Ik was hem gevolgd en begon onder zijn raam te schreeuwen dat hij naar beneden moest komen. Maar hij kwam niet, terwijl de lichten in alle kamers aangingen. Ik moet de halve wereld wakker gemaakt hebben en ten slotte kwam er een bewaker naar buiten die me eruit gooide en ging ik naar huis.'

'Hij is een klootzak. Waarom moet hij zo'n privé-verhaal rondbazuinen. Bovendien droop de trots als zweet van die rotzak af. Hij vond het prachtig om overal te verkondigen dat Ruth Swanson in hoogsteigen persoon was gevallen voor hem, een vent van niks. Wat ik je zeg, een etterbak en een waardeloze streber. En waag het niet het hem te vergeven, want ik ken je.'

'Dat was ik niet van plan. Nou goed, ik kwam stomdronken thuis en op dat moment ging de telefoon. Hij was het en schold me uit voor alles wat mooi en lelijk was. Dat ik een hysterische gek was en een exhibitioniste, dat ik met mijn leven hetzelfde deed als met mijn films, dat ik een verbitterde oude vrijster was, dat ik waardeloos was, als artieste en als mens...'

'En waarom hing je niet op?'

'Dat kon ik niet. Want ik geloofde alles wat hij zei. Soms geloof ik dat echt. Dat ik nergens voor deug, niet als mens en evenmin als artieste. En het was alsof de stem van mijn geweten sprak, van mijn kwade geweten, van mijn zwartste geweten, dat het minst van mij houdt, de duisterste kant van mijzelf, en ik liet hem maar praten en zei niets. En het gekke is dat hij niet ophield, ik weet niet waar hij het allemaal vandaan haalde, het was een woordenvloed; de woorden stroomden naar buiten, ze buitelden over elkaar heen en zo ging hij bijna een half uur door en het ergste was niet wat hij zei maar de toon, de agressieve toon waarop hij sprak was nog dreigender dan zijn woorden, en opeens was het mij volkomen duidelijk dat mijn leven geen enkele zin had, je weet niet hoe pijn alles mij deed, mijn hart, mijn hoofd, mijn oren; ik voelde mijn slapen kloppen, het deed me pijn te denken, te weten dat hij gelijk had, en toen hoorde ik opnieuw heel duidelijk dezelfde stem die in het Engels tegen me sprak en heel zachtjes zei, dat het 't beste was om te gaan slapen, slapen en zelfs verdwijnen, en ik wist waar de pillen lagen, in het laatje van mijn nachtkastje, en opeens herkende ik de stem, ik weet niet hoe ik wist dat zij het was, ik weet niet of ik de klank van die stem ergens in een diep verborgen plekje van mijn onderbewustheid had opgeslagen, maar ik wist dat het haar stem was, dat het haar stem was...'

'Wier stem?'

'De stem van mijn moeder.'

Omlaag

Omlaag

Omlaag

Omlaag

2

Aan de vooravond van niets

In het leven zijn veel liefdes, maar slechts één grote passie

Uit een cognacreclame

Vierentwintigjarige auteur winnaar Adonais Poëzieprijs

110 jonge dichters dongen mee

EFE

Juan Ángel de Seoane, een van oorsprong Galicisch auteur uit Baskenland heeft vandaag de vijftiende editie van de Adonais Poëzieprijs gewonnen met zijn eerste dichtbundel, getiteld *Poëtische rechtvaardigheid*, een werk dat 'diep van binnenuit in een eenvoudige en gevoelige taal' is geschreven, aldus Luis Mateo, de voorzitter van de jury, na het bekendmaken van de uitslag die plaatsvond in het Casa de América in Madrid.

De winnaar was duidelijk verguld met deze prijs die andere jaren werd toegekend aan bekende schrijvers als Claudio Rodríguez, Ricardo Molina, José Hierro en José Ángel Valente. Het feit dat hij de prijs heeft gekregen voor zijn eerste dichtbundel – de auteur werkt momenteel aan een roman – betekent 'de grootste waardering die ik kon krijgen, een stimulans om door te gaan met schrijven en een bevestiging van mijn grote liefde voor de literatuur'.

IMPLICIET EERBETOON

De winnende dichtbundel staat vol 'impliciet eerbetoon' aan schrijvers die de auteur hebben beïnvloed en vol 'literaire verwijzingen' die ze de jonge dichter, die rechten heeft gestudeerd aan de Deusto Universiteit van Bilbao, hebben aangereikt. De auteur verklaart dat in zijn leven 'de literatuur altijd boven alles zal staan' en heeft de dichtbundel opgedragen aan zijn vriendin Biotza.

Een kaassandwich

Voor we gaan vertellen hoe Ruth en Juan elkaar hebben leren kennen en hoe hun liefdesgeschiedenis vol leugens is verlopen, zullen we onze personages eerst moeten voorstellen, die ook al waren ze eens reële personen, literaire figuren zijn geworden zodra de lezer ze niet uit de eerste hand kent maar via een weg van woorden hun levens moet benaderen. Eigenlijk gaat dit boek meer over Ruth dan over Juan, maar omdat Ruth bijna een jaar lang haar leven alleen maar zinvol vond zolang het verbonden was met dat van Juan, rest ons niets anders dan de lezer de twee personages voor te stellen.

We zouden bijvoorbeeld kunnen beginnen met zoiets als:

> Juan zou niet hebben misstaan in een boek van Dostojevski, omdat het niet ongewoon was hem door de tuin van het studentenhuis, waar hij woonde, te zien lopen met een even lang gezicht als zijn jas, en een even zwarte jas als zijn geest. We zouden ook van hem kunnen vertellen dat hij op zijn rechterschouder een aardbeivormige vlek had en dat hij gelijktijdig op twee gebieden wilde uitblinken: literatuur en orale seks.

En dan zouden we er dit andere personage tegenover moeten stellen:

> Ook Ruth was een negentiende-eeuwse verschijning, maar leek eerder weggelopen uit een roman van Leopoldo Alas 'Clarín' dan van Dostojevski. Ze bezat ronde vormen, enigszins uit de tijd, waar genoemd auteur dol op zou zijn geweest, weelderig en dik haar dat niet onderdeed voor de haardos van Ana Ozores de Quintanar (dat van Ruth was ook kastanjebruin, maar iets lichter en roodachtig), vurige ogen, door hun kracht Madame Bovary waardig (niet zo donker als die van haar, maar groen) en met een angstige blik door de kringen onder haar ogen, die van Anna Karenina zou kunnen zijn.

De literaire scheppers van Anna en Emma besloten weliswaar hun een donker uiterlijk te geven omdat in die tijd donkere ogen en haren geassocieerd werden met sensualiteit, maar als Ruth had gewild zou ze, hoe licht haar ogen en haardos ook waren, kunnen bogen op het tijdloze karakter van haar schoonheid door haar enigszins ouderwets aandoende gelaatstrekken. Veel mensen noemden haar als ze het over haar hadden, een 'prerafaëlitische schoonheid' en inderdaad leek ze met haar goudkoperkleurige lokken, rechte neus, zeer blanke huid en volle lippen zojuist uit een schilderij van Dante Gabriel Rossetti te zijn gestapt.

Kortom, we zouden een heleboel literaire overeenkomsten kunnen geven en daarmee ettelijke pagina's vullen die respect zouden afdwingen bij bepaalde critici, maar we kunnen beter de kronkelpaadjes op de heuvels van Úbeda verlaten en vertellen hoe Ruth en Juan elkaar hebben ontmoet.

Het was een krant die hen bij elkaar bracht, of liever gezegd het was de hoofdredacteur van een wekelijkse krantenbijlage die op het lumineuze idee kwam om een reportage te maken over 'De jonge garde', een reeks portretten van jonge kunstenaars, op elk gebied, die in dat jaar op opzienbarende wijze hun entree hadden gemaakt in de kunstwereld.

Omdat de biografieën, werken en wonderen van de andere gegadigden op de lijst tijd en ruimte zouden kosten en niets zouden bijdragen aan dit verhaal, zullen we ons concentreren op de reden waarom Ruth en Juan waren uitgekozen om deel uit te maken van bovengenoemd overzicht. Juan had de Adonais Poëzieprijs gewonnen met zijn dichtbundel *Poëtische rechtvaardigheid* die unaniem door de critici werd geprezen en waarmee hij zijn naam vestigde als 'een van de meest veelbelovende jonge Spaanse dichters, wiens werk met vermeldenswaardige kracht en vormbeheersing op zoek is naar het volkomen transcendente' volgens de criticus in *El Cultural*. Ruth had haar eerste korte film gemaakt, *Show Room*, die de Publieksprijs had gekregen op de festivals van Huelva en Alfas del Pi, en de Prijs voor de Beste Korte Film op het festival van Sitges en die niet alleen genomineerd werd voor talrijke internationale festivals maar ook was aangekocht door Canal+ Spanje en Frankrijk en door de Duitse ARD. Een jaar later had ze de film *Fea* gemaakt, een lowbudget film die een van de grootste kassuccessen werd maar ook een van de meest omstreden Spaanse films. De kritiek had in het algemeen het werk van Ruth afgekraakt en men vond het vulgair, exhibitionistisch en pretentieus en bovendien 'schaamteloos commercieel prutswerk slecht verpakt in strijdlustig en ijdel feminisme', volgens de criticus in *El País*. Ruth was een van de meest controversiële figuren in de Spaanse culturele wereld geworden, want in plaats van dat ze zich zoals iedereen stilhield en de storm van de kritiek over zich heen liet gaan, min of meer onder de beschermende paraplu van onverschilligheid, was ze in elk interview, of het nu in de schrijvende pers, voor de radio of de televisie was, niet alleen tegen de critici maar ook tegen de Academia flink tekeergegaan. Ze had een soort debat ontketend tussen haar tegenstanders (die we wel erg generaliserend en op het gevaar af ultrasimplistisch over te komen zouden kunnen omschrijven als: man, ouder dan veertig, in zijn jeugd fervent pleitbezorger van vooruitstrevendheid en liefhebber van recepties met toastjes, gratis drankjes op premières en corduroy jasjes) en haar aanhangers (vrouw, jonger dan veertig, uiterst modern en erg feministisch hoewel ze waarschijnlijk nog nooit een serieuze verhandeling over feminisme heeft gelezen).

Wanneer we teruggaan naar de fotoreportage die beide personages met elkaar in contact bracht, zullen we er nog bij moeten vertellen hoe de botsing van zulke hemelse sterren tot stand kwam. En daar moeten we de met de productie belaste secretaresse dankbaar voor zijn, die zich vergiste in het tijdstip van de afspraken en die zonder het te beseffen zowel Ruth als Juan om zeven uur 's avonds naar de studio van Alejandro Castellote liet komen. Die dag had de secretaresse ruzie gehad met haar vriend en was emotioneel zo gespannen dat ze niet in de gaten had dat ze met Ruth eigenlijk om half zes had moeten afspreken en met Juan om zeven uur. De vergissing werd pas ontdekt om kwart over zes, toen Alejandro Castellote, die nog steeds alleen in zijn kantoor zat, begon te vermoeden dat er iets fout zat en de secretaresse riep die, terwijl ze snotterend door al dat gejank met een Kleenex haar neus snoot, de gemaakte afspraken controleerde, vergeleek met de productieplanning en onmiddellijk weer begon te huilen (nu niet om haar vriend die heibel maakte, maar om haar blunder). In tranen probeerde de secretaresse Ruth Swanson te pakken te krijgen, maar niemand nam bij haar thuis de telefoon op (Ruth had geen antwoordapparaat, de reden daarvan wordt later uitgelegd) en ze hadden het nummer van haar mobieltje niet (ze had ook geen mobiel; wordt ook nog uitgelegd), zodat Ruth niet alleen niet op de afgesproken tijd kwam maar veel later dan op de niet afgesproken tijd. Ze verscheen om tien over zeven in de studio van Castellote en botste vlak bij de deur tegen Juan op.

En als de productiesecretaresse zich niet had vergist, als Ruth op tijd was gekomen en niet later, zou Ruth niet tegen Juan zijn opgebotst bij de deur van de studio en zou dit verhaal niet zijn geschreven. Dan was er een ander verhaal geschreven, dat wel, omdat 'waar iemand ook gaat hij zijn roman bij zich draagt'. Maar dít verhaal niet.

Toen Juan de Seoane, zoals gezegd, Ruth Swanson bij de deur van de studio van Alejandro Castellote trof, was hij onder de indruk van de schoonheid van de regisseuse. Hij had weliswaar foto's van haar gezien, maar daar nooit zo op gelet en ook niet kunnen vermoeden dat ze in het echt zoveel mooier was.

Ze was heel knap en waarschijnlijk wist ze dat zelf ook. Ondanks haar verschrikte meisjesgezicht leek haar zelfvertrouwen als een magnetisch veld om haar heen te hangen. Toen ze hem aansprak ging ze zelfverzekerd, bijna uitdagend, voor hem staan, wat niet strookte met die enigszins fragiele uitstraling van sommige lange mensen (zij was een meter vijfenzeventig), alsof ze duizelig werd van haar eigen lengte. In eerste instantie wekte zij een krachtige indruk, maar daaronder was die broosheid voelbaar, misschien door haar lieve, groengelige kattenogen, die hun kleurschakering leken te krijgen door de roodachtige lokken van haar lange, dikke haar: die betoverende ogen straalden onder een bos wimpers en keken je schuins aan, zoals verlegen meisjes doen. In zekere zin verraadde de uitdrukking in haar ogen het meisje dat Ruth vroeger was, maar ook het meisje dat ze onvermijdelijk altijd zou blijven. Ruth was geen elegante verschijning, integendeel, ze was mollig, met volle en ronde borsten, een slanke taille en brede heupen, een type dat tegenwoordig niet in is en door jaloerse vrouwen en redacteuren van vrouwenbladen met de nek wordt aangekeken maar bij sommige mannen erg in de smaak valt. Haar zwierige gebaren (ze gesticuleerde veel bij het praten) leken te passen bij de rondingen van haar lichaam en haar zachte gelaatstrekken: een ovaalrond gezicht, volle rode lippen en halvemaanvormige wenkbrauwen. Ondanks haar drieëndertig jaar vertoonde haar gezicht geen enkele rimpel en haar huid, met de kleur van versgebakken brood (met enkele sproeten op het puntje van haar neus), had nog steeds die frisheid en onschuld die in de adolescentie hun glans verliezen. Door de lichtval en zijn eigen fantasie zag Juan Ruth op dat moment als een roodharige met groene ogen: onder de indruk van haar opzienbarende haardos vond hij haar ook wat exotisch hebben. Maar zoals hij later zou ontdekken leefde Ruth in veel opzichten van andermans blikken: zij bestond zolang ernaar haar werd gekeken. En dit was niet alleen een mentale, maar ook een fysieke karaktertrek, want Ruth was net een kameleon. Die dag had Juan een roodharige met groene ogen gezien, maar andere keren zou hij een blondine met amberkleurige ogen zien. De kleur van Ruths ogen en haren wisselde naargelang het licht of het tijdstip, of de herinnering of interpretatie van degene die het over haar had. Sommigen beschreven haar als een blondine, anderen als een brunette en weer anderen als een roodharige. Sommigen vonden haar slank en anderen niet. Voor de één had ze een erg blanke, voor de ander meer een gebruinde huid. Er leek niet één Ruth te zijn maar heel veel verschillende Ruths.

Er was echter maar één Juan, mager als een lat maar wel gespierd, en al zijn kennissen gaven min of meer dezelfde beschrijving van hem: slank, donker, doordringende ogen, vrij knap. Hij had een scherp gesneden gezicht, als een azteekse god, harmonieuze trekken met een fiere, scherpe neus. Op zijn bleke, ernstige gezicht lag een waakzame uitdrukking die alles met onverzadigbare nieuwsgierigheid leek op te nemen. Zijn manier van lopen, zijn soepele tred, zijn blijkbaar zo getrainde lichaam, straalden kracht uit. Zijn diepzwarte ogen keken recht vooruit en leken strak gevestigd op de wereld, alsof niets ze ontging. Ze waren inderdaad sprekend, stralend en beschaduwd door een donkere waaier van wimpers; ogen van Christus tijdens de paasprocessie, ogen van Witte Donderdag. Minuscule rimpeltjes accentueerden de ooghoeken alsof hun bezitter misschien intensiever geleefd of meer gezien had dan normaal was voor zijn leeftijd. Daarom leek hij ouder, hoewel hij acht jaar jonger was dan Ruth. En ook omdat Ruth er jonger uitzag. Haar eenvoudige manier van kleden versterkte die indruk: jeans, laarzen en een T-shirt met een margrietopdruk op de borst. Ze maakte zich niet op en zag eruit alsof ze zo onder de douche vandaan met nog natte haren de deur achter zich had dichtgetrokken (wat inderdaad waar was).

Hij bleef stokstijf bij de deur staan en keek haar met grote schrikogen aan, met de strakke en verontruste uitdrukking die hij kreeg wanneer hij zich nerveus en opgelaten voelde. Het was even onbehaaglijk stil totdat Ruth besloot wat te zeggen.

'Hallo, ik ben op weg naar de fotostudio.'

Ruth had een lage stem, hees en donker, als het geruis van de zee, met mooie intonaties. Een lokkende, strelende stem.

'Ik ook.'

Hij had een diepe aangename stem, een beige stem die met een vreemde vrouwelijke buiging de s'en langzaam uitsprak. Een mooie stem, tot Ruths grote verbazing. Ze had een scherper timbre verwacht. Die stem verkleinde de afstand tot de jongen en ze vond die man ineens warm en vertrouwd. Alsof Ruth in plaats van een volstrekt onbekende, Juan weer tegenkwam met wie zij vroeger lange tijd bevriend was geweest.

'Kom je voor de foto's van *El Mundo*?'

'Ja...'

'Ben jij de fotograaf?'

'Nee, kom nou. Ik moet zelf op de foto.'

'Ik ook, wat toevallig. Ik ben Ruth. Ruth Swanson.'

'Juan Ángel de Seoane.'

Ze stak haar hand uit om de twee beleefdheidszoenen, die ze verafschuwde, niet te hoeven geven. Hij gaf haar een zweterige, bleke hand. Die voelde koud en week aan en bleef maar even, krachteloos, in die van haar liggen. Geïrriteerd door het gebaar en zijn duidelijke nervositeit schudde ze hem stevig en heftig de hand. Ze kon er niet tegen dat een man in haar bijzijn zenuwachtig werd omdat het een latere toenadering in de weg stond, maar ook omdat het sommige mannen een minderwaardigheidsgevoel gaf dat vaak leidde tot verbittering en absurde wraakacties van de gepikeerde personen. Mannen verachten in het openbaar waar ze privé bang voor zijn. Vervolgens belde Ruth aan. De fotograaf deed onmiddellijk open en legde het probleem uit: de vergissing van de secretaresse, de gelijktijdige afspraken.

De fotograaf wist niet hoe hij het moest rechtbreien en al vlug ontspon zich een beleefde discussie tussen Ruth en Juan: wie ging er eerst op de foto? Wie ging geduldig een uur op de ander wachten? Wie had dringender afspraken? Niemand, want beiden hadden de rest van de avond vrij en beiden wilden niet als eerste: Juan niet, omdat hij zich een heer voelde en dus hij, en niet de jongedame, zich moest schikken; en Ruth niet, omdat ze zich feministe voelde en nooit zou toestaan dat een man haar daarom zou laten voorgaan. De fotograaf werd al die onzin zat en stelde voor om te loten, maar Ruth – die uiteindelijk als goed filmregisseuse ook een soort fotografe was – kwam met het gelukkige idee: waarom niet samen op de foto? Als er eerst een foto van hen samen werd gemaakt, zou het daarna allemaal van een leien dakje gaan, omdat de belichting dan al was ingesteld. Castellote maakte bezwaar: hij vond dat je voor een portret alleen met de persoon in kwestie moest zijn om hem er zo goed mogelijk op te krijgen.

'Ik haat het om gefotografeerd te worden,' verzekerde Ruth hem, 'en ik zweer je in tegenstelling tot wat jij denkt, dat hoe langer je met me bezig bent hoe slechter ik er op kom te staan, want ik word steeds nerveuzer en na tien minuten is er niets meer over van mijn spontaniteit die je in het begin wel kunt vastleggen. Geloof nou maar wat ik je zeg, Alejandro, dit jaar heb ik zonder overdrijven wel twintig keer moeten poseren.'

'Ik ben het met haar eens,' zei Juan. 'Niet dat ik veel fotosessies heb gehad, maar ik heb ook een hekel aan poseren. Dus laten we maar vlug beginnen. Bovendien denk ik dat het me beter afgaat als ik eerst samen met haar poseer. Ik weet niet... ik heb het idee dat ik er minder moeite mee heb met iemand erbij. Ik voel me altijd een beetje belachelijk als ik moet poseren.'

Misschien was het voor een deel waar wat hij zei, maar het was ook zo (en dat werd niet gezegd) dat geen van beiden wilde toegeven dat ze elkaar op het eerste gezicht mochten, en de kans die ze op een presenteerblaadje kregen aangeboden wilden aangrijpen om elkaar beter te leren kennen.

Zoals gezegd hadden ze alle twee de avond vrij maar de fotograaf niet. Om half negen had hij een afspraak met een jong model waar hij veel van verwachtte (niet zozeer op professioneel gebied) en hij was slim genoeg om meteen te begrijpen waarom die twee zo'n belachelijke oplossing van het probleem wilden doordrukken, maar hij wist heel goed dat, als hij er niet op inging, hij de hele tijd verwijten en suggesties van beiden te horen zou krijgen. Dus zei hij bij zichzelf dat hij maar beter kon toegeven, dat de krant hem ten slotte ook niet zoveel betaalde en dat de fout niet bij hem lag. En hij maakte inderdaad enkele schitterende foto's, aan de ene kant omdat hij een goed fotograaf was en aan de andere kant omdat de gezichten van de schrijver en de filmregisseuse zich vanwege de wederzijdse betovering ontspanden en ze beiden op de foto's stonden met een glimlach die een steegje midden in de nacht zou kunnen verlichten. En afgezien daarvan had hij nauwelijks een uur nodig gehad voor de gezamenlijke foto en de twee individuele foto's. Een succes, nietwaar?

De twee verlieten samen de studio. De dag liep al ten einde onder de pas ontstoken straatverlichting. Zij stelde voor koffie te gaan drinken en hij ging daar opgewekt mee akkoord, alsof hij zijn pleziertjes opofferde aan een gril van een koningin. Café Comercial lag vlak bij de studio van Alejandro Castellote, dus besloten ze daarnaartoe te gaan. Terwijl ze op straat liepen zag Juan een heleboel voorbijgangers naar Ruth kijken. Hij zou niet kunnen zeggen of al die blikken het gevolg waren van haar schoonheid of van het feit dat ze bekend was. Toen ze in het café aan een tafeltje waren gaan zitten (een rond marmeren tafeltje bij het raam) merkte hij dat Ruths aantrekkingskracht nog groter was geworden. Veel van de aanwezigen zaten naar haar te kijken, sommigen konden hun nieuwsgierigheid beter bedwingen dan anderen. Er waren bijvoorbeeld een paar leuke meisjes die helemaal weg van haar leken te zijn. Toen Ruth tussen de tafeltjes door liep zag een van de meisjes haar, stootte onmiddellijk de ander met haar elleboog aan en knikte met haar hoofd naar Ruth. Toen de ander begreep wat ze bedoelde vielen haar ogen bijna uit hun kassen en ze bleef met open mond kijken, met stomheid geslagen, alsof de Maagd Maria haar zojuist midden in dat lokaal was verschenen. Maar Ruth leek niets te merken van de opwinding die haar verschijning veroorzaakte. Of ze is erg verstrooid of ze vindt al die aandacht niet meer dan normaal, dacht Juan, en hij was er plotseling trots op in haar gezelschap gezien te worden, alsof hij daardoor wat van de populariteit van Ruth mee zou krijgen. Juan balanceerde tussen afgunst en bewondering. Met de zo beroemde Ruth naast zich roerde zich binnen in hem iets wat protesteerde tegen de onrechtvaardigheid van zijn eigen anonimiteit, maar aan de andere kant was hij haar dankbaar om gezien en bewonderd te worden, om op te vallen, want hij merkte dat de mensen die naar Ruth keken ook hem bewonderden enkel en alleen omdat hij met haar was.

Toen de ober kwam bestelde Ruth een koffie met melk en hij een gin-tonic. De ober, een jonge knul met lange bakkebaarden, stond Ruth net zo vreemd aan te kijken als het stel meisjes. Juan dronk bijna nooit zo vroeg op de dag, maar hij wilde met een drankje op dit uur, wat volgens hem werelds en stoer was, indruk op haar maken, en ook dacht hij dat alcohol hem zou helpen om zijn zenuwen de baas te worden. Ruth zat met een haarlok te spelen, rolde die op en af met een van haar lange vingers en leek net zo nerveus als hij. Juan was gefascineerd door de manier waarop die prachtige vinger de niet minder prachtige lok oprolde en hardnekkig weer naar achteren terugduwde, en dat alles om de weerbarstige lok weer op haar sproetenneus te laten vallen. Hij vond het kinderlijke in dat gebaar heel leuk, omdat het niet paste bij haar ogenschijnlijke zelfverzekerdheid en hij kon nauwelijks het verlangen, bijna de drang, onderdrukken om zijn hand uit te steken en die fascinerende lok even te beroeren. Maar hij dacht er niet aan haar haren aan te raken. Bij zulke vrouwen, dacht hij, kun je je maar beter op de vlakte houden of tenminste doen alsof. Ten slotte bekende zij dat ze geen idee had wie hij was.

'Sorry hoor,' verontschuldigde ze zich, 'maar weet je, de laatste tijd leef ik tamelijk teruggetrokken. Ik ben bezig met een scenario en weet nauwelijks wat er om me heen gebeurt.'

'Dat geeft niet,' stelde hij haar gerust. 'Hoe dan ook, bijna niemand kent me. De Adonais-prijs is voor een heel beperkte groep bedoeld.' Er klonk een trotse ondertoon in zijn stem alsof hij haar populariteit probeerde af te zetten tegen die zogenaamde sublieme genoegens die aan een kleine groep zijn voorbehouden. 'Bovendien heb ik jouw film ook niet gezien.'

'Jij noch negenendertig miljoen Spanjaarden. Trek het je niet aan, je mist niet veel...'

Hij zei bij zichzelf dat een dergelijke bescheidenheid nergens op sloeg. In de kringen waarin hij verkeerde sprak niemand openlijk denigrerend over zichzelf. En zelfspot kwam ook maar zelden voor.

'In ieder geval,' zei Juan, 'kan ik je een exemplaar van mijn boek sturen, als je wilt.'

'Meen je dat echt?' vroeg Ruth en haar gezicht klaarde op alsof er in haar binnenste vreugdevuren waren ontstoken.

Juan was verrast door de glans van het zachte groenachtige licht in haar ogen, want ze leek echt enthousiast en dat had hij nooit verwacht van een beroemdheid uit de media. Uiteindelijk stelde hij bij haar vergeleken niets voor. Althans, zo voelde hij het.

Ruth haalde een agenda uit haar tas, sloeg hem open, krabbelde iets op een blaadje, scheurde het eruit en gaf dat aan Juan.

'Dit is mijn adres. Als je mij dat van jou geeft, zal ik je een video van mijn korte film sturen, dan staan we quitte. Niet die van de lange film, want die draait nog in de bioscoop en die kun je beter op een groot doek zien, denk ik.'

Ruth wenkte de ober die op de bar geleund haar nog steeds stond aan te staren. Hij kwam zo snel naar haar toe dat hij in zijn vaart bijna de stoel meenam van een meisje dat juist opstond.

'Mag ik een kaassandwich, alstublieft?' zei Ruth toen hij bij haar stond.

'Kaas? Alleen kaas? We hebben sandwiches met kaas en...'

'Alleen kaas, graag,' antwoordde Ruth. 'Kaas met kaas,' en ze ging verder tegen Juan: 'Sorry, maar ik bedenk opeens dat ik de hele dag nog niets heb gegeten. Ik ben laat opgestaan. Wil jij niet wat eten?'

Juan schudde zijn hoofd.

De ogen van de ober gloeiden van gretige adoratie, alsof hij haar wilde opeten. Hij verroerde geen vin. Ruth begon nerveus te worden. Juan had het direct door, hij probeerde de gespannen sfeer wat te doorbreken, schreef zijn adres op een servetje en gaf dat aan Ruth. Eindelijk liep de ober terug naar de bar.

Juan liet zijn gedachten gaan over een zo op het eerste gezicht onbeduidend detail: Ruths zelfstandigheid. Ruth had honger gekregen, de ober geroepen en een sandwich besteld. Zijn vriendin Biotza zei zelden dat ze honger had (Biotza at inderdaad erg weinig, omdat ze altijd aan het lijnen was, wat niet nodig leek, want ze was superslank, bijna te mager, hoewel Juan dat nooit zou zeggen: hij geneerde zich ervoor dat hij zich heimelijk aangetrokken voelde tot mollige vrouwen, die volgens Biotza altijd vulgair bleken), maar in een dergelijke situatie zou zij het eerst tegen hem hebben gezegd en daarna zou hij de ober hebben geroepen. Maar Biotza zou natuurlijk nooit iets voor zichzelf hebben besteld en dan aan Juan hebben gevraagd of hij ook iets wilde. Biotza, een meisje van fatsoenlijke komaf, hield zich aan de provinciale regels: als haar man erbij was sprak ze geen andere man aan. Maar Ruth had die regels aan haar laars gelapt. Was Ruth nu ongemanierd of kosmopolitisch?

'Ik woon in het studentenhuis,' legde Juan uit, terwijl Ruth las wat er op het servetje stond. 'Ik heb een beurs gekregen en blijf daar een jaar. Ook ík heb mij teruggetrokken om te schrijven... Maar uiteraard geen scenario. Een roman.'

'Een beurs? En wat krijg je van die beurs?'

'Praktisch niets. De kamer en de maaltijden, niet veel meer. Nou ja, een klein bedrag voor onkosten. Maar om te schrijven is het uitstekend, omdat ik nergens aan hoef te denken. Mijn bed wordt opgemaakt, ik krijg te eten, en zo... Dus hoef ik me alleen maar met mijn werk bezig te houden. Maar ik had vooral behoefte aan afzondering. Thuis had dat nooit gekund. Ik woonde bij mijn ouders...'

'Hier in Madrid?'

'Nee, in Bilbao. Nou, eigenlijk in Bermeo. Tijdens mijn studie woonde ik in Bilbao. Daarna woonde ik weer thuis.'

'Wat heb je gestudeerd?'

'Rechten.'

'Maar wat moet je daarmee als dichter? Je had beter filologie kunnen gaan studeren.'

'Dat is een lang verhaal...'

'We hebben de tijd.'

Aangemoedigd door de glimlach van de roodharige vertelde Juan haar in grote trekken zijn leven. Hoe zijn ouders ertegen waren dat hij filologie of filosofie ging studeren en hoe hij er ten slotte mee instemde om rechten te gaan doen, omdat zijn ouders per slot van rekening zijn studie en zijn kamer in Bilbao gedurende die vijf jaar zouden betalen. En hoe hij, overtuigd van zijn roeping, meegedaan had aan alle mogelijke poëziewedstrijden, van die in de meest afgelegen dorpen (helemaal in het begin) tot jaren later, deze Adonais; en hoe hij tegelijkertijd aan alle schrijvers die hij bewonderde had geschreven en hun zijn gedichten had opgestuurd, en hoe sommigen hem geantwoord, aangemoedigd en suggesties hadden gegeven, en anderen niets van zich hadden laten horen hoewel hij ze vijf keer achter elkaar had geschreven en hoe een van hen, Francisco Umbral in hoogsteigen persoon, hem na een briefwisseling van een jaar wilde ontmoeten, en hoe hij voor de reis naar Madrid en de kennismaking met hem had gespaard, en hoe hij vier nachten in een smerig pension had gezeten met het geluid van de lekkende stortbak in de wc met zijn afgebladderde, naargeestige muren waarop het vocht krokodillen, dinosaurussen, vissen en een hele reptielenfamilie had getekend, een plop-plop dat zich mengde met het hypocriete gekreun van de hoeren die in de kamers ernaast hun klanten ontvingen; en hoe dat alles de moeite waard was geweest, omdat Paco – hij noemde hem niet bij zijn voornaam maar bij het verkleinwoord daarvan – hem had meegenomen naar literaire borrels, naar bijeenkomsten, naar boekpresentaties en hem had behandeld als een jonge protégé, en hoe hij in Madrid nog overtuigder werd van zijn roeping en vanaf die tijd wist dat hij schrijver en nooit advocaat wilde worden.

De ober verscheen weer met een kaassandwich op een bord dat hij plechtig voor Ruth neerzette. En opnieuw bleef hij stokstijf voor de tafel staan met zijn ogen strak op Ruth gericht.

'Ja...?' zei de roodharige.

Ruths grote grasgroene ogen keken hem afstandelijk aan.

De jongen leek van zijn stuk gebracht.

'Dit... Wilt u nog iets anders?'

'Ja,' zei Ruth, 'dat je ons alleen laat.'

De ober werd zo rood als een kreeft, als een Duitser na zijn eerste stranddag. Juan was onder de indruk van Ruths antwoord, maar in welk opzicht zou hij niet kunnen zeggen. Was ze erg slim of erg irritant?

Ruth bedacht, terwijl ze het korstje van haar sandwich afsneed, dat het achternalopen van de beroemde schrijver iets slaafs en brutaals had. Dat woord 'protégé' klonk obsceen, het deed haar denken aan spelletjes van pederasten en jonge knullen, en even kreeg ze het idee dat er misschien wel sprake was van een ruil op lichamelijk gebied in wat de jongen vertelde, of dat hij een graantje meepikte van het erkende talent van de oude man. Maar ze verwierp die gedachte meteen weer, niet omdat die haar tegenstond, helemaal niet, maar omdat Francisco Umbral de waarschijnlijk welverdiende naam had een rokkenjager te zijn, en volgens Pedro ook een mannenhater, maar in zijn ogen waren alle hetero's mannenhaters. Ze dacht dat het eerder om een ander soort ruil ging. De moderne pederast was niet uit op lichamelijk contact maar op bewondering, en zijn protégé wilde opgenomen worden in een select groepje om bekend te worden. Zo werkte de vruchtbare hypocrisie van stadsmensen, dacht Ruth, terwijl ze op de eerste hap van haar kaassandwich zat te kauwen. En waar sloeg het op (Ruth nam een tweede hap) dat hij nog overtuigder was van zijn roeping na die presentaties en bijeenkomsten? De jongen leek eerder op uitnodigingen voor borrels uit te zijn geweest dan dat hij zich tot de literatuur geroepen voelde. Maar toen vond ze dat ze niet fair was. Al met al leek hij schuchter en behoorlijk normaal en misschien was wat zij verachtelijk en slijmerig gevlei vond alleen maar naïviteit van een provinciaal, verblind door de wereld van klatergoud en zelfingenomenheid die haar nooit erg had aangetrokken, juist omdat ze dat van nabij meemaakte. Afgezien daarvan veronderstelde ze dat een schrijver als Francisco Umbral meer dan genoeg inzicht had en niet toeliet dat een of andere hals zich bij hem inlikte. Als hij wat in de jongen had gezien, zou hij daar zijn redenen wel voor hebben gehad. Het hoefde natuurlijk ook niet waar te zijn wat de jongen zei. Ruth kende een heleboel lui die prat gingen op haar vriendschap, terwijl ze haar nauwelijks kenden. Juan zat ondertussen nog steeds te praten en had het over een boekpresentatie, die haar helemaal niet interesseerde, en nu begon hij over een zekere Indalecio Echevarría, blijkbaar een gerenommeerd criticus, van wie zij nog nooit had gehoord. Af en toe knikte ze quasi belangstellend met haar hoofd en bleef genadeloze aanvallen uitoefenen op de sandwich. Ruth was wat begaan met de ziekelijke naïviteit van de jongen. Dat iemand door zulke onzin nog gegrepen kon worden maakte hem interessant. Ze vond die passie voor uiterlijke schijn bijna aandoenlijk. Maar ze zou Juan niet zo makkelijk hebben vertrouwd als hij dik en pukkelig was geweest, niet dat Griekse profiel had, die tandpastaglimlach, die filmsterrenkaak en vooral niet die stralende ogen van een boeteling uit de paasprocessie, flonkerend als gloeiende kooltjes.

Ondertussen zat Juan met bewondering te kijken hoe Ruth accuraat en netjes het bestek vasthield en hij bedacht dat een goede komaf te herkennen was aan zoiets schijnbaar triviaals als het eten van een kaassandwich. Tot hij Biotza leerde kennen had hij nog nooit iemand een kaassandwich met mes en vork zien eten. Net als Biotza altijd deed, bracht Ruth fijntjes het servet naar haar mond en schoof daarna haar bord opzij maar uit haar gebaren sprak, anders dan bij Biotza die gereserveerder was, een bepaalde sierlijke genotzucht. Wat Juan nog niet wist was dat Ruth een 'de' in haar achternaam had, die ze had geschrapt omdat ze niet arrogant en geen rijkeluiskind genoemd wilde worden, een 'de' die Juan juist aan zijn naam had toegevoegd om een niet-bestaande, goede komaf te pretenderen, want Juan was niet geboren als Juan Ángel de Seoane, maar als Juan Hernández en Ruth was niet geboren als Ruth Swanson maar als Ruth de Siles.

'Wil je nog een koffie?' vroeg Juan.

De vraag leidde haar gedachten af. Ze keek op haar horloge: het was al bijna tien uur. Ze had graag nog wat willen blijven, maar ze voelde zich allerminst op haar gemak. Ze vond de jongen leuk, dat wel, maar na zijn verhaal bestond er bij haar nog enige twijfel. Bovendien had ze, hoewel hij dat niet in gaten had, de verwachtingsvolle blikken om haar heen opgemerkt en ze begon een soort koortsige onrust te voelen die ze niet kon benoemen, omdat Ruth voor zichzelf niet kon verklaren waarom het haar zo ergerde dat ze werd herkend.

'Nee, dank je. Het is al laat en morgen moet ik vroeg op,' loog ze.

Ze stond nooit voor elf uur 's ochtends op.

'Zullen we dan maar gaan?'

'Ja, dat lijkt me het beste.'

Ze stond het eerst op. Met een galant gebaar hielp hij haar in haar jas. Ze droeg laarzen met hoge hakken en stak daarom boven hem uit. Juan herinnerde zich een test in militaire dienst waarbij hij bepaalde beweringen met 'ja' of 'nee' moest beantwoorden. Een daarvan luidde 'lange vrouwen schrikken me af'. Juan had toen het woordje 'nee' onderstreept, want hij dacht dat als hij 'ja' schreef ze hem een sukkel zouden vinden. Hij had geen idee wie die test zou lezen en wat maakte het uit wat een volstrekt onbekende van hem dacht? Het maakte dus wel uit, omdat Juan wanhopig de goedkeuring van anderen zocht. En lange vrouwen schrikten hem wel af. Zijn vriendin was krap een meter zestig.

Hij liep met Ruth mee tot aan de deur van het café. Vanaf de stoep hield ze een taxi aan. Ze nam afscheid met een vluchtige kus op zijn wangen.

'Is dit een afscheid?' vroeg Juan. 'Ik bedoel, kunnen we elkaar nog een keer ontmoeten?'

Hij verbaasde zich bijna over zijn eigen lef: hoe kwam hij erbij af te spreken met een meisje dat hij nauwelijks kende, ouder was dan hij, beroemder dan hij...?

'Een afscheid?' Ruth moest lachen. Zij had zich ook verwonderd over het lef van de dilettant. 'Een afscheid is een extase, een waanzinnig feest van hartzeer...' Juan keek haar verbaasd aan. Ruth dacht dat hij het citaat wel herkend zou hebben, maar dat was niet zo.* Ruth zag het gezicht van de taxichauffeur die haar vanaf zijn stoel met wrevelig begerige blik schuins aankeek: hij kon de taxi niet de hele dag midden op straat laten staan. 'Je hebt me beloofd het boek op te sturen, niet vergeten,' drukte ze hem op het hart.

'Maak je geen zorgen.'

Ze wierp hem een handkus toe, haastte zich heupwiegend als een afgetreden vorstin naar de auto en stapte in. Verbijsterd bleef Juan nog even staan en volgde de auto met zijn blik. Het stoplicht sprong van rood op groen en meegesleurd door de verkeersstroom verdween de taxi tussen dat golvende defilé van lichten. De flonkering van het verkeerslicht deed Juan denken aan de stralende rustgevende groene ogen van Ruth. Daarin had hij iets gelezen: de weg is vrij.

* Ruth citeert Borges

En wie is Ruth?

Voor ik Ruth de Siles Swanson, bij het grote publiek beter bekend als Ruth Swanson, de jonge filmregisseuse (als je iemand van drieëndertig 'jong' kunt noemen) ga beschrijven, moet ik de lezer er eerst op wijzen of aan herinneren dat ieder mens meer dan een mens is, dat ieder mens een zekere intensiteit van leven heeft, die op bepaalde momenten verschillende vormen aanneemt, een tegenstrijdige diversiteit. En zodoende wist Ruth, zoals iedereen weet of zou moeten weten, dat zij niet altijd dezelfde was, dat er veel verschillende Ruths waren. Ruth heeft diverse veranderingen in haar leven ondervonden en elk was als een getijde geweest, als een enorme golf op het strand die alles wat er lag meesleurde en een maagdelijke kust zonder sporen achterliet, een nieuwe Ruth die alle ellende en narigheid uit haar vorige leven vergat. En alleen daardoor had Ruth het overleefd en zou de jonge vrouw binnenkort de weinig respectabele leeftijd van drieëndertig jaar bereiken: omdat ze in haar bestaan de herinnering had uitgeschakeld, omdat ze veel herinterpretaties van zichzelf had vergeten, telkens weer een nieuwe Ruth bedacht wanneer zij vond dat haar leven ondraaglijk was geworden. Alleen daardoor zou ze de weinig respectabele leeftijd van drieëndertig jaar bereiken en ik zeg 'weinig respectabel' omdat de publieke opinie luidt dat een vrouw die op haar drieëndertigste nog niet is getrouwd een oude vrijster is, ook al betreft het een bekende en bewonderde vrouw, of tenminste zo voelde Ruth zich vanbinnen: een oude vrijster, eenzaam, emotioneel mislukt.

In ieder geval wist Ruth dat dat niet de echte reden van haar verdriet, van haar levensmoeheid was, maar op haar bijna drieëndertigste gaf Ruth zich gewonnen en deed ze niet meer zoveel moeite de reden van haar wanhoop te ontleden. Ze wist dat ze depressief was, dat ze in de ene na de andere crisis belandde zoals een ander in bars, dat haar mentale evenwicht behoorlijk instabiel was, dat ze eigenlijk weinig of geen evenwicht had, dat ze impulsief was, een melancholisch karakter had, dat ze zich nooit ergens op haar gemak voelde... Maar ze had het al opgegeven om achter het waarom te komen, of het een ziekte was of alleen maar een karaktertrek, of ze zo creatief was, buitengewoon fantasierijk of gewoon manisch-depressief. Ze deed geen poging meer zichzelf op rationele wijze te verklaren. Niets was voor haar belangrijk genoeg om verstandelijk te beredeneren. Wat belangrijk voor haar was, waar ze zich bij neerlegde en wat haar pijn deed droeg ze onbewust als een schaduw met zich mee, zonder analyse, alleen als een gevoel dat haar meesleepte en al haar wroegingen en wonden blootlegde. Die constante hevige pijn, die voortdurende beklemming kwam voort uit haar anders zijn, want Ruth wist, of liever gezegd voelde altijd al dat ze anders was. Onder andere omdat ze als enige van de klas rood haar had. En omdat ze die oranjekleurige gloed op haar hoofd droeg, dat onderscheidingsteken, bevestigde dat haar vermoeden dat ze al vanaf haar vijfde jaar had: dat ze om de een of andere reden niet was zoals de anderen. Niet als haar vader of haar zus, niet als de andere meisjes op haar school, niet als wie dan ook in haar omgeving. Ruth zag de afstand, het verschil in de spiegel van de ogen van de mensen: ze was zwak, wispelturig, tegendraads. En zo, zich ervan bewust dat ze weinig van de anderen zou ontvangen, leerde ze zonder vragen te stellen om zich heen te kijken, en ze ging de puberteit in zonder verlangen, nieuwsgierigheid, ambitie of doel.

Om Ruth nog beter te leren kennen vertellen we de lezer dat ze opgroeide in een enorm huis met zwembad, tuinman, dienstmeisje en kokkin. Haar familie liet zich voorstaan op een beroemde achternaam: de familienaam De Siles is uitgebreid terug te vinden in talrijke stambomen. Behalve een naam, bezat de familie ook geld en de zogenaamde goede beschaving die gewoonlijk bij geld hoort, wat wil zeggen dat Ruth handig overweg kon met de visvork en bij de eerste slok wist of de wijn van een goed jaar was, dat ze vlot drie talen sprak, redelijk pianospeelde en altijd onbewust een zekere klasse, een innerlijke en nonchalante waardigheid uitstraalde.

De moeder van Ruth was omgekomen bij een auto-ongeluk toen Ruth vier jaar was. Zo'n dood is een trieste gebeurtenis maar per slot van rekening gewoon. Niet gewoon was de afspraak die er in hun huis scheen te bestaan om hardnekkig te zwijgen over de moederfiguur: niemand sprak ooit over haar en in het hele huis was geen enkel schilderij of foto van haar te vinden. Estrella, Ruths kindermeisje, de vrouw die haar en haar zusje van jongs af aan had verzorgd, probeerde het ontbreken van sporen van hun moeder uit te leggen door te zeggen dat hun vader zo geleden had toen zij stierf, dat hij liever elke herinnering aan haar had laten verdwijnen om daar niet iedere dag mee geconfronteerd te worden en met het verdriet dat daarmee gepaard ging. Dus Ruth vroeg niet vaak naar haar moeder omdat ze, zonder dat iemand het haar had gezegd, begreep dat dat onderwerp taboe was.

Ze wist niet veel van haar moeder. Niemand had ooit de moeite genomen haar iets te vertellen. Zo lang ze zich kon herinneren, was haar moeder een spookbeeld geweest, een vage herinnering aan een kort leven dat rondzwierf door de gangen van het luxe en ingeslapen huis, dat huis waar niemand echter haar aan- of afwezigheid durfde te erkennen. En soms is afwezigheid beter waarneembaar dan aanwezigheid, vooral als die vormen aanneemt van een lichte drang vanuit de ziel om de afwezige persoon bij zich te hebben. De moeder was dus afwezig: ze was nergens, maar wel in Ruth. En Ruth nam haar overal met zich mee naartoe. Ruth herinnerde zich of meende zich te herinneren – ze wist nooit zeker of ze het had verzonnen of gedroomd – dat toen zij heel klein was haar moeder tegen haar had gezegd, om haar bescheidenheid bij te brengen, dat niemand een muntstuk op straat kan vinden als hij niet naar beneden kijkt. Ruth liep op straat altijd met haar schouders naar achteren, kin naar voren, neus in de lucht en af en toe om zich heen kijkend om te zien hoeveel ogen haar volgden. Ze kon niet lopen en naar beneden kijken omdat ze alleen bestond op grond van de blikken van anderen. Ze kon niet bescheiden zijn ook al zou ze willen.

Ruth herinnerde zich haar moeder niet, maar vaag koesterde ze de gedachte dat ze geen mentale beelden, concrete herinneringen nodig had om haar dichtbij te voelen, alsof de zekerheid van haar moeders afwezigheid geen kwestie van herinnering was maar van gevoelens, alsof ze sporen van haar aanwezigheid bij zich droeg, haar aanrakingen, haar blik, haar geur, het geluid van haar stem, hoewel ze haar moeder geen gezicht kon geven al deed ze nog zo haar best. Eens was er een vrouw geweest die haar wakker maakte en kuste. Maar die vrouw had geen gezicht, omdat er geen enkele foto van haar te vinden was.

Er bestond een overeenkomst waar nooit over gesproken werd maar waar Ruth van af wist en ze zou niet kunnen uitleggen waarom ze ervan af wist, misschien omdat ze jarenlang had geprobeerd flarden informatie die door het huis zweefden te begrijpen – de telefoongesprekken van haar vader, het gefluister van het personeel... – om ze samen te voegen en daarmee de dood van haar moeder en de reden waarom niemand over haar wilde praten te verklaren. In haar jeugd was Ruth tot een dubbele gevangenschap veroordeeld: opgesloten tussen de muren van haar huis en in een andere wereld, donker en beschermd, omdat ze zich in twee opzichten onderscheidde: ze was anders en ze was de dochter van haar moeder. Dochter van haar moeder, dacht ze, omdat ze roodharig was zoals haar moeder en totaal niet leek op haar vader of haar zus. Ruth wist dat haar moeder in een andere wereld was, de onzichtbare, waar geen hoeken of rondingen zijn, waar de kleuren schitteren alsof de zon er rechtstreeks op valt, waar de contouren van de dingen vervlakken in een nevelige schaduw, zoals de tijd die verstrijkt en korter en langer duurt, die onzichtbare wereld waar geen dimensies of vaste punten zijn. Estrella, die sterk in een ander leven geloofde, in een andere ruimte waar geesten rondwaarden (Estrella, die haar af en toe de kaarten las, had daarin een prachtige toekomst voor Ruth gezien), sprak soms met haar over die wereld. En wanneer Ruth Estrella verhalen hoorde vertellen over spoken en verschijningen, voelde ze een zoete troost bij de gedachte dat ze haar moeder niet helemaal had verloren. Ruth was ontstaan in het vruchtwater in haar moeders buik en kwam ter wereld, meegesleurd door dat water met daarin de kiem van het leven en het zout van toekomstige tranen, een vocht dat creëerde en verwoestte, en Ruth, ontstaan in water, kon niet, kon niet, kon niet negeren waar ze vandaan kwam. Ze wist heel goed dat ze, ook al zwom ze en dook ze het water in op redelijke afstand van haar moeder, of van de herinnering van haar moeder, altijd zou blijven voelen dat het water van haar was. Maar haar moeder was niet bij haar, hoewel Ruth haar altijd aanriep, zij was ergens waar haar stem niet kwam, en wat zij had achtergelaten was niet meer dan een zwart gat dat haar vanbinnen verteerde.

Haar moeder heette Margaret, ze was Schotse en had haar vader in Londen leren kennen waar hij een postdoctorale opleiding architectuur volgde en zij als secretaresse op een advocatenkantoor werkte. Ze was ouder dan haar vader en laat getrouwd. Toen Ruth werd geboren was haar moeder achtendertig. Ruth had haar grootouders van moederskant niet gekend, omdat zij alle twee voor haar geboorte waren overleden. Over familieleden van moederskant, als die er al waren, was niets bekend. Kortom, het grootste gedeelte van haar leven wist Ruth minder van haar moeder dan de meeste mensen van een verre neef. Door deze onwetendheid, het feit dat de hele moederfiguur beperkt bleef tot een paar vage gegevens, is zij haar gaan idealiseren. Haar kindermeisje had haar verteld dat zij rood haar had en daarmee werd voor Ruth duidelijk waarom ze zich zo vervreemd voelde van haar vader en haar zus: omdat zij niet was zoals zij, want zij stamden van een ander geslacht af. Haar vader en haar zus waren donker, robuuste Castilianen, stevig, gespierd, serieus, conservatief van aard, geconcentreerd en efficiënt in hun handelen, tamelijk klein; terwijl Ruth rood haar had en lang was, ongeorganiseerd, chaotisch, dromerig en nogal verstrooid. Het leed geen twijfel dat ze dat allemaal van haar moeder had, van wie anders? Zo dekte Ruth zichzelf van jongs af in tegen de afstand die ze tussen haar en de andere leden van het gezin had geschapen: ze besloot de strijd aan te gaan vanuit een geschiedenis die zijzelf had verzonnen door er een nieuwe afstand tegenover te zetten. Ruth zei bij zichzelf dat ze niet tot dezelfde wereld behoorde omdat zij de dochter van een moeder was die in de onzichtbare wereld verbleef. Vandaar dat Ruth rond haar achtste jaar margrieten begon te verzamelen, want daarmee bevestigde ze symbolisch waar ze vandaan kwam: van een margriet. In het Engels heet een margriet 'daisy' en niet Margaret, maar dat deed er niet toe, want Ruth vond de kruising van de twee betekenissen een betere omschrijving van haar tweeslachtigheid. Ruth was immers het resultaat van een kruising van twee landen, haar symbool was gebaseerd op de kruising van twee talen. Toen ze drieëndertig jaar was en afstand had genomen van haar vaders naam en bij iedereen alleen bekendstond onder de achternaam van haar moeder, had Ruth Swanson een enorme verzameling margrieten: hangertjes, haarspelden, ringen in margrietvorm, tassen en T-shirts bedrukt met margrieten, zomerjurken met geborduurde margrietjes, asbakken, oorbellen, etuis, ontbijtkopjes, aantekenboekjes, agenda's, portemonnees, alle mogelijke afbeeldingen van margrieten die je je maar kunt voorstellen en die door de jaren heen verwoed bijeengeraapt werden. Onze adviserende psychoanalist (waar we het nog regelmatig over zullen hebben in dit verhaal) zou tegen Ruth hebben gezegd dat wanneer symbolen het mechanisme van de herinnering in werking moeten brengen de behoefte bestaat een punt te zetten achter de traumatische ervaring. In het geval van Ruth waren de margrieten symbolen, hangsloten en een toevlucht. En later, toen de margrieten niet meer voldeden, begon Ruth verhalen te vertellen en werden de margrieten vervangen door films en op die manier voorzag zij zichzelf van verklarende referentiekaders waarmee ze rekenschap aflegde van de diverse dimensies van waaruit ze de opbouw van haar herinnering kon beginnen. Het herinneren van haar jeugd ging dus niet soepel, ze had geen lineaire geschiedenis zoals bij een film, maar die bouwde ze op aan de hand van een reeks vaste momentopnamen.

Estrella, hoe was mijn moeder? Je moeder had rood haar en groene ogen. Jij lijkt op haar... Doodse stilte, omdat plotseling de voetstappen van de vader in de verte te horen zijn en Estrella haar mond houdt alsof een windvlaag opeens het vuur van haar herinnering heeft uitgeblazen en bij het zien van de grote vragende ogen van Ruth zegt ze: Kom, je moet niet zoveel aan je moeder denken, dat is niet goed voor je. En mijn grootouders? gaat Ruth door, haar ouders bedoel ik, niet mijn gewone grootouders, waarom ken ik die niet? Omdat zij overleden zijn voordat jij werd geboren. Maar heb ik geen ooms en tantes en neven en nichten of zoiets in Schotland? Ssst... ssst... Hou op, daar moet je niet over praten. En Ruth krijgt het idee dat ze het in huis allemaal (haar vader, Estrella, Judith) weten en het allemaal verzwijgen, dat ze wordt omgeven door een muur van geheimen en daar niets aan kan doen, behalve tevergeefs wroeten in de spleten tussen de stenen om te proberen uit te vinden wat er aan de andere kant zit. En Ruth staart met haar groene schrandere ogen naar een vast punt in een denkbeeldig landschap zonder horizon, op zoek naar een beeld dat nooit verschijnt en misschien voor eeuwig is verloren. Het lukte haar nooit om vanuit het duister de herinnering aan haar moeders gezicht terug te krijgen, ze kon haar zich alleen maar voorstellen aan de hand van het gezicht dat haar elke morgen in de spiegel aankeek: Dat ben ik en zo was mijn moeder. De herinnering stuitte altijd op een beeld zonder definitieve vormen, bedekt door schaduwen die door de tijd en de afstand waren bevroren, een verre aanwezigheid die haar in haar jeugd beschermde, alsof haar vier jaar, het keerpunt waarop Ruth haar moeder verloor en leerde lezen, een gesloten deur werd waarachter niet alleen haar moeder schuilging maar ook haar afkomst, haar Schotse bloed, haar eigen geschiedenis, de geschiedenis van haar moeder, van haar grootouders en van veel andere mensen die niet meetelden, maar van wie ze slechts een beeld had via de leegte die rondom hun vermelding lag. Vraag niet zoveel, dat is niet goed voor je.

Ruths vader was een vader in pak en met stropdas die nauwgezet en efficiënt een meer dan winstgevend concern leidde. Een vader met diverse indiscrete, of misschien heel discrete, hoe je het maar bekijkt, kortstondige affaires: hij had een heleboel vrouwelijke begeleidsters, maar geen van hen kreeg ooit een officiële status. Een norse, koude, afstandelijke vader, bewust verankerd in het zichtbare. Die man moest ergens vanbinnen gekweld worden door smart, dacht Ruth, verdriet of berouw, of medelijden of haat, of wat dan ook waardoor hij zich niet kon laten gaan, hij moet zich hebben gewapend tegen verdriet en herinnering en misschien was die meneer met das daarom wel zo afstandelijk. Ze had geen reden om te klagen over die meneer, dacht Ruth, die gezorgd had voor een huis en eten en een opleiding op een particuliere school, die het hoognodige sprak, die niet spontaan kon lachen, die volkomen vreemde ten slotte. Maar er waren evenmin redenen om van hem te houden of hem te respecteren. Ruth wist altijd al dat zij eigenlijk de dochter van haar moeder was, dat ze zich meer verbonden voelde met een onbestaande figuur dan met een levende en aanwezige maar o zo afstandelijke vader, die als een spook door het huis rondliep en niet eens naar de cijfers van zijn dochter vroeg, die trouwens altijd goed waren.

Er was ook een zus – geblondeerd, zes jaar ouder dan Ruth, meester in de rechten – die op de afdeling planning en strategie van Arthur Andersen werkte. Een zus die *wist*, vermoedde Ruth, maar dat nooit liet merken en die meer over haar moeder moest weten dan zij vertelde, die in die wereld had geleefd toen Ruth er nog niet was en die daarom herinneringen had van de jaren waar Ruth geen getuige van was geweest, de sleutel om het mysterie in huis op te lossen. Maar haar zus liet nooit doorschemeren dat ze iets wist of dat het haar iets kon schelen: ze behandelde haar minzaam en vriendelijk als een huisdier, en haar vader met respect, en ze leek nooit intens gelukkig of intens ongelukkig. Judith doorliep haar school als een normaal meisje, ze blonk nergens in uit, in het goede noch het kwade, en toen ze achttien was zocht ze een verloofde die evenmin door iets speciaals opviel. Ze wist vanaf het begin dat ze met hem zou trouwen en voor het huis en de kinderen zou zorgen als de tijd daar rijp voor was. Na haar trouwen had ze kunnen gaan werken, maar ze vond haar werk altijd minder belangrijk dan dat van haar man. Om aan te geven hoe Judith was hoef ik alleen maar te vermelden dat ze prinses Diana bewonderde, dat ze als ze een leuk pakje beschreef altijd zei dat het *volmaakt* was en als ze een kleur beschreef noemde ze die *Clinique groen*, *Armani grijs* of *Saint Laurent blauw*. Ruths zus had een paar opgelegde idealen geaccepteerd die haar leven in principe zouden moeten vereenvoudigen en daar zat ze niet zo mee. Haar aangename welstand, haar voorspelbare huwelijk, haar weinig verontrustende geloof (ze vond zichzelf katholiek en was altijd al van plan geweest in het wit voor de kerk te trouwen en haar eventuele kinderen te laten dopen, hoewel ze alleen maar naar de kerk ging op kerstavond, met bruiloften en begrafenissen), haar efficiënte professionaliteit als *junior executive* die onderdanig de besluiten van haar superieuren opvolgde, of ze die begreep of niet, het ermee eens was of niet, maar ze altijd respecteerde, waren voor Ruth onbegrijpelijk alsof ze uit een andere beschaving kwamen, op duizenden kilometers afstand, op een verafgelegen archipel en beschreven door een antropoloog die daarnaartoe was vertrokken om tussen de inboorlingen zijn proefschrift te schrijven. Het leven zoals Judith zich dat voorstelde, speelde zich af in een kringetje aardige mensen met dezelfde interesses en vijanden, en binnen dat kringetje dacht je, trouwde je en stierf je. Daarbuiten bestond armoede, platvloersheid en geweld en die probeerden voortdurend binnen te sluipen. Ruth zei vaak dat ze van haar zus hield hoewel ze haar niet begreep. Maar ook dat was een leugen. Ze voelde eerder jaloezie en bewondering dan liefde voor de rationele en gereserveerde Judith, een echte dochter van haar vader; ze was met haar verbonden door een rivaliteit waar zij beiden geen weet van hadden, want hoewel ze tegenpolen waren, vulden ze elkaar ook aan, onvermijdelijk. Iedere zus vertegenwoordigde een wereld, een levenskeuze, ieder geloofde in haar eigen waarheid en leefde in haar individuele werkelijkheid. Maar omdat de waarheid diverse visies kent, had geen van beiden het bij het juiste of verkeerde eind. Heel eenvoudig omdat ieder met haar eigen subjectiviteit te maken had.

Haar leven lang had Judith niets anders gedaan dan de rol te spelen die van haar werd verwacht. Ten slotte werd van de meisjes verwacht dat ze glansrijk de eindstreep haalden van een parcours dat van tevoren door hun vader was uitgezet. Lager en middelbaar onderwijs op een particuliere katholieke school. Hoger onderwijs op een eveneens particuliere universiteit (ook katholiek, indien mogelijk). Een man van gegoede familie als echtgenoot, met een schitterende carrière waarin zijn vrouw hem moest steunen. Maar Ruth besloot zich in te schrijven op een openbare universiteit en trouwde niet, en zodoende stelde ze haar vader en haar zus teleur en koos ze de kant van haar moeder.

Ruth had altijd geweten dat ze dat huis uit moest zodra de kans zich voordeed, dat huis met de onzichtbare en verstikkende herinneringen die zich in de muren nestelden, die benauwde bijna verstikkende atmosfeer waarin haar waanzinnige verdriet – dat tevergeefs kapotsloeg op het gepantserde bewustzijn van de vader en de zus – zich mengde met de veronderstellingen, het gesmoes, de geheimen die het personeel gedempt fluisterde... Die verpletterende deken van minachtend medelijden en de jarenlange zorgvuldig gepolijste en afgeronde leugens waarmee een ondergrond van waarheden verdoezeld moest worden. In dat huis werd ieder woord en iedere gedachte op een goudschaaltje gewogen. Alles wat Ruth was werd tegengewerkt, aan banden gelegd, afgestemd op de buitenwereld en ze moest zich aanpassen aan iets wat zij niet was.

En toen de gelegenheid zich voordeed twijfelde ze geen moment. Ruth was negentien jaar en ogenschijnlijk een meisje als ieder ander, alleen wat langer en aantrekkelijker. En haar vlucht, vermomd als liefdesgeschiedenis, was zo verward en zo overhaast zoals te verwachten was van Ruth die, dat moeten we niet vergeten, de last van haar moeder in haar bloed had.

Het is niet normaal om jonge meisjes bij een jazzconcert te zien, laat staan in hun eentje, en misschien was dat nu juist de reden dat Ruth er zo graag naartoe ging: om te bewijzen dat ze anders was. Ze was bijna twintig jaar toen ze met Sara – een vriendin van de universiteit die in die periode overal met haar mee naartoe ging – naar een concert van het Jazz Festival in Madrid ging. Haar vriendin was niet zo dol op jazz; Ruth kende eigenlijk niemand die dat leuk vond – haar vader uiteraard, van hem had ze die voorliefde geërfd, maar haar vader had haar nog nooit gevraagd met hem naar een concert te gaan – zodat Ruth Sara moest overreden door voor beiden kaartjes te betalen, een genereus gebaar dat aan de andere kant niet zo bezwaarlijk voor haar was omdat haar vader zijn afwezigheid goedmaakte met een royale toelage. Het concert werd gegeven in een theater en zij zaten zowat op de eerste rij, zodat Ruth vanaf haar plaats duidelijk de gezichten van de musici kon zien, hun concentratie, hun razendsnelle vingerzetting op snaren of toetsen. En zo zag ze zichzelf gereflecteerd in de ogen, doordringend en donker als de vergetelheid zelf, van een lange gespierde basgitarist. Die basgitarist speelde tijdens het eerste gedeelte van het concert, want daarna was het de beurt aan een andere groep.

In de pauze gingen Ruth en Sara naar de bar van het theater, die vol stond met langharige intellectuelen, de meesten in spijkerbroek en corduroy jasje, haren die maandenlang geen kapper hadden gezien en ronde Lennon-brilletjes, die bijna allemaal bier dronken, Ducado's rookten en onbegrijpelijke gesprekken voerden over atonale en diatonische toonladders. De twee meisjes van in de twintig detoneerden in die bar als een kakkerlak in een bord rijstebrij, want op het eerste gezicht waren alle vrouwen die daar rondliepen (en dat waren er niet veel) óf ouder óf in het gezelschap van oudere mannen. Dat moet de reden zijn geweest dat die basgitarist hen schaapachtig bleef aanstaren, en dat moet de reden zijn geweest dat Ruth zich zo zeker van zichzelf voelde dat ze die blik met een glimlach beantwoordde, want ze wist heel goed dat er daar weinig vrouwen aantrekkelijker waren dan zij en als ze er al waren, zouden ze niet beschikbaar zijn. Na drie minuten stonden ze al geanimeerd te praten aan de bar waar hij met zijn ellebogen op steunde; na twintig minuten, toen het tweede gedeelte van het concert al was begonnen, profiteerde Sara, die niet had durven bekennen dat jazz haar stierlijk verveelde omdat dat niet erg intellectueel stond, van het feit dat Ruth straalverliefd was om onder het mom van een plotselinge hoofdpijn naar huis te gaan en wat begrijpelijke platen van The Ramones te beluisteren; na drieëntwintig minuten stonden Ruth en de basgitarist elkaar al te zoenen in de donkere lege bar. En na twaalf uur, de volgende morgen, stelde de basgitarist Ruth voor met hem mee terug te vliegen naar Londen, waarop Ruth als echte dochter van haar moeder ja antwoordde. Ze ging niet eens langs huis om haar spullen op te halen, omdat hij aanbood alle kleren die ze nodig had voor haar te kopen. Ze belde alleen op om te zeggen dat ze had besloten op reis te gaan, en ze vertrok voor onbepaalde tijd wat uiteindelijk neerkwam op een verblijf van vijf jaar.

Het is niet normaal om een jong meisje tegen te komen op een jazzconcert. Het is ook niet normaal dat een man van vijfendertig een jong ding dat hij nauwelijks kent voorstelt haar huis en vaderland te verlaten om met hem op reis te gaan, en al evenmin dat zij dat zonder erbij na te denken accepteert. Maar Ruth was eraan gewend geraakt de meest waanzinnige dingen normaal te vinden en daarbij kwam dat zij zich altijd beter op haar gemak voelde bij buitenlanders. Alledaagsheid vervulde haar met een machteloze woede. Bijna alles waar zij aan was gewend, was slecht en alleen nieuwe dingen vond ze leuk, zodat ze een week na het concert uit Londen terugkwam, haar koffers pakte, afscheid nam van haar vader, haar zus, het personeel en de lichte nevel van herinneringen en vermoedens die in het huis hing, en een vliegtuig richting het ongewisse nam.

In het begin was ze gelukkig. Ze hoefde alleen maar mooi en stil te zijn, haar vriend als een mak lammetje overal te volgen, teruggetrokken te leven in haar ondoordringbare en onzichtbare schelp, niet te praten over wat zij had meegemaakt of hoopte te beleven en ook niet over wat zij dacht of zag wanneer 's nachts haar ogen dichtvielen en ze in haar halfslaap geconfronteerd werd met haar eigen zorgelijke geweten en haar verspilde mogelijkheden. In die tijd keek ze in gedachten niet naar de toekomst en als ze dat probeerde zag ze niets.

Zo had ze jaren door kunnen gaan, een kind kunnen krijgen, zich kunnen laten onderhouden en steunen door haar man en rustig en welwillend kunnen zijn als de andere vriendinnen van de musici, die zwijgzame aanhangsels die met hun partners in de kleedkamers zaten. Dat had ze kunnen doen, maar dat kon ze natuurlijk niet, want zoals we al zeiden was Ruth een echte dochter van haar moeder en de nieuwsgierigheid bleef als een bijtend zuur door haar aderen stromen. Ze voelde zich alsof ze wachtte tot het licht in haar leven aanging, maar niet in staat het lichtknopje te vinden. Zo zag ze op een dag hoe het heden zijn schaduw vooruitwierp en haar eigen beeld, langgerekt door de afstand, met een misvormd en gebroken silhouet, hield lange tijd haar aandacht vast, duizenden gedachten kwamen op die haar kwelden en van streek maakten, omdat zij niet de persoon wilde zijn die zij leek te worden. Tot die tijd, zei ze, was zij niet meer dan een domme en passieve lappenpop geweest, een speeltje zonder eigen ideeën, meegaand in haar gevoelens en gemakkelijk te manipuleren. Plotseling werd ze onrustig, ambitieus en zag haar situatie duidelijk voor zich. Ze werd zich opeens van iets bewust: trots, het gevoel geen alledaags iemand te zijn, voorbestemd voor iets hogers, afstandelijk, alsof haar verstand zei: 'Hier ben ik, herken je me niet? Laat je me altijd in een hoekje van je hoofd zitten?' En naarmate de lappenpop veranderde in een vrouw met ruggengraat, besefte ze dat ze niet gelukkig was met het leven dat ze leidde. Ze was het beu om volledig afhankelijk te zijn van Beau en spoedig kwam ze erachter dat geld geen probleem was voor een knappe, jonge en slimme vrouw zonder vooroordelen. Zodat Ruth opnieuw haar koffers pakte en verhuisde naar een leuk appartementje in Soho, waar ze twee jaar bleef tot ze terugkeerde naar Madrid.

Op vijfentwintigjarige leeftijd kwam ze terug met hetzelfde figuur van vroeger of zelfs nog beter, een andere blik in haar ogen en een zekere kennis van de wereld en de benodigde handigheid om haar weg in het leven te vinden. Ze was knap, hoewel zij dat zelf niet vond. Die negatieve waardering had niets met valse bescheidenheid of naïviteit te maken, maar kwam omdat ze mateloos onzeker was. In die tijd beschouwde ze de bewondering die zij wekte als een kostbaar maar altijd onverdiend geschenk. Omdat ze niet naar huis terug wilde en er bovendien niet erg zeker van was dat haar vader – die altijd zei dat Ruth hem het grootste ongenoegen van zijn leven had bezorgd toen ze in Londen ging wonen – haar daar zou hebben geaccepteerd, probeerde ze als lerares Engels aan de kost te komen. Door haar lange rode haar leek ze een buitenlandse, haar naam wees niet op een bepaald vaderland en haar accent was uitstekend. Die onduidelijke nationaliteit hielp haar een aanstelling te krijgen op een school, waardoor ze in haar onderhoud kon voorzien maar nauwelijks de huur kon betalen, toch accepteerde zij de baan in de hoop erachter te komen wat ze nu eigenlijk wilde en wat haar vanbinnen dwarszat, terwijl ze haar overgebleven spaargeld aansprak. En op een dag besefte ze dat alles wat in die gevangenis van botten, pezen, spieren en neuronen zat opgesloten eruit moest – het fragiele bastion, het lichaam van Ruth was niet langer bestand tegen die achtergehouden verhalen – en toen ze net zevenentwintig was geworden besloot ze zich in te schrijven op de filmacademie. En daar bij de balie, toen ze om de informatiefolder vroeg, ontmoette ze Pedro.

Hij was een blonde, redelijk knappe jongen met groenachtige ogen vol gouden spikkeltjes die het licht vasthielden om het daarna als een vurige en lome glans uit te stralen. Ogen die onmiddellijk die van Ruth troffen en even een samenzweerderige blik uitwisselden. Ruth stak haar hand uit en stelde zich met een vrijmoedige glimlach voor. 'Hallo, ik ben Ruth,' zei ze, 'kom je je ook inschrijven voor de opleiding?' Het is ook niet normaal dat een meisje zich op zo'n informele manier aan iemand voorstelt maar toen Ruth naast hem stond, elleboog aan elleboog bij die balie, wist ze dat die man deel van haar leven zou gaan uitmaken. Dat wist ze zonder daarover na te denken. Ze wist het in een seconde van lumineuze helderheid, dankzij de intuïtie die Estrella in haar had herkend, een zesde zintuig waardoor Ruth wist wat er ging gebeuren. En toen hij haar een hand gaf en ook zijn naam noemde, stelde Ruth voor om ergens koffie te gaan drinken. Ze vonden een leuke tent met marmeren tafeltjes en obers met een vlinderdasje in een vaalwit keperjasje en daar bleven ze uren gezellig kletsen. Terwijl ze de inschrijvingsformulieren en de informatiefolder van de academie doorbladerden zei Pedro dat hij het inschrijfgeld behoorlijk hoog vond. '600 000 peseta? Wat denken ze wel? Met dat geld kunnen we onze eigen film maken!'

Zijn idee leek aanvankelijk helemaal niet zo gek. Of liever gezegd, dat was het wel. Maar het was zo'n vreemd voorstel dat het wel moest lukken. Waarom dat belachelijk hoge inschrijfgeld verspillen aan een opleiding die hen per slot van rekening weinig praktische dingen zou kunnen leren omdat er voornamelijk theorie werd onderwezen en er in de paar jaar dat de academie bestond nog geen enkele bekende regisseur van af was gekomen, voorzover zij wisten. Als ze hun inschrijfgeld bij elkaar zouden leggen hadden ze genoeg om hun eigen film te bekostigen. Ze zouden het op digitale video kunnen opnemen en later op film overschrijven. 'Maar ik heb geen idee hoe je een film maakt,' protesteerde Ruth. 'Ik heb zelfs nog nooit een camera in mijn handen gehad.' 'Wat doet dat er nou toe,' zei hij die wel verstand van camera's had en op elfjarige leeftijd zijn eerste korte film had opgenomen, toen zijn oom – de eerste man die hij had gepijpt – hem een superachtcamera voor zijn verjaardag had gegeven en sindsdien wist Pedro dat hij homo en filmregisseur zou worden, hoewel niet noodzakelijkerwijs in deze volgorde. Daarna was hij afgestudeerd aan de kunstacademie, had gewerkt als ober in diverse homobars, had stipt jarenlang zijn abonnement voor de Nationale Filmotheek verlengd, had een riskante tocht ondernomen langs de diepten en promiscuïteit van de donkere kamers in de bars in Chueca en het plan om eens een film te maken was steeds sterker geworden.

Na dit koffiegesprek had geen van beiden zich ingeschreven op de academie, en hoewel ze niet aan het scenario voor de toekomstige film begonnen, hoe vaak Pedro daar ook over sprak, waren ze wel onafscheidelijk geworden en had Pedro Sara's plaats ingenomen als *de beste vriendin van Ruth*, omdat Ruth zo veranderd was toen ze uit Londen kwam, of Sara was veranderd in die jaren (wat maakt het uit) dat ze, ook al belden ze elkaar nog steeds heel vaak en zagen ze elkaar af en toe, ze niet meer overal samen naartoe gingen zoals vroeger.

In die tijd woonde Ruth, die nog steeds Engelse les gaf op een school, alleen in het huis waar ze nog jarenlang zou blijven wonen, in het huis waar ze nog steeds woonde toen ze Juan leerde kennen.

Pedro had een appartement in de Calle Augusto Figueroa met twee vrienden, allebei obers in homobars. De drie huurders, die wars waren van handboeken, regels, verplichtingen of de tien geboden, stemden af op de neohippy wereld van *rave* en pillen en dachten in het begin dat hun samenwonen prima zou werken. Maar algauw week die wereld van vrede, galactische eensgezindheid en vrije liefde die zij ambieerden steeds meer af van de beloofde harmonie en werd de logica van de chaos in het gelijk gesteld. Het appartement werd een soort opvanghuis voor drugsverslaafden en homo's, een verzamelplaats van dwarsliggers en nietsnutten, een broeinest van gevaarlijke virussen en het hoofdkwartier van een kleinschalige drugshandel die in handen was van Enrique, een van de 'officiële' huurders, die dealde in de bar waar hij zelf shotjes nam. De enkele keren dat Ruth erheen ging trof ze altijd een meute jongelui aan – sommigen nog heel jong – die her en der in de kamer op matrassen lagen. Ze had op zo'n klein oppervlak nog nooit zo'n grote puinhoop gezien. Zolang Pedro in dat appartement woonde was het een komen en gaan van de meest uiteenlopende figuren over wie je ook een roman zou kunnen schrijven, kleurrijk en sensationeel, waar Eduardo Mendicutti verrukt van zou zijn. Van blagen die van huis waren weggelopen tot volwassen schrijvers van naam, rivalen van Oscar Wilde, die zich geen zier aantrokken van die bende en niet doorhadden dat ze uit de toon vielen en alleen al met het zijden shawltje om hun hals de maandelijkse huur van het hele appartement zouden kunnen betalen. Die werd trouwens altijd betaald door Luis, de officiële huurder van de etage die uit Valencia was gekomen om architectuur te studeren. Ze zeiden dat hij goed thuis was in de mystiek en hij deed niets liever dan 's morgens vroeg luidkeels zogenaamde mantra's in zogenaamd Sanskriet opdreunen. En als hij niet bezig was het nirvana te bereiken, kwelde hij hen door het eindeloos draaien van de hits van Madonna van wie hij alle cd's had. Luis leed aan een niet nader genoemde psychische kwaal en zijn familie stuurde hem elke maand, naast een blijkbaar royale toelage, geheimzinnige medicijnen die zijn vriend – een buitenlandse junk die praktisch nooit de kamer van Luis uit kwam en van wie niemand wist of hij Zweed, Noor of Fin was – vlug bij zichzelf inspoot. Maar het mietje had weinig aan de medicijnen en niemand vond ze de moeite waard, want er werd voornamelijk hasj en ecstasy in het appartement gebruikt. In die periode dook daar bij nacht en ontij een prachtige mulat op die beweerde de zoon van de ambassadeur van Santo Domingo te zijn, die ecstasy slikte alsof het bonbons waren en op een dag net zo onopvallend verdween als hij was gekomen. Maar toen die krullenbol nog in beeld was had hij min of meer wat met La Peque, een onbeduidend schandknaapje dat vermoedelijk werd onderhouden door een rechter met vrouw en kinderen die regelmatig in de krant stond. La Peque zou de rechter het liefst definitief zijn geld aftroggelen en dan naar Nepal gaan. Iemand meende dat hij besmet was met dat mystieke gedoe door al die mantra's die hij 's morgens vroeg moest aanhoren. Een tijdje dachten ze dat hij het ook had gedaan (dat naar Nepal gaan), want van de ene op de andere dag verscheen hij niet meer, zo stoned als wat, op de *chill outs* die in de vroege uurtjes na sluitingstijd van de buurtkroegen spontaan werden georganiseerd in het appartement. Maar na twee maanden stond de verloren zoon totaal veranderd weer voor de deur: met glazige ogen en dermate afgevallen dat zijn enorme, magere neus als zonnewijzer zou kunnen fungeren in dat sterk ingevallen en bleke gezicht.

Goed dan, hoewel er maar drie 'officiële bewoners' in die commune waren, kwamen daar ook nog de min of meer permanente 'gasten' bij die regelmatig opdoken, of degenen die op een dag binnenkwamen en bleven slapen, op de bank, op de grond of in het bed waar ze voor onbepaalde tijd, dat kon een week zijn maar ook enkele maanden, met open armen werden ontvangen. Op Ruths voorzichtige voorstel om het appartement *manu militari* te ontruimen werd niet gereageerd, omdat de huurders waarschijnlijk te stoned waren om naar haar te luisteren. Vaak werd het water, het gas en/of de telefoon afgesloten en het gebeurde ook wel dat iemand de rekening moest gaan betalen en pas twee dagen later high van de ecstasy terugkwam en helemaal niet meer wist wat hij had moeten doen, terwijl ze binnen bij kaarslicht zaten te lezen en onder een ijskoude douche stonden. Na een paar maanden werd de situatie van kwaad tot erger: Pedro kon niet langer tegen die smeerboel en toen hij merkte dat een deel van zijn kleding was gejat, vond hij het tijd worden om zijn waardevolste bezittingen (videocamera, verzameling cd's en twee jasjes van Ángel Schlesser) naar Ruths huis te brengen. Ondertussen kwamen en gingen ongevraagd nieuwe geestverwanten en installeerden ze zich in de vrije plekjes van wat niet langer 'home, sweet home' genoemd kon worden.

Op een dag werd Pedro bij een uitgang van de metro aangehouden door een arme sloeber die hem om wat peseta's vroeg. Hij was met hem begaan en nodigde hem uit te komen eten. 'Het kan dus altijd nog erger,' dacht Pedro, 'en deze man heeft echt honger, zo te zien.' Maar de figuur, die 's avonds om tien uur voor de deur stond leek totaal niet op degene die Pedro bij de metro had aangesproken, want deze was keurig in het pak en stonk naar de eau de cologne. Tijdens het eten werd na een half uur al duidelijk hoe de vork in de steel zat: hij bedelde op een paar gunstige plaatsen in een bij elk daarvan passende outfit en had een rooster gemaakt van de uren waarop, volgens zijn berekeningen, de meeste mensen voorbijkwamen (bij de Castellana midden op de dag en bij Chueca meer aan het begin van de avond). Toen Luis hem onderdak in de woning aanbood, leek de beroepsarmoedzaaier aardig op zijn teentjes getrapt: voor geen goud ging hij in zo'n zwijnenstal wonen, dan sliep hij nog liever op straat! Bovendien, zei hij, had hij al een kamer in een pension in de Calle de la Cruz.

En toen verschenen op een ochtend twee politieagenten die op zoek waren naar een minderjarige die van huis was weggelopen en blijkbaar de zoon was van een hoge piet in de autonome regering van Catalonië. Ze doorzochten de woning, waarbij ze vol walging over een hele hoop halfnaakte lichamen sprongen en namen La Peque mee. Niemand wist wie de smerissen had verteld dat de jongen daar verbleef, net zomin als iemand had vermoed dat La Peque uit een heel goed nest kwam. Later kwam Pedro La Peque in de Leather tegen en toen vertelde het vroegere schandknaapje dat hij alleen naar huis was gegaan om zijn vader ervan te weerhouden de bekende rechter aan te klagen wegens misbruik van minderjarigen. Die toestand met La Peque, die gillend als een speenvarken door de twee potige agenten praktisch naar buiten werd gesleurd, zette een punt achter die vrijgevochten bende van dat appartement. De buren, die al ettelijke keren hadden geprotesteerd vanwege het lawaai en die voortdurende stroom onbekenden op de trap, zetten de huiseigenaar onder druk en twee dagen later verschenen twee andere agenten aan de deur, nu met een ontruimingsbevel. Een trieste en schandelijke ontruiming, maar toch voelde Pedro zich heimelijk opgelucht.

Pedro trok onmiddellijk bij Ruth in, later tot grote vreugde van de roodharige, terwijl ze er aanvankelijk tegenop had gezien haar woning te delen met zo'n schijnbaar chaotisch figuur. Maar tegen alle verwachtingen in ontpopte Pedro zich als een ideale, praktische huisman: als je hem niet gekend zou hebben in de periode van de commune zou je zeggen dat de keuken zijn natuurlijke habitat was en de dweil zijn beste vriendin. Bovendien was hij een innemend mens: vriendelijk, sympathiek, zo geestig als wat en lief: zo'n ideale flatgenoot hadden ze niet eens in de televisieserie *Friends*! Ruth vond het heerlijk dat hij er was.

Wat Ruth echt fantastisch vond was dat Pedro kon koken. Als je zelf niet hebt gekookt heeft het opdienen van de gerechten altijd iets magisch. Per slot van rekening bestaat er een langdurige traditie in het esoterisch gebruik van maaltijden en dranken waarmee je, als je weet welke kracht en energie er in kruiden zitten, bepaalde effecten kunt bereiken. Ruth kon koken en dat had ze vier jaar lang voor Beau gedaan. Voor die tijd had Estrella voor haar gekookt. Maar toen ze alleen ging wonen, werd ze met een compleet nieuwe situatie geconfronteerd: ze had niemand voor wie ze kon toveren en niemand deed het voor haar, met andere woorden, ze was moeder noch dochter. Zij moest als enige beide rollen vervullen: die in het alchemielaboratorium en die aan de keurig gedekte tafel. Ten slotte besloot ze geen van beide meer te spelen en ging ze over op het beoefenen van de ascese omdat ze niet in haar eentje naar een restaurant durfde te gaan, ze voelde zich onbeschermd en zielig en kreeg de indruk dat iedereen naar haar keek en dacht 'arm kind, heeft niemand om mee te eten'. Daarna vond ze het a priori weinig zin hebben om voor één persoon te koken, omdat het onzinnig was om zoveel tijd te steken in wat je daarna in een paar minuten wegwerkte, afgezien nog van het probleem van de hoeveelheden: er werd geen rekening gehouden met mensen alleen en de melk was zuur voordat je de helft van het pak op had. En dan de groenten... Omdat ze niet elke dag naar de markt kon, kocht ze zaterdagochtend kilo's en kilo's groenten die steevast in de loop van de week wegrotten voordat Ruth er wat van had gegeten. Het laatste waar Ruth zin in had als ze uit school kwam was dat ellendige kilo boontjes te gaan wassen en afhalen dat haar vanaf een schap in de halflege koelkast haar luiheid lag te verwijten. En juist toen Ruth rond de kritieke vijftig kilo woog en haar smalle gezichtje zich verloor in die prachtige haardos, kwam Pedro bij haar in huis om als een moeder voor het eten te zorgen, zodat Ruth haar goede eetlust terugkreeg en daarmee gezondheid, de verloren kilo's, vertrouwen in de mensheid en levenslust.

Aanvankelijk hadden ze afgesproken dat Pedro op de bank in de woonkamer zou slapen, maar al vlug kwam hij bij Ruth in bed. Ze sliepen vaak in elkaars armen, maar seks hadden ze nooit; op zijn hoogst wat zoenen en schuchtere strelingen. Ondanks het feit dat Pedro weleens met een vrouw naar bed was geweest en hij Ruth, als ze had gewild, maar al te graag aan zijn lijstje vrouwelijke geliefden had willen toevoegen. Maar de roodharige durfde niet. Ze zei dat ze dolgelukkig was met die hechte vriendschap en niet het risico wilde lopen die te verliezen. Zo gaat het in het leven; weldra zou blijken dat die vriendschap of in ieder geval dat samenwonen helemaal niet zo solide was, en op een heel wankel evenwicht berustte.

De eerste strubbelingen kwamen door toedoen van een derde, de ober van de bar tegenover Ruths huis, een ordinaire kroeg met zo'n grauwe groezelige bar en overdadige vette happen, waar Pedro en Ruth meestal ontbeten na een nachtje stappen. De ober liet zich

García noemen, en dat bleef García, omdat hij volgens Ruth waarschijnlijk een onmogelijke naam had – iets als Gumersindo of Restituto – die hij voor niemand wilde weten. Om hem te pesten noemde Pedro hem Eufemismo García, maar de ober zag het grappige er niet van in of het stoorde hem echt niet, want hij vertrok geen spier als Pedro hem van de andere kant van de bar luidkeels met die naam riep en hij bracht zonder commentaar hun koffie. Het was een tamelijk klassiek gegeven: Pedro vond García leuk, García vond Ruth leuk, maar Ruth vond Pedro eigenlijk veel leuker dan ze wilde toegeven, zodat ze ten slotte García alleen maar versierde om Pedro uit haar gedachten te bannen. Met als gevolg dat Pedro weer op de bank in de woonkamer moest slapen.

Tot dan toe had Pedro nooit een vriend mee naar Ruths huis genomen, maar nu gaf hij haar een koekje van eigen deeg. Op een avond kwam hij niet thuis slapen en de volgende dag verscheen hij met een redelijk succesvol schilder uit Valencia met de welluidende en zeer Germaanse naam Tristán; zijn moeder, van wie hij naar eigen zeggen het artistieke talent had geërfd, was klaarblijkelijk een fervente fan van Wagner. Tristán had van zijn moeder niet alleen het talent, maar ook een fikse erfenis gekregen die waarschijnlijk in cocaïne werd omgezet, en zo kwam er door jaloezie, door toedoen van Tristán en Tristáns verslaving, een einde aan het gelukzalige leventje thuis, want Pedro gaf niet alleen de brui aan schoonmaken en koken, maar kwam ook niet meer naar huis, en als dat wel gebeurde, was het met Tristán, waarbij hij de hele boel op stelten zette en net als Kleinduimpje een spoor van lege glazen en vertrapte peuken in plaats van steentjes achterliet. Toen Pedro en Tristán op een keer in de vroege uurtjes luidkeels en behoorlijk vals zingend *Laik a veryin, chu-chuá, tach for de veriferstaaaaaaaaaim...* bij het appartement kwamen, maakten ze Ruth en García wakker, die nog onwetend van Madonna's hartstocht de postcoïtale slaap der rechtvaardigen sliepen. Ruth liep in haar blootje met van woede fonkelende ogen de woonkamer binnen en smeet Pedro eruit. Ze zou nooit toegeven dat ze hem uit jaloezie eruit gooide, net als Pedro nooit zou toegeven dat hij haar uit jaloezie provoceerde. En zo eindigde de liefdesgeschiedenis van Ruth en Pedro voor hij was begonnen.

Maar de vriendschap tussen Pedro en Ruth overleefde die knallende ruzie, tegen alle verwachtingen in, terwijl – en dat zullen snuggere lezers al geraden hebben – die van Ruth en García en van Pedro en Tristán na het incident langzaam doodbloedden. Pedro vond een studio in La Latina, waarvan de maandelijkse huur even gering was als de ruimte, want hij was kleiner dan de woonkamer van Ruth. Hij sliep niet meer bij Ruth, maar ze gingen nog wel samen overal naartoe. Een tijdlang (tot hij Julio ontmoette) begon Pedro, als hij wat te veel ophad, er steeds weer over om het samen te proberen, hij beweerde zelfs stapelverliefd op haar te zijn, maar Ruth wilde er niets van weten. Niet dat ze aan Pedro's liefde twijfelde, maar ze had al zo vaak gehoord over homo's die verliefd waren geworden op een vrouw en ze was van mening dat uiteindelijk het bloed toch kruipt waar het niet gaan kan; iemand kan nog zo beweren dat hij op mannen en ook op vrouwen valt, maar als hij van mannen houdt zal hij ze niet zomaar laten lopen, ook al zijn er nog zoveel bijzondere vrouwen. In dit opzicht was ze precies Pedro, want Ruth vond vrouwen (sommige vrouwen) ook leuk, en in haar promiscue studententijd was ze, voordat ze Beau leerde kennen, met een of twee naar bed geweest en ze geloofde op een gegeven moment zelfs dat ze verliefd was op Sara en alles voor haar zou willen opgeven (omdat Sara er niets voor voelde, kwam Ruth er nooit achter of het gewerkt zou hebben), maar diep in haar hart wist ze dat ze meer op mannen dan op vrouwen viel en uiteindelijk toch weer bij hen zou terugkomen. Dat nam niet weg dat de gedachte soms bij haar opkwam dat Pedro en zij een fantastisch paar zouden zijn, als ze het toch zouden proberen. Ze kende een aantal voorbeelden van getrouwde homo's, van wie de vrouw er geen moeite mee had en die mannen hielden echt van hun echtgenotes, zoals van hun zusters of moeders of beste vriendinnen. Sterker nog, die mannen hadden hen nodig en zouden hen nooit in de steek laten. Ruth moest denken aan een al oudere heel beroemde zanger, getrouwd met een meisje van adel (haar vader was graaf of iets dergelijks), die voortdurend in tijdschriften trots en stellig beweerde hoe gelukkig hij was met zijn vrouw en kinderen. Ruth wist uit betrouwbare bron (de zanger had vroeger films gemaakt en het is een klein kringetje) dat hij homoseksueel was, dat zijn vrouw er maar al te goed van op de hoogte was (daar kon ze ook niet omheen met die superverwijfde maniertjes van hem), en dat het een goed functionerende relatie blijkbaar niet in de weg stond. Maar Ruth voelde zich niet in staat om met iemand te trouwen van wie ze wist dat hij onvermijdelijk in een sauna of een donker kamertje zou belanden, op zoek naar wat zij hem nooit zou kunnen geven. En ze voelde zich ook niet in staat om, zoals de dochter van de graaf, de andere kant op te kijken en net te doen of ze niets merkte, en om te zeggen dat het haar weinig of niets kon schelen wat haar man 's avonds uitspookte, terwijl hij 's nachts thuis sliep.

En zo stonden de zaken ervoor: Ruth, weer slank, met haar Engelse lessen; Pedro, met een onbeantwoorde liefde en zijn werk in de bar, en die twee zagen elkaar iedere middag in de filmotheek om naar oude films te kijken en belden elkaar elke dag, toen Pedro er weer over begon dat ze een film moesten gaan maken.

Ze maakten eerst een korte videofilm naar een draaiboek van Ruth. Zij bedacht een verhaal dat zich op één plek afspeelde, omdat binnenshuis opnemen veel goedkoper en minder gecompliceerd was en ze ook geen geld hadden voor een decor. Het speelde in een showroom.* Een ontwerpster was erachter gekomen dat haar vriend vreemdging en had een van haar vriendinnen, een kennis van de rivale, zover gekregen dat ze die uitnodigde voor een besloten show in de *showroom*, zodat de zogenaamde 'officiële' vriendin 'de andere' van dichtbij kon zien terwijl die zich uitkleedde. De rivale bleek veel

* Dat idee had ze natuurlijk meegebracht uit Londen. Het is de concessie van een ontwerper aan zijn klanten. Die gaan, in plaats van naar een winkel om hun kleding te kopen, naar het atelier van de ontwerper zelf en passen daar zijn creaties. Dit systeem wordt gebruikt door beginnende ontwerpers die nog geen netwerk van verkooppunten/tussenhandelaren hebben, zodat hun kleding in de handel wordt gebracht. Of bij de heel chique en snobistische klanten die zich niet verwaardigen om net als de meeste stervelingen hun kleding in doodgewone winkels aan te schaffen.

knapper dan de ontwerpster had gedacht en daarbij was ze ook nog biseksueel... En de rest is niet zo moeilijk te raden.

Ongemerkt had Ruth met haar eerste filmpje vormgegeven aan haar grootste obsessie: de persoon van de ander. De confrontatie tussen twee rivaliserende vrouwen en hun mogelijke uiteindelijke versmelting had veel weg van haar eigen situatie, zoals de lezer nog zal merken.

Omdat ze weinig actrices bereid vonden om voor wat ze zouden betalen (niets) naakt op het doek te verschijnen en ook nog een ander meisje te zoenen, en omdat de enkelen die ze konden krijgen niet over voldoende acteertalent beschikten, besloot Ruth zelf de rol van de ontwerpster te spelen. De film werd in twee middagen opgenomen, in nog eens twee op Pedro's computer gemonteerd, voor het bescheiden bedrag van 100 000 peseta op film overgezet en daarna ingezonden naar alle festivals van korte films waar de producenten van hadden gehoord. Zoals we al zeiden kreeg hij diverse prijzen op verschillende redelijk bekende festivals en werd bovendien op televisie uitgezonden in Spanje, Frankrijk en Duitsland. Omdat zij zelf de producers waren (ze hadden een bedrijf opgericht met de naam Sfinx Producties, vanwege de geheimzinnige praktijken), kregen Ruth en Pedro van al die prijzen en de uitzendrechten in totaal het mooie bedrag van vier miljoen peseta in handen, alsof het niets was.

'Anderhalf miljoen voor jou, anderhalf miljoen voor mij. Daarvan kunnen we bijna een jaar leven. Jij neemt ontslag op school en ik bij de bar, en met het resterende miljoen maken we een film,' zei Pedro.

'Je bent geschift,' zei Ruth.

Dora en Katy zijn twee meisjes uit de provincie die samen een miezerig appartementje in Tirso de Molina hebben en als schoonmaaksters in een hamburgertent werken. Ze hebben een gemeenschappelijke ambitie die ze in die harde jungle van de stad op de been houdt: actrices, beroemd, sterren worden. Maar de stakkers hebben geen rooie cent, geen talent, geen connecties en zelfs geen mooie tieten, zodat ze nu in de hamburgertent werken en wachten op de glorieuze dag dat een slimme producer hen ontdekt en tot ster bombardeert. Omdat ze met hun hoofd alleen maar bij het gedroomde sterrendom zijn, voeren ze geen steek uit in de zaak en zitten ze in de stille uurtjes constant in de Diez Minutos *te lezen en zich te vergapen aan de sterretjes van dat moment, totdat op een dag hun bedrijfsleider, die er toevallig ook van droomt om acteur te worden, ze erop betrapt dat ze roken tijdens het werk en hen op staande voet ontslaat. Ze zijn radeloos en werkeloos, maar dan horen onze heldinnen in de roddelprogramma's waar ze altijd naar kijken, dat binnenkort de première is van de nieuwste film van Pedro Almodóvar. De gebeurtenis van het seizoen! Daar is iedereen die wat voorstelt in het Spaanse filmwereldje aanwezig: producers, agenten, acteurs, technici, fotomodellen en een aantal nichten. Dora is er heilig van overtuigd dat de voorzienigheid hun de kans van hun leven op een presenteerblaadje aanbiedt, de kans om de blits te maken, contacten te leggen, opgenomen te worden in dat kringetje. Vanaf dat ogenblik hebben ze nog maar één doel voor ogen: twee kaartjes te bemachtigen voor het premièrefeest van Almodóvar.*

Uitgaande van dit magere verhaaltje, dat even vaag als onzinnig was, schreef Ruth bladzijden vol waarin ze meedogenloos de spot dreef met het wereldje van Chueca waarin Pedro en zij gewoonlijk verkeerden, min of meer moderne bars waar ieeedereen acteur was, ieeedereen bezig was met een 'ontzettend interessant project waar ik niet over wil praten, want je weet toch dat dat ongeluk brengt' en ieeedereen een heel goede vriend van Pedro Almodóvar beweerde te zijn, maar die je zelf nooit ergens zag. Het script van Ruth was niet meer dan een opeenvolging van waanzinnige en zo op het oog onwaarschijnlijke situaties, maar geen enkele scène die ze beschreef was uitsluitend fantasie: ze had alleen maar verteld wat ze zag, de toestanden met de bewoners van Pedro's appartement, de liefdesverhoudingen van de klanten in de bar waar haar vriend werkte en zelfs het verdriet van enkele leerlingen aan wie zij op school Engelse les gaf. Later tijdens de opnamen, hield niemand zich erg strikt aan het draaiboek, ofwel omdat de acteurs hun dialogen niet konden onthouden en maar wat improviseerden, of omdat Ruth midden in de opname een nieuwe zin bedacht, een komisch effect of iets extra's wilde toevoegen aan het verhaal, of omdat een acteur 's morgens niet kwam opdagen en de scène herschreven en aangepast moest worden aan een ander personage, of omdat er niet op de beoogde locatie kon worden opgenomen en de scène moest worden aangepast aan een andere achtergrond.

Ze konden *Fea* maken dankzij de welwillendheid van veel vrienden, een heleboel kennissen en wat onbekenden. Ze haalden de meubels uit Ruths kamer en stapelden ze zo goed en zo kwaad als het ging op in haar slaapkamer (die meer op een uitdragerij leek) om er hun kantoor van te maken. Bovendien kwamen veel leden van de ploeg uit andere steden (Ruth ontdekte ineens dat Pedro, net als de zeeman van het gezegde, in elke haven een minnaar had of had gehad, dat zijn geliefden of ex-geliefden maar al te graag wat wilden terugdoen voor de liefde die zij van hem hadden ontvangen, dat ze er bovendien niet mee zaten om bij het bedrijf maatjes tegen te komen, andere lichamen met wie ze het geliefde lichaam hadden gedeeld, en dat ze redelijk goed met elkaar overweg konden, alsof er door hun gemeenschappelijke bewondering een soort verbroedering was ontstaan) en omdat veel van hen geen geld hadden voor logies, sliepen ze op matrassen in de kamer – slapen is uiteraard te veel gezegd, want meestal zakten ze de hele nacht door met drank, drugs en gerotzooi. Dus moest Ruth het anderhalve maand lang voor lief nemen dat ze een grote groep huisgenoten had die, als zij sliep, door haar huis doolden, naar de wc gingen of hun tanden poetsten. García zorgde voor het eten en drie weken lang werkte de arme knul zich kapot om voor een team van dertig personen broodjes en soep te maken. Als tegenprestatie mocht hij van Ruth de bedrijfsleider van de hamburgertent spelen, een rol die de jongen met veel verve wist uit te beelden: niemand die voor de camera zo goed hamburgers bakte, niemand die zo charmant zijn schort droeg.

Door her en der wat toezeggingen te doen kregen ze een vrachtwagentje, twee kantoren om te werken en twee ruimtes, drie woningen, een discotheek, een bar en een terras, waar ze zonder een cent te betalen konden opnemen, want voor Ruth gold allang de stelregel niet meer dat een lowbudget film zich op een beperkt aantal locaties moet afspelen en alleen als het noodzakelijk is in de buitenlucht. Dat van die buitenopnamen kon nog problemen opleveren, omdat je daarvoor een vergunning moet aanvragen, en dat betekent een eindeloze papieren rompslomp, een gehaaidere regisseuse dan die zij hadden en veel ervaring met ambtenarij, waar het hun aan ontbrak. Pedro, die op het gebied van verhalen schrijven minder inventief was dan Ruth, maar beter dan zij oplossingen vond voor praktische en reële zaken kreeg een schitterend idee. Hij wist dat ze in Madrid een film met Ornella Muti gingen opnemen en bedacht dat het veel gemakkelijker zou zijn om het opnameschema van de Italiaanse film in handen te krijgen dan de vergunningen voor hun eigen buitenopnamen, en dus gingen ze de ploeg van Muti achterna en stemden hun eigen opnameschema daarop af. Wanneer de Italianen in de ene straat filmden, deden zij dat in die ernaast, en als de politie hen om hun vergunning vroeg verklaarden ze dat de twee ploegen bij elkaar hoorden en konden Pedro en Ruth ongehinderd filmen. Een van de acteurs – die via een advertentie in de *Shangay* was aangetrokken – werkte bij een sekslijn en via een van zijn klanten, die hoofd elektriciteit was van een bekende lampenfirma, kregen ze de filmspots die ze, dat moet gezegd, na afloop van de opnamen onbeschadigd teruggaven.

In totaal dertig acteurs werkten gratis mee aan een speelfilm die op video werd opgenomen. Omdat er een week voor het begin van de opnamen nog acteurs ontbraken werden sommige rollen gespeeld door bereidwillige vrienden. De figuranten waren echt: het waren mensen op straat die graag meededen aan het spektakel of niet eens doorhadden dat ze werden gefilmd. Voor de scènes in de discotheek trokken Pedro en Ruth hun agenda en belden al hun kennissen dat ze iedereen die een avondje wilde feesten moesten mobiliseren. Een heleboel aanwezigen wisten niet eens dat ze in een film figureerden. Het vervelende was dat sommigen moe werden en gewoon de benen namen, zodat de ploeg na een lange draaidag zonder figuranten kwam te zitten, en daarom konden ze zich niet veroorloven daar de scène twee keer op te nemen, omdat er bij de tweede take misschien niemand meer was. Ruth moest het dus met de eerste take doen of ze nou wel of niet tevreden was. Elke avond ging de ploeg na het filmen nog wat drinken. Aan de bar hoorde Ruth suggesties aan van deze en gene en met haar pen in de hand bracht ze, als het haar iets leek, veranderingen aan in het draaiboek.

Omdat ze de acteurs niet konden betalen en geen beroepsactrice konden vinden voor de naaktscènes, besloot Ruth zelf de rol te spelen van Dora, de naïefste van de twee aankomende actrices, een dom wicht dat het bed in dook met iedereen van wie ze dacht dat hij haar de begerenswaardige vip-uitnodigingen voor de première van Almodóvar kon bezorgen. Met als gevolg dat ze de halve film in haar blootje liep en niemand van de filmploeg na de opnamen er een seconde aan twijfelde dat Ruth van nature roodharig was.

Het resultaat was een wrange film die iedereen wilde zien omdat het een satirische kijk was op nachtelijk Madrid uit die tijd. Pedro organiseerde een 'première' in Morocco waar de halve stad op afkwam. Die dag was de zaal afgeladen vol en het was er stikbenauwd, omdat de ruimte veel te klein was voor de ploeg, hun vrienden en een respectievelijk aantal familieleden. Bij die mensenmassa voegde zich ook de plaatselijke *incrowd*, die had gehoord dat dit de grootste afgang in de geschiedenis van Morocco zou worden en nieuwsgierig en roddelziek hun opwachting maakte bij de zaal. Het werd zo'n succes dat de eigenaars van Morocco besloten de film elke woensdag te draaien zodat na een maand half Madrid hem had gezien en de andere helft er reikhalzend naar uitkeek. Bij de eerste helft bevond zich Paco Ramos, een jonge zakenman die zijn baan bij een grote filmdistributiemaatschappij had opgegeven om Alquimia, zijn eigen productiemaatschappij, op te zetten. Enthousiast door het succes van *The Blair Witch Project* in de Verenigde Staten, nam hij contact op met Pedro en Ruth en bood aan de postproduction en distributie op zich te nemen.

Zoals we al zeiden werd Ruth in de kritiek bestempeld als opportunistisch, salonfeministe, frivool, grof, bot en meer van dat soort weinig vleiende benamingen. 'We snappen de bedoeling niet van dit gedrocht,' zei een criticus in *El Espectador*. 'Ironie of gewoon een verbijsterend gebrek aan mening, standpunt en stellingname? Het is duidelijk dat de regisseuse geen verstand heeft van script, opbouw van het verhaal, invullen van de personages, ritme van de film of er helemaal niets om geeft. De film neemt door een zogenaamd feministische invalshoek die vorm van pornografie aan die smalend erotiek wordt genoemd. Boulevardpornografie die alleen maar uit lijkt te zijn op naakt- of seksscènes en niet het afgezaagde excuus van 'functionaliteit' kan aanvoeren, omdat daar in deze film geen sprake van lijkt te zijn en dit achterhaalde begrip vervangen is door een slaapverwekkende opeenvolging van onwaarschijnlijke gags, onbenullige dialogen en voorspelbare verhaallijnen die door elkaar heen lopen en ten slotte verloren gaan in een onsamenhangende kluwen. Maar het verhaal is niet zo belangrijk. Een goede regisseur kan in principe over elk onderwerp een film maken. Het onderwerp moet echter op natuurlijke en neutrale wijze in beeld worden gebracht en wat alleen maar humor van een vriendengroepje is verkopen als het toppunt van originaliteit en underground.'

Maar het publiek leek zich weinig aan te trekken van de kritiek die unaniem negatief was. In nauwelijks een maand tijd had *Fea* vijfhonderdduizend bezoekers getrokken en werd de film bovendien geselecteerd voor de *Quinzaine** van het Festival van Cannes. De polemiek was geboren.** Dankzij de camera durfde Ruth openlijk en objectief te aanvaarden wat ze altijd was geweest: dat vreemde schepsel dat naar zichzelf op zoek was. Ruth begon te filmen vanuit onschuld, ging ermee door via verbazing en werd gesterkt in en door pijn. De tijd had haar uit de wereld van het onzichtbare verbannen, de wereld van haar jeugd toen ze in de sprookjes kon geloven die haar kinder-

* Quinzaine van Nieuwe Regisseurs. Alleen voor debuutfilms.

**Deze film is gebaseerd op een waar gebeurd verhaal: Dunia Ayaso en Félix Sabroso draaiden *Fea* met een miljoen peseta. Omdat geen enkele bank hun project wilde financieren vroegen ze beiden een VISA-kaart aan met een krediet van 500 000 peseta dat nooit werd terugbetaald. Zij hadden helaas geen slimme producer die de postproduction van de film deed. Omdat *The Blair Witch Project* nog niet in première was gegaan, natuurlijk. Maar hoe dan ook, als jullie een video van dit fantastische werk willen hebben kunnen jullie contact opnemen met Félix Sabroso via e-mail: amorylujo@infonegocio.com.
Overigens berusten de overeenkomsten van de fictieve Pedro en Ruth met de bestaande Dunia en Félix op louter toeval.

meisje Estrella vertelde. En de mannen hadden haar uit die van het zichtbare verbannen, want heel lang telde niet zij maar alleen haar schoonheid mee. In de zichtbare wereld had ze zich gekwetst en doodsbang gevoeld, maar ze weigerde te klagen en maakte gebruik van de beelden, want alleen vanachter een masker – Ruth als actrice, Ruth op het doek op veilige afstand van de ander – was zij in staat haar klachten de wereld in te sturen. In de beelden vond Ruth zichzelf en op het doek vond zij haar kracht, want bij een film is het eenrichtingsverkeer en kan de ander haar niet storen of lastigvallen bij de uiteenzetting van haar ideeën. De relatie met het onzichtbare werd weer aangeknoopt via deze nieuwe weg die het beeld met zijn vrijheid verlichtte. Na een gedegen en fanatieke studie van het beroep, was ze vastbesloten om alle obstakels te overwinnen die de persoonlijke weergave van haar onzichtbare wereld in de weg stonden en veranderde de aanvankelijke verwondering in openbaring. Ze maakte zich een nieuwe werkelijkheid eigen door middel van de beelden, en door middel van de beelden die door de woorden werden overgebracht: een openbaring die Ruth volledig toebehoorde, die niet van buiten kwam – uit de zichtbare wereld, de wereld van de anderen – maar vanuit haar verborgen innerlijk waar het voorheen duister was, maar zodra Ruth zich via beelden leerde uitdrukken, ineens helder verlicht werd. De anderen waren een spiegel geweest en Ruth had zichzelf gezien zoals de anderen haar zagen: ze had zich afstandelijk, onverschillig opgesteld omdat ze zich alleen maar in de spiegel van de ogen van de mensen had gezien. Ze was zwak, wispelturig, tegendraads geweest omdat anderen haar zo zagen. Het filmbeeld was echter geen spiegel maar een onthulling, en toen Ruth zichzelf op het doek zag ging ze zichzelf leren kennen in plaats van herkennen. In haar films vertolkte zij een plotseling opgedoken vreemde, een pasgeborene die haar plaats innam. Met bedrog en leugen. Maar een leugen die meer op waarheid berustte dan enig andere waarheid van Ruth. Met de camera in haar hand was Ruth zowel de bron als de dorstige, want ze vond het heerlijk om van zichzelf te leren, zichzelf op te sporen, en dacht dat de beloning voor de ellende in haar leven in dat fantastische moment lag waarop ze eindelijk haar problemen kon overwinnen door ze te verwoorden: ze had het gevoel nieuwe talen te kunnen spreken en vooral, en dat was het mooiste, ze ook nog te kunnen vertalen.

En toen het geluk haar begon toe te lachen, toen ze eindelijk zichzelf begon te worden, kwam de roem en die sleurde haar mee. De luchtspiegeling van Ruths beroemdheid veranderde in een vervormende ruit, waardoor ze de mensen om zich heen anders ging zien en ze, juist toen ze op het punt stond dat wel te doen, zichzelf en haar situatie niet meer begreep.

En wie is Juan?

De jonge dichter Juan Ángel de Seoane heeft niet altijd deze naam gehad, daar hebben we al aan gerefereerd. Op zijn geboortebewijs staat Juan Hernández Rodríguez, waaruit blijkt dat die welluidende achternaam De Seoane dus een compositie van de toekomstige dichter is, alsof de achternaam de naam verfraait en ook het tussenvoegsel 'de' paste bij zijn fijne gezicht, de ferme en edele trekken, en eveneens bij de rechte neus en de gitzwarte ogen, zodat zelfs Juan soms geloofde dat hij nooit anders had geheten. Juan was ook geen Bask maar Galiciër van geboorte, uit de streek Caurel om precies te zijn hoewel, dat moet gezegd, Juan zich Bask voelde en niet alleen omdat hij daar woonde.

Om Juans geschiedenis te kunnen vertellen moeten we helemaal teruggaan naar het begin. En vooral naar de geschiedenis van zijn moeder, omdat Juans moeder, die nog in leven is, net zo cruciaal is in zijn leven als de dode moeder van Ruth, en dat was een verschil dat hen bond maar ook scheidde: ze waren allebei stapelgek op hun moeder, maar Ruth hield van een waanvoorstelling en Juan van een tiran. Een tiran inderdaad, maar een gewaardeerd tiran, zoals bepaalde volken hartstochtelijk van hun dictators hebben gehouden, zelfs na hun val en na bewijzen dat de despoot zijn positie steeds meer had verstevigd door moorden, omkoperij en machtsmisbruik bleef het volk (of een deel daarvan) van hem houden. Zoals gezegd: Juan adoreerde zijn moeder. Zonder het doorzettingsvermogen van die geweldige vrouw, zonder haar ijzeren wil, zei hij, wat zou er dan van hem terecht zijn gekomen?

Zijn moeder behoorde hem toe: sterker nog, zij voelde zich met recht trots omdat ze helder en duidelijk besefte dat er ondanks successen en vergissingen in haar leven, die ze altijd in de hand had, altijd een grote liefde voor haar zoon was, een passie zonder wellust die toch heviger en vuriger was dan wanneer hij lichamelijk zou zijn geweest. Bij haar is de moederliefde altijd veel sterker en dieper geweest dan de liefde voor haar man. En ze vond het haast fijn dat ze niet meer kinderen had gekregen, dat ze niet nog een dochter had en alleen maar een zoon op de wereld had gezet. Ze kon niet in een vrouw voortleven, ze had nooit gewild of zelfs maar gedacht dat een vrouwelijk wezen haar bloed, haar geest zou erven. Want ze had het als vrouw niet makkelijk gehad en ze wist heel goed dat wat ze ook zeggen, vrouwen op deze wereld slechts tweederangsburgers zijn en er moest nog heel veel gebeuren om die situatie te verbeteren. In ieder geval zou zij een betere wereld voor vrouwen niet meer meemaken, en haar zoon waarschijnlijk ook niet. Ze vond het heerlijk om maar één zoon te hebben want die kon ze nu haar volledige liefde geven, zonder dat er een rivaal was. Meerdere kinderen liefhebben zag ze als ontrouw aan de eerste en ze vergeleek grote gezinnen met polytheïsme: je kunt niet meerdere goden aanbidden. En Juan was haar god, haar afgod, maar een gevangen afgod, slachtoffer van haar verering, goed opgesloten in zijn nis en afgeschermd op zijn voetstuk... en als hij het maar niet in zijn hoofd haalde daarvan af te komen!

In Caurel hadden Carmens ouders het heel moeilijk gehad met het verbouwen van maïs en aardappelen op een armetierig stukje grond. Om de op zich al moeilijke situatie nog erger te maken, verkwistte haar vader in de bar het kleine beetje geld dat hij verdiende met het omwoelen van de aarde. Hij vertelde graag wat hij had meegemaakt, was royaal en de warme vriendschap die hij zich inbeeldde onder invloed van de wijn kostte hem ontzettend veel geld omdat hij het hele dorp vrijhield. Die manie werd een slechte gewoonte, een behoefte om vrijgevig te zijn, omdat hij graag royaal wilde overkomen en van opscheppen hield en een hekel aan geld had waar het hem thuis zo aan ontbrak, en terwijl hij opging in zijn dromen leegden zijn mededrinkebroers al lovend en vleiend het ene na het andere glaasje. Door het grote geldgebrek van haar moeder leerde Carmen de waarde van geld kennen. 'Ik had duizend keer liever dat hij het aan vrouwen uitgaf,' zei de arme vrouw, die het natuurlijk niet één keer in haar hoofd haalde om bij haar man weg te gaan, 'maar daar is hij niet mans genoeg voor; het enige wat hij kan is drinken.' En door deze grote armoede werd Carmen vroeg volwassen en voor haar leeftijd te serieus en met een uitgesproken en ongevoelige mening en dat zou haar hele leven typeren. Carmen was op haar dertiende al broodmager, net zo schraal als haar karakter, ze verafschuwde de armoede in huis en dacht er voortdurend aan die ellende te ontvluchten.

Het kwam niet bij haar op dat ze dat door studie zou kunnen bereiken. Ze was maar tot haar dertiende naar school geweest en hoewel ze altijd pienter en slim was, kostte het haar geen moeite om te stoppen met leren, waar ze later spijt van zou krijgen, want niemand om haar heen moedigde haar aan verder te leren, ze kende ook geen enkele vrouw die iets meer kon dan lezen en schrijven (haar moeder kon zelfs dat niet). Dus koos ze de manier die haar het meest logisch leek om het huis uit te gaan: het huwelijk. De uitverkorene was een in de omgang eenvoudige buurman, sober en prozaïsch in zijn gebaren, manier van doen en woorden, niet al te slim, maar – volgens het dorp – wel serieus en oprecht, die vooral opviel door zijn grote gitzwarte ogen die zijn zoon later van hem zou erven. Ángel Hernández was de knapste jongen van het dorp. Carmen was trots op haar aanwinst en voelde zich heimelijk uitermate voldaan en gelukkig. Ze wist heel goed dat zij de slimste van de twee was en hoewel ze nooit erg verliefd was op Ángel, omdat ze niet tegen hem opkeek, zou ze in de loop der tijd dezelfde liefde voor hem voelen als een fokker voor zijn beste paard. Op haar zeventiende was ze zwanger, niets bijzonders in die streek, het was daar gebruikelijk dat jongemannen hun vriendinnen uitprobeerden voor ze met hen trouwden omdat het volgens velen een goed teken was als de bruid met een dikke buik voor het altaar stond, want dat verzekerde het bruidspaar van veel nakomelingen. Veel nageslacht was alleen maar goed als er veel grond te bewerken was, zei Carmen, en dat was bij haar niet het geval. Integendeel, veel kinderen zou veel monden om te voeden en grote armoede voor het gezin betekenen. Toen ze dus trouwde was ze vastbesloten niet meer kinderen te krijgen en daar hield ze zich aan zoals aan alle beslissingen die ze in haar leven had genomen of zou nemen.

Juan was nog geen jaar toen een neef van zijn vader die naar Bilbao was gegaan om er te werken zijn vakantie in het dorp kwam doorbrengen en Carmen ervan wist te overtuigen, meer dan haar man, dat het jonge paar beter in die stad hun geluk kon beproeven, want in de bouw waar de neef werkte zaten ze te springen om metselaars en betaalden ze goed, ze zouden immers toch maar omkomen van de honger in die armelijke streek? Carmen besloot om het daar te gaan proberen en het kind voorlopig aan zijn grootouders toe te vertrouwen en hem op te halen als ze zich hadden geïnstalleerd. Ze dacht dat ze het kind binnen een maand zou ophalen maar er gingen drie jaar overheen voordat hun zoon bij hen kon komen. In het begin konden ze uit geldgebrek alleen maar in een pension wonen en Carmen had het in haar hoofd gehaald dat ze moesten sparen voor een appartement, want ze wilde absoluut niet haar hele leven ergens inwonen en al helemaal niet met een klein kind. Ze begon dus trappen schoon te maken (dat was immers het enige wat ze kon) omdat het met twee inkomens makkelijker zou zijn om het benodigde geld te sparen. Algauw werd duidelijk dat het kind zoals de zaken er voorstonden alleen maar tot last zou zijn. Dus bleef Juanito tot hij vier jaar was bij zijn grootouders van moederskant en zijn moeder zag hem in die tijd maar drie dagen per jaar, met de kerst.

Eindelijk leek de situatie wat te verbeteren. Bermeo, een dorpje aan de Baskische kust, kreeg het onverwachts beter dankzij de vestiging van de conservenfabriek Garavilla en de vondst van een gasbel in zee. Het werk op de gasfabriek was zwaar (daar waren sterke mensen voor nodig die drie maanden in een kleine ruimte konden verblijven), en de mensen uit Bermeo die eeuwenlang gewend waren op zee te werken – het dorp had altijd van zeevisserij geleefd – konden dat wel aan en nog meer ook. De gasfabriek betaalde buitengewoon goed, dat wel, en in korte tijd besloten alle dorpsbewoners hun huizen te verbouwen of nieuwe huizen op de helling van de berg Sollube te bouwen. Die verbouwingen en verhuizingen trokken veel mensen van buiten aan die gingen werken als metselaars of dagloners en ze kwamen niet alleen vanwege de werkgelegenheid, maar ook omdat de huren en de prijzen in het algemeen lager waren dan in Bilbao. Juans vader vond werk in de conservenfabriek en zijn moeder kreeg een baan als werkster bij de dorpsdokter waar zij goed betaald kreeg en met respect werd behandeld en ten slotte als deel van de familie werd beschouwd, want met vijf kinderen en een moeder die amper kon koken, konden ze het niet zonder haar stellen. Het jonge paar had eindelijk genoeg voor het sleutelgeld van het appartement waar Carmen van had gedroomd.

De verhuizing viel samen met de dood van Carmens vader – een voortijdig heengaan vanwege zijn lever die verschrompeld was door de alcohol – zodat de oma en het kind, dat net de schoolgaande leeftijd had bereikt, bij hen kwamen wonen.

Ze hadden er geen rekening mee gehouden dat de kleine jongen, die altijd aan de rokken van zijn *aboa* had gehangen, geen Spaans sprak, iets wat in zijn geboortestreek geen enkel probleem was geweest, want daar werden de kinderen er op school geleidelijk aan gewend Spaans te praten en werd in twee talen lesgegeven. Maar in Bermeo sprak niemand Galicisch: ze spraken Baskisch en een raar soort Spaans met veel Baskische uitdrukkingen, zodat de schooltijd moeilijk was voor het jongetje en of het nu kwam door dat trauma, of omdat hij in zijn prille jeugd zonder moeder was opgegroeid, of gewoon omdat het kind zo was geboren, maar Juanito was bangelijk, teruggetrokken en afstandelijk. In het speelkwartier stond hij in een hoekje, zonder met iemand te praten en hij had bijna geen vrienden. De situatie leek in de loop der tijd ook niet te verbeteren.

Carmen zat er niet zo mee. Soms leek het wel of ze er blij om was, want ze vond het leuk om de jongen de hele dag om zich heen te hebben, zich geen zorgen te hoeven maken waar hij was en was geweest of wat voor vriendjes hij had. Als hij een eenling bleek te zijn wat kon haar dat schelen? Kortom, vriendjes, hoewel dat niet voor allemaal opging, zouden alleen maar een negatieve invloed op hem hebben, in dit dorp waren de kinderen immers net zo verdorven als de volwassenen, het waren daar allemaal dronkelappen, nietsnutten en herrieschoppers! Zij was dus heel blij met haar zoon en toen ze ontdekte dat hij graag thuis zat te lezen bezorgde ze hem alle boeken die ze te pakken kon krijgen. Ze kreeg boeken van de vrouw van de dokter, die van haar kinderen waren geweest toen die klein waren en die ze nu niet meer lazen, en de dokter zelf nam ook boeken mee uit Bilbao, omdat de enige boekwinkel in het dorp eigenlijk meer een kantoorboekhandel en kiosk was dan een echte boekwinkel, en daar lagen alleen maar schoolboeken, boeken van Corín Tellado en de boeken die de Planeta-prijs hadden gekregen. Die asociale aard van haar zoon werd door Carmen gekoesterd, want het zorgde ervoor dat ze hem voor zich alleen had. Ze vond het niet prettig dat Juan een eigen wil had, want ze hield niet van mensen met een eigen wil, ze zag liever dat hij gehoorzaam en ijverig was, leergierig, van literatuur en getallen hield, ze wilde een man van hem maken, een groot man, en zij zou er te zijner tijd wel voor zorgen dat de jongen naar de universiteit ging omdat niemand in haar familie of in die van haar man dat had gedaan, en daarna zou ze zorgen dat hij trouwde, zij zou een goede moeder voor zijn toekomstige kinderen zoeken, een vrouw met principes, met goede manieren die haar zoon naar waarde wist te schatten en daarmee haarzelf, die groeide door hem te laten groeien, ja en als die vrouw was gevonden zou ze een bescheiden maar net huishouden opzetten en zijn hele leven en dat van zijn nakomelingen regelen. Haar zoon zou naar de universiteit gaan, dat was zeker, ook al moest Carmen zich daar kapot voor werken. Alles deed ze voor haar zoon, geld verdienen om zijn studie te betalen. Zij boende vloeren en maakte toiletten schoon; zij werd vies, maar hij niet, hij moest thuisblijven bij zijn boeken en daaruit de wijsheid halen die hem tot een belangrijk iemand zou maken.

En tot haar grote voldoening leek het te lukken. De jongen bleek algauw talentvol, schrander en intelligent. Hij was ook discreet en vriendelijk, prettig in de omgang en toen het probleem van de taal was opgelost, bleek hij ook een goede leerling, heel vroegrijp, heel leergierig, een modelleerling. Hij haalde altijd de beste cijfers van de klas. En hij was ook nog knap om te zien. Hij had de schoonheid van zijn vader en het talent van zijn moeder geërfd. Welke moeder zou daar niet trots op zijn?

Carmen zag niet dat er onder die indrukwekkende façade ook wat onvolkomenheden zaten. Want die deugden van haar zoon maakten de bezitter helemaal niet zo gelukkig. In het afgelegen dorp van zijn jeugd waren de meeste inwoners straatarm en wanneer hij daar terugkwam voelde Juan zich niet anders, want hij zag absoluut niet het verschil tussen zijn situatie en die van de andere kinderen. Echte armoede is geen schande maar relatieve wel. Dat wil zeggen dat Juan, een arm kind, de zoon van een werkster en nog een *maqueto** ook, die geen woord Baskisch kende, in Bermeo te maken kreeg met klassenverschil. Hij begreep dat eerlijkheid, doorzettingsvermogen, hard werken of integriteit niet genoeg was om gerespecteerd of bewonderd te worden wanneer geld een makkelijker graadmeter was. Juan bemerkte dat hij hetzelfde aanzien als zijn ouders had, ook al was er een enorm verschil. Van jongs af aan voelde hij steeds meer angst en wrok tegenover de mensen, dat zich als iets scherps en stugs in zijn binnenste nestelde.

Toen hij de middelbare school had afgemaakt, stimuleerden de docenten hem een beurs aan te vragen voor de Deusto Universiteit die hij kreeg dankzij zijn uitstekende schoolresultaten en de invloed van de dorpspastoor, die genegenheid voor hem had opgevat omdat hij een van de weinige jongens in de parochie was die elke zondag naar de kerk ging (dat had zijn moeder er bij hem ingestampt). De beurs dekte alleen het inschrijfgeld, logies en levensonderhoud kwam voor rekening van zijn ouders. Dat was een opoffering voor hen, maar Carmen vond dat niet erg. Ze had alles over voor haar zoon, ze zou

* Een min of meer negatieve benaming voor mensen die in Baskenland wonen maar daar niet zijn geboren.

haar eigen bloed voor hem geven, want ze was heel erg trots op hem. Haar leven was mislukt, nutteloos geweest, maar alles wat zij niet was geworden zou haar zoon wel worden. Wat bij haar alleen maar aspiratie was geweest zou hij waarmaken, dat stond vast. Bovendien beschouwde ze dat als haar eigen overwinning. De jongen was goed, maar zijn moeder was beter. Zij had hem zover gekregen, hij had alles aan haar te danken. Zij had een man van hem gemaakt dankzij opoffering, schaamte, zweet, gecijfer, geduld en energie. Vandaar dat ze het niet te veel gevraagd vond om iets terug te verwachten. De wereld zou voor haar mooie knappe en intelligente zoon zijn... maar per slot van rekening was haar zoon van haar. Carmen wilde wat zoveel moeders willen, namelijk via hun kinderen leven in een land en een maatschappij die het hun zo moeilijk maakt.

Aanvankelijk wilde Juan filologie studeren, maar zijn moeder wist dat idee snel uit zijn hoofd te praten. Ze had zich niet afgebeuld om haar zoon als meester te zien eindigen in een of ander verlaten dorp en hoe Juan ook zei dat hij wat meer van plan was, dat hij op zijn minst hoogleraar of schrijver wilde worden, zij wilde daar niets over horen. Zijn vader bemoeide zich er niet mee, want hoewel hij geen lafaard was, hield hij bovenal van vrede. Mettertijd had hij begrepen dat het geheim van een rustig leven erin schuilde zijn vrouw niet tegen te spreken. Uiteindelijk legde Juan zich erbij neer en ging hij rechten studeren, een tussenoplossing, want zijn moeder wilde dat hij economie of bedrijfskunde ging doen, maar in zijn hart bleef Juan de literatuur trouw en was hij van plan aan een literaire carrière te werken. Zo begon hij verhalen te schrijven die hij instuurde naar elke willekeurige wedstrijd en complimenteuze en dweperige brieven die hij stuurde naar alle nog levende auteurs van wie hij meende dat ze hem van nut zouden kunnen zijn. Zoals we al weten, waren er auteurs – die het gevoeligst waren voor gevlei en lof, of misschien niets te doen hadden – die hem terugschreven en zo kreeg hij langzaamaan een groepje correspondentievrienden met wie hij discussieerde over literatuur. Omdat hij geen een echte maar wel veel correspondentievrienden had, had hij veel vrije tijd en die besteedde hij bijna helemaal aan het schrijven van zijn verhalen en zijn brieven. Hij vond zelf dat zijn leven in het teken stond van de literatuur, maar eigenlijk had hij geen leven, omdat hij nauwelijks de campus of het studentenhuis waar hij woonde verliet.

Op zijn twintigste was hij nog maagd en toen vond hij het tijd worden voor de Liefde met een hoofdletter, want een schrijver van het soort waarvoor hij was geschapen kon alleen maar zo over de liefde denken. Hij hield al van zijn uitverkorene nog voor hij haar had gezien, want hij geloofde dat die vrouw alle kwaliteiten in zich had die hij vereiste van de Vrouw van zijn Leven (ook met hoofdletters natuurlijk). Op de eerste plaats was ze knap; op de tweede plaats evenals hij half Galicisch half Baskisch; en op de derde plaats hield ze zich bezig met literatuur. Het betrof de onderdirectrice van het literaire tijdschrift van Deusto, of zoals Juan vernam, de oprichtster, want zij had het eerste literaire tijdschrift van Deusto, *Momo*, in 1993 opgericht. Dat tijdschrift zag er saai (om niet te zeggen doodgewoon) uit, had de officiële omslag van Deusto, grijsgroen, leek meer op een folder dan op een tijdschrift, en bestond amper een jaar. Zijn opvolger, *Punto*, leek in de verste verten niet op zijn voorganger, want dat zag er goed uit, hoewel te overdadig aan tekeningen en illustraties. De officiële directeur van beide tijdschriften was een man, want een man kwam beter over bij de leidinggevenden, de onderdirectrice was de echte *alma mater* van het blad en na een glimp te hebben opgevangen van genoemde, toen zij een van de tentoonstellingen van het Culturele Activiteitencentrum opende, werd Juan getroffen door haar grote ogen en besloot hij alles over haar te weten te komen. Zo kwam hij erachter dat de jongedame behalve dat ze de verantwoording had voor de twee genoemde tijdschriften, ook de literaire workshop van de universiteit coördineerde en zich bezighield met het bijeenbrengen van geld voor de activiteiten en de lezingen van de workshop. Dat kwam hij allemaal te weten toen hij naar de zaal in het Gaurgiro Actualiteitencentrum ging, de ruimte die de universiteit beschikbaar stelde aan de studenten en een gesprek had met de directeur, een rechtenjongen, een Pool om precies te zijn met de grappige en welluidende achternaam Breczewsky, die Juan vaak was tegengekomen als hij stond te wachten bij de kamers van de docenten, zoals Ricardo de Ángel, van wie Juan ook les kreeg. Breczewsky, dat moet gezegd, legde de ware situatie meteen uit en hemelde de subdirectrice in naam en de echte stimulator van het literaire leven op de universiteit op. Binnen twee dagen was Juan terug op het kantoor met een paar verhalen om te proberen ze gepubliceerd te krijgen en zo werd hij medewerker van het tijdschrift en maakte hij eindelijk kennis met de onderdirectrice. Hij was weg van haar en besloot haar te volgen naar de bars waar het voorwerp van zijn bewondering heen ging en deed dan net of hij haar toevallig ontmoette, maar dat was niet zo toevallig omdat de man elke middag alle bars en cafetaria's in de buurt van de universiteit afliep, te weten: La Cava, bekend omdat de muziekgroep van de studenten daar bijeenkwam, om zijn tortillatapas, zijn Moorse tegelwanden en omdat het dé versierplek was; El Perro Verde, een soort Engelse pub, waar veel zakenlui met studenten kwamen die privacy zochten; de Kanaille, het geijkte alternatieve supergrunge speelhol, piepklein en vol letterkundestudenten en het bewuste 007-type; en ten slotte de kelder El Deustorrak, gedecoreerd met middeleeuwse afbeeldingen, met ruime afgeschermde hoeken en zitjes, veel schemerdonker en obers die tapas en chips rondbrachten.

Ze had er genoeg van overal dat saaie type met die vochtige hondenogen tegen te komen, die bovendien oreerde over de kwaliteiten van Borges terwijl hij haar ondertussen met zijn ogen zat uit te kleden, en Laura Espido Freire, want dat was de naam van de aanbedene, begon grappen te maken over de jongen, die ze de bijnaam *De Alomtegenwoordige* had toebedacht, ze probeerde niet op hem in te gaan en gaf altijd antwoord met alleen maar ja of nee zoals de beleefdheid vereiste, maar waarbij ze tegenzin liet doorschemeren die bijna onbeleefd was. Een van de meisjes echter, die meewerkte aan de literaire workshop en hand- en spandiensten verrichtte voor het tijdschrift zoals het assisteren bij het samenstellen van de proefexemplaren (ze mocht nooit publiceren, omdat Laura vond dat haar stukjes vreselijk truttig waren, hoewel ze niet de moed had haar dat ronduit te zeggen), en trouw bezoekster was van de literaire kring die op Deusto werd georganiseerd, had heimelijk een heel andere mening over De Alomtegenwoordige. Wat Laura als pedanterie beschouwde noemde zij welbespraaktheid, bevlogenheid en cultureel enthousiasme die grensden aan genialiteit, als het niet nog verderging, en zij zou graag de aandacht hebben gekregen die hij Laura gaf. Ze begreep niet dat Laura ongevoelig kon blijven voor die verrukkelijke zwarte ogen die het licht vasthielden en zo bijzonder vertederend waren. Zo'n blik, dacht ze bij zichzelf, heb ik nog nooit gezien, dat melancholische in die ogen... (Het was een aanstellerig type natuurlijk, daar hadden we het al over, waarom zou ze anders meedoen aan die literaire kring?) 'Die Juan is een echte man,' zei ze, 'zo knap, zo welbespraakt... Naast hem zou iedere vrouw goed uitkomen. Maar omdat alles anders loopt op deze wereld, valt hij op dat idiote mens dat het niet eens in de gaten heeft.' Maar nee, Juan zag haar niet staan, ook al vond ze zichzelf veel knapper dan Laura. Want Laura, wat ze dan ook van haar zeiden, was niet mooi; ze had onregelmatige trekken, en dan die wallen onder haar ogen! Ze kon zich inderdaad goed uitdrukken, maar zo geweldig nou ook weer niet en trouwens wat had je daaraan als je niet eens merkte dat er zo'n stuk voor je neus stond? Biotza had haar ogen niet in bedwang, hoe ze haar best ook deed, als ze Juan zag binnenkomen, en ze volgden die maqueto overal, ook al was hij slecht gekleed. Het duurde niet lang voor Juan erachter kwam dat Laura niet erg in hem was geïnteresseerd ook al zagen ze elkaar vaak, maar dat Biotza daarentegen grote belangstelling voor hem had en het kostte hem niet zoveel moeite zijn aandacht op iemand anders te richten, want al met al was Biotza een leuk en betrekkelijk knap meisje. Toen hij erachter kwam dat zij ook nog de dochter was van een van de rijkste industriëlen van Bilbao, kreeg hij nog meer belangstelling voor haar. Je kon aan Biotza zien dat zij geld had: de Tous-oorbellen, de Acosta-tas, de Pepe-broek van For, de mannenoverhemden met een fijn streepje, de Ágatha Ruiz de la Prada-trui, de Ralph Lauren-poloshirts, de Lacoste-T-shirts, de marineblauwe Barbour, de Burberry-paraplu, het daarbijbehorende welbekende regenhoedje van Barbour, het gouden kruisje en de talrijke maar bescheiden gouden ringen, tot en met haar halflange glad geföhnde coupe soleil... Kortom, duizenden kleine details die haar bestempelden als een rijkeluisdochter uit Bilbao die een maqueto als Juan nog niet wist te herkennen. Hij begon haar bijna uit rancune het hof te maken en was zich er wel van bewust dat Biotza slechts een slap aftreksel van Laura was, maar zijn belangstelling werd groter toen Biotza zei dat ze het stil wilde houden, omdat ze bang was dat haar vader, een fervent nationalist, er niet zo blij mee zou zijn als hij hoorde dat ze met een maqueto ging. Toen ging Juans eigenwaarde inwendig opspelen en kreeg hij nog meer zin om haar te veroveren. Wat dacht die man wel? Dat hij iemand op zijn afkomst kon beoordelen? Hij zou weleens laten zien wat hij waard was, hij zou duidelijk maken dat Juan niet één maar wel honderd Biotza's waard was, en hij begon er alles aan te doen om de beginnende relatie officieel te maken en Biotza niet zomaar te laten schieten. Biotza vond al die belangstelling prachtig en zag het als een overwinning op Laura, ze zwol van trots door de bewondering die zij in Juan wakker maakte en die zij als een verdiende hulde zag. De jongeman was zo vastberaden dat de vader van het meisje mettertijd wel moest zwichten en toestaan dat Biotza, ook al kostte het hem moeite, het recht had zelf haar verloofde te kiezen en dat deze, ook al was hij geen Bask en ook niet van goede komaf, wel serieus en verantwoordelijk overkwam.

Carmen was het volkomen eens met de verovering van haar zoon. Het meisje was niet alleen rijk, superrijk zelfs, maar het was overduidelijk dat ze gedwee was zodat ze goed met haar zou kunnen opschieten, een fatsoenlijk meisje, goedaardig en vriendelijk, decent zoals nog maar weinigen, die nog geen ander vriendje had gehad vóór Juan, en zo vredelievend dat ze met haar zou kunnen doen wat zij wilde. Die relatie waar iedereen het mee eens was, was dus snel beklonken en in zijn tweede studiejaar had Juan Hernández een officiële en vaste vriendin.

Gedurende zijn vijfjarige studie wijdde Juan zich aan twee passies:

Biotza en de literatuur. Hij bleef artikelen en korte verhalen in literaire tijdschriften publiceren, stuurde manuscripten naar elke wedstrijd waar hij van hoorde en verveelde bijna alle schrijvers in Spanje met hartelijke briefjes. Hij studeerde hard, maar zonder enig enthousiasme. Rechten interesseerde hem totaal niet en hij probeerde alleen goede cijfers te halen om zijn beurs niet kwijt te raken. In het vierde jaar raakte hij geïnteresseerd in poëzie en stukje bij beetje had hij voldoende gedichten bijeen om er een bundel mee te vullen, die hij natuurlijk ter beoordeling naar de schrijvers stuurde met wie hij correspondeerde en die zich uiteindelijk gewonnen gaven: ze zouden die bewonderaar nooit kwijtraken. Juan hield zich aan hun aanwijzingen en suggesties, herschreef het manuscript zeker vijftig keer en net toen hij afstudeerde, vond Andrés Trapiello het eindresultaat van al dat herschrijven (het was tamelijk goed geworden, want uiteindelijk was het een verzameling ideeën, een indrukwekkend Frankestein dat met restanten van een paar van de beste schrijvers van Spanje was samengesteld) goed genoeg om het in te sturen voor de Adonais, onder het pseudoniem Juan Ángel de Seoane dat Juan had gekozen ter ere van de naam van zijn vader en het dorp waar hij was geboren. Juan won de prijs, zoals we al weten, en hij was er zo verguld mee dat hij vanuit zijn valse bescheidenheid het niet kon nalaten zichzelf er hartelijk mee te feliciteren.

Tijdens het diner van de Adonais ontmoette Juan Indalecio Echevarría, criticus van *El País* en literair directeur van uitgeverij Paradigma. Andrés Trapiello had hem enthousiast het manuscript van Juan aanbevolen en de slimme criticus vond het fantastisch en was zo lyrisch over het talent van de jongeman dat Juan inwendig zwol van trots, wat hem bijna de adem benam. Aangemoedigd door de uitgever vertelde Juan wat zijn aspiraties waren; hij wilde schrijver, auteur worden en niet alleen dichter. Schrijver...! Auteur...! De klank van die woorden alleen al gaf hem een voldaan gevoel. Ze hadden een lang gesprek waarin Juan zijn bezorgdheid uitte: hij was net afgestudeerd en wilde zich volledig wijden aan zijn eerste roman, een geschiedenis die zich zou afspelen in een stad die was samengesteld uit stukjes steden met daarin de bekendste monumenten en straten uit het vooroorlogse Europa – het Praag van Kafka, het Dublin van Joyce, het Venetië van Mann, het Parijs van Proust – een fantastische ruimte à la Borges, een eerbetoon aan zijn leermeesters, maar omdat hij niets verdiende stond hij in tweestrijd of hij het aanbod van zijn toekomstige schoonvader moest aannemen om in een van de bedrijven van zijn concern te gaan werken waardoor hij wel geld maar geen tijd had, of weer bij zijn ouders moest gaan wonen waardoor hij tijd had om te schrijven maar geen geld, en zich een parasiet zou voelen. De uitgever leek heel geïnteresseerd in zijn roman en Juan, zeer gestreeld door de belangstelling van Indalecio, beloofde hem al zijn verhalen te sturen en de proefversie van die metafoor van Borges, en dat deed hij meteen toen hij weer terug was in Bilbao. Een paar dagen later belde Indalecio hem met een interessant aanbod: hij had de verhalen heel goed gevonden, maar het waren natuurlijk alleen maar wat uitstekende stijloefeningen; de proefversie van de beloofde roman was echter veelbelovend en als hij die publiceerde zou hij ongetwijfeld, nu hij de Adonais had, wel doorbreken in het literaire wereldje. Daar Indalecio in de Commissie van Studentenhuizen in Madrid zat, zou hij een beurs van Steun aan Literair Talent kunnen regelen als Juan beloofde de roman bij zijn uitgeverij onder te brengen. De beurs voor het studentenhuis was goed voor logies en maaltijden plus een kleine vergoeding, die inderdaad aan de lage kant was om in Madrid rond te komen. Maar Indalecio zou hem een voorschot kunnen geven op zijn eerste boek als Juan een contract met hem afsloot en hem een baantje kunnen bezorgen als lector van manuscripten voor de uitgeverij. Hij zou vijfduizend peseta per verslag krijgen en er drie à vijf per maand moeten doen. Daarmee dacht Indalecio, zou Juans probleem opgelost zijn en zo zou hij tijd hebben om zijn roman te schrijven en genoeg geld om van te leven in de periode dat hij schreef, zonder afhankelijk te zijn van zijn ouders.

Juan stond bijna met zijn oren te klapperen toen hij de telefoon neerlegde, want hij was waanzinnig blij met dit bericht. Zijn moeder daarentegen kon zijn enthousiasme niet delen, zij had graag gewild dat Juan op een kantoor zou gaan werken en een salaris eindigend op veel nullen ging verdienen. Voor Carmen was een fatsoenlijk mens iemand die het gouden aureool van een salaris had, zodat die onzin van dat aanbod van die Madrileense uitgever haar droom verstoorde. Het troostte haar een beetje dat Juan haar verzekerde dat dit een unieke kans was en vooral omdat hij haar beloofde dat als het niet goed ging en hij in dat jaar geen succesroman had geschreven, hij terug zou komen naar Bilbao om in de zaak van zijn schoonvader te gaan werken. Biotza vond het fantastisch, omdat ze hem nooit zoiets had durven voorstellen, in haar hart had zij ook liever dat hij in Bilbao bleef, maar ze overtuigde zichzelf dat als het experiment met de literatuur niet succesvol was, door wat voor reden dan ook, Juan zich aan het plan zou houden dat ze daarvoor al samen hadden uitgestippeld: ze zouden gaan trouwen en hij zou bij haar vader gaan werken. Zij zou voor het huishouden zorgen. Het idee om te gaan werken was niet eens bij haar opgekomen vooral nadat ze, toen ze taalkunde in de vijfde herkansing niet had gehaald, haar studie in het derde jaar had opgegeven die haar niet meer zo interesseerde nu ze haar taak had volbracht en voorzien was van een vriend, want dat was haar heimelijke doel geweest om zich bij de universiteit in te schrijven. Haar moeder werkte niet en haar zussen ook niet en ook al waren er steeds minder vrouwen van haar sociale klasse die afzagen van de beroepskeuze en liever thuisbleven, Biotza kon het absoluut niet schelen dat ze heel vaak ouderwets werd genoemd, omdat haar moeder en haar toekomstige schoonmoeder haar gelijk gaven.

Dus dat was afgesproken: Juan zou een jaar 'op proef' naar Madrid gaan en als dat geen vruchten zou afwerpen, zou hij als advocaat gaan werken. Juan stemde toe in deze overeenkomst, ook al haatte hij de advocatuur vanuit de grond van zijn hart na vijf jaar lang warrige aantekeningen te hebben geleerd die hij met tegenzin op de examens ophoestte, omdat het niet bij hem opkwam dat hij het boek niet zou kunnen schrijven, of niet zou publiceren, of dat het geen succes zou worden als het er eenmaal was. Dat grootse werk zat in zijn hoofd als een levend wezen en ontwikkelde zich met kracht en verbrijzelde zijn hersenkamers bijna omdat het eruit wilde. Juans fantasie sloeg op hol en in zijn gedachten was het al klaar en actueel, compleet, perfect en hij zag het titelblad al voor zich en vooral de nieuwe naam op de omslag, zijn naam, Juan Ángel de Seoane, waarmee hij zichzelf met nominalistische hartstocht had gedoopt en hij stelde zich de opdracht op bladzijde vijf voor: 'Voor Carmen en Biotza, de vrouwen in mijn leven.'

Een verjaardagsfeest

Drie weken na zijn kennismaking met Ruth vond Juan een brief in zijn postvakje in het studentenhuis. Een kaneelkleurige envelop zonder afzender. Een interessant handschrift dat hij niet herkende. Hij zou niet kunnen zeggen of het van een man of een vrouw was. De vrouwen die hij kende – Biotza bijvoorbeeld – schreven ronde klinkers en kinderlijke halen en lussen. Dit handschrift was hoekig en puntig, maar hij kende geen enkele man die zo schreef. Dit soort letters zag je soms in oude films: harmonieus, elegant, een beetje nonchalant alsof de schrijver zich geen tijd en moeite had gegund. Nieuwsgierig en ongeduldig scheurde Juan de brief open, haalde er een velletje uit en las:

Hallo, ik wist niet wat ik boven de brief moest zetten, omdat ik 'Lieve Juan' te amicaal vond – we kennen elkaar nauwelijks – en 'Beste Juan' veel te formeel.
Dus...
Hallo Juan.
Ik heb je dichtbundel nog niet gekregen...

Zonder naar de naam te kijken wist hij al dat Ruth Swanson de brief had geschreven. Juan had haar het boek inderdaad niet gestuurd. Niet dat hij er niet aan had gedacht – hij was het voortdurend van plan geweest sinds hij Ruth had leren kennen – maar omdat hij het uiteindelijk toch niet durfde. Hij was bang dat zo'n vrouw van de wereld zijn gedichten te naïef zou vinden en afgezien daarvan had hij nog nooit een boek opgestuurd zonder opdracht en hij wist niet wat hij voorin moest schrijven. Dat meisje had ongewild diepe indruk op hem gemaakt. Hij vond het stom en infantiel van zichzelf dat hij een vrouw die hij maar een avond had gezien niet uit zijn hoofd kon zetten en bovendien voelde hij zich schuldig tegenover Biotza. Maar dat weerhield hem er niet van aan haar te denken: zijn wil kreeg geen vat op zijn gedachten en bij het minste of geringste sloegen ze op hol en vlogen achter Ruths beeld aan.

... jouw dichtbundel, dus ik heb een excuus dat ik je de video van mijn korte film niet heb opgestuurd. Eigenlijk kan ik dat ook niet omdat ik nergens een kopie kan vinden. Maar goed, ik schrijf je niet om het over mijn film of jouw boek te hebben maar om je uit te nodigen voor mijn verjaardagsfeest aanstaande zaterdag. Je kunt me je boek cadeau geven!
Ik hoop je dan te zien. Tot zaterdag.
Hartelijke groeten,
Ruth Swanson

Haar adres stond onder aan de brief (dat had hij al), maar geen telefoonnummer. Juan vermoedde dat een vrouw als Ruth haar nummer niet zomaar aan iedereen gaf.

Die zaterdagmorgen de derde stond Ruth, zoals op elke verjaardag sinds haar dertigste, op met een dof pijnlijk gevoel van beklemming dat haar vanbinnen verteerde. Ze probeerde zich te herinneren wat mensen altijd zeggen als je over je leeftijd klaagt: je leeftijd zit in je geest en niet in je lichaam, het belangrijkste is bij te blijven of *you are as young as the man you feel*. Maar wat haar dwarszat was niet de leeftijd (drieëndertig was bovendien een heel mooi kabbalistisch getal dat talrijke veranderingen in Ruths leven beloofde) maar dat ze met elke verjaardag moest accepteren dat er weer minder overbleef en dat ze niet erg tevreden was met haar leven. Op haar drieëndertigste vond ze dat haar jeugd, de Epifanie van de Hoop, haar door de vingers was geglipt zonder zijn beloften waar te maken. Een gevoel van onbevredigde ambitie vrat aan haar, een bitter smakende speculatie over haar toekomst – die ze steeds somberder inzag – en een emotioneel heimwee naar haar verleden – hoe vreselijk dat ook was geweest. Elk jaar hoopte ze op een wonder: dat ze verliefd zou worden, dat ze tot rust kwam, dat ze niet meer elke nacht nachtmerries had, dat ze niet bang was voor anderen. Maar de jaren verstreken en alles bleef bij het oude, met andere woorden, Ruth bleef zich anders voelen, afgescheiden van de anderen en durfde nog steeds geen kranten te lezen uit angst dat ze in een artikel, een societybericht, een interview, voor rotte vis werd uitgemaakt. In interviews met producers werd steevast gevraagd: 'En wat vindt u van Ruth Swanson?' En de producer liet er geen misverstand over bestaan dat hij absoluut niet hield van wat die Ruth Swanson maakte. Vaak hoefden de journalisten dat niet eens te vragen. De producer trok uitvoerig van leer tegen nieuwlichters als Ruth Swanson die van de zevende kunst een circus hadden gemaakt. Maar het waren niet eens altijd producers: elke willekeurige schrijver of politicus of columnist noemde haar naam. Pedro zei dat Ruth paranoïde aan het worden was, en dat maakte het alleen nog maar erger omdat Ruth panisch was voor gekte en bij de gedachte dat dat complot van de media meer een product was van haar verbeelding dan van de werkelijkheid, maakte zich een allesverterend angstgevoel van haar meester en die psychische, inwendige pijn die door haar heen stroomde, die tegen elk hoekje van haar lichaam beukte resulteerde in een fysieke pijn die door haar slapen sneed: de migraine van Ruth was berucht en ze had altijd voor de zekerheid Nolotil in haar tas.

Ruth was niet gegroeid, ieder jaar ouder worden had niets geholpen, omdat ze als een gestrand schip in de onvolwassenheid was verankerd. En die morgen van haar drieëndertigste verjaardag had ze het gevoel dat het meisje dat ze was plotseling in rook was opgegaan en haar ontredderd had achtergelaten en ze werd geconfronteerd met de vrouw die ze plotseling was, nog zonder identiteit, doel of zekerheid. Een vrouwtje van klei dat nog vorm moest krijgen.

Toen Ruth eraan zat te denken hoe ze het leven haatte hoorde ze helder en duidelijk in haar binnenste de Stem van haar Geweten zeggen: 'Maar hoe haal je het in je hoofd om te klagen, je hebt leuk werk, een redelijk gezond banksaldo en een acceptabel uiterlijk, terwijl er mensen van de honger omkomen of tien uur per dag in een muf kantoor werken?' Waarop haar depressieve en egoïstische geest antwoordde dat wanneer er op de wereld werd geleden, de wereld duidelijk verkeerd in elkaar zat en het leven niet de moeite waard was. Het troostte haar niet dat ze aan de zogenaamde goede kant zat van een willekeurig verdeelde wereld, en uiterst bevoorrecht was tegenover de onrechtvaardigheid dat afkomst, geboorte, ongelijkheid en de grilligheid van spermatozoïden en eicellen iemands lot bepalen, want niemand kan kiezen waar zijn wieg staat. Zo raakten de ene en de andere (de stem van Ruths geweten en die van haar egoïstische geest) meestal in langdurige discussies verstrikt die in een barstende hoofdpijn eindigden en Ruth ging zich serieus afvragen of ze soms behalve paranoïde ook nog schizofreen was, omdat ze beide hoorde en het leek alsof er twee personen op verschillende toonhoogten in haar hoofd met elkaar zaten te praten. Ruth was altijd verrukt geweest van de geschiedenis van Jeanne d'Arc en had zich van jongs af aan met de maagd van Orléans vereenzelvigd: zij voelde zich ook een man in een vrouwenlichaam; zij wilde ook dolgraag in een harnas de strijd aangaan. En ze was vreselijk teleurgesteld toen ze jaren later las dat de heilige Jeanne schizofreen moet zijn geweest en die ziekte een verklaring zou zijn voor de dwingende goddelijke stemmen die ze zei te horen. Kortom, zoals op elke verjaardag had Ruth tegen zeven uur 's avonds een pesthumeur en zat ze diverse zelfmoordtechnieken te bedenken.

Het vooruitzicht van het feest komende zaterdag dat door Pedro was georganiseerd maakte haar humeur er ook niet beter op. De gasten waren veeleer vrienden van Pedro dan van haar, of lui die haar nauwelijks kenden maar alleen naar de party kwamen omdat ze nieuwsgierig waren naar hoe het er binnen uitzag bij een beroemde regisseuse. Bovendien bestond de groep gasten uit verschillende subgroepen die lijnrecht tegenover elkaar stonden in een jarenlange strijd om de macht, die normaal is in elk zichzelf respecterend endogamisch systeem (en daar waren twee endogamische groeperingen aanwezig: de homo jetset van Chueca en het filmwereldje van Madrid – acteurs, fotomodellen, cameramensen, makers van korte films – en allemaal, zoals gezegd, vrienden van Pedro). Ruth zou dus in haar eigen huis heen en weer moeten fladderen, als Judas valse glimlachjes uitdelen en de tijd bijhouden die ze met elke groep doorbracht, zodat de groep die ernaast stond zich niet achtergesteld voelde, terwijl ze bij zichzelf alleen maar zou denken hoe afschuwelijk de mensheid was en hoe hypocriet...

Het feest begon om negen uur en rond half twaalf had Ruth al meer dan genoeg van die ziekmakende geur van make-up en dure parfum, van het gelach vermengd met het geluid van de ronddraaiende ijsblokjes in de glazen, de bedompte lucht, de nietszeggende blikken, de gekunstelde vrolijkheid en vage gesprekken, dat luidruchtige klatergoud, dat uitgelaten, onbeschaafde en balorige gekwek dat door de champagne haar verjaardagsfeest had veranderd in de bruisende levendigheid van het vergankelijke. En ze zei bij zichzelf: 'Ach lot... waarom voel ik me juist op mijn verjaardag zo, zo verloren, zo hopeloos verveeld?' En blijkbaar was het lot met haar begaan en besloot het zich van zijn gunstige kant te laten zien want op dat moment kwam de enige gast binnen die Ruth persoonlijk had uitgenodigd.

Juan arriveerde zaterdagavond om half twaalf bij Ruths huis. Toen hij op de intercom drukte antwoordde een hem onbekende mannenstem en op de achtergrond was een ondergronds geroezemoes en gelach te horen waar muziek doorheen klonk en hij begreep dat het feest al begonnen en in volle gang was. Hij bleef een beetje beduusd bij de deur staan. Hij kon de moed niet opbrengen. Hij kon er niets tegen doen. Hij maakte aanstalten om naar binnen te gaan alsof hij in de haven in zijn dorp vanaf de pier het koude water indook. Hij trok zijn jasje recht, deed in een automatisme zijn lok goed en belde aan.

Hij werd opengedaan door een heel jonge jongen, heel blond, heel knap, met gemillimeterd haar, in een heel strak T-shirt dat zijn buikspieren, stevig en golvend als een wasbord, accentueerde, hij had gespierde roeiersarmen die enorm uit de toon vielen bij zijn lome, hemelse en verloren blik als van een juffrouw uit vroeger tijden. Je zou hem bijna reukzout onder zijn neus houden om hem bij te brengen uit die poëtische flauwte. De jongen glimlachte lusteloos en gebaarde hem verder te komen. Daarna liet hij hem staan en verdween tussen de mensen in de kamer waar je vanuit de voordeur binnenkwam en waar het door de flikkerende vlammetjes van een massa her en der verspreid staande kaarsen halfduister was.

Juan voelde zich opgeslokt door een meerdimensionaal geroezemoes van stemmen zonder gezicht, die zich vermengden of op elkaar afketsten. De aanwezige menigte versmolt tot een enkele openhartige feestvierende identiteit, een heleboel mensen aangelengd met muziek en lichtjes. Een groot aantal brandende kaarsen wierp zijn melkwitte licht op een veelkleurige horde jongelui die verwaand rondliepen. Dat feest had iets onwezenlijks, een bedrieglijk decor, een luidruchtige stroom marionetten die schitterden in een purperkleurig licht. Het was een opgewonden kabaal van gelach, muziek, tinkelende glazen, driftige klanken die zich tot een geheel vormden, een kudde gelijksoortige dieren. Er werd naar elkaar gekeken, het was één groot spel waarin men vanuit de verte groette, elkaar herkende en jaloers was op elkaars kapsels of creaties. Te midden van dit geagiteerde geroezemoes, van mensen die zichzelf graag hoorden praten en voor wie de gesprekken van de anderen alleen maar onbelangrijke instrumenten in hun eigen symfonie waren, was Juan ontredderd op zoek naar Ruth maar ook naar een stil hoekje, een stoel waarop hij kon gaan zitten, een schemerig plekje waar hij kon leunen, een veilige haven bij die riskante tocht door die zee van *divine jeunesse*. Lawaai, licht, overal geschreeuw... alles maakte hem draaierig. Hij voelde zich meer dan ooit een provinciaal, misplaatst in zijn tweed jasje tussen die menigte gespierde jongelui met gel in hun haar van wie veel gezichten hem bekend voorkwamen, vooral van acteurs en televisiepresentatoren.

Plotseling zag hij Ruth in een diep uitgesneden donkergroene jurk achter in de kamer. De jurk kleurde bij haar ogen die straalden door de warmte of de drank of de weerschijn van de kaarsen. Het blanke decolleté accentueerde haar betoverende ovale gelaat, waarin het groene vuur van haar ogen oplichtte en haar wangen meer kleur hadden dan hij zich herinnerde. Een aureool van een hem onbekende glorie leek om die vrouw heen te hangen die links en rechts groette en het feest met haar arrogante gestalte domineerde – dat vond hij tenminste. Ook haar haren vormden een stralenkrans om haar heen: bij het kaarslicht leken ze licht te geven. Ineens verdween ze tussen de groepjes die de doorgang in de smalle kamer versperden. Juan baande zich een weg om haar te zoeken, botste tegen iedereen op, confuus van al dat lawaai, maar vastbesloten om haar te vinden. Eindelijk zag hij haar in de keuken, waar een groepje goedgeklede jongelui bij elkaar stond. Juan besefte ineens dat ze het middelpunt was van niets, want ook al was het stampvol, het feest ademde een ondoordringbare leegte uit. Ruth was een centrum dat alleen maar bestond bij de gratie van het luchtledige.

Toen ze hem zag aankomen verwelkomde ze hem met een vluchtige glimlach op haar gezicht en meteen daarop begroette ze hem vanuit de verte en riep hem overdreven vrolijk en opvallend bij zijn naam, waardoor hij zich gevleid maar ook ongemakkelijk voelde. Juan was geroerd. Van zo dichtbij zag hij dat ze zich had opgemaakt: ze was werkelijk oogverblindend. De diep uitgesneden jurk liet een paar ivoorkleurige schouders zien, een adembenemende rug, stevige, volle en verleidelijke borsten... Een festijn van strak vlees, wit als melk en paarlemoer, weelderig en veelbelovend. Juan vroeg zich af met welk ingewikkeld kleermakersmechanisme of welk draadharnas die minimale lap groen fluweel, die onthullende jurk, op zijn plaats werd gehouden zonder naar beneden te glijden, de zwaartekracht tartend en meer toonde dan verhulde, en de ranke hals, het aantrekkelijke sleutelbeen, de opwindende borsten liet zien.

'Wat heerlijk je te zien!' riep Ruth die aangenaam verrast leek. 'Wat een verrassing! Ik had niet verwacht dat je zou komen...'

Hij liep naar haar toe en zonder de emotie te kunnen verbergen die hem deed blozen, schudde hij schuchter haar hand die ze naar hem uitstak.

'Lieve mensen, ik wil jullie voorstellen aan mijn vriend Juan Ángel de Seoane,' kondigde Ruth overdreven plechtig aan. 'Hij is dichter. Een groot dichter.'

'En nog erg knap ook,' voegde een van de jongelui die naast de ster stond eraan toe, een jongen met priemende en ondeugend lachende ogen.

Juan moest toegeven dat het een erg aantrekkelijke man was.

'En heteroseksueel, neem ik aan,' zei ze. 'Dus blijf af, Pedro, laat ik het niet merken. Je bent toch hetero?' zei ze tegen Juan.

Maar hij was te verbouwereerd om te antwoorden en bleef met grote verbaasde ogen zwijgend tegenover Ruth staan. Ze pakte zijn arm en trok hem naar zich toe.

'Ben je alleen?'

Hij knikte.

'Heb je niets te drinken? Er moet onmiddellijk een glas champagne voor deze jongeman komen,' en tegen Juan zei ze: 'Nu je hier alleen bent zul je het denk ik niet erg vinden om mijn *chevalier servant* te zijn. Tenzij je natuurlijk al iemand anders op het oog hebt.'

Juan kon nog steeds geen woord uitbrengen. Gelukkig zette iemand een glas champagne voor hem neer dat hij bijna in een teug leegdronk, maar hij voelde zich met de minuut onbehaaglijker en provinciaalser. Hij kon niet vermoeden dat de vrouw die aan zijn arm hing en zo frivool en werelds leek, net zo panisch was als hij. Dat ze dit feest alleen maar had georganiseerd op aandringen van Pedro, die vond dat haar vrienden – die eigenlijk meer zijn dan haar vrienden waren – het verdienden om haar weer eens te zien, nadat ze zo lang de deur niet uit was geweest. Dat ze heel wat had moeten drinken om dat beklemmende gevoel, waardoor ze elk moment in huilen kon uitbarsten, kwijt te raken. En dat ze zich wanhopig aan Juan vastklampte omdat hij als enige op dit feest net zo'n angstige indruk maakte als zij. Ruth voelde zich onbehaaglijk, ze baalde van dat nietszeggende en irritante geklets dat als het gezoem van een zwerm bijen tussen haar en Juan hing. Het was nog nooit gebeurd dat ze er zomaar op los had willen slaan. Ze had iedereen, alle gasten, wapperend met een servet, als vliegen het raam uit willen jagen. Een van de goedgeklede jongelui, die Pedro, fluisterde het feestvarken wat in haar oor.

'Uitstekend,' zei ze. 'We gaan naar mijn kamer. O ja, dit is Pedro, mijn compagnon,' zei ze tegen Juan met haar hoofd knikkend naar de jongen.

En ze trok Juan mee aan zijn mouw die zich als een ezeltje aan een halster liet leiden. Ze verlieten de keuken en gingen aan het eind van de gang een schemerig vertrek binnen. Ze deed het licht aan en hij begreep dat dit haar slaapkamer moest zijn. Er stond een enorm, luxueus bed met een met margrieten geborduurd dekbed dat er erg duur uitzag en een heleboel kussentjes. Het viel een beetje uit de toon bij het weliswaar ruime maar naargeestige en oude appartement. Boven het hoofdeinde hing een ingelijste poster, een reproductie van een oud schilderij: een roodharige naakte vrouw die op zee dreef en sliep – of leek te slapen – en die werd gewiegd door een paar mollige engeltjes, seksloze wezens met vleugels, wier babylichaampjes grotesk contrasteerden met de volwassen, bijna wellustige uitdrukking op hun gezicht. De vrouw had heel lang rood haar tot bijna op haar knieën, een melkwitte huid, paarlemoerkleurige benen en brede heupen. Ze leek erg op Ruth; als het geen reproductie was geweest en Juan niet zou hebben geweten dat het een bekend schilderij was, zou hij inderdaad geloofd hebben dat zij het was. Daarom had Ruth de poster waarschijnlijk ook opgehangen. Dat het precies boven haar hoofdeinde hing kon geen toeval zijn. Moesten haar geliefden misschien kunst en leven met elkaar vergelijken, reproductie met model of met evenbeelden van het model? Hij vroeg zich af of Ruth er naakt net zo uitzag en na een blik op de roodharige (zo'n veelbelovend lichaam onder het groene fluweel) dacht hij van wel, dat de geschilderde en de echte roodharige waarschijnlijk dezelfde waren.* Hij voelde dat hij bloosde en draaide zijn hoofd om, zodat niemand het zou zien en bleef naar een prikbord op de muur kijken waarop een heleboel foto's zaten. Op de meeste stond Ruth met iemand anders.

* Het schilderij dat Juan niet kende is *De geboorte van de lust* van Cabanel.

Juan herkende veel beroemdheden, sommigen had hij in de volle kamer vluchtig gezien. Hij was perplex toen hij Bono herkende, in gesprek met Ruth. En het vreemde was dat geen van beiden in de camera keek, met andere woorden, dat het niet zo was dat Ruth de zanger van U2 bij een première had getroffen en van de vluchtige en toevallige ontmoeting had geprofiteerd om met hem op de foto te gaan, want ze hadden beiden een glas in de hand en leken diep in gesprek. Ruth keek naar haar glas en Bono keek naar Ruth. Juan was geïmponeerd dat Ruth op zo goede voet scheen te staan met een van de beroemdste mannen ter wereld en toch in zo'n haveloos huis woonde. Hij bekeek de foto's wat nauwkeuriger en ontdekte tussen al die gezichten een groot aantal beroemdheden. Het waren voornamelijk Engelse musici en acteurs: Sting, Rupert Everett, Hugh Grant. Juan kon zijn ogen niet geloven.

Toen ze allemaal binnen waren – Pedro en Julio, Juan en Ruth en nog een vijfde, een vriend van Pedro wiens naam Juan niet kende en Ruth niet meer herinnerde – deed Ruth de knip op de deur en ging bij de anderen op het grote bed zitten. Juan wendde zijn blik af van de foto's, zodat ze niet zouden denken dat hij onder de indruk was (wat juist wel het geval was) en volgde haar. Hij was er niet zeker van maar hij had het gevoel dat Pedro, de jongen in het pak, grimmig naar hem zat te loeren. Toen iedereen zo goed en zo kwaad als het ging op bed zat haalde Pedro een leren portefeuille uit de zak van zijn Gaultier jasje, pakte er een papertrip cocaïne en een zakspiegeltje uit en maakte vijf lijntjes klaar. Ondertussen rolde Julio een biljet op. Juan werd nerveus. Hij gebruikte helemaal geen drugs. Maar hij durfde in die groep geen spelbreker te zijn en zich te onttrekken aan het blijkbaar verplichte ritueel, dus toen Pedro zich met nauwelijks verholen frons verwaardigde om hem met een welwillende en minzame glimlach – de eerste keer dat Juan die om zijn laatdunkende lippen zag – het lijntje aan te bieden, alsof hij hem de grootste gunst bewees, snoof Juan net als de rest. Na afloop stopte Pedro de trip, het biljet en het spiegeltje terug in de portefeuille, en de portefeuille in zijn jaszak.

'Hoe voel je je nu je drieëndertig bent geworden?' vroeg Pedro.

'Nou, hoe zou ik me moeten voelen... Waardeloos, een ouwe taart. Nu ik zo oud ben als Christus kan ik denk ik wel doodgaan. Ik zou nu vandaag zelfmoord moeten plegen en een mooi lijk achterlaten,' antwoordde ze.

'Mooi, dat is zeker waar. Je ziet er vandaag beeldschoon uit. Niks ouwe taart, schat.'

'Het is raar van die katholieken...' ging Ruth verder zonder op het compliment in te gaan. 'Een sekte die zelfmoord veroordeelt, die weigert je op een kerkhof te begraven als je zelfmoord hebt gepleegd maar toch als leider een zelfmoordenaar aanbidt.'

'Nee hoor... Jezus heeft geen zelfmoord gepleegd,' merkte Juan heel voorzichtig op.

'Hoezo niet? Hoe noem jij dat dan als je je zonder verzet aan een aantal soldaten overgeeft? En afgezien daarvan, als hij wonderen kon verrichten, doden laten herrijzen, brood en vissen vermenigvuldigen, leprozen genezen... vertel me dan eens waarom hij niet van het kruis kon springen? Er was maar een simpel wondertje voor nodig, de spijkers eruit trekken en een ladder uit het niets laten verschijnen... David Copperfield doet meer.'

Juan was geschokt, maar durfde er niets tegenin te brengen. Wat zou Biotza of zijn moeder wel niet zeggen als ze wisten dat hij hier naast twee jongens die verliefd elkaars hand vasthielden, cocaïne zat te snuiven en naar ketterij luisterde? Desondanks vond hij dat Ruths redenering eigenlijk heel logisch was.

'Heb ik jullie weleens verteld over mijn zelfmoordpoging op het viaduct?' vroeg Ruth.

Ze vertelde vervolgens een anekdote waar iedereen om moest lachen, ook al was het een intriest verhaal. Toen Ruth een tiener was wilde ze zelfmoord plegen, probeerde van het viaduct te springen, was over de reling geklommen en hing precies boven de afgrond terwijl ze zich krampachtig aan de ijzeren reling vasthield. Maar toen het erop aankwam wilde ze niet meer en had ze spijt. En met die leegte onder zich besefte ze dat ze niet meer terug kon naar vaste bodem, want ze was zo duizelig dat ze zich niet meer kon bewegen. En daar hing ze dan, doodsbang, en ze voelde zich vreselijk belachelijk. Tot overmaat van ramp was het vroeg in de ochtend en kwam daar niemand langs en auto's zagen haar niet. Eindelijk kwamen twee jongens af op haar geschreeuw, zagen wat er aan de hand was en trokken haar ieder aan een arm naar boven op het wegdek zodat ze weer vaste grond onder haar voeten kreeg. Innig dankbaar ging Ruth uiteindelijk met haar twee redders naar bed...

'En je kunt je wel voorstellen dat de volgende ochtend zelfmoord het laatste was waar ik zin in had,' besloot Ruth.

Zowel Pedro als Julio moest erg om het verhaal lachen.

'Wat natuurlijk niet wil zeggen dat ik er af en toe niet over denk, want ik kan het me veroorloven omdat ik niet katholiek ben,' zei Ruth.

'Geloof jij?' vroeg Juan timide. 'Geloof je in iets, in het bestaan van een soort god?'

'Nou, ik weet niet hoe ik het moet uitleggen... Laat me even denken. Goed. Ik erken geen andere tempel dan een boom of de zee; geen andere heilige plaats dan mijn lichaam en geen ander paradijs dan een paar sterke en lieve armen die me opvangen. Begrijp je dat?'

'Ik weet niet of je het beseft, maar je hebt net een gedicht gemaakt,' merkte Juan vol bewondering op.

'Dat is Ruth,' zei Pedro. 'Als je bij haar bent moet je een blocnote meenemen om aantekeningen te maken, want je weet nooit waar ze heen wil.'

'Moeten we niet eens terug naar het feest?' vroeg de vijfde van het groepje, een lange donkere jongen, keurig opgedoft, met blauwe ogen die omlijst waren door een waaier van heel donkere wimpers die hoogstwaarschijnlijk aangezet waren met mascara. 'Ze zullen ons wel missen. Bovendien heb ik een geweldige kanjer gezien waar ik nog achteraan wil.'

'Je hebt gelijk,' zei Ruth. 'Kom op, we gaan.'

Ze stond op en de anderen ook. Ze liepen terug naar de woonkamer waar een opeenhoping van lichamen op elkaar gepakt stond te midden van gelach en muziek. Juan zag dat er veel meer mannen dan vrouwen waren en ook dat al die mannen ontzettend op elkaar leken, het merendeel was van een bijna beledigende schoonheid.

'Hoor eens,' vroeg hij aan Ruth, 'is dit een feest of is dit een casting?'

Ze barstte in lachen uit en hij was verrukt van haar zilveren lach die helemaal niet schel was. Een van de dingen die hem ergerden aan Biotza was haar luidruchtige, overdreven lach. Ook hield hij niet van haar wat schrille stem, maar dat had hij natuurlijk nooit tegen haar noch iemand anders gezegd. Hij besefte dat hij aan de scherpe stemklank van zijn vriendin moest denken omdat die zo contrasteerde met de prachtige donkere stem van Ruth.

'Dat moet je aan Pedro vragen, die heeft het georganiseerd.'

Tot nu toe was hij nooit ontevreden geweest met zijn uiterlijk en juist trots op zijn zwarte ogen en mooie rechte neus en hij had zichzelf een knappe kerel gevonden, maar nu werd hij plotseling vreselijk onzeker in de overtuiging dat hij op dit feest niets voorstelde, of erger nog, in de verste verte niets voorstelde.

'Ik heb iets voor je meegenomen,' en hij haalde het boek uit zijn jaszak.

'Jouw boek! Ik dacht al dat je het was vergeten.'

'Nee hoor... Hoe zou ik dat kunnen vergeten?'

Ze bladerde het uiterst voorzichtig door alsof het om een incunabel ging. Ze zag de opdracht: *Voor Ruth Swanson, na amper een blik op het licht in haar zeegroene ogen, voor haar verjaardag*. Deze jongen heeft Neruda gelezen, dacht Ruth.

'Heel erg bedankt. Een prachtige opdracht, echt waar.'

'Ik ben blij dat je het leuk vindt. Ik ga ervandoor.'

'Hoezo ga je ervandoor, het feest is nog maar net begonnen?'

'Ik heb morgen heel wat te doen en ik kwam je eigenlijk alleen het boek brengen.'

'Goed, in dat geval... Je zult het zelf wel weten.' Ze leek teleurgesteld.

Juan gaf haar een hand en liep naar de deur. Ze kwam hem niet achterna. Maar toen hij de trap af liep hoorde hij zijn naam vanaf de overloop.

'Juan, wacht even, alsjeblieft...'

Hij zag Ruth boven in de deuropening staan. Ze kwam haastig klikklakkend naar beneden rennen op haar hooggehakte open sandalen. Juan zag nu voor het eerst haar mooie benen. Haar teennagels waren vuurrood gelakt. Hij bleef wachten tot ze bij hem was. Ze stonden in het flauwe licht van een peertje dat als een gehangene aan een kaal snoer hing.

'Is er wat? Ik bedoel... ik weet niet, ik vind het vreemd dat je zo maar weggaat, zo ineens... Ik weet niet, ik kreeg het gevoel dat ik iets verkeerds gezegd of gedaan heb waardoor je gekwetst was.'

'Nee, het is niet om jou, maak je geen zorgen.'

'Als het dat niet is, wat is het dan wel?'

'Ik voel me misplaatst in dit wereldje.'

'Misplaatst? Waarom?'

'Ik weet niet... Ik geloof dat als een vriendin van mij zou vertellen dat ze zelfmoord had willen plegen, ik dat niet zo grappig zou vinden.'

Hij wist dat het gemeen van hem was. Hij liet het arme kind boeten voor zijn minderwaardigheidsgevoel dat steeds sterker was geworden in dat halfuurtje dat hij op het feest was gebleven.

Ze staarde hem verbaasd aan, trok wit weg, beet op haar onderlip om het trillen van haar kaak te stoppen en tranen van verdriet sprongen in haar ogen. Ze stond er hulpeloos bij in dat hele korte jurkje van haar en barstte bijna in huilen uit. Dat plotseling bleke gezichtje was voor Juan een teken dat hij een goede kans maakte en wel iets kon riskeren. Toen wist Ruth haar tranen niet meer te bedwingen en gleed er zachtjes en stil een traan over haar wang zonder al te veel gesnik. Juan ging naar haar toe en kuste haar op haar mond, beschut in het schuldige duister van het trapgat. Ze duwde hem niet weg maar beantwoordde zijn kus ook niet, ze hield haar lippen op elkaar. Hij liep langzaam weg.

'Als je je eenzaam voelt, als je met iemand wilt praten, dan weet je waar je me kunt vinden.'

En vervolgens rende hij vliegensvlug de trap af, als een achtjarig jongetje dat zijn bal uit het raam heeft laten vallen. Zij bleef onbeweeglijk staan, ze had geen moed om hem tegen te houden, geen kracht om hem te roepen.

De bekendheid van Ruth

Toen Ruth een klein meisje was speelde ze met haar schoolvriendinnetjes 'telefoontje' en dat ging ongeveer als volgt: twee teams zaten op twee rijen stoelen tegenover elkaar, ieder meisje op een eigen stoel. De twee meisjes, een van elk team, die aan het eind van de rijen zaten bedachten een woord van vier of meer lettergrepen (bijvoorbeeld: 'vleermuisvleugel') en dat fluisterden ze zo snel mogelijk in het oor van het meisje naast hen. Dat meisje deed dat weer bij de volgende, enzovoort, het team dat aan het eind van de rij het eerst met het woord kwam (dat wil zeggen wanneer het meisje dat helemaal aan de andere kant zat hardop riep: 'Vleermuisvleugel!') had gewonnen. Maar, en nu komt het belangrijkste, het woord dat aan het eind werd genoemd leek nooit op het oorspronkelijke woord (dat werd bijvoorbeeld 'vliegtuigstoel' of 'muizenval' maar meestal een woord dat absoluut niet op het oorspronkelijke leek, zoals 'geluk') omdat ieder meisje het woord anders hoorde en een ander woord aan het volgende meisje doorgaf, dat het op haar beurt weer anders doorgaf dan zij het had doorgekregen (het eerste meisje hoorde 'vleermuisvleugel', het tweede 'vliegtuigstoel', het derde 'vliegeren' en het vierde 'geluk'). En datzelfde gebeurt met informatienetwerken: de informatie wordt bij het doorgeven verdraaid, zodat wanneer een verhaal bij een ander komt het verdraaid of aangedikt is. Zo komen de geruchten in de wereld en wordt er gepubliceerd dat Björk van woede haar kleren aan stukken scheurde tijdens het opnemen van een film terwijl ze in werkelijkheid gewoon de set af liep, of de belachelijke dingen die er naar aanleiding van haar succes over Ruth werden rondgebazuind, nieuwtjes die door velen als waar werden aangenomen op het moment dat ze werden gepubliceerd.

Toen Juan Ruth leerde kennen woonde onze heldin teruggetrokken in een huurappartement van honderddertig vierkante meter in de Calle Echegaray. Het was een oud en slecht onderhouden appartement opgedeeld in vier kamers door dunne scheidingswanden die slecht bekleed waren met goedkoop jute om het een beter aanzicht te geven, muren die van papier-maché leken zodat 's nachts in het koude donkere huis elk geluidje te horen was: het geritsel van het dekbed, het gebrom van een radiator, het geluid van de boiler wanneer die automatisch aan- of uitging, het gesnurk van een buurman die Ruths nachten in tweeën zaagde, het harde geronk van de motor van een of andere rotjongen die door de nachtelijke stilte scheurde... zelfs de deuren kraakten en kreunden in hun voegen, om het nog maar niet te hebben over de oude buizen waarin vanwege hun ouderdom het water de meest vreemde pruttelgeluiden maakte en die door condens en lekkage een onuitwisbare vochtvlek op het plafond van Ruths badkamer hadden achtergelaten.

In dat trieste hol sloeg Ruth zich door de dagen en nachten heen, met haar jas aan, onder de pillen, maar ze leefde nog en daar was alles mee gezegd. Ze had de perfecte smoes voor haar opsluiting gevonden: ze zei tegen iedereen dat ze zich had teruggetrokken om te werken, om een scenario te schrijven en zo hoefde ze niet toe te geven dat ze zich had opgesloten omdat ze geen zin meer had om de straat op te gaan. Zij, juist zij, die een van de bekendste *socialites* in Londen was geweest en later het zonnestraaltje van de Madrileense nachten. Zij, die de meest fervente cocaïneverslaafde was en tot in de kleine uurtjes doorfeestte; zij, die *the light and soul of every party* was. Zij, juist zij, werd van de ene op de andere dag overvallen door een onverklaarbare angst om naar buiten en naar openbare gelegenheden te gaan en zij ging alleen nog haar huis uit voor het hoognodige, voor boodschappen (dat deed ze niet elke dag, alleen als er niets meer in de koelkast lag) of wanneer ze afspraken had waar ze echt niet onderuit kon, zoals die fotosessie voor *El Mundo* bijvoorbeeld. Soms kwam ze drie of vier dagen achter elkaar haar huis niet uit, zelfs niet voor een wandelingetje. De depressie was haar dagelijks brood, op smaak gebracht met olijfolie van angst en zout van zelfmedelijden. Maar de depressie was het symptoom van Ruths probleem, niet de oorzaak. Ruth die van nature al depressief was, had haar toevlucht gezocht tot creativiteit, maar creativiteit bracht als tegenprestatie roem met zich mee en ten slotte voelde Ruth zich als iemand die in een afgrond viel en als houvast een mes vond in plaats van een tak.

Ze was niet bang voor eenzaamheid. Ze vond het tamelijk prettig om alleen te zijn. Ze haalt een voorbeeld aan: ze moest altijd lachen om het verhaal dat veel mensen Het Grote Trauma van hun Jeugd noemen, toen hun moeder of hun kindermeisje hen was vergeten bij de schoolpoort op te halen. Dat was een onderwerp dat al oneindig vaak in verschillende verhalen opdook en zelfs in een draaiboek van Isabel Coixet. Welnu, Ruth had die ervaring gehad die iedereen klaarblijkelijk anders beleefde. Ze zal vijf of zes jaar zijn geweest toen het gebeurde. Ze kon niet met Judith mee, want die had andere schooltijden. Haar oudere zus ging met de bus naar huis, meende ze zich te herinneren, of misschien werd ze door de vader van een vriendinnetje thuisgebracht, hoe moest Ruth dat weten? Het enige wat ze zich herinnerde is dat ze volgens haar urenlang op de bank voor de schoolpoort zat te wachten, dat alle meisjes weg waren en het al donker was en dat de juffrouw (Ruth ziet haar nog duidelijk voor zich: een enorme hoornen bril en een dikke bos opgestoken zwart of roodachtig haar), die erg druk bezorgd leek, haar telefoonnummer vroeg om haar familie te waarschuwen. Ze rende weg om te bellen en liet het meisje op de bank achter en vroeg haar daar te blijven zitten. Ruth huilde niet, was niet bang; het kon haar niet schelen of ze wel of niet naar huis ging. Ze bedacht dat de juffrouw haar misschien mee naar haar huis zou nemen om zo een nieuw leven te beginnen, of in elkaar gedoken op die bank te blijven slapen tot de volgende morgen om dan naar de les te gaan zonder door het verkeer te hoeven. Het tweede idee, om daar alleen te blijven slapen, beviel haar beter, want de juffrouw zou wel naar huis gaan. Dus het meisje Ruth bleef liever alleen dan dat ze naar een huis zonder moeder ging. Dat dacht de volwassen Ruth tenminste, want wie weet of die herinnering echt of dat het een symbolische uitleg was? Uiteindelijk kwam Estrella haar ophalen – Ruth kan zich niet herinneren waarom haar kindermeisje zo laat was – en dat waren al haar fantasieën van een achtergelaten meisje, het meisje dat een meisje alleen wilde zijn, zonder vader, zonder zus. Jaren later zou de puber Ruth met plezier verhalen lezen waarin een nucleaire slachting een einde aan de wereld maakte. Voor de neutronenbom er was had een Amerikaanse schrijver die al verzonnen en zo kon Ruth in haar verbeelding ronddwalen door een onbewoonde stad waar nog wel winkels en gebouwen overeind stonden nadat de bewoners waren omgekomen. In haar fantasie waren er geen lijken: de bom had hen verpulverd (het was een zeer verfijnde en schone bom) en Ruth die het bombardement had overleefd in een antineutronenschuilplaats die eruitzag als een doodskist, kon daar op haar gemak doorheen lopen zonder dat ze werd gehinderd door de stank van rottend vlees. Wat een prachtige stad zonder mensen die haar ergens van konden beschuldigen, waar niemand om haar haren lachte en niemand achter haar rug om roddelde; wat een mooie stad zonder zus als haar negatief en zonder vader met een zuur gezicht. Omdat die spookstad niet bestond en er hoogstwaarschijnlijk nooit zou komen toen de Koude Oorlog eenmaal op zijn retour leek, moest Ruth zich behelpen met het steeds maar op en neer lopen van die smalle gang in haar huis die haar privé-schuilplaats was geworden.

We zullen het vanaf het begin vertellen. Het begon allemaal met het succes van Ruths eerste korte film wat vanzelfsprekend hier en daar een interview op de radio of voor een lokaal televisiestation opleverde. Daar ontdekten de journalisten de mediakracht van Ruth, want de media zijn altijd op zoek naar eenieder die uitsteekt boven het droge en steeds identieke maaiveld van het lokale nieuws; die miserabele stroom van steeds maar weer dezelfde woorden die geen indruk maken door alle herhalingen, die de aandacht van het publiek, altijd op zoek naar heftige emoties, niet meer weten te trekken. Maar in tegenstelling tot de meeste jonge talenten (of beloften) die een microfoon onder hun neus kregen, hakkelde Ruth niet en stond ze niet met haar mond vol tanden bij het besef dat haar boodschap verderging dan haar kleine kringetje, maar bleek daarentegen in haar element, babbelde er eindeloos op los en bekeek het menselijke en het goddelijke met haar sarcastische gevoel voor humor. De mensen konden zich niet voorstellen dat Ruth vreselijk verlegen was en dat die woordenvloed nu juist voortkwam uit die verlegenheid. Want ze was zo zenuwachtig dat ze niet wist hoe ze haar verwarring moest verhullen en probeerde die te maskeren met een muur van geklets die het gat dat zij vanbinnen voelde zou bedekken. En haar ironische blik had hetzelfde doel: ze dacht dat wanneer ze serieus zou zijn ze haar arrogant zouden vinden, terwijl wanneer ze haar mening camoufleerde met gevoel voor humor die iets minder serieus zou overkomen. In wezen probeerde ze met niemand de spot te drijven behalve met zichzelf. De radioprogramma's vochten bijna om haar, omdat ze wisten dat dat meisje een pikante bijdrage zou leveren aan de verveling op de radio. Op een keer kon zelfs de interviewer zijn lachen niet bedwingen en moest hij de microfoon dichthouden. En bij ieder radio-optreden kreeg ze een uitnodiging voor een volgend: het nieuws van Ruths capaciteiten ging als een lopend vuurtje. Daarna nodigden ze haar uit op de televisie, niet omdat ze haar film zo interessant vonden maar omdat zijzelf belangrijk was, een geestig en uitdagend iemand. Haar eerste televisieoptredens, hoewel die op de lokale televisie met weinig kijkers waren, waar ze een onbekende regisseuse van korte films alleen maar uitnodigden om de eenvoudige reden dat er geen andere aantrekkelijke persoon was die wilde komen, onthulden ze een Nieuwe Ster: Ruth was om op te vreten op het scherm, de camera was verliefd op haar iconische opvallende persoonlijkheid, ze was kortom een modern exemplaar van het zuiverste soort waar het publiek gek op is: degenen waarvan men zegt dat ze 'televisiegeniek zijn'.

Onderscheid, dat is de sleutel. Zich onderscheiden, anders zijn. Daarin school het geweldige mediasucces van Ruth. Want degenen die uit zijn op roem, maken om hun publiek nog meer voor zich te winnen gebruik van merktekens, uitdossingen of kenmerkende accessoires, vandaar dat er dichters zijn die hun haar millimeteren, schrijvers die zich verbergen achter zwarte brillen, couturiers die rokken dragen, zogenaamde waarzeggers die brillen op hebben zo groot als televisietoestellen, zangers die tatoeages en oorringen hebben, of schilders die zelfs 's zomers nog hun leren jasje aanhouden; het uiterlijke element wordt het kenmerk waarmee ze hun anderszijn of individualiteit willen accentueren, om op die manier erkenning te krijgen. Maar Ruth hoefde geen enkel gebruik te maken van uiterlijke elementen, omdat zij om te zien al heel herkenbaar was: haar volle rode haardos, haar aparte gelaatstrekken, haar prachtige lichaam... en het feit dat haar schoonheid niet te vergelijken was met iemand anders die vaak op de televisie kwam. Zij was uniek. Ze verfde haar haren niet, gebruikte bijna geen make-up en had geen millimeter van haar lichaam gelift. Die natuurlijkheid – zeer zeldzaam in het wereldje – maakte haar tot een *rara avis*. Op televisie is het beeld belangrijker dan het gesprek. En het was duidelijk dat het Ruth aan beide niet ontbrak, juist omdat ze niet met alle geweld probeerde dat bij te schaven, en zo werd zij niet gehinderd door uniformiteit die drukt op veel modellen, actrices of aankomende wat dan ook, die hun best doen goed over te komen, vrouwen die hoe ze ook proberen zich te onderscheiden toch allemaal op elkaar lijken, omdat ze bij dezelfde of gelijkwaardige professionals komen: kappers, logopedisten, visagisten, couturiers, imagoconsulenten. Ruth was een geval apart: een mooie vrouw die voor zichzelf kon opkomen en zich absoluut niet schaamde voor haar opvallende schoonheid. Meestal deden vrouwen die goed konden praten (ministers, schrijfsters, cineasten en actrices...) zo hun best om vooral niet oppervlakkig over te komen dat ze juist vervelend en oninteressant werden. Ze droegen allemaal dezelfde linnen naturelkleurige pakjes en spraken woordenboekentaal. Maar gelukkig voor de programmadirecteuren droeg Ruth wel minirokjes en laag uitgesneden jurkjes. Het is ongelooflijk hoeveel tijd vrouwen die niet graag voor oppervlakkig gehouden willen worden aan hun kleding besteden. Ruth had echter slechts vijf minuten nodig om te bedenken wat ze zou aantrekken, zelfs op de belangrijkste momenten in haar leven. Kleding interesseerde haar niet zoveel en daarom kon het haar niet schelen hoe ze eruitzag. Door haar figuur kreeg zelfs de eenvoudigste outfit iets erotisch; Pedro Almodóvar verklaarde eens dat hij altijd iemand uit La Mancha blijft ook al trekt hij het mooiste pak van Armani aan.

Haar vriend Pedro stelde voor dat Ruth de rol van regisseuse op zich zou nemen. Zij was tenslotte de scenarioschrijfster, zij had ideeën, zij koos de kleuren en de decors, zij maakte de actrices op en kleedde hen, zij vertelde hoe ze moesten praten en bewegen, terwijl hij zich bezighield met technische problemen. Tevergeefs verzekerde Ruth hem dat ze geen flauw idee van film had, dat hij verstand had van instellingen en filmtaal, dat zij slechts co-directrice was: hij wilde alleen maar op de aftiteling als cameraman, zodat zij de interviews moest doen.

Na de première van *Fea* begon het telefoontjes van de media te regenen. Het leek wel of alle journalisten in het land hadden afgesproken om haar te vragen. Productiemaatschappijen nodigen gewoonlijk voor de vertoning van hun films iedereen uit de filmwereld uit, zelfs wanneer zij voor de concurrent werken, en daarom ontvingen Ruth en Pedro vanaf het moment dat hun eerste korte film een prijs had gekregen uitnodigingen voor alle premières in Madrid. Aanvankelijk werd de aanwezigheid van die twee niet opgemerkt, maar langzamerhand gingen de camera's Ruth volgen alsof zij een ster was en algauw werd zij fanatiek lastiggevallen. Van de ene op de andere dag bemerkte Ruth dat de mensen op straat haar herkenden, iets waar ze stomverbaasd over was.

En Ruth was gemakkelijk te herkennen. Omdat ze bijzonder, anders, opvallend was. Dat was zij altijd geweest en het besef van dat onderscheid had haar in het verleden behoorlijk veel schade toegebracht. Maar onderscheid, vanuit het oogpunt van de media, is iets om te bewonderen niet om te bekritiseren. Iets wat schaars is, is gewild en wat een gemeenschap vreemd vindt kan twee vormen aannemen waar Ruth al mee te maken had gehad: afkeuring, angst voor het anderszijn; of bewondering, de waarde van het uniek zijn. Zo ontdekt de beroemdheid dat hij een voorkeursbehandeling geniet en dat hij of zij omdat hij bekend is zichzelf mag blijven, wat anderen niet mogen. Faam is een alibi waardoor die persoon anders mag zijn, zonder dat het door iedereen wordt afgekeurd. Ruth bijvoorbeeld, was in haar anonieme dagen die voorafgingen aan haar faam voor velen slechts een onbeduidende del, een brutaal ordinair wicht (de meeste mensen die dat vonden hadden geen idee dat Ruth een meisje van gegoede huize was dat vloeiend vier talen sprak), een lekker stuk, dat wel, maar die best wat kilootjes zou mogen verliezen en absoluut niet wist hoe ze zich moest kleden. Maar toen ze beroemd werd was ze niet langer een sloerie, ordinair wicht, een dik wijf in de ogen van de anderen en werd ze een 'onafhankelijke vrouw'.

We leven in een uniforme wereld: we gaan allemaal gekleed in dezelfde kleding van bijna dezelfde prijs, gekocht bij warenhuizen en gecombineerd met accessoires die we van elkaar, uit de modebladen of van televisiepersoonlijkheden afkijken, we werken in kantoren die allemaal verschrikkelijk op elkaar lijken (ook al zijn ze van concurrerende maatschappijen), in dezelfde kamertjes, achter bijna dezelfde computers, in dezelfde pakken en dassen of dezelfde bij Zara gekochte rokken... de frustratie van het ego is enorm, en zo betekent roem een soort verlossing, de oplossing van het probleem van eigenwaarde. De bekende persoon, iedere bekende persoon, is vanuit die anonieme onverschillige massa omhooggekomen, heeft weten op te vallen, is zichtbaar geworden, en op die manier droomt iedereen van een minuutje bekendheid, op tv te komen om een personage te worden en niet langer een persoon, om bekend te worden en vooral *erkend*. Dit komt door de ongelijkheid in individuele aspiraties en de minieme invloedssfeer van negenennegentig procent van de mensen – die kantooremployés die verpieteren op hun werkplek – wat hun vrijheid betreft. Zoals Ruth al spoedig merkte aanbidden of haten de mensen bekende personen omdat die hebben waar de gewone stervelingen alleen maar van dromen. En in de ogen van de gewone stervelingen was Ruth niet langer filmregisseuse maar: *bekende persoon*. Ironisch genoeg begreep ze het waarom van de dure poppen uit haar kindertijd, en hoe ze in haar poging vrouw te zijn en geen pop, niet langer zomaar een pop was maar de grootste pop van allemaal.

Daarom is het begrijpelijk dat zoveel mensen het succes van Ruth zagen als een vreselijke belediging: waarom was een debutante die per slot van rekening alleen maar een goedkoop filmpje had gemaakt opeens bekender (en herkenbaarder) dan Saura zelf? Waardoor Ruth ook opeens ontdekte dat ze niet alleen bekend, maar ook door veel mensen behoorlijk gehaat werd: de critici die haar film hadden afgekraakt, de producers die haar 'eendagsvlieg' noemden ('wat ik je brom, het komt door de marketing, je zult zien dat haar tweede film een mislukking wordt'), collega's die verzekerden dat haar talent omgekeerd evenredig was aan haar lef... Door afgunstig te zijn op het succes van anderen kan de naamloze zijn eigen wensen vergeten en zich bevrijden van de onmacht die niet te hebben gerealiseerd. Degene die jaloers is probeert wanhopig de verdiensten van een succesvol iemand te kleineren, want dan voelt hij zich in vergelijking met hem niet zo minderwaardig.

Het oog dat je ziet is niet / oog omdat jij het ziet; / maar is oog omdat het jou ziet. Een gedicht van Antonio Machado, dat velen echter toeschrijven aan Truffaut, die niet toevallig cineast is. Het zien in de film is dubbel: de blik van de maker die de instelling kiest, de blik van het publiek die het met zijn ogen verslindt. Het oog wordt raam en wapen. Als de persoonlijkheid wordt gevormd door de blik van de ander, door de Ander, wordt het bereik van de blik duizenden keren vergroot door de film. Ruth bekeek de wereld door een camera, Ruth keek, maar aan de andere kant liet Ruth zich bekijken, maakte zich tot prooi. De blik van het publiek – dat gretig bezit van haar nam – werd een bedreiging voor Ruth. Ze kon de straat niet meer op zonder bekeken te worden, beoordeeld, zonder ogen van onbekenden in haar rug te voelen, samenzweerderige lachjes, knipoogjes, elleboogstoten als ze langsliep, half opgenomen of veronderstelde zinnetjes: 'Nou, ze is best dik', 'zo knap is ze niet', 'heb je haar haren gezien', 'ze zit vast onder de dope, kijk maar naar haar ogen'. De bars, vroeger heilige ruimten, vrijetijdspaleizen, plaatsen van plezier en vermaak werden kerkers, martelkamers. Ze werd voortdurend lastiggevallen voor handtekeningen, ze stoorden haar midden in gesprekken, ze spraken haar aan. Als ze vriendelijk was, fout, want dan dacht de bewonderaar of bewonderaarster dat ze het leuk vond en hij het recht had haar zijn aanwezigheid en gesprek op te dringen. Als ze dat niet was, nog erger, want dan kon de vreemde zich beledigd voelen en uitleg vragen: 'Waarom doe je zo vervelend?' 'Wat is er, omdat je beroemd bent, denk je zeker dat je ons als vuil kunt behandelen?' Ruth was eraan gewend dat ze werd lastiggevallen, dat was niets nieuws, ze was tenslotte een opvallende vrouw – die vurige bos haar, die glanzende ogen, dat duizelingwekkende figuur – ze had altijd de aandacht getrokken. Waar ze niet aan gewend was, waar ze niet aan wilde wennen, was de pas verworven verantwoordelijkheid voor haar bewonderaars. Vroeger waren de jongens niet beledigd als ze er niet op inging. Het leek eigenlijk wel of ze dat verwachtten, dat het heel logisch was dat zij als een fatale vrouw reageerde, haar imago van Gilda behield en hen niet zou teleurstellen. Opeens leek het of het publiek toenadering van haar verwachtte, vertrouwelijkheid, een soort verdiende of gekochte collegialiteit, want het was alsof ze dachten, na haar op de buis te hebben gezien, dat ze haar goed kenden, dat ze een vriendin was geworden, een goeroe, een oudere zus. En er wordt verondersteld dat bekende figuren een deel van hun privacy moeten verkopen in ruil voor de verkoop van hun product. Die relatie met de bekende persoon, gebaseerd op de illusie van vertrouwelijkheid, heft de traditionele normen op die vroeger tussen onbekenden bestonden. Afstand is met één klap weggeveegd, om de doodeenvoudige reden dat het publiek degene die ze op de televisie of in de film ziet geen onbekende vindt, en alleen door hen te zien denkt de persoon te kennen en zijn aandacht te kunnen opeisen.

Vertrouwelijkheid wordt het lokmiddel van de media om zichzelf via de bekende personen te verkopen: hoe natuurlijker de bekende persoon is of lijkt, hoe meer hij zijn privé-leven blootgeeft of dat lijkt te doen, des te groter is zijn aantrekkingskracht. Ruth gaf geen interviews over haar privé-leven; ze weigerde ronduit in roddelbladen of programma's te komen en verdedigde haar eigen leven als een leeuwin, maar dat maakte niet uit: ze had zoveel van zichzelf laten zien in de film, ze had zich in alle opzichten, emotioneel en lichamelijk blootgegeven, was zo realistisch, zo eerlijk, zo naakt geweest, dat de grootste verkoper van exclusieve rechten zoiets nooit zou kunnen bieden.

Ruth kreeg het al spoedig benauwd van de bezetenheid en hartstocht van haar publiek, van haar bewonderaars. Ze werd gek van het angstvallige volgen, de opdringerige blikken, de onverzadigbare, detectiveachtige en sluwe nieuwsgierigheid van haar aanhangers. Ze voelde zich beklemd, benauwd, had geen bewegingsvrijheid en was niet in staat een in alle opzichten normaal leven te leiden, of dat nu op de markt, in de bars, in de film was ('heb je gezien hoe ze eruitzag?', 'ze moest zelfs lachen in die hele droevige scène', 'ze is zo dronken als een tor', 'ik heb haar zien zoenen met een onmogelijke vent'), ze had er genoeg van om voortdurend in de belangstelling te staan. Ze worstelde tussen publiciteit voor haar werk (als haar werk niet bekend was, kon ze zich niet handhaven en moest ze weer werken voor de kost, kon ze niet meer creëren, kon ze geen nieuw leven beginnen) en het gebrek aan privacy die dat met zich meebracht.

Al spoedig kreeg zij zo'n gebrek aan vertrouwen dat het veel op paranoia leek. Ruth die tot dan toe dacht dat ze een vlotte vrouw was, begon bang van vreemden te worden. De mensen probeerden zich aan haar op te dringen, dat was duidelijk; maar het waarom daarvan was niet duidelijk. In haar relaties speelden heel veel verschillende ingrediënten een rol: ijdelheid, manipulatie, jaloezie, idolatrie, hypocrisie, bewondering, wrok... die zich roerden en vermengden tot een explosieve cocktail. Sommigen kwamen naar Ruth toe in de hoop iets gedaan te krijgen (een rol in haar volgende film, een begrijpend oor, een verwante ziel, een lekkere wip, alles wat op het scherm werd gesuggereerd, alles waarvan ze dachten dat het beeld op het celluloid het hen beloofde) en als dat onmogelijk lukte, werden ze overvallen door een geweldige razernij, een uitgelokte razernij, eigenlijk om iets wat zij onrechtvaardig vonden: waarom was zij beroemd en zijzelf niet?

Idolatrie werkt alleen als het idool op een voetstuk van respect en mysterie wordt geplaatst. Zo niet, dan valt het idool daarvan af. Respect, afstand en mysterie, de vereiste kenmerken voor het handhaven van de aanbidding, verdwijnen vanaf het moment dat ze de beroemdheid als een gelijke beschouwen en niet langer de illusie bestaat dat het om een zeer bijzonder iemand gaat. Het identificatieproces, de ander nabij te voelen, staat iedere sublimatie in de weg. Erkenning via interviews en films, het voortdurende tonen van het lichaam en de geest van Ruth bleken in strijd met het mysterieuze: het idool was maar een gewoon mens en velen vonden dat ze het recht hadden om haar definitief ten val te brengen. Ruth begreep niet dat zoveel mensen die ze helemaal niet kende zich zo rustig en vrijmoedig over haar uitlieten. Niet alleen de journalisten en mensen uit het vak, maar ook personen die ze maar één keer of zelfs nooit had gezien. Pedro vertelde haar eens hoe een jongeman in een bar het met hem probeerde aan te leggen en dacht indruk op hem te kunnen maken door hem in geuren en kleuren te vertellen over zijn omvangrijke sociale contacten, hij had het over zijn bijzonder intieme vriendschap met Ruth: als ik het je zou vertellen, zei hij, nou, je zou het niet geloven... De jongen had geen idee natuurlijk dat Pedro de enige was die wat zou kunnen vertellen, maar hij was er niet toe gekomen om het tegen Ruth te zeggen en had het mis door te denken dat ze erom zou moeten lachen en kon zich niet voorstellen dat de beginnende paranoia van zijn vriendin er alleen maar erger door zou worden, zijn Ruth die nergens meer naartoe wilde, die bang was geworden voor bars, voor mensen, die alleen nog maar thuis wilde blijven, ver van de loerende vreemde blikken. Het troostte haar niet wat Pedro zei, dat wanneer ze haar bekritiseerden of haar aanvielen ze daarmee alleen maar hun eigen kwade geesten uitbanden.

Het had geen zin zich thuis op te sluiten. Het leek plotseling of de halve wereld Ruths telefoonnummer had gekregen en, nog erger, dat de halve wereld het in zijn hoofd had gehaald haar te bellen. Wanneer Ruth opnam kreeg ze idioten aan de lijn als een redacteur van het *Diario de Cuenca* die haar mening wilde weten over Boris Izaguirre, of een aankomend directeur (waarschijnlijk net ontslagen uit het plaatselijke gekkenhuis) die met haar wilde praten over het geweldige verhaal waarmee hij rondliep. Ze probeerde het met een antwoordapparaat maar dat hielp ook niet, want als ze thuiskwam stonden er dertig berichten op. Meer konden er niet op, want het apparaat had een limiet en na een half uur berichten opgeslagen te hebben stopte het. Ze kon ze niet eens afluisteren, niet alleen omdat het haar meer dan drie kwartier zou hebben gekost, maar ook omdat ze tijdens het afluisteren van de berichten steeds gestoord werd door het voortdurend rinkelen van de telefoon dat maar niet ophield. Uiteindelijk besloot ze de telefoon een maand uit te schakelen en daarna was het bellen minder geworden maar toch nam Ruth onder geen enkele omstandigheid de telefoon meer op, alleen wanneer Pedro's speciale code klonk: twee keer bellen, pauze, twee keer bellen. Mede daarom had ze ook geen mobieltje. Ze had er een gehad, maar ook al had ze een geheim nummer, op de een of andere vreemde manier leek het wel of iedere onbekende het te weten kwam en dat gebruikte ze dus ook niet langer, dagelijks stonden er vijftien tot twintig boodschappen op haar voicemail die ze nooit afluisterde. Op het laatst gaf ze hem aan een van haar nichtjes, zonder beltegoed, zodat zij ermee kon spelen. Ze vond het grappig als ze eraan dacht dat degenen die haar belden een meisje van zes jaar kregen die zei dat ze geen idee had waar tante Ruth was. Het meisje had blijkbaar ook veel plezier in het spelletje, zoals Judith vertelde, tot haar onderwijzeres het nieuwe speeltje dat constant tijdens de les rinkelde ten slotte in beslag nam.

Faam is een labyrint van vervormde spiegels: als iemand zich definieert volgens anderen, als hij zichzelf ziet volgens de reactie die hij teweegbrengt bij anderen, hoe kun je je dan vermenigvuldigd zien in duizenden verschillende spiegels die elkaar verblinden door hun weerspiegelingen? Ruth voelde zich als Rita Hayworth in de laatste scène van *The Lady from Shanghai*, verward, geremd door de angstaanjagende vermenigvuldiging van haar eigen bedreigende afbeeldingen.

De druk werd haar te veel. Ze was altijd een impulsieve vrouw geweest, onderhevig aan driftbuien (eerlijk gezegd moet hier wel aan toegevoegd worden dat die gauw voorbij waren), maar toen ze beroemd werd, was ze wel heel prikkelbaar, ze had absoluut geen geduld en emotioneel evenwicht meer en kon de druk van haar succes niet langer aan. Wanneer ze naar een première ging en de camera's zich op haar richtten, kreeg ze een enorme neiging om iedereen uit te schelden en alleen door zich enorm in te houden kon ze die onderdrukken. Vaak barstte ze zonder reden in huilen uit en kreeg om het minste of geringste kinderlijke woede-uitbarstingen. Pedro, verbaasd over de radicale verandering die zich in een paar maanden tijd had voltrokken, begon zich zorgen te maken en was de eerste die haar voorstelde het een tijdje rustig aan te doen. Zodat Ruth een contract met Alquimia sloot waarin ze beloofde een tweede scenario te schrijven en te regisseren dat binnen een jaar zou worden opgenomen. En met het excuus van het schrijven van dat scenario, sloot ze zich in huis op en weigerde alle sociale contacten behalve de onvermijdelijke: het contact met Pedro, met Paco Ramos, met haar familie en met Sara, die niet langer haar hartsvriendin was maar op wie ze wel erg gesteld was. Ze verschool zich achter een leugen, want ze wist heel goed dat ze zich niet hoefde op te sluiten om een scenario te schrijven, want ze had genoeg aan een verhaallijn om van daaruit te improviseren bij de opnamen. Maar ze was nog zo weinig oprecht, ze had zo meedogenloos moeten zijn, dat ze zich er alleen maar met een leugen van af wist te maken.

Eerste afspraak

Nauwelijks een week na het feest kreeg Juan weer een brief in een kaneelkleurige envelop. Hij herkende direct het verzorgde handschrift van Ruth en scheurde haastig de envelop open:

> *Hallo Juan,*
> *Ik had je willen bellen, maar je hebt me je nummer niet gegeven. Ik had natuurlijk het nummer van het studentenhuis in het telefoonboek kunnen opzoeken maar ik doe het liever schriftelijk, want ik neem aan dat ik je, omdat ik het nummer niet van je kreeg, niet mag bellen.*
> *Ik sta donderdagavond om half tien bij de ingang van het filmhuis. Ik ga naar een film uit de Buñuel-cyclus. Ik heb twee kaartjes. Als je er bent, uitstekend. En als je er niet bent neem ik aan dat je al een afspraak had die je niet kon afzeggen of dat je eenvoudig niet wilde komen.*
> *Tot donderdag, zo de godin wil,*
> *Ruth*

Hij vond het grappig dat ze 'godin' schreef in plaats van 'god'. Klaarblijkelijk accepteerde Ruth het bestaan van een mannelijke god niet, wat hij niet zo raar vond na wat ze op het feest spottend over de katholieken had gezegd. Hij zag ook dat ze alleen haar voornaam eronder had gezet, en geen achternaam erbij zoals in de vorige brief. Maar ze durfde hem nog niet 'lieve Juan' te noemen.

Die donderdag trok hij zijn beste kleren aan en arriveerde om kwart over negen bij het filmhuis. Ruth was er al. Ze stond bij de ingang van de bioscoop te wachten in een lange witte organza jurk, dun en half doorschijnend, die de welvingen van haar borsten, de rondingen van haar billen en de ellips van haar buik verraadde. Juan schoot een dichtregel te binnen: '*the rare and radiant maiden whom the angels call...*'* Hij kende haar nog te slecht om te weten wat ze meestal droeg, maar de eerste keer dat hij haar in het echt had gezien en al die keren op televisie en in bladen was Ruth van top tot teen in het zwart, met laarzen en lange broek, dus veronderstelde hij dat ze zich speciaal voor deze gelegenheid had gekleed. Om te begrijpen waarom Ruth deze jurk droeg zullen we nogmaals onze adviseur, de doctor in de psychiatrie, erbij moeten halen. Volgens hem zijn beelden, symbolen – de margrieten van Ruth, de witte jurk – niet louter decoratie maar willen ze onbewust iets uitdrukken en zijn ze een soort therapie: een poging om te uiten wat niet geuit kan worden. Een beeld, een symbool maakt het noodzakelijk een sprong te maken tussen de dingen en de associaties daarmee. Een witte jurk doet denken aan zuiverheid, een onbeschilderd doek, een onbeschreven blad, een nog net niet verteld verhaal, een offer. Ruth had zich onbewust, maar diep in haar binnenste misschien bewust als bruid aangekleed.

Ze gingen snel naar binnen, want de film begon bijna. Op het doek verscheen de titelrol al. Ruth zat tijdens de voorstelling met wijdopen ogen en zonder een woord te zeggen naast hem. Het verhaal was niet bijzonder. Op een gegeven moment lagen de hoofdrolspelers midden tussen omgegooide meubels en met veel kabaal met elkaar te vrijen. Juan wist dat ze niet echt vrijden, dat het een nauwgezet voorbereide scène was waar ze waarschijnlijk dagen voor hadden gerepeteerd, maar dat nam niet weg dat een beginnende erectie zijn gulp onder spanning zette. Het bracht hem van zijn stuk en dat hield het midden tussen jaloezie en wellust. Hij wilde niet naar zijn vriendin kijken, want als ze hem betrapte zou ze meteen doorhebben waar hij aan dacht. Ruths aantrekkingskracht werd aangelengd met diepe frustratie en voyeurisme. Hij wilde zijn hand onder de witte jurk laten glijden maar had meteen spijt van die opwelling. Uiteindelijk

* Deze regel is van Edgar Allan Poe: 'De beeldschone en stralende maagd die de engelen roepen...' Leonoor, niet Ruth.

kende hij die vrouw nauwelijks. Hij had graag willen weten waar ze aan zat te denken. Hij keek haar van opzij aan maar kon niets uit haar gezicht opmaken. Juan merkte dat zijn zelfvertrouwen omgekeerd onevenredig was aan zijn groeiende erectie, hij baalde van zichzelf dat hij Ruth niet kon benaderen en verachtte zichzelf om zijn platvloerse nieuwsgierigheid.

Na het verlaten van de bioscoop liepen ze een tijdje naast elkaar zonder zelfs maar over de film te praten, wat stelletjes meestal doen wanneer ze voor de eerste keer samen naar de bioscoop gaan. Juan piekerde over wat hij zou kunnen zeggen maar kon niets bedenken, en omdat zij rustig en op haar gemak leek bleef hij zwijgen.

Plotseling bleef ze voor de etalage van een parfumeriezaak stilstaan.

'Heb jij dat spelletje weleens gedaan dat je in een etalage iets moet uitkiezen?'

Juan trok verwonderd zijn schouders op.

'Je krijgt tien seconden om een artikel in de etalage uit te kiezen. We tellen tot drie en wijzen tegelijk aan wat we het mooiste vinden, en dan kijken we of het hetzelfde is. Goed?'

'Oké. Tien seconden.'

Tien seconden lang liet hij zijn blik over de schappen vol flesjes gaan, halfverblind door het verwarrende en verlokkende maanlicht. Een hartvormige fles parfum deed zijn uiterste best zijn aandacht te trekken en leek met wanhopige kristallen kreten te schreeuwen 'hier ben ik'. Maar die keus zou ze waarschijnlijk te opgelegd vinden, dacht Juan, en hij koos een groene kristallen fles in de vorm van een druiventros met een goudkleurig metalen krul van wijnranken als dop.

'Ben je zover? Goed dan. Een, twee en...'

Drie. Juan wees de groengouden fles aan en zag dat Ruth het hart had aangewezen.

'Ik zweer je dat ik dat hart wou nemen. Maar op het laatste moment bedacht ik dat je dat niet mooi zou vinden.'

'Je hebt het dus niet gekozen omdat je dacht dat het voor mij zou zijn.'

'Precies.'

'Dan zat je er goed naast. Dat heb je ervan als je met alle geweld aardig gevonden wilt worden.'

'Maar dat doet iedereen toch? Jij ook, dat weet ik zeker. Vertel eens, als ze je interviewen of als je op de televisie bent lieg je in zekere zin toch ook? Jij vertelt de presentator en jouw publiek toch ook wat ze willen horen?'

Ze moest lachen.

'Over het algemeen zeg ik wat me het eerste te binnen schiet. Zo ben ik nu eenmaal... Ik kan namelijk niet liegen. Daar ben ik erg slecht in, dat zie je meteen aan me... Ik heb nooit goed kunnen liegen. Toen ik bijvoorbeeld de eerste keer bij een jongen was blijven slapen, kwam ik om vijf uur 's morgens thuis en zag er niet uit... Dat kun je je wel voorstellen. En daar zat mijn vader met een gezicht als een donderwolk in de kamer op me te wachten. Dat kun je je ook wel voorstellen. Nou goed, hij vroeg waar ik was geweest en in plaats dat ik een of andere smoes ophing, het geijkte verhaal dat we naar een feestje in Majadahonda waren geweest en op de terugweg pech met de auto hadden gekregen, gooide ik in drie seconden de hele waarheid eruit. Hij gaf me zo'n oplawaai dat ik op de grond viel. Ik weet het nog goed.'

Ruth vertelde dit met haar gezicht naar de etalage en haar neus bijna tegen het raam gedrukt als een begerig kind voor een banketbakkerij. Plotseling draaide ze zich naar opzij en stonden ze pal tegenover elkaar. Juan had haar sinds ze uit de bioscoop waren gekomen niet recht in haar gezicht durven kijken en was verrast over Ruths strakke en verwachtingsvolle blik. Een paar seconden bleven ze elkaar onbeweeglijk aankijken, allebei met een gespannen uitdrukking op hun gezicht. Juan dacht ook een, misschien iets spottend, zweempje verlangen te bespeuren. Ruth op haar beurt meende zich een fonkeling van beschermende affectie te verbeelden en stak glimlachend haar kin vooruit en deed haar ogen dicht. Ze wist niet precies waar ze naar hunkerde. Er lag zoveel verwachting in dat onbetekenende maar krachtige gebaar om haar kin vooruit te steken en haar ogen dicht te doen in afwachting van een kus, zo'n immense lading hartstochtelijk verlangen, maar tegelijkertijd zo'n immense lading angst. Het was een vluchtig gebaar dat elk ander gebaar, elke lichaamsbeweging tenietdeed (het zenuwachtige beven van de handen bijvoorbeeld) want haar hele wezen was geconcentreerd op die schuchtere offerande van de lippen.

Het was een onbeholpen kus, een snelle en korte toenadering, een onhandig op elkaar afstemmen van de lippen. Hij trok zich terug en keek haar even aan. Ruths ogen schitterden als smaragdgroene vlammen en straalden bij de gedachte aan wat er komen ging. Ze werd draaierig voor haar ogen en veegde met de rug van haar hand een traan weg. Toen ze Juan omarmde werd Ruth door zijn verlangen aangestoken zoals je door lichamelijk contact met schimmel besmet kunt worden. Maar terwijl bij Juan de begeerte alleen maar begeerte bleef en resulteerde in een simpele aardse erectie, manifesteerde Ruths hunkering zich in een wanhopig willen begrijpen van de volmaakte vorm en de betekenis van die begeerte. Ze kreeg het gevoel dat haar persoonlijkheid plotseling in rook was opgegaan en er geen andere voor in de plaats kwam. Want achter een schijnbaar simpele kus gaan een heleboel veronderstellingen schuil, op die veronderstellingen is valse hoop gebaseerd, uit de bodem van die valse hoop zullen uiteindelijk twijfels groeien en uit die twijfels zal verbittering ontstaan... En zo verandert het rechte pad van sommige levens in een kronkelpaadje.

Ruth was gelukkig, maar voelde plotseling vreemde glimwormpjes in haar hoofd. Ze besefte teleurgesteld dat ze die niet kon pakken en bekijken omdat geluk iets vluchtigs, iets chemisch is, een momentopname en geen gemoedstoestand.

Ruth wist maar al te goed dat de Liefde de Duivel is. Maar dit besef vervaagde op het moment dat ze Juan kuste en het gevoel een naam kreeg. En het was met de nieuwe naam Juan niet meer bedreigend en angstaanjagend en de argeloze Ruth ontving het met open armen, diep gevleid door het aanbod dat ze op die lippen meende te proeven. Ze was onherroepelijk verkocht.

Hoe dan ook, die kus had wat losgemaakt in Ruths onderbewustzijn, de grenzen tussen werkelijkheid en verbeelding, tussen het zichtbare en het onzichtbare verdwenen en zij belandde in een bad van zelfsuggestie en terwijl ze zich drijvend hield ontving ze die droom met open armen zonder te willen zien dat ze onvermijdelijk kopje-onder zou gaan. *Wanneer iemand verliefd is bedriegt hij eerst zichzelf en tot slot de anderen.**

'Zullen we wat gaan drinken?' vroeg Juan.

'Ik weet niet, ik ga niet zo graag naar een bar. Er is altijd wel een zeur die me herkent en me zo nodig zijn leven moet vertellen. Een zogenaamde acteur of een aankomend regisseur of een toekomstige filmmaker... Je weet wel. Maar we kunnen ook naar mijn huis gaan als je wilt. Het is hier vlakbij.'

Juan wist niet wat hij hoorde. Hij wist niet beter dan dat wanneer een vrouw een man bij haar thuis uitnodigt voor een drankje zij seks met hem wil. Maar hij kon zich nauwelijks voorstellen dat Ruth zich zo tot hem aangetrokken voelde dat ze na die ene zoen en zonder dat ze elkaar een beetje kenden met hem naar bed wilde. Hij vroeg zich af of dat van die onbekenden die haar in bars lastigvielen alleen maar een smoes was.

'Bovendien ben ik een huiselijk type, ook al zou je dat niet zeggen,' ging Ruth verder alsof ze zijn gedachten had geraden. 'Ik hou niet van bars, niet van lawaai en niet van mensenmassa's. Ik voel me lekkerder thuis.'

'Ik voel me veiliger thuis,' zou ze moeten zeggen. Maar over haar ruimtevrees sprak ze met de psychiater en niet met een onbekende.

Ze liepen hand in hand naar Ruths huis via een labyrint van kronkelige straatjes in het Madrid van de Habsburgers. Ze liepen nog even zwijgend als daarvoor. De minuten gleden harmonisch voorbij, zonder pauze, zonder haast, zich aanpassend aan het kalme ritme van de voetstappen van die twee die gelijke tred met elkaar hielden. Juan zei niets omdat hij niet goed durfde, en Ruth zei niets

* Dit heeft Oscar Wilde gezegd. En het is nog waar ook.

omdat ze geloofde dat in zo'n situatie woorden overbodig waren.

'We zijn er,' zei ze ten slotte. 'Dit is de portiek van mijn huis.'

'Ik had het al herkend.'

Ze liepen hijgend de kale trappen op en toen ze op de overloop van Ruths verdieping stonden en zij de sleutels uit haar tas probeerde op te diepen had hij bijna gezegd: 'Hier heb ik je de vorige keer gekust toen ik je feest verliet,' maar hij kon zich op het laatste moment inhouden omdat hij niet al te zelfverzekerd wilde overkomen.

Die beklemmende sfeer van het huis, met zijn bedompte kerkhofgeur van stoffige boeken, viel weer op hen beiden neer zodra Ruth de deur achter zich had dichtgedaan. Juan ging meteen op de bank in de kamer zitten. Hij legde zijn handen onder zijn benen om haar niet te laten merken dat hij een beetje trilde.

'Wat wil je drinken?' vroeg Ruth.

'Geef maar iets. Wat jij neemt.'

'Is wodka goed?'

Hij knikte met zijn hoofd.

'Geef me je jas maar.'

'O ja, natuurlijk...'

Hij ging staan, trok zijn jas uit, deed zijn sjaal af en gaf ze aan Ruth.

'Wat een schitterende sjaal,' merkte Ruth op. Hij voelde aan als kasjmier en ze zag op het label dat het inderdaad zo was. Hij paste helemaal niet bij de versleten jas en ze keek ook op dat label: Zara. Dit alles duurde amper dertig seconden. 'Die heb je zeker gekregen, nietwaar?'

'Inderdaad.'

'Van een vrouw.' Het was geen vraag maar een constatering van Ruth.

'Ja...' Juan aarzelde om te antwoorden. Als hij het vertelde zouden zijn kansen op wat nog zou komen verkeken zijn. Als hij het niet zei zou hij zich schuldig voelen als inderdaad zou gebeuren wat hij hoopte. Deze overwegingen duurden ook nauwelijks dertig seconden. 'Ik heb hem van mijn vriendin gekregen,' zei hij ten slotte.

'Ze heeft een goede smaak.'

'Ja, dat is zo.'

'Ga je al lang met haar?'

'Ongeveer vier jaar.'

Juan haalde zijn portefeuille uit de achterzak van zijn broek, deed hem open en liet haar Biotza's foto zien. Ruth pakte de portefeuille en bekeek de foto even. Een lachend meisje stond aan zee tegen een balustrade geleund.

'Ze lijkt nog heel jong.'

'Drieëntwintig.'

'O... Goed, ik ga even glazen pakken.'

Ze verdween in de keuken. Terwijl zij daar bezig was bekeek hij de namen van de artiesten op een stapel cd's naast de televisie. De meeste waren hem onbekend. Hij probeerde niet te denken aan wat er zou kunnen gebeuren. Hij was nog nooit met een andere vrouw geweest sinds hij met Biotza omging. Niet dat hij niet wilde, maar het kwam er niet van. In Bilbao was hij door de week aan het studeren en het weekend ging hij met een groepje vrienden uit, zodat hij weinig kans kreeg om nieuwe mensen te leren kennen. Toen hij de beurs voor Madrid kreeg had hij al voor zich gezien hoe hij een ander, vrij leven zou leren kennen, een bestaan zonder afspraken, een wereld zonder schuldgevoelens waarin de vage dromen die met het masturberen gepaard gingen vaste vorm zouden aannemen, maar hij had niet kunnen denken dat die zich al zo vlug zouden realiseren en ineens sloeg de schrik hem om het hart, een voorgevoel dat hij er geen raad mee zou weten. Rustig nou maar, zei hij bij zichzelf. Misschien wil ze niets en gebeurt er ook niets.

Ruth kwam terug met een blad dat ze op tafel neerzette. Er stonden twee glaasjes met een helder vocht op. Ze gaf er een aan hem, ging zitten en nam zelf het andere.

'Je moet het in een keer opdrinken,' zei ze. 'Op... Dostojevski.' Ze gooide haar hoofd achterover en dronk het glas leeg. Juan deed hetzelfde.

'Waarom Dostojevski?'

'Omdat het Russische wodka is.'

Ze zeiden geen woord en hij voelde zich weer net zo onzeker als toen hij voor de etalage stond. Toen streelde Ruth even heel zachtjes zonder te trillen Juans hand. Hij schaamde zich dat hij zo belachelijk stuntelig deed, zo idioot bang was… Juan voelde zijn vingers in die van haar, de verleiding. Het contact zond een heftige elektrische schok door hem heen die als een warme vibrerende stroom naar zijn borst opsteeg. Zijn oren suisden. Hij wilde haar dolgraag kussen, maar kreeg ook sterk de neiging om op te staan en weg te gaan. Ditmaal nam zij het initiatief. Toen hij haar kuste viel er een last van hem af: zíj was begonnen en zíj wist dat hij een vriendin had, want dat had hij haar verteld. Hij kon haar dus de schuld geven en zich zonder gewetensbezwaar overgeven aan die kus. Hij kuste en streelde haar en langzamerhand ging zijn wroeging over in een allesoverheersend irrationeel gevoel. Hij liet zich door Ruth meevoeren in een val die hem deed duizelen van geluk, een ultieme gewaarwording van Ruths strelingen, van de emoties die haar zenuwuiteinden op hem overbrachten, van Ruths vingers die over zijn huid gleden en alle poriën deden sidderen. Ze stonden op zonder elkaar los te laten en kussend en lachend, botsend tegen meubels en dartelend als een stel dieren, bereikten ze het bed. Ze kleedden elkaar uit en vielen innig omstrengeld op bed neer. Terwijl Juan haar kuste en in vurige hartstocht bleef bijten en likken zag hij een brandende kaars op het nachtkastje. Ruth moest die hebben aangestoken toen ze uit de keuken kwam, want hij kon zich niet voorstellen dat ze een kaars liet branden als ze het huis uit ging, met het risico dat er brand uitbrak. Ruth had het dus gepland, Ruth had hem verleid en die gedachte stelde hem gerust, ze verlangde naar hem en gebruikte hem en nu kon hij het initiatief nemen en de dingen naar zijn hand gaan zetten. Hij wist niet dat er vijf kruidnagels in die rode kaars staken, een om ervoor te zorgen dat Juan alleen naar Ruths ogen keek, een zodat hij alleen haar parfum rook, een andere zodat hij alleen gevoelig was voor haar woorden, nog een zodat alleen de aanraking van haar huid hem opwond en de laatste zodat alleen de smaak van haar geslacht hem tot het hoogtepunt bracht, en dat ze om de kaars zevenmaal een rood koordje had gewonden en met een nieuwe naald hun namen in de kaars had gegrift, zoals Estrella haar had geleerd.

Armen reiken naar elkaar... Een intieme en solide brug. De kaars stuurt ijdele beloften de duisternis in. Toen Ruth Juans naam herhaalde klonk haar stem anders, minder scherp en een beetje bevend en kirrend, alsof vroegere zuchten jarenlang in haar borst hadden liggen wachten en genoeg hadden aan Juans naam om te kunnen ontsnappen. Ruth lag op haar buik, haar benen onder zich en haar billen uitnodigend omhoog. Het rode haar, dat bij het kaarslicht grillige dansende kleurschakeringen kreeg, viel golvend over haar rug. Juan pakte haar van achteren vast bij haar heupen en drong met vastberaden, onweerstaanbare druk bij haar binnen. Het deed pijn. Ruth herinnerde zich een paar spelletjes die ze als kind graag speelde. Meestal waren het fantasieën waarin ze uiteindelijk werd vastgebonden. Ontvoerde prinsessen, beulen en gevangenissen... Een springtouw, de tuinslang, een kapotte fietsketting... Accessoires voor complexe rituele spelletjes. Toen Juan op zijn diepst in haar was weerklonk van beiden tegelijkertijd een gekreun van puur genot. Zijn lid werd groter binnen in haar alsof het zich voedde met zijn eigen behuizing. Het deed pijn, maar ze slaakte een zucht van genotvolle overgave.

De tijd werd allesomvattend als een oceaan. Maar een oceaan die de dorst niet leste. Een oneindig diepe oceaan waarin Ruth verzonk, trillend als een waterdruppel, als een golf uit alle golven, uit water dat door zijn eigen gewicht voortgejaagd wordt, uit water dat uit het rosarium tussen haar benen stroomde – waar haar geslacht klopte – uit een buiten zijn oevers getreden rivier, uit een watermassa die over de lakens stroomde en met de donkere doorweekte plekken een landkaart van vocht en verwarde haren tekende.

Hoe moet je zoiets beschrijven? Lome, zoete gevoelens die het geweten verdoofden, die Ruth eindeloos zachtjes heen en weer wiegden, blauwe lichtjes die straalden over die zinnelijke, hartstochtelijke strijd, de gesloten ogen die trilden onder de omarming, hoe alles geluk tot aan de dood leek, vrede tot aan het luchtledige. Tussen een man en een vrouw, tussen het ene en het andere lichaam, tussen de ene en de volgende seconde gaapten niet te bevatten immense ruimten en hele werelden die ze opvulden. Ruth bevond zich in een stilstaande tijd, draaide als de zon door de oneindigheid, rolde als de oceaan over zijn bed van zand, en haar lichaam was geen lichaam meer maar een onverschrokken bol zeil dat door de wind werd voortgeblazen. De hitte van het moment was niet te vatten, evenmin als het vuur op Ruths huid. Alles draaide en tolde in dat laatste bijna driftige zinderende genot, een roes, een koortsachtige zwetende dans van dronken demonen, een vreemde hypnotiserende muziek die binnen in haar gonsde, en haar lichaam dat kronkelde als een slang, een lichaam dat schokte en schudde, en Ruth die schreeuwde, die buiten zinnen kreunde, die in de lakens beet, die zich met haar nagels vastklampte aan de houten bedrand, Ruth die een symfonie van zuchten ten gehore bracht, meesteres van de dissonant, heerseres over het rauwe contrapunt, en heerseres over haar geslacht, stemvork van vlees die de maat van de tijd aangaf, dat zich opende en sloot in een dierlijk ritme, een tunnel die samentrok en vasthield. En toen gleed Ruth, gelukzalig, zachtjes weg en werd alles rustig. Een paar schokkende bewegingen kondigden de zaadlozing aan. Al deze onzichtbare emoties hoorden bij een normaal en zichtbaar schouwspel: niets was verzonnen; eeuwenlang hebben mannen en vrouwen in bed enorme onbehouwen achtpotige insecten gevormd.

'Zeg dat je van me houdt.' De stilte heeft zoveel kracht dat het gefluister in de lakens wordt versterkt en tienmaal luider klinkt.

'Dat kan ik niet,' antwoordde ze. 'Waarom zou ik dat moeten zeggen?'

'Omdat jij nooit liegt.'

'Omdat dat geen leugen zou zijn.'

Ruth rekte zich uit als een kat, het bezwete haar plakte tegen haar gloeiende voorhoofd en sporen van de reis, van het genot waren nog merkbaar aanwezig: de groene ogen die straalden als stoplichten, de lachende en vochtige mond, de harde tepels, de trillende buik...

Haar lichaam was net een fles wijn die was leeggedronken: hij herinnerde aan plezier maar liet leegte zien.

Maar toch was het anders gegaan dan Ruth had gewild, omdat ze zich niet volledig had gegeven. Ze had zich geschaamd voor haar lichaam, dat lichaam dat ze nooit had begrepen, altijd had gehaat omdat het een vrouwenlichaam was, ze had een strak lichaam zonder borsten en heupen willen hebben, niet een lichaam dat haar veroordeelde tot iets wat zij niet wilde zijn. Ze had niet actief willen zijn omdat ze steeds maar aan die Biotza van de foto moest denken en aan haar ongetwijfeld volmaakte lichaam, zonder cellulitis of striae, zo'n lichaam dat zij tien jaar geleden had toen ze net zo oud was als het meisje op de foto, en ze zag dat meisjesgezicht weer voor zich en kwelde zichzelf met de gedachte dat dat lichaam beter bij Juans lichaam paste dan haar eigen lichaam en ze wilde dan ook niet dat Juan haar zag. Ze liet het over zich komen en gaf nog niet de helft van wat ze had kunnen geven, passief genot, zonder inspanning, abstract, afwezig, absoluut geluk zonder meer, en ze viel in slaap met het gevoel dat er oppervlakkig lichaamscontact was geweest, dat ze iets met haar vingertoppen had aangeraakt maar niet had kunnen pakken. En in haar slaap werd dat gevoel heviger, net als wanneer ze als klein kind een stukje taart had geproefd en het liefst de hele taart had opgegeten, want door dat stukje taart had ze trek in meer gekregen.

Juan kon niet in slaap komen naast haar en lag bij het zwakke kaarslicht in een compacte stilte die hermetisch om hem heen sloot naar de vochtplekken op het plafond te staren, alsof daar de antwoorden op zijn vragen geschreven stonden. Een enorm schuldgevoel knaagde vanbinnen. Hij vond het walgelijk en laag dat zijn zintuigen zich zo hadden laten gaan, maar het genot dat hij bij haar had beleefd was absoluut nieuw en zo intens dat hij veroordeeld was tot wat in zijn ogen misdaad, val en verderf was. Hij kreeg een hekel aan zichzelf omdat hij wroeging had over zijn ontrouw, maar aan de andere kant werd wat hij zojuist had gedaan ingebed en afgezwakt door een ideale onduidelijkheid: hij was verleid en niet door de eerste de beste vrouw, nee. Door een bijzondere vrouw. Hij voelde zich uitermate gevleid en het gaf hem een paradoxale voldoening dat hij was uitgekozen, dat hem die eer te beurt viel, hij voelde zich zo in zijn ijdelheid gestreeld dat bij vlagen de minachting die hij seconden ervoor nog voor zichzelf had op de achtergrond verdween. Hij worstelde met twee verschillende Juans.

Juan wist het nog niet, maar in de komende maanden zou de natuurlijke banale wellust overgaan in een soort transcendente communicatie via technieken, ervaringen, perfectionering, legitieme en nieuwe trucjes met routinematigheden als eindresultaat. In de komende maanden zou Juan vorderingen maken, zou Ruth vorderingen maken... Verslaving aan seks is onmogelijk te beschrijven als er van seks geen sprake is maar het iets anders wordt, het tastbare gevolg van de dwingende noodzaak om uit jezelf te treden, uit een leven dat je niet begrijpt en niet wilt. Maar dat zou allemaal nog komen, in de loop van de dagen, langzamerhand, het hoopte zich ongemerkt op als de zandkorrels in een zandloper. Juan wist het nog niet, maar mettertijd zou elk detail van de kamer in zijn geheugen gegrift staan op grond van de geheugenleer die inherent is aan de hartstocht.

Juan wist het nog niet, maar mettertijd zou Ruth niet meer zonder hem kunnen.

Ruth begint een driehoeksverhouding

Drie wordt verondersteld een mystiek getal te zijn: De Heilige Drieeenheid en de Kabbala bewijzen dat. Ruth werd geboren op de derde, leerde Juan kennen (in bijbelse zin tenminste) toen ze drieëndertig jaar was en als goed mystica had ze altijd heilig in het getal drie geloofd. Want het getal twee drukt tegenstelling uit, rivaliteit, de een tegen de ander, van 'ik ben zus en jij bent zo'. En drie is het getal van de driehoeken, of de driehoeksverhoudingen waarin Ruth altijd verzeild raakte (in haar relatie met Beau waren veel derden en indirecte derden, omdat ontrouw makkelijk was door zijn reizend beroep en zijn soms langdurige afwezigheid), of geometrische driehoeken die perfectie symboliseren en God die niet voor niets uit drie personen bestaat. Drie is ook het getal van de complexiteit of zelfs van onzekerheid (vanwege de driehoeksverhoudingen) maar ook van de variëteit (vanwege de *menages à trois*), van overal is een oplossing voor, van drie keer is scheepsrecht, van alle goede dingen bestaan in drieën.

Het derde briefje van Ruth kwam, in de onvermijdelijke kaneelkleurige envelop, twee dagen nadat ze voor het eerst met Juan naar bed was geweest. Maar Ruth was er nog niet uit of ze dat voor hem of voor haarzelf schreef. Ze wist dat ze hem, Juan, nodig had als geadresseerde, als muze, als de lachende derde in de eeuwige dialoog die zij tussen haar Ruths voerde, tussen haar en haar andere ik. Het was ook zo dat ze vanaf het moment dat ze met hem naar bed was geweest niets wilde schrijven dat hij niet zou lezen. Ze legde haar scenario dus opzij en schreef een lange brief naar Juan.

Sinds Ruth in een depressie zat, sinds ze zich in huis had opgesloten met het excuus een scenario te schrijven, stond ze vaak 's morgens op met tranen in haar ogen, ook al was er ogenschijnlijk geen duidelijke reden voor haar verdriet. Toen Ruth naar buiten ging om de kaneelkleurige envelop met de brief naar Juan op de bus te doen regende het pijpenstelen, wat het Dramatische Moment nog troosteloozer maakte en plotseling welden er tranen op in haar ogen. Ze voelde zich bedrukt en ellendig door het feit dat ze Juan in haar armen had gehad, dat Juan de hare was geweest, maar dat hij helemaal niet van haar maar van een ander was. Als Juan haar Andere was, was Biotza zijn Andere. En Ruth moest onwillekeurig denken aan die zin uit *Blade Runner*: 'Al die dingen verdwijnen als tranen in de regen.' Ze vond dat ze zich geen zorgen moest maken, want per slot van rekening had ze niet het eeuwige leven en zelfs haar eigen soort zou op een dag uitsterven, en haar leven en haar problemen stelden net zo weinig voor in het universum als tranen in de regen. Maar die existentialistische verklaring kwam haar wel wat zinloos om niet te zeggen snobistisch voor.

Ze dacht aan een liedje van Patti Smith waar ze van Pedro naar moest luisteren als ze zich ellendig voelde: *I refuse to lose, I refuse to fall down...* Pedro verzekerde Ruth dat ze wel degelijk gelukkig zou kunnen zijn, en hij herhaalde altijd dat zij uiteindelijk het geluk zou vinden als ze maar wilde. Pedro dacht zeker dat het gemakkelijk was jezelf op te peppen en weer in het openbaar te verschijnen. Terwijl ze de kaneelkleurige envelop in de bus gooide zei Ruth bij zichzelf: Ik ben donderdagnacht in ieder geval vijf minuten gelukkig geweest en dat geeft me veel hoop: als dat geluk – als die vijf minuten van geluk – mogelijk was, zelfs in zo'n slechte periode als nu, is er dus altijd hoop.

De hele nacht heb ik van je gedroomd. Ik herinner me alleen nog maar vage en mistige beelden uit die droom, maar toen ik wakker werd wist ik dat ik van jou heb gedroomd, dat jij de hoofdpersoon was...

Maar Ruth wist nog iets: dat ze van bloed had gedroomd. Dat ze gedroomd had van maandverband vol bloed, van rivieren van bloed die tussen haar benen vloeiden. Het vreemde is dat Ruth niet behoorde tot de categorie vrouwen die bloeden, die echte vrouwen, vrouwen van moederschap en voortplanting. Ze had geen menstruatie, of tenminste niet heel erg, zoals een echte vrouw die zou moeten hebben, die samenhang van het bloed met de maanstand die de vrouwen herinnert aan hun mysterieuze en vruchtbare natuur. Toen ze dertien, veertien, vijftien jaar was had ze wel gevloeid. Maar op een bepaald moment was dat gestopt en bleef er alleen maar een miezerig straaltje over dat nauwelijks te zien was, een paar druppeltjes als bewijs die haar slipje nauwelijks vuil maakten en die je alleen maar zag als ze als een dun rood straaltje in de toiletpot liepen. De artsen kwamen met mogelijke verklaringen, maar geen enkele was overtuigend: ze had te kleine eierstokken, een endometriose, een tekort aan hormonen. Maar er bestond ook een psychoanalytische verklaring die Ruth net zo aannemelijk voorkwam als de medische: zij had zelf haar vrouwzijn verworpen, zij ontkende zelf haar vrouwelijkheid, ze was een puur psychosomatisch geval. Ruth haatte inderdaad dat hele gedoe omtrent het begrip vrouw, alle gevolgen die in haar cultuur op één lijn stonden met het begrip vrouwelijkheid: ze haatte de klachten, het slachtofferschap, de verwijten, de morele chantages en de ziekten van haar tantes, de ongetrouwde zusters van haar vader, ze haatte hun verknoeide levens en hun lijdzaamheid, ze haatte de voortdurende vergelijking en concurrentie onder vrouwen, ze haatte de opgelegde of geaccepteerde afhankelijkheid van een man, ze haatte de verplichting om haar libido en verlangens te moeten verbergen, ze haatte de kleur roze, plooirokjes, verlovingsringen en zoals te verwachten was, ze haatte – of liever, ze verafschuwde – bloed en maandverband.

Ruth bezocht een zeer exclusieve privé-school, begon de puberteit met een bijzondere katholieke opvoeding van Ierse nonnen die haar in het Engels toespraken. Er bestond in die tijd een stilzwijgend ritueel onder 'de meisjes' van haar school (de leerlingen noemden zichzelf 'de meisjes van de school' hoewel ze strikt gesproken geen meisjes waren, maar lolita's en vrouwtjes in wording) een ritueel dat met de menstruatie te maken had: daar mocht niet over gesproken worden, omdat het in theorie een verboden onderwerp was, maar op een gegeven moment moest toch duidelijk gemaakt worden dat het bestond, en nog veel belangrijker, dat je er zelf mee te maken kreeg, een moment waarop je moest laten blijken dat je een vrouw was, een echte vrouw, de toekomstige vrouw van haar man en toekomstige moeder van een hele zwik kinderen, zodat je een keer per maand niet hoefde te zwemmen of mee te doen met gymnastiek, en een rode kleur kreeg wanneer iemand vroeg waarom en o wee, de arme meisjes die niet groeiden, die geen beha nodig hadden, die nog steeds niet ongesteld waren op hun vijftiende. Er bleef hun niets anders over dan te doen alsof, en pijntjes voor te wenden die zij niet hadden en vinnig en resoluut te zeggen dat ze niet wilden zwemmen hoewel ze stikten van de hitte: er was geen enkele reden waarom zij niet het water in zouden springen, maar zij moesten wel het tegendeel veinzen. (De verklaring voor dergelijk absurd gedrag? Dat niemand toen tampons gebruikte, hoewel die er natuurlijk wel waren, omdat tampons geassocieerd werden met penetratie, en nette katholieke meisjes stopten niets in hun vagina, helemaal niets, zodat degene die ongesteld was niet het water in ging.)

Ruth, die zich normaal ontwikkelde (zij was een bijzonder weelderige vrouw) kreeg daar pas jaren later last van, op een leeftijd waarop dat niet hoefde, toen ze jaloers begon te worden, of in ieder geval een ziekelijke nieuwsgierigheid kreeg voor vrouwen die klaagden (zo evident dat het iets pronkerigs had) over het aantal keren per dag dat ze zich moesten verschonen, dat ze 's nachts twee maandverbanden over elkaar moesten doen om geen vlekken in de lakens te krijgen. Want Ruth had toen niet eens maandverband nodig. Ze had haar vrouwelijkheid ontkend en terloops dat ze als vrouw anders was dan een man. De verschillen tussen de geslachten, dacht Ruth als goed feministe, zijn cultureel bepaald en worden door geen enkel genetisch patroon aangegeven. En Ruth weigerde daarom te erkennen dat vrouwen intuïtiever waren dan mannen, dat het feit om in een permanente regeneratiecyclus te leven, elke maand nieuw bloed nodig te hebben, zelf bloed van eigen bloed te zijn, dat het feit verbonden te zijn met de maan, af te stammen van heksen en tovenaressen, hen bepaalde krachten toekende die rationeel gezien onverklaarbaar waren. Ruth ontkende vele jaren dat zij dingen droomde die gingen gebeuren, dat zij wist dat bepaalde vrienden haar nodig hadden omdat zij haar in haar droom hadden geroepen, dat zij kon functioneren op haar intuïtie als zij wilde. Ruth had haar vrouwzijn genegeerd, maar daarmee ook haar krachten, haar contact met het onzichtbare.

Die morgen vloeide Ruth toen ze wakker werd. Juan was om acht uur weggegaan, want hij had (of dat was een smoes) een afspraak met zijn uitgever. Zij bleef tot twaalf uur in bed en droomde van bloed en van Juan. En vloeide toen ze wakker werd. Het was natuurlijk niet heel veel, maar het overviel haar, omdat ze niet regelmatig ongesteld was. Waarom vloeide ze juist nu na een nacht vol seks? Had Juan haar misschien haar vrouwzijn teruggegeven?

... ik heb de hele nacht van je gedroomd. Ik droomde dat je me riep. Dacht je aan mij?

De dromen, het bloed, hadden te maken met haar vrouwelijke intuïtie en met het feit dat Ruth die zich jarenlang daartegen had verzet aanvaardde dat zij in een wereld leefde die niet uitsluitend rationeel te verklaren was, dat onderzoeken die het magische element en het toeval niet erkenden toch niet alle fenomenen in haar leven konden verklaren.

Ruth was een bezeten iemand en door die karaktertrek had ze het moeilijk, want daardoor herstelde ze niet zo snel als anderen van liefdesverdriet, teleurstellingen, tegenslag, en kleine dagelijkse tragedies. Maar dankzij diezelfde eigenschap stortte ze zich enthousiast op haar werk, gaf zich over aan de camera als aan een geliefde en aan de geliefden alsof zij goden waren, met een fanatieke bijna martelaarachtige passie (qua intensiteit maar niet qua tijdsduur). Ruth was in haar leven door veel personen geobsedeerd geweest, maar dat wilde niet zeggen dat die in haar leven waren gekomen. Soms bekeek ze die alleen van een afstand. Het kon om platonische liefdes gaan, onbekende sterren, minnaars voor een nacht, vriendinnen. Personen die ze nodig had voor haar creativiteit. Alles wat Ruth had geschreven, gespeeld, gefilmd, was voor iemand anders bedacht. Elke monoloog, elke instelling, elk decor was voor iemand bestemd. Aan die persoon dacht ze als ze filmde of speelde, en de wetenschap dat die persoon bestond, dat die haar op een dag zou zien, gaf haar de energie om te scheppen, te geven, te tonen, te communiceren. Maar Ruth kon die personen niet omschrijven als inspirators maar meer als spiegels. Wat zij schreef, filmde of speelde, deed ze voor slechts een persoon, voor niemand anders, maar eigenlijk voor Ruth zelf. Zonder de tussenkomst van een derde aanwezigheid kon ze voor noch achter de camera staan. Haar obsessies waren als een katalysator. Ze moest zichzelf in een ander kunnen herkennen. Alsof ze zichzelf niet zonder de ander kon zien.

Sinds gisteren ben jij mijn ander, mijn bloedbroeder, als je me accepteert. Ik wil niet, begrijp me goed, je vriendin vervangen. Ik wil geen tijdschema's of eisen of verbintenissen of compromissen maken. Hoewel het vaststaat dat tijdschema's, eisen, verbintenissen en compromissen soms goede substituten zijn voor de zekerheid die we per slot van rekening allemaal nodig hebben. De noodzaak om bemind te worden, de zekerheid om bemind te worden die geassocieerd wordt met routine, met die gestructureerde en voorspelbare orde die vereenzelvigd wordt met geluk en dat mogelijk ook is (ik weet nog niet of dat nou geluk is, vraag dat niet aan mij: open relaties zijn chaotisch en ondermijnen op emotioneel gebied, gesloten en beperkende relaties lopen uiteindelijk stuk en gaan vervelen, vrij zijn of niet vrij zijn, dat is de vraag!) Ik wil je alleen zien, je zo spoedig mogelijk weer zien, als jij wilt.

Het gekke is dat Ruth niet geobsedeerd was door Beau, ze droomde ook niet van hem. Terwijl Beau knap was, intelligent, een goed artiest, een betere minnaar, geestig, ontwikkeld en stapelgek op Ruth. Maar Ruth ging bij hem weg en had daar nooit spijt van. En heeft ook nooit van hem gedroomd.

En waarom was Ruth niet geobsedeerd door Beau, een verstandig man, alleenstaand, beschikbaar en verliefd en was ze dat wel door een opgeschoten joch, een schaamteloze bloedzuiger die bovendien een officiële vriendin had? Onze dienstdoende psychoanalyticus zal ons zeggen dat die passie voor gevaar, voor het onmogelijke, een compromisfobie verbergt. Misschien zal hij het ook hebben over een zeker biseksueel element van Ruth die door het bezitten van een man die al een vrouw heeft ook haar zou bezitten als plaatsvervangende ervaring in een soort perverse transitieve relatie. Misschien heeft hij het ook over het zoeken naar de vader, in de figuur van een man die al een partner heeft. Wie weet slaagt de psychoanalyticus erin dat geobsedeerde gevoel van herkenning te verklaren, dat zij de spiegel heeft gevonden die zij zocht.

De psychoanalyticus zal zeggen dat het vreemd is om geobsedeerd te raken door iemand die zij praktisch niet kent. Maar Ruth weet dat ze steeds wanneer zij zoiets had gevoeld later ontdekte dat zij zich niet had vergist, dat die persoon voor haar bestemd was. Dat was al drie keer gebeurd: drie personen die haar op dezelfde vreemde manier aantrokken vanaf het moment dat zij met hen in aanraking kwam en van wie ze voelde dat ze op hen af moest stappen: Beau, Pedro, Juan.

> *... Ik weet dat ik me niet vergis, dat jij op de een of andere manier voor mij bestemd bent, hoewel ik nog niet weet waarom en waarvoor. Maar als dit afgelopen zou zijn voor het begonnen was, als het alleen maar een avontuurtje voor een nacht zou zijn, zou ik dat weten, zou ik dat voelen, zou ik niet die drang hebben om bij je te willen zijn, want zo vaak heb ik dat in mijn leven niet gevoeld en omdat het zeldzaam is kan ik het herkennen, zoals ik ook onmiddellijk het geringste vleugje Opium of Egoïst herken, ook al heb ik die parfum in geen maanden geroken...*

In zekere zin had Ruth te maken met haar masculiene versie, haar tegenpool. Ondanks het feit dat het ogenschijnlijk om twee volledig tegengestelde personen ging: zij was koperkleurig en blank; hij gitzwart en bruin; zij dacht dat God atheïst was, hij voelde zich permanent bekeken door een god aan wie hij rekenschap moest afleggen; zij wist niet meer hoeveel minnaars ze had gehad; hij voelde zich elke keer vreselijk schuldig bij ontrouw; zij was populair geweest bij het publiek, maar vond geen aftrek, hij – minimale verkoop maar lovende kritieken – geloofde dat hij tot een select groepje behoorde. Ze waren twee vertinde spiegels. Twee narcistische personen lijnrecht tegenover elkaar, ieder geobsedeerd door zijn eigen spiegelbeeld, afgedrukt in de ander. Maar Juan bevestigde Ruth dat haar angsten, haar fobieën, haar passies vreemd noch exclusief waren. Tenslotte was ook hij geobsedeerd door de blik van anderen en zijn eigen belangrijkheid, geobsedeerd door seks als zijn enige communicatiemiddel, buiten het schrijven. Ze waren twee personen die niet rechtstreeks met elkaar konden communiceren, die maskers nodig hadden en alter ego's om de wereld aan te kunnen. Ruth herkende haar zielsverwant op het moment dat hij de enige was op haar verjaardagsfeest die haar zelfmoordneigingen serieus had genomen. Ze voelde zich tot hem aangetrokken omdat hij haar eigen bestaan bevestigde, haar eigen leegte, haar eigen beklemming, haar eigen angst. Ook hij leek verloren.

> *... ik heb geen telefoon, of liever gezegd, ik neem hem nooit op, maar ik heb een e-mailadres:* ruthswanson@espasa.es***. *Je kunt me een e-mail sturen, of als dat niet gaat een brief.*

* Dit adres bestaat en jullie kunnen Ruth schrijven als jullie willen, maar antwoord krijgen jullie niet van haar, maar ik lees haar post en zal die naar haar doorsturen.

Ruth voor haar tweede afspraak

Een van Ruths favoriete uitspraken was: 'Ik ben niet sterk genoeg om me kwetsbaar op te stellen' die ze uit een film had waarvan ze de titel niet meer wist. Ruth voelde zich inwendig heel zwak, ze kon de afbrokkeling die kwam door de opvattingen waar ze met de jaren mee te maken had gekregen niet tegenhouden en die dreigde haar hele persoonlijkheid te ondermijnen, maar ze besefte dat de mensen die haar niet goed kenden haar over het algemeen een zeer sterke vrouw vonden. Eigenlijk was een van Ruths grootste problemen – misschien wel het Probleem, met een hoofdletter – dat Ruth niet wist hoe Ruth was.

Toen ze veertien, vijftien, zestien jaar was, werd ze als de Officiële Hoer van de buurt gezien. Maar ze was zo goed als maagd. Ik zeg 'zo goed als' omdat er op haar dertiende iets was voorgevallen, een vrijpartij op een afgelegen plek van een dronken Ruth met een knul met een vetkuif, in een groene loden jas en bordeauxrode merkschoenen, wat een einde maakte aan Ruths maagdelijkheid en het gevoel van eigenwaarde van haar tegenspeler met een paar punten deed stijgen. En waar hij zijn hele leven trots op was – dat hij al zo jong zijn maagdelijkheid had verloren – zou voor haar een traumatische ervaring zijn. In ieder geval had de benaming Hoer niets te maken met Ruths seksuele geschiedschrijving noch met het feit dat ze wat voor gunsten dan ook zou hebben gekregen in ruil voor haar seksuele bereidwilligheid (ze kreeg niets), maar veel meer met haar uiterlijk. Ze had zich snel ontwikkeld en in haar puberteit had ze al die uitstraling van een wellustig dier dat haar haar leven lang zou kenmerken en haar onderscheidde van de *lieve* meisjes van haar leeftijd, die er meer als engeltjes dan als lolita's uitzagen. Vanaf het moment dat ze er seksueel aantrekkelijk uitzag ging iedereen ervan uit dat ze op de een of andere manier seksueel actief was en werd ze (ongevraagd) gestigmatiseerd en zodoende een levende reclame die ieders leven zou bepalen. Door haar voor 'hoer' uit te schelden banden jongens hun angst uit voor seks en hun minderwaardigheidsgevoel tegenover een meisje dat al vrouw was terwijl zij nog knulletjes, jongens waren, aankomende macho's die last hadden van pukkels, haantjesgedrag en natte dromen. En de meisjes die eraan meededen om haar achter haar rug om zwart te maken, vonden van zichzelf dat zij het tegenovergestelde waren: als Ruth de *Hoer* was waren zij dat niet, en stonden ze dus aan de goede kant van de scheidslijn tussen *Maagden* en *Hoeren*; *Mijn Moeder, Mijn Zuster, Mijn Vriendin* en *De Anderen*, de categorieën waarin mannen vrouwen indelen, categorieën die vrouwen zonder meer accepteren, althans zo was het in de wereld waarin Ruth leefde, de wereld van haar vader en haar zus, een wereld waarin bepaalde regels en normen golden die tieners imiteerden in een wanhopige poging om volwassen te lijken. Het was ook zo dat het supervrouwelijke uiterlijk van Ruth een bedreiging vormde voor al die meisjes die haar uitscholden. Eigenlijk waren ze jaloers omdat zij niet durfden te bekennen dat ze op hun veertiende nog steeds niet menstrueerden en dat ze hun beeldige witte beha alleen maar voor de vorm droegen, want hun beginnende borstjes hadden nog geen last van de zwaartekracht en bleven zonder harnas keurig op hun plaats zodat de beha meer een bevestiging was van een beginnende seksuele rijpheid – maar waarvan het meisje in kwestie graag geloofde dat die al een feit was – dan een noodzaak.

Toen Ruth erachter kwam hoe ze over haar dachten, veronderstelde ze dat de jongen van de loden jas had gekletst en accepteerde ze die laster in de overtuiging dat ze niet beter verdiende en ze dus, omdat ze geen maagd meer was, een hoer was; ze kon niet vermoeden dat dat voorval (een knul die een meisje dronken voert, haar lastigvalt en niet ophoudt als ze hem dat vraagt, omdat hij zeker weet dat als vrouwen nee zeggen ze ja bedoelen) in een minder conservatieve cultuur of jaren later simpelweg verkrachting zou worden genoemd. Ruth kon evenmin weten dat ze eigenlijk een van de meest naïeve meisjes in de buurt was, dat sommigen van de meisjes die haar uitscholden min of meer hetzelfde hadden meegemaakt, dat ze allemaal net als Ruth nieuwsgierig naar seks waren, dat ze het niet in hun hoofd zouden halen dat tegenover anderen of zichzelf toe te geven, dat ze zich daarover allemaal schuldig voelden en dat ze daarom Ruth uitscholden: het luchtte op en ze konden denken: ik ben niet de eerste de beste, ik ben niet zoals Ruth, ik hoor bij de andere groep, ik ben een net meisje en zal spoedig iemands Bruid zijn en weer later iemands Moeder, en ik zal nooit zomaar iemand zijn, nooit, nooit zal ik zijn zoals Ruth, omdat ik niet ben zoals Ruth, ik ben niet zoals Ruth. En omdat Ruth al heel jong moest onderkennen dat ze anders was dan dit soort vrouwen – onder wie haar eigen zus – is het ook niet vreemd dat toen zij het later in een relatie moest opnemen tegen Biotza die dat soort gezegende vrouw vertegenwoordigde en precies het tegenovergestelde was van de gedemoniseerde vrouw die zijzelf vertegenwoordigde, zo hevig met zichzelf in de knoop kwam en in een depressieve spiraal raakte dat ze ten slotte zelfs met de gedachte speelde om zelfmoord te plegen. Ruths tweeslachtigheid tegenover Biotza – op alle mogelijke manieren proberen anders te zijn dan zij en toch alles willen hebben wat zij bezat – is te begrijpen als je weet dat Ruths leven, tot Juan op het toneel verscheen, in het teken stond van: niets betekenen in niemands leven. Daarom hield ze zich tegelijkertijd wel en niet aan de regels die binnen een relatie gelden. Want Ruth stelde zich onafhankelijk op, maar tegenover Juan gedroeg ze zich als een vreselijk jaloerse huisvrouw. Achter haar bezitsdrang ging immers het verlangen naar voortdurende zelfbenoeming schuil. Maar zover zijn we nog niet, dus laten we niet op de gebeurtenissen vooruitlopen.

Vanaf het moment dat Ruth officieel werd bestempeld als 'De Hoer van de Buurt' (in haar geval zou je moeten zeggen 'De Hoer van de Buitenwijk') wilden al die jongens met pukkels en natte dromen en minderwaardigheidscomplexen dolgraag seks of zoiets als seks met haar, terwijl dat duidelijke verlangen een dekmantel was om hun minder duidelijk verlangen naar een onzekere mannelijkheid te bevestigen. Alle jongens uit de buurt wilden een avondje bij Ruth zijn... Eentje maar, want iedereen weet dat je hoeren moet gebruiken en dan wegwezen. Dus wanneer ze hun zin hadden gekregen – een beetje zoenen en wat gefriemel in een donker hoekje vlak bij Ruths voordeur – gingen ze rechtstreeks naar huis om hun zinnelijke genoegens af te reageren die de spelletjes met Ruth hadden teweeggebracht, en daarna negeerden ze die paria, hoe leuk ze haar ook vonden. Het eigenaardige was dat Ruth de regels van het spel goed kende, als ze zich liet kussen en betasten zouden ze haar nooit meer aankijken, dat wist ze, maar ze hoopte dat er een blijvertje was, dat er ten minste één was die van haar hield of als dat niet haalbaar was dat ze ten minste iemand had om mee uit te gaan. Dus bleef ze hen kussen in de ijdele hoop dat een van die kikkers in een prins veranderde, maar eigenlijk wist ze wel dat ze allemaal kikkers bleven na haar gekust te hebben, met hun pukkels, natte dromen en absurde opvattingen over het leven, de liefde en de vrouwen. Waarom speelde Ruth dat spel dan mee? Waarom liet ze zich kussen en betasten? Omdat ze volgens onze adviserende psycholoog wanhopig op zoek was naar liefde en niet wist waar ze die kon vinden. En eveneens volgens onze psycholoog of welke andere dan ook – en dat klopt met het voorgaande – omdat ze alleen met seks als lokmiddel de aandacht zou krijgen die ze wilde. Hoewel dat volgens hem niet echt de aandacht was die ze zocht, maar het was per slot van rekening aandacht, zodat Ruth ermee door bleef gaan omdat ze wist dat het alleen op die manier zou lukken.

Maar die mogelijke verklaring van de psycholoog is net zo conservatief als de jongens die met Ruth zaten te rotzooien of de meisjes die haar uitscholden. Want als we hem geloven is het ondenkbaar dat Ruth seks puur om de seks wilde en wanneer de therapeut aandacht of affectie (kortom liefde) associeert met seks, probeert hij daarmee alleen maar te zeggen dat Ruth niet *zomaar iemand* is omdat die hypothetische psycholoog zichzelf nog niet heeft gedistantieerd van die absurde tweedeling van de maagd en de hoer. Klaarblijkelijk is promiscuïteit alleen te begrijpen (*ergo* te rechtvaardigen of, erger nog, te vergeven) als het de zoektocht naar Iets Diepers verbergt. Het komt neer op boerenfilosofie maar dan subtieler en op academisch niveau.

Dus accepteerde de volwassen Ruth jarenlang deze verklaring die ze in diverse boeken van serieuze feministen en zelfs in enkele handboeken voor zelfhulp had gelezen en maakte zichzelf wijs dat de promiscuïteit in haar adolescentie de weerslag op haar zoektocht naar liefde was. Dat mag dan wel zo zijn maar het was ook zo dat Ruth een naar seks hunkerend wezen was geworden en dat ze toen ze borstjes kreeg net zo nieuwsgierig naar seks was als de pukkelige jongens die zich bij haar opdrongen. Want laten we wel wezen, zou die hypothetische psycholoog soms willen beweren dat die jochies niet uit waren op seksuele opwinding maar op liefde en aandacht? Het verschil lag daarin dat die jongens zich alleen maar stiekem thuis in de badkamer konden aftrekken en misschien, heel soms, die ene keer dat ze met Ruth waren, terwijl Ruth als heel knap meisje over een arsenaal jongens beschikte met wie ze kon experimenteren. En ook al wist ze heel goed dat elke nieuwe ontmoeting haar reputatie verder aantastte en de kans op vriendinnen en liefdes kleiner maakte (wat niet helemaal waar was, omdat Ruths reputatie vanaf het begin al slecht was en haar promiscuïteit daar het gevolg van was en niet andersom; met andere woorden de mannen begonnen haar lastig te vallen toen de vrouwen haar 'hoer' begonnen te noemen, en dat deden ze niet vanwege haar reputatie maar vanwege haar uiterlijk) kon Ruth alleen maar doorgaan met wat ze deed. Ze kon er niets aan doen. Ze vond het heerlijk om gekust en betast te worden.

Toen Ruth op de universiteit kwam werd het anders. Het was daar niet zo'n bekrompen en endogamisch wereldje en bovendien wisten sommige studenten de intelligentie van een vrouw te waarderen als een kwaliteit die haar sierde, zodat Ruth, die een briljant studente was, niet alleen haar schoonheid in de strijd hoefde te gooien. Ook was de buurt waar Ruth woonde zo onbelangrijk dat er niets naar buiten kwam en haar reputatie haar niet was vooruitgesneld. En daar op de universiteit kreeg ze geen bijnaam omdat ze niet meer zo erg de aandacht trok: ze was nog steeds een opvallende vrouw en zou dat altijd blijven maar ze was niet meer de meest opvallende noch de meest intelligente. En toch was het ook hier weer hetzelfde liedje: in haar jeugd en later toen ze volwassen was leerde Ruth horden mannen kennen die haar lastigvielen en niet met rust lieten maar haar onmiddellijk aan de kant zetten wanneer ze 'hun zin hadden gekregen', zoals haar kindermeisje Estrella gezegd zou hebben, dezelfde die haar de kaarten las. Net als zij geloofde Ruth heel lang dat wat die mannen wilden eenvoudigweg alleen maar seks was en daarom probeerde ze het systeem van de Anderen uit (de toekomstige *Bruiden van* en *Moeders van*): laten wachten, zich laten begeren, hen niet zo makkelijk geven waar ze op uit zijn. Dus ging ze een tijdlang, ook al wilde ze eigenlijk wel, niet naar bed met onbekenden, met mannen die ze in een bar ontmoette en die haar in vuur en vlam zetten. Dat sierde haar, had echter niets met fatsoen te maken maar met een geperfectioneerd systeem van zelfverdediging of eenvoudiger gezegd misschien met louter lafheid. 'Als een man met je naar bed gaat,' zeiden haar studiegenoten, 'en je hebt hem niet lang genoeg naar je laten verlangen, dat wil zeggen dat je hem niet een aantal weken achter je aan hebt laten lopen voordat hij met je naar bed gaat, zal hij je net zo snel vergeten als dat hij je heeft gekregen.' Maar hoe graag Ruth dit ook wilde geloven, ze vond het een ontzettend stupide houding, zodat ze soms de kriebels in haar buik voelde opkomen en zich in bars na een paar drankjes liet gaan, en plotseling merkte dat ze een kerel die haar onzin zat in te fluisteren, iemand die ze een half uur eerder aan de bar waar ze samen wat zaten te drinken of ergens anders had leren kennen, heel erg leuk vond en dat het niets met drank te maken had en dat ze wat ze zou gaan doen niet deed omdat ze dronken was maar omdat het feit dat ze dronken was haar deed inzien dat ze wilde doen wat ze zou gaan doen. En misschien deed ze dat – ingaan op het voorstel van die quasi onbekende of van een ander of zelf met het voorstel komen – alleen maar om dwars te liggen en omdat ze vond dat, als een kerel zo'n verdomde macho was om te denken dat een vrouw geen respect meer verdiende als zij hetzelfde verlangde als hij, dat een vrouw die tegen hem opgewassen was, die hetzelfde voelde als hij en dat durfde te uiten, iets minderwaardigs was, zij dat maar beter van het begin af aan kon weten om haar kostbare tijd niet te verdoen (twee weken kunnen, afhankelijk van je leeftijd, een eeuwigheid zijn) en een paar keer met zo'n idioot uit eten moest gaan om hem in haar bed te kunnen krijgen. Maar wanneer ze haar daarna lieten vallen, voelde Ruth zich alleen maar schuldig en smerig, want ze hadden haar gezegd dat ze zich zo moest voelen, maar soms komen gevoelens niet uit het hart (of uit de symbolische emotionele voorstelling daarvan) maar uit het hoofd; ze zijn niet reëel maar ingeprent; het gaat niet om primaire en echte emoties zoals angst of woede, maar om gevolgen van een denkproces, omdat we luisteren naar iets wat iemand ons heeft aangepraat: als ze me hebben gezegd dat ik me smerig moet voelen omdat ik dat doe, dan zal ik me smerig voelen en de primaire emotie (trots, ontspanning, verovering) negeren die eronder ligt en die ik zelf onbewust onderdruk.

Vreemd genoeg hield Ruth zich soms ook aan de regels en wachtte ze waarop ze moest wachten en kon met moeite haar verlangen en frustratie bedwingen en sloeg thuis haar armen om het kussen en zette er wanhopig haar tanden in en doorstond wat ze moest doorstaan, de etentjes, de bezoekjes aan bioscoop en bars terwijl ze steeds meer ging verlangen naar haar tegenspeler en dat verlangen verwarde met liefde (omdat Ruth niet beter wist) en als ze dan eindelijk vond dat het lang genoeg had geduurd en deed alsof ze zich gewonnen gaf gebeurde precies hetzelfde: ze gingen met haar naar bed en lieten nooit meer wat van zich horen. En als ze alleen maar seks wilden, dacht Ruth, waarom gingen ze dan niet naar een echte hoer, een beroeps en niet eentje die ze zomaar een sociaal etiket hadden opgeplakt, eentje die van tevoren over de prijs onderhandelde en na afloop contant betaald werd? Per slot van rekening was het beslist goedkoper zo iemand te betalen dan haar uit te nodigen voor de film, voor een drankje of om cocaïne te snuiven. Sommigen van haar geliefden hadden werkelijk een fortuin aan haar uitgegeven: eentje had een *suite* in de Ritz gehuurd en een ander had haar een weekend meegenomen naar la Mamounia in Marrakech. Ruth meende iets te hebben waardoor mannen haar lieten vallen zodra ze haar kenden en dat was een van de redenen waarom haar zelfrespect beetje bij beetje was ondermijnd en toen ze Juan ontmoette lag dat ver beneden nul en een fractie lager dan dat van Kafka. Natuurlijk had ze iets waardoor bepaalde mannen niet anders konden doen dan haar in de steek laten zodra ze haar hadden gekregen, maar het was niet wat Ruth dacht. Ruth wist niet dat don Álvaro Mesía* meer is dan een literair personage: hij is een prototype. Ruth kon zelfs niet weten dat zij het type vrouw was waar juist al die Mesías die er op de wereld rondlopen zich tot aangetrokken voelen, mannen die zich zo inferieur aan vrouwen voelen dat ze met alle geweld boven hen willen staan, hen pijn willen doen en zich des te meer gesterkt voelen in hun mannelijkheid hoe superieurder de vrouw is die ze verachten. Daarom was Ruth – knap, intelligent, beschaafd, rijk – onbewust een gewild object geworden.

Maar theorie en praktijk zijn twee verschillende dingen, want Ruth was weleens wakker geworden naast een volkomen onbekende die bij daglicht veel minder interessant bleek dan de avond ervoor en dan wist ze niet hoe snel ze van die kerel af moest komen. Die onbekende was lief en charmant geweest en wilde haar beslist weer zien, terwijl Ruth met een knallende koppijn wakker was geworden en ermee zat dat ze zich niet had gehouden aan de regels die ze absurd vond maar meestal in acht nam, en in plaats dat ze dankbaar was voor dit geschenk uit de hemel rende ze dat huis uit zonder dat ze een telefoonnummer van hem had.

Aan de andere kant is het ook zo dat Ruth haar enige Grote Affaire (voor ze Juan leerde kennen natuurlijk) beleefde met een man met wie ze ongeveer drie uur nadat ze hem had leren kennen naar bed ging. Zo zie je maar weer!

En we moeten ook duidelijk stellen dat toen Ruth wakker werd

* Noot v.d. vert.: Don Álvaro Mesía is de aartsverleider in *La Regenta* van Clarín.

naast Juan ze een beetje de kluts kwijt was omdat Juan niet minder intelligent of charmant leek dan de avond ervoor.

Ruths besluit om zich terug te trekken om zo haar problemen te vergeten loste niet alleen niets op maar ze kreeg met nog veel meer problemen te maken. Ze ontdekte dat ze haar leventje eigenlijk miste en geloofde dat ze het nooit meer zou terugkrijgen. En toen Juan in het trappenhuis van haar woning zijn belangstelling voor haar liet merken en tegen haar zei 'als je je eenzaam voelt, dan weet je waar je me kunt vinden', wilde ze graag geloven dat dat inderdaad zo was, dat ze inderdaad op zijn schouder zou kunnen uithuilen. Maar hoe kon ze iemand vertrouwen die ze nauwelijks kende?

Want toen Ruth Juan voor de etalage kuste kreeg ze precies hetzelfde voorgevoel als in het trapportaal van haar woning: dat ze Juan kwijt was, dat op dat moment de kans verkeken was op een vriend of een vertrouwd iemand omdat ze uit ervaring wist dat seks scheidt, terwijl het zou moeten verbinden. Waarschijnlijk omdat wanneer twee onbekenden met elkaar naar bed gaan ze inbreuk maken op hun beider intimiteit. En dat maakt bang. Maar zelfs al wist Ruth dat ze een stommiteit beging, net als eerder bij haar op de trap, toch kon ze zich onmogelijk inhouden, want dat allesverterende verlangen leek sterker dan zij. Hij is veel jonger dan ik, dacht ze, hij heeft een vaste vriendin, ik heb mijn eigen problemen en zit niet te wachten op meer, bla, bla, bla... Dit neuriede een stemmetje in haar hoofd. Maar tegelijkertijd klonk er een ander stemmetje, een tweede stem die het ritme van de melodie aangaf: 'Nou en, nou en, nou en?' en uiteindelijk kreeg de tweede stem de overhand en werd het liedje uitsluitend ritme, de zeurderige herhaling van dat refrein dat de schelle stem van Ruths privé Miep Krekel het zwijgen had opgelegd.

Nou en.

Maar daarna, na die innige kus voor de etalage, bedacht ze dat ze, zelfs als ze Juan niet meer zou zien, zelfs als ze de kans op vriendschap had vergooid, zelfs als ze zich als een kind had gedragen, zich altijd die minuten (het licht, het versterkte geluid van twee gelijktijdige ademhalingen, de tong die haar mond verkende, de handen die haar hals streelden, alles zo geconcentreerd alsof er op de wereld alleen deze kus bestond) zou blijven herinneren en niemand haar dit ooit zou afnemen. En dat was genoeg voor haar.

Ze had Juan vanaf het begin leuk gevonden. Dat was duidelijk. Maar Ruth had het er moeilijk mee en wilde die waarheid niet onder ogen zien om meerdere redenen die teruggebracht kunnen worden tot een enkele: schrik, angst. Ruth durfde niet aan relaties te beginnen, omdat ze had ervaren dat het altijd een hoop verdriet met zich meebracht, ofwel omdat de ander besloot de relatie te beëindigen en dan moest Ruth weer een onthoudingssyndroom doormaken, of omdat Ruth daartoe besloot en dan viel de ander haar lastig met sentimenteel gedoe. Het zou ideaal zijn als de aantrekkingskracht wederkerig was, maar dat was in twintig jaar hectisch liefdesleven nog niet voorgekomen, hoewel het wel zo is dat Beau – behalve toen ze net met elkaar omgingen – in emotioneel opzicht veel meer van haar afhankelijk was dan zij van hem. Maar toen was ze jong en dacht een heel leven voor zich te hebben en nog veel mee te maken. Maar op haar drieëndertigste kon ze niet meer jong genoemd worden en kreeg ze het intrieste gevoel dat het leven leeg was, dat het punt bereikt was waarop je het beste van het leven achter je laat, wanneer de horizon die eerst voor je lag nu achter je ligt. En ze was niet zo flink dat ze die zekerheid alleen aankon. Maar Ruth bleef hopen dat Het Geval zich eens zou voordoen, ook al wist ze dat de kans heel klein was. Daarom was ze op haar drieëndertigste nog ongetrouwd en ongebonden omdat ze nooit had kunnen accepteren dat ze van iemand zou kunnen houden die minder van haar hield dan zij van hem.

Tweede afspraak

Ruth wist al voor ze de witte envelop zonder afzender openmaakte die in haar brievenbus lag dat het een brief van Juan was. Juans handschrift leek verbazend veel op dat van haar, hoewel de halen iets onregelmatiger waren en niet naar rechts maar naar links bogen alsof de letters een zetje moesten krijgen of dat ze bang waren om de wereld te trotseren.

Het was een kort briefje:

Lieve Ruth…

(Hij noemde haar lieve! Haar hart ging tekeer en ze kreeg vlinders in haar buik als ze dacht aan de laatste avond.)

… ik moet de enige man ter wereld zijn die nog niet op internet zit. Ik heb een e-mailadres maar dat gebruik ik alleen zakelijk en vandaag heb ik geen zin om naar de uitgeverij te gaan voor dit briefje. Bovendien lijkt een handgeschreven brief me leuker, omdat het romantisch heet te zijn.
Hier dan eindelijk het telefoonnummer van het studentenhuis: 5613209. Ik hoop dat je me belt zodra je dit briefje hebt gelezen.
Liefs. Of meer…

Ruth rende met grote stappen de trappen op naar de telefoon en draaide het nummer dat ze al uit haar hoofd kende. Een vrouwenstem aan de andere kant zei dat ze verbonden was met het studentenhuis. Ruth vroeg naar Juan de Seoane. De onbekende stem antwoordde: 'Een ogenblikje.' Er gingen een paar minuten, een eeuwigheid in haar ogen, voorbij tot ze die zware en rustige stem hoorde waar Ruth al van was gaan houden.

'Ja?'

'Hallo, met Ruth. Ik heb net je briefje gelezen.'

'Nou, dat is ook toevallig, want ik stond op het punt naar de uitgeverij te gaan om een paar verslagen te brengen. Als je me twee minuten later had gebeld was ik weggeweest. Luister, als ik klaar ben op de uitgeverij moet ik naar de boekpresentatie van het nieuwste boek van Marcos Giralt, in de Cock. Heb je zin om mee te gaan?'

Waarom zou Ruth met hem meegaan naar een openbare plechtigheid, die haatte ze immers, ze werd er beroerd van als ze herkend werd, ze stierf van angst als ze vermoedde dat de mensen gingen roddelen zodra ze in een openbare gelegenheid kwam, ingehouden haat, een stroom kritiek en veel jaloezie deed dan de ronde.

'Ja, natuurlijk ga ik met je mee,' zei Ruth.

'Oké. Dan kunnen we in Comercial afspreken om eerst een kopje koffie te drinken. Wat vind je van zes uur?'

'Prima.'

'Nou, tot zes uur dan. Een dikke kus.'

'Voor jou ook. Tot zes uur.'

Het geruis op de lijn kondigde aan dat Juan had opgehangen. Ruth stond naar de hoorn te kijken zonder hem op de plastic haak te leggen. De ingesprektoon klonk door het snoer; ging van het snoer naar haar vingers die de hoorn vasthielden en daarvandaan via Ruths aderen naar haar oren, ze bleef minutenlang onbeweeglijk staan, gehypnotiseerd door het elektrische gebrom tot ze ten slotte de hoorn heel zacht, alsof het een baby was, op de haak legde.

Klikklak, klikklak. Klikklak... Sheherezade stelt zich de stappen voor van degene die ze bewondert en in haar bewondering ziet zij opnieuw (als een personage per slot van rekening geen uitdaging is, wat is dat dan wel?) hoe die persoon de trappen af gaat naar de voordeur, met soepele pasjes, iets op de tenen (maar niet veel, niet zoals een ballerina, maar gewoon met de hakken iets van de grond; dat lopen dat haaks staat op de vermoeide en slepende passen van oudere of lusteloze mensen). Het eerste dat de camera ziet als hij naar beneden gaat (want onze moderne Sheherezade is filmregisseuse en denkt natuurlijk in visuele taal) zijn de voeten, groot en met lange tenen, iets asymmetrisch, heel wit, dan (de camera beweegt naar boven) een paar eveneens heel witte kuiten (dat was te verwachten) bedekt met perzikachtig dons en daarna een paar prachtige bovenbenen waarvan de spieren uitgehouwen lijken te zijn, onbetwistbaar mannelijk maar met een eigenaardig zacht vrouwelijk tintje omdat ze bijna te gestileerd zijn maar toch stevig, zoals je je de benen van een jagende Diana zou voorstellen. Als we uiteindelijk de bezitter van die prachtige benen helemaal in beeld krijgen, zien we dat hij een korte broek en een blauw T-shirt draagt, verward haar en slaperige ogen heeft, alsof hij net uit bed is en dat zijn armen net zo mooi en stevig zijn als zijn benen.

Als de jongeman (want nu weten we dat het een ontegenzeggelijk knappe jongeman is) al die gestoffeerde trappen af gaat, loopt hij naar de voordeur van het studentenhuis. Nee, hij gaat niet naar buiten, dat zie je duidelijk aan de manier waarop hij is gekleed. Hij is alleen naar beneden gekomen voor de post en zijn brievenbus is bijna naast de voordeur van het studentenhuis. En tussen de voorspelbare berg witte enveloppen met diverse reclames, brochures over nieuwe uitgaven van een aantal uitgeverijen en bankafschriften ontdekt hij onmiddellijk een kaneelkleurige envelop, dezelfde als waarin Ruth altijd haar brieven verstuurt. Hij ziet meteen dat het een brief van haar is want hij herkent ondertussen haar handschrift wel (puntig, iets naar rechts gebogen, de open a's, de snelle halen). Hij lacht, want hij verwachtte dat niet meer omdat hij de laatste twee dagen geen enkel briefje had ontvangen waarin Ruth voor Sheherezade probeert te spelen en hem elke avond verleidt met een verhaal in afleveringen zodat hij haar niet vergeet, maar hij weet niet (of misschien ook wel; laat de lezer daar maar zelf over beslissen) dat op het moment dat hij tijdens een koffiegesprek tegen haar zei: 'Je zult het niet geloven, maar gisteren ben ik naar beneden gegaan alleen om te kijken of er weer een brief van jou lag, en ik was erg teleurgesteld toen dat niet het geval was,' hij precies de druppel olie op het vuur had gegooid om haar inspiratie te geven, juist toen het leek alsof die onherroepelijk uitgeput was.

Welnu, onze verleider gooit de witte enveloppen weg en drukt als een schoolmeisje de andere envelop tegen zijn borst en verheugd – de flegmatische glimlach die op zijn gewoonlijk ingetogen en gereserveerde gezicht ligt is als een zonnestraal op een ijsbaan – loopt hij met kleine veel snellere pasjes terug dan hij kwam: springt bijna de trap op, met twee treden tegelijk. Zonder natuurlijk zijn zelfbeheersing te verliezen, want de jongeman blijft voor alles heel Galicisch en houdt altijd de schijn op en bewaart zijn manieren. Het is dus te verwachten dat hij voor hij zich op de envelop stort en het kaneelkleurige papier openscheurt om te weten wat erin staat (dat zou de afzendster gedaan hebben die tenslotte half Keltisch is en het temperamentvolle karakter heeft van welke voorouderlijke heks dan ook van wie zij de ogen en het haar heeft geërfd, een van die heksen die door de druïden in Edinburgh verdronken werden, een van die heksen die soms 's nachts als je heel goed luistert nog te horen zijn in *Old Mile*) thee gaat zetten in de elektrische theepot in zijn kamer en het zich daarna gemakkelijk maakt op bed, zijn theekopje op de vensterbank, doodkalm de envelop openmaakt, zorgvuldig de achterflap opent en de velletjes papier er net zo voorzichtig uithaalt alsof hij een baby uitkleedt en eindelijk, eindelijk, kan hij dan gaan lezen.

De afzendster hoopt erop dat het genoemde bundeltje papier rust op de schoot van de geadresseerde, want dat zou betekenen dat het vlak bij zijn kruis ligt, die zachte schat met vanillegeur (voorzover zij zich herinnert). Hij opent de envelop en begint te lezen. De woorden kijken hem vanaf de rand van het papier aan, maar noemen hem niet. De afzendster, die zich dit tafereel heel goed voorstelt terwijl ze schrijft, is zich er uitstekend van bewust dat zij een web van woorden weeft om hem mee te vangen, dat ze niet langer Sheherezade is maar Penelope, een spin die weeft met het garen van Ariadne en tenslotte is dit weven en weer uithalen van woorden logisch, omdat de vorm waarin de veranderingen elkaar opvolgen in hun nauwelijks bestaande relatie, of hoe je dat ook moet noemen wat er tussen hen is (die paringsdans van aantrekken en afstoten die nu drie weken duurt), meer lijkt op een spinnenweb dan op het rijgen van een ketting, veel oorzakelijke draden lopen immers door en over elkaar heen en vormen ingewikkelde patronen waarin toch elk element zijn eigen rol speelt.

Wat zij in deze brief wilde zeggen is alles en niets. Hoe hij de vorige middag in Café Comercial zonder dat iemand daarom had gevraagd het gesprek aanstuurde op seks (de homoseksuele ervaringen van Ruth, het nut van wel of geen trio's, de duistere fantasie van iedere man en iedere vrouw om een keer te vrijen met een hermafrodiet met een vrouwenlichaam en een penis...) en zij voelde hoe het spook van het seksuele contact boven het gesprek en hun hoofden zweefde en hij haar op een bepaalde manier raakte met zijn woorden, omdat hij het niet met zijn handen kon. Zij had hem graag durven zeggen wat ze dacht, dat elk woord van hem haar vanbinnen in brand zette en dat ze haar hart in bedwang moest houden omdat het op hol sloeg, dat haar ademhaling sneller ging, haar bloed bij haar slapen klopte, haar handen trilden bij het vasthouden van haar kopje, ze kreeg zelfs (ze durfde het bijna niet te erkennen) een vaag onbestemd vochtig kruis, kortom alle symptomen van seksuele opwinding die niet alleen veroorzaakt werden door zijn uiterlijk (hoewel het uiterlijk ongetwijfeld meespeelde) maar ook door zijn stem en zijn woorden: wat hij zei leidde haar voor een keer af van wie hij was.

's Middags hadden ze geluisterd naar Marcos Giralt die een stukje uit zijn boek voorlas en naar wat andere schrijvers over dat werk hadden geschreven en nadat ze geduldig argumenten en theorieën had aangehoord die ze niet helemaal begreep (alsof ze die ooit zou gaan begrijpen) gingen ze iets drinken zoals normaal is bij dat soort gelegenheden (schrijvers vinden het leuker om over schrijven te praten dan te schrijven, en nog leuker om te drinken dan te schrijven), en hij stond tegenover haar, maar zij durfde hem niet aan te raken omdat ze niet wist of hij dat wel prettig zou vinden (in haar wereldje zit iedereen altijd uitvoerig aan elkaar en begroeten ze elkaar met overdreven zoenen in de lucht ook als ze inwendig denken: 'Ach kreng, je kunt erin zakken!' maar in die van hem, in die koele superintellectuele wereld, bleef fysiek contact beperkt tot het hoogstnoodzakelijke). Op een bepaald moment trok hij zijn been op de stoel en sloeg zijn arm om zijn knie. Opeens begreep ze dat hij een ideaal beeld vormde (de combinatie van zijn schoonheid, zijn schilderachtige handen, dat hulpeloze gebaar door die behoefte om zichzelf te omarmen) dat ze met alle macht bewust wilde zijn van dat astrale lichaam dat waarschijnlijk zat opgesloten in haar lichaam, om hem dat toe te sturen en met haar tweede lichaam zijn nek te kussen terwijl haar eerste rustig op zijn plek bleef zitten, zoals uiterlijke schijn en ingetogenheid dat gebieden. Maar er zat deze keer niets seksueels in. Het was bijna een moederinstinct. En toen werd ze zich er voor het eerst pijnlijk van bewust wat ze zich op haar hals had gehaald, want ze besefte dat ze op de Essentie was gekomen (het keerpunt waarop in een scenario de ontknoping wordt beschreven) dat zij vanaf nu tot haar spijt moest bekennen dat ze verliefd was, ook al was het haar niet helemaal duidelijk en begreep ze de betekenis van dat woord niet, maar het bleek dat dit soort gevoel van buiten zichzelf te zijn, die volledige fascinatie, alleen maar te verkrijgen is door twee soorten drugs: óf door die van dealers, óf door endorfine die het eigen lichaam aanmaakt als je verliefd bent. Ze was niet in de situatie de gevolgen van die chemische onevenwichtigheid te voorzien. Het was nogal zeldzaam dat ze dit fenomeen durfde te erkennen, vooral als je er rekening mee hield dat het er zo op het eerste gezicht niet naar uitzag dat het wederzijds was. Plotseling wilde ze die persoon wanhopig inlijven in haar leven, met hem drinken, met hem lachen, met hem naar bed, hem bezitten, hem verslinden. Maar dat kon allemaal niet. In principe moest zij zich passief opstellen, berusten, zich voorbereiden op het onvermijdelijke, de gebeurtenissen op hun beloop laten en er genoegen mee nemen hem van een afstand te bewonderen.

Ze had al veel onbeantwoorde liefdes gekend, maar meestal was zij niet degene die gaf maar degene die ontving. De relaties met haar allerbeste vrienden en vriendinnen hadden altijd dat risico ingehouden en vanaf haar puberteit was zij gewend geraakt aan de dronkemanspraat van sommige figuren die haar in een dronken bui hun liefde durfden te verklaren terwijl zij de volgende dag als ze weer nuchter waren net deed of ze het niet had gehoord of geen belang hechtte aan de onthulling. En zo was het ook gegaan met Pedro: Pedro's liefde bestond en dat wist ze en jarenlang heeft ze geweten dat een simpele geste van haar kant genoeg zou zijn, een symbolisch handgebaar (een telefoontje, een brief...) om de vriendschap over te laten gaan in iets anders, op dezelfde manier als ze wist dat ze dat nooit zou doen. En dat deed ze niet uit angst, want ze wilde niet nog een keer zoiets meemaken als met de Bowles, maar omdat ze Pedro niet wilde delen met weet ik veel hoeveel jonge jongens die af en toe opdoken, en ook al wist ze dat haar band met Pedro sterker was dan seks en dat geen enkel avontuurtje voor een nacht de intieme sterke band tussen hen op het spel zou kunnen zetten, een band die onbreekbaar zou kunnen zijn als zij de stap durfde te zetten die ze nooit deed; ze voelde zich te zwak om een zo vreemde verhouding aan te gaan, om de Eerste Vrouw in Pedro's leven te zijn, de Enige Vrouw in Pedro's leven, en ze speelde het conventionele type om te verbergen dat ze de relatie die haar werd geboden niet afwees op grond van conventies maar van angst: angst een dergelijke verantwoordelijkheid op zich te nemen, angst om verwikkeld te raken in een liefdesgeschiedenis waarvan de regels in de loop der jaren opgesteld moesten worden omdat ze niet binnen de normen van gewone liefdesgeschiedenissen vielen, zoals die golden voor haar zus en haar medestudenten en voor de verhouding van Juan en Biotza, en die zelfs golden voor de relatie van Beau en Ruth, maar die niet van toepassing zouden zijn op Ruth en Pedro, en eigenlijk ook niet, hoewel Ruth dat niet wist, op Ruth zelf, omdat Ruth jammer genoeg anders was dan haar zus, anders dan haar medestudenten, anders dan Beau en ook anders dan Juan. En natuurlijk anders dan Pedro. Maar niet heel veel. Het was ook mogelijk dat Ruth de liefde van Beau of die van Pedro niet had geaccepteerd uit pure angst, omdat het ging om twee heel absolute en toegewijde liefdes die van haar evenveel toewijding eisten en Ruth, die geen moeder had gehad, in haar jeugd te maken had met een afwezige vader en een afstandelijke zus en nooit een echte bron van liefde had gekend zoals kleine kinderen die gewoonlijk in hun moeders vinden, was in zekere zin niet klaar zoiets moois aan te gaan en bleef liever bij het bekende leed dan te experimenteren met iets onbekends.

En zo raakte Ruth Pedro kwijt, hij had er genoeg van achter de schermen te wachten en als souffleur aanwezig te zijn bij de vertoning van Ruths liefdes, flirts en avontuurtjes zonder daar ooit deel van uit te maken en besloot het toneel te verlaten en te vertrekken om zijn eigen productie op poten te zetten. En toen ontmoette hij een jongen die van hem hield. In tegenstelling tot wat Ruth had verwacht, was het een doodgewone jongen die nergens in uitblonk behalve in zijn moedige besluit hoe dan ook van Pedro te houden, een besluit dat veel weg had van een afwijking. Pedro's vriend was een dikke jongen met een bril, mooie ogen en een open en innemende lach, een oogverblindende lach die goede tandartsen en een beugel in het verleden verraadde en die ten slotte, hoe sympathiek hij er ook uitzag, nou niet precies wilde fantasieën losmaakte. Hij was een vriendelijk mens, met goede manieren maar toch spontaan genoeg om ze niet te kwalificeren met het afschuwelijke bijvoeglijk naamwoord 'hoffelijke', met een conversatie die aangenaam genoeg was om vermoeiend te zijn en voorspelbaar genoeg om niet geëmotioneerd te raken. Aanvankelijk begreep Ruth niet wat Pedro in hem zag en waarom hij juist hem had gekozen uit al die gegadigden die naar zijn gunsten dongen en van wie het stikte in de casino's in Madrid. Mettertijd kwam zij er echter achter dat Pedro, anders dan zij, zijn volkomen toewijding en overgave eerder prettig vond dan dat het hem afschrikte en juist iemand had gekozen die er doodgewoon uitzag en ook zo sprak om vooral niet het gevoel te hebben dat hun relatie aan wedijver ten onder zou gaan. Julito, zijn vriend, werkte in een winkel met keukenmeubilair die hij van zijn ouders had geërfd en daarom zou niemand op de gedachte komen dat hij met Pedro ging om in het vak te komen (zoals wel het geval was met veel acteurs en aankomende sterren die veel knapper en slimmer waren dan Julito en Pedro op elk feest lastigvielen en zijn antwoordapparaat vol spraken met hun idiote telefoontjes). Julito, zijn vriend, zag in Pedro geen springplank of kruiwagen en hij zou ook nooit iets van Pedro willen, zijn bekendheid noch zijn werk, hij wilde alleen 's nachts zijn liefde en zijn lichaam en hij kon maar niet begrijpen dat iemand zoals hij, die niet eens de middelbare school had afgemaakt, naar wie ze amper keken in de homotenten en de sauna's, iemand die altijd sympathiek en aardig bleef, iemand die nog nooit 'ik hou van jou' had gehoord voordat hij Pedro kende (behalve van zijn moeder natuurlijk) de populaire regisseur had gestrikt, iemand die van de portiers niet in de rij voor de exclusieve clubs hoefde te wachten, iemand die het persoonlijke nummer van het persoonlijke mobieltje van Pedro Almodóvar in eigen persoon had. In het begin kreeg Ruth bijna de neiging Pedro te minachten voor zijn gemakkelijke keuze, een keuze die zogenaamd weinig uitdaging inhield, de gemakkelijke keuze om een partner te kiezen die op geen enkel gebied een uitdaging vormt, een zo minderwaardig iemand dat niemand dacht dat hij een einde zou maken aan een affaire die hem was overkomen, maar later moest zij toegeven dat het veel moeilijker was iemand te kiezen die een vaste partner vormde, een vaste relatie, geloofwaardige gevoelens, iemand die zich onderwierp, iemand die vreselijk gekwetst zou zijn als hij werd verlaten, iemand voor wie je verantwoordelijk was, dan voor de tegengestelde oplossing te kiezen: verliefd worden op iemand die zo te zien superieur was, die zich altijd op een afstand hield en nooit de mogelijkheid bood om een serieuze relatie aan te gaan. Of in haar geval verliefd worden op iemand die al een partner had. Want Ruth had er onbewust voor gekozen zich niet te binden, geen risico's te nemen, zich niet helemaal te geven. Daarmee ontliep ze het verdriet niet, maar kreeg daardoor juist veel meer verdriet. Zover zijn we echter nog niet in dit verhaal.

Goed, Pedro had de door Ruth opgelegde situatie geaccepteerd en had zich erbij neergelegd haar van een afstand te bewonderen. Hij had een appartement gekocht en Julito trok bij hem in. Ruth was nooit verliefd geworden om daar iets voor terug te krijgen en al die keren was het de liefde van de ander die haar antwoord daarop activeerde door contact, als een lucifer die vlam vat door een andere. Het was ook mogelijk dat wat zij voelde voor de jongeman aan wie zij schreef, en die nu een kopje thee zou drinken, geen verliefdheid maar een bevlieging genoemd kon worden, of fascinatie, of een manier om problemen uit de weg te gaan. En toen ze daaraan dacht besefte ze dat het haar volkomen onverschillig liet hoe je het noemde. Ze voelde dat ze weg was van iemand en hem bewonderde gewoon zonder daar op dit moment meer van te verwachten, zoals sommige mensen weg zijn van een schilderij, een roman, een populaire zangeres of een televisiepresentatrice.

Ze vermoedde dat verliefdheid voorafging aan Liefde met een hoofdletter. Dat wil zeggen, eerst werd je verliefd, voelde je vlinders in je buik, kreeg je een voorproefje van geluk dat de hele wereld scheen te verlichten, was je eenzijdig gefixeerd en moest je bij alles aan de geliefde denken, je at niet meer, je zuchtte zonder reden, neuriede bij het opstaan, zweefde op een wolk en je voetzolen kwamen los van het weinig poëtische muisgrijze en superrealistische asfalt van elke dag, je belandde in andere werelden met felle kleuren en dan... En dan, als je geluk had bleef de geliefde bij je, kwam alles tot rust en trouwde je uiteindelijk met hem en moest je je kapotwerken om de hypotheek af te lossen en de kinderen te onderhouden.

Maar ze had nooit fase A (ergo onbeantwoorde verliefdheid) meegemaakt als voorbereidende stap op fase B (het verkrijgen van het gewenste object) wat onherroepelijk leidt tot fase C (de overgang van de spanning van de verliefdheid naar het vredige en iets te monotone gedeelde liefdesgeluk). In haar geval was hij altijd degene geweest die verliefd werd, haar achternaliep, haar veroverde, haar aanstak door zijn enthousiasme, en op die manier waren er een paar gelukkige relaties opgebouwd of op z'n minst tot stand gebracht met een redelijke graad van geluk, zodat de factor spanning nooit geassocieerd werd met het komen van het liefdesgevoel, maar eerder met het verdwijnen daarvan. Spanning was de factor die de breuk aankondigde.

Ja, spanning identificeerde zich altijd met het eind van de liefde, niet met het begin en daarom was het feit dat een relatie die nauwelijks was begonnen, en misschien op een dag hechter zou worden, meteen al gemarkeerd werd door spanning wel een heel slecht maar dan ook een bijzonder slecht teken, bedacht zij opeens. Moest liefde eigenlijk niet per definitie een gelukkige gebeurtenis zijn? Hoe gelukkig was ze niet geweest toen ze voor het eerst met Juan naar bed ging. Ja, ze was zo gelukkig geweest, zo extatisch gelukkig die nacht, ook al had ze zich niet helemaal gegeven, dat ze aannam dat als een laboratorium de volgende morgen een bloedonderzoek bij haar zou hebben gedaan er diverse milligrammen pure MDMA in aangetroffen was, aangemaakt dankzij haar neuronale chemie.

Ruth-Sheherezade, geconfronteerd met wat het ook was dat er met haar gebeurde, vroeg zich voor het eerst af (ze moest zelf toegeven dat ze behoorlijk egoïstisch was geweest om daar niet eerder aan te denken) hoe Pedro zo'n inwendige maalstroom had kunnen verdragen en hoe hij ondanks alles toch contact met haar had kunnen houden, haar dagelijks had gezien en drie jaar intensief met haar samen had gewerkt. Af en toe waren er wel wat minder leuke dingen gebeurd (die keer op een feest toen een groep vrienden Pedro moest vasthouden omdat hij, half voor de grap en half serieus, zich in een overmoedige dronken bui aan Ruth-Sheherezade vastklampte en vastbesloten was haar niet meer los te laten, al moest de brandblusser eraan te pas komen, of de vele keren dat haar beste vriend haar vroeg, verzocht en smeekte hem nog één keer, een keertje maar, in haar bed toe te laten), maar verder was alles altijd vredig verlopen in een bedding van vanzelfsprekendheid: er werd niets gezegd, alles werd vermoed, maar *dingen waarover je niet kunt praten, kun je beter verzwijgen.* Hoe had hij dat kunnen volhouden? Ongetwijfeld omdat hij zich ermee had verzoend haar van een afstand te bewonderen. Maar misschien kwam het ook omdat Pedro die moederlijke bijna manipulerende drang niet had, waardoor Ruth ertoe gebracht werd te beschermen waar ze van hield, die behoefte om te geven, te delen, die door haar poriën naar buiten kwam en waardoor ze de behoefte had gevoeld om de geadresseerde van de brief in de bar te omhelzen, een impuls die zij onderdrukte op de manier waarop Pedro had geleerd zijn liefdesverklaringen te onderdrukken.

Maar toen Ruth uiteindelijk begreep wat het woord verliefdheid betekende, besloot ze dat die toestand haar absoluut niet beviel omdat hij zo afschuwelijk vaag was. Ze kon er niet tegen om totaal niet te weten wat er omging in het object van haar liefde. Haar relatie met Beau daarentegen, hoe vreselijk die op het laatst ook was, was tamelijk rustig verlopen, want ook al vond ze het niet leuk wat Beau dacht (en dat was de reden dat de relatie met Beau en veel andere kortstondige relaties geen stand hielden) over het algemeen wist ze bijna altijd zeker wat hij dacht, en dat was al iets, terwijl die jongen met zijn zwarte ogen iets van een sfinx had. En dat was beangstigend. Ruth zei opnieuw bij zichzelf dat er iets niet klopte in dat geheel, omdat zij onder liefde geluk verstond, en ze voelde zich natuurlijk gelukkig bij Juan, maar ongelukkig omdat ze niet wist of ze hem weer zou terugzien. Dat hele mysterie van de natuur en de mogelijke definitie van haar verliefdheid vond zij even verbazingwekkend als het feit dat ze nu juist op Juan en op niemand anders verliefd was geworden. Kom op, alsof er niet genoeg mannen op de wereld rondlopen! En daar zullen er heus wel een heleboel bij zijn – daar was ze zeker van – die het meer dan fantastisch zouden vinden om door haar geknuffeld te worden. Maar net zoals de sfinxen hun geheim niet prijsgeven, ook al zijn ze eeuwen geleden gebouwd, was er ook weinig hoop dat dit mysterie – waarom nu juist hij en geen ander? – opgelost zou worden, hoewel er natuurlijk veel verklaringen voor haar keuze waren: hij was knap, intelligent, ontwikkeld, gevoelig, geestig en... en blijkbaar discreter dan de MI5.

Tijdens een van hun talloze discussies zei Pedro eens tegen Ruth: 'Jouw enige probleem is dat je niet frustratiebestand bent.' En die avond onderstreepte Ruth in het boek van Goethe dat ze las de woorden die Mefistofeles sprak tot Faust: 'Je zult nooit leren leven als je geen vertrouwen in jezelf hebt: wanneer je dat hebt, bereik je alles wat je maar wilt.' Ruth schreef die woorden op een papiertje, met een rode viltstift zodat ze opvielen, hing het op de koelkast, maakte ze tot haar mantra en verplichtte zichzelf ze elke dag voor het ontbijt te herhalen. Maar waarschijnlijk is het papier op een keer gevallen en heeft de hulp het in de prullenbak gegooid en zo vergat Ruth dat over vertrouwen en frustratiebestand, zodat ze zich nu gefrustreerd en een beetje een idioot voelde omdat ze niet in staat was Juan gelukkig te maken, en ze vergat dat niemand een ander gelukkig kan maken als hij zichzelf niet gelukkig kan en wil maken. Zo is dus dat hele gedoe van onbeantwoorde verliefdheid eigenlijk in het kort samengevat en werd het *leitmotiv* in Ruths leven (en wie weet wel in ieders leven): het najagen van het altijd vluchtige geluk. Ruth wilde voor alles gelukkig zijn en ze was ook niet tevreden met geluk in zakformaat, zoals in de koekjesreclame, een geluk dat eenvoudig bestaat uit de afwezigheid van droefenis; ze wilde honderd procent geluk, dat soort vruchtbare en overweldigende geluk dat ze bijvoorbeeld al een keer had meegemaakt, de eerste nacht dat ze naar bed ging met de geadresseerde van haar brieven. Want zij wist dat ze ondanks alles geluk en genot kon beleven ook al was dat op schaarse momenten. En als haar geluk juist op dit moment in haar leven afhing van zijn geluk, dan zat er niets anders op om hem nog een brief te sturen, want toen hij had gezegd: 'Je zult het niet geloven, maar gisteren ben ik naar beneden gegaan alleen om te kijken of er weer een brief van jou lag' – dat hebben we al verteld – was dat precies de druppel olie op het vuur geweest die zij nodig had om weer te gaan schrijven.

Of wat hetzelfde is, om weer gelukkig te worden.

Ruth na haar derde afspraak

Soms heb je liever genegenheid dan liefdestechniek. Er wordt altijd gezegd dat wanneer een liefdesverhouding zich stabiliseert, wanneer een stel al jaren samenleeft en zich als elkaars eigendom beschouwt, de hartstochtelijke liefde plaatsmaakt voor een andere vertrouwde liefde en de eerste vlam een soort kacheltje wordt dat warmte blijft geven maar je niet meer beangstigt omdat het zijn vaste plek onder het nachtkastje heeft en de gloeiende kooltjes zorgvuldig afgedekt zijn. Maar een kacheltje voedt zich met sintels en niet met vuur. En een jarenlange liefde, een warme en stabiele liefde, houdt stand door de sintels van een vroegere hartstocht waardoor de relatie begon en die in de loop der tijd is verdwenen zodat er een ander soort liefde, die op genegenheid berust en op het voldoen aan wederzijdse verwachtingen, voor in de plaats kon komen. En dan is seks niet meer beangstigend en wanneer het bij de mechanische herhaling van een paar standjes en geleerde trucjes blijft (wat vindt de ander fijn, en wat moet ik doen om van de ander te krijgen wat ik fijn vind?) is het minder emotioneel maar ook minder beklemmend. Dat de ene liefde plaatsmaakt voor de andere had Ruth in heel wat boeken gelezen (romans en boeken voor zelfhulp) en ze had het persoonlijk ervaren in haar relatie met Beau. Omdat seks met Beau, aanvankelijk een dwingende noodzaak, iets wat ze eng vond maar heel graag wilde, na de eerste twee maanden een koud kunstje was geworden, bekend, vertrouwd, zelfs essentieel. Zoiets als weten dat je koelkast gevuld is en je nooit misgrijpt als je honger hebt, maar met altijd dezelfde ingrediënten: yoghurt en melk, sla, tomaten en uien, eieren, mayonaise, ketchup, sinaasappelsap... Kortom, het hele scala aan dagelijkse behoeften. Maar let wel, geen champagne of kaviaar, voor dat soort luxe zul je je huis uit moeten. En je zou een heleboel mensen moeten vragen waar ze de voorkeur aan zouden geven als ze mochten kiezen: zeker weten dat voldaan is aan de dagelijkse behoeften of op zoek gaan naar het exquise met het risico honger te moeten lijden.

Seks met onbekenden of bijna onbekenden is een heel ander verhaal. Het is, nog steeds volgens onze metafoor, alsof je je aan een exotisch gerecht waagt waarvan je nog nooit hebt gehoord. Misschien wordt het heel mooi opgediend, ziet het er appetijtelijk uit en ruikt het heerlijk, en is het volgens de *maître* een van de lekkerste gerechten. De gast moet zich er eerst toe zetten het te proeven en dan zijn smaakpapillen laten wennen aan die vreemde combinatie van kruiden, die smaak die hij nooit eerder heeft geproefd. Denk maar aan de eerste keer dat je als volwassene een delicatesse uit een vreemd land (rauwe vis, bijvoorbeeld) hebt gegeten en je eerst verbaasd was en daarna genoten hebt: Waar smaakt dit naar, waar doet het me aan denken, zou ik het lekker vinden, durf ik nog een tweede hap te nemen?

Laten we de eerste keren dat Ruth met Juan naar bed ging vergelijken met de eerste happen van een *sashimi*. Het was vreemd en lekker tegelijk. En wat die nacht bij haar thuis gebeurde, toen Ruth hem niet meer uit haar gedachten kon zetten, toen ze hem niet meer als een one night stand zag maar als een belofte van iets bestendigers, dat zou je alleen maar kunnen vergelijken met de eerste kennismaking met de *wasabi*: eerst was het heter dan de heetste peper maar de nasmaak was aangenaam, onduidelijk, vreemd, en dan kon je zeggen dat je het heerlijk vond maar niet meer durfde te nemen. Hetzelfde geldt voor koriander of chilipeper: een klein beetje is lekker maar meer hoeft niet. Je moet eraan gewend zijn om ertegen te kunnen.

Er wordt altijd gezegd dat de mens na de coïtus een terneergeslagen dier is. Omdat het mannelijk geslacht hardnekkig gebruikt wordt als aan de mens in het algemeen wordt gerefereerd, geloofde Ruth (en wie weet hoeveel mensen nog meer) heel lang dat het de mannen en niet de vrouwen waren die zich triest voelden na de coïtus, en dat die bittere gewaarwording van gedeprimeerdheid en van leegte, die rare vervreemding van de ander die ze kort ervoor nog was geweest, dat ze niet meer zojuist gekomen maar zojuist in de steek gelaten was, dat ze zich niet meer kon vinden in die ogen die zich eerder in die van haar verdronken hadden, dat die droefheid na de liefdesdaad ook haar zou treffen, zij die zo gewend was aan de bekende gerechten, de door louter herhaling mechanische seks, de seks die ofwel kalm en voorspelbaar (die met Beau) of pure gelegenheidsseks was (die met haar liefdes voor een nacht). En toen ze afscheid moest nemen van Juan die god mag weten waarnaartoe ging, die weer overging tot de orde van de dag met verplichtingen en routinematigheden, tijdschema's en noodzakelijke dingen waar zij niets mee te maken had en ook geen deel van uitmaakte, voelde ze zich vreemd en ongemakkelijk. Een vreemde die van een niet minder vreemde man afscheid nam, van een Juan die parallel aan haar leven zijn eigen leven zou leiden, minuut na minuut en uur na uur. Ze voelde zich des te ongemakkelijker omdat ze kort ervoor nog één met Juan was geweest en ineens merkte hoe hij ruw van haar werd losgerukt, dat vond ze net zo vreselijk als wanneer er een nagel bij haar zou worden uitgetrokken, vreselijk om te weten dat hij weer van die ander was terwijl hij een paar minuten geleden nog van haar was, vreselijk om een opgedrongen, vreemd en alarmerend ritme te volgen en vreselijk om zich weer in huis op te sluiten met haar angst, met de stilte die dreigend in de lucht hing.

Toen ze in bed lagen zat hij op een gegeven moment op zijn knieën boven haar, zijn lid vlak voor haar gezicht zodat ze het kon kussen, en toen ze hem zo van onderaf zag en hij zijn hoofd naar achteren gooide, deed hij haar denken aan een afbeelding die in haar geheugen gegrift stond, een foto van een lichaam in dezelfde houding en vanuit hetzelfde perspectief die ze op een expositie had gezien. Die afbeelding had haar niet losgelaten en ze rustte niet voor ze daar een poster van te pakken had gekregen, die ze aan een muur van haar werkkamer recht tegenover haar bureau hing (later zou ze hem bij een verhuizing kwijtraken) zodat ze hem de hele dag kon zien. Toen ze hem indertijd kocht en met vier punaises aan de muur hing, begreep ze de betekenis ervan nog niet en kon ze ook niet uitleggen waarom hij haar zo intrigeerde, ze wist niet dat het de uitbeelding van een orgasme was, ze wist niet dat ze mettertijd dat beeld zou *beleven* en dat ze zag wat nog in het verschiet lag. Maar nadat ze hem had leren kennen (in de meest bijbelse zin van het woord) was dat beeld geen fantasie meer of de herinnering van een fotograaf; het was nu van haar, echt van haar, zodat ze het op de harde schijf van haar geheugen kon opslaan en oproepen wanneer ze wilde. Het was van haar zoals hij het niet was.

Dat beeld was van haar en maakte haar veel over haarzelf duidelijk; wat haar beangstigde, wat ze fijn vond en waar ze behoefte aan had. Net als destijds die foto had nu Juans lichaam met haar gesproken. Door hem voelde ze zich sterk omdat ze wist dat ze iemand dat genot kon geven. Door hem voelde ze zich laf omdat ze zo bang was hem te verliezen. Door hem voelde ze zich een kind dat krampachtig een pop vastklemt die niet van haar is; door hem voelde ze zich vrouw, een vrouw die weet wat ze fijn vindt. Juans lichaam, haar eigen lichaam waren qua dimensie en functie een openbaring. En daarom kon ze geen begrip opbrengen voor de liefde zonder meer, de liefde die er niet naar verlangt zich het lichaam van de ander toe te eigenen, de liefde op afstand.

Een liefde van Ruth

De relatie van Ruth en Juan is moeilijk te omschrijven. Ze werden geen 'paar' omdat Juan uiteraard een officiële verloofde in Bilbao had, maar ze werden stapelverliefd op elkaar – de enige manier om verliefd te worden – en omdat de officiële verloofde op zeshonderd kilometer van Madrid woonde, gedroegen ze zich wel als een stel, in alle opzichten, maar wilden ze het alleen niet toegeven. Het was heel tegenstrijdig dat twee egotrippers, die zo bezeten waren van erkenning en goedkeuring van anderen, hun liefdesleven niet kenbaar konden maken en voor de buitenwereld moesten doen alsof dat wat zij voor elkaar voelden niet bestond, dat ze alleen maar vrienden waren. Juan was dol op uiterlijk vertoon en feesten, dus nam Ruth hem mee naar premières waar ze anders nooit naartoe zou zijn gegaan, omdat ze wist dat Juan idolaat was van die horden onbekenden met bekende gezichten en alles wat eromheen hing, de drukte, de groepjes mensen, het geflits van de camera's, de goedgeklede meisjes, de *starlettes* op zoek naar een mecenas, de obers met bladen champagne, de genodigden die elkaar met automatische glimlachjes begroetten. Aangestoken door zijn enthousiasme deed Ruth haar best haar ruimtevrees te overwinnen en ging ze weer naar feesten voor de promotie van films en theaterstukken en speelde dat spel weer mee, nam weer deel aan die luidruchtige bruisende vrolijkheid. Wanneer Juan en Ruth samen in het openbaar verschenen raakten ze elkaar niet aan (of het moest zijn wanneer iemand naar Ruth toe kwam, dan sloeg Juan zijn arm om haar schouders of pakte haar hand, want hij was heel bezitterig) en hoe vreemd het ook lijkt niemand kwam op de gedachte dat de jongeman naast Ruth haar beminde was. Enerzijds omdat degenen die niet erg op de hoogte waren van Ruths privéleven in de veronderstelling verkeerden dat Pedro haar partner was, die er evenals Julio ook altijd bij was als Ruth Juan meenam naar een bijeenkomst, zodat Ruth niet met een maar met drie mannen verscheen. Anderzijds omdat men niet beter wist dan dat Ruth altijd in het gezelschap was van knappe jonge jongens, homoseksuele protégés of *chevaliers servants*. En ook vanwege alle fantastische verhalen die er over het seksuele leven van Ruth de ronde deden: een heleboel mensen geloofden dat ze lesbisch was omdat ze in het verleden affaires met vrouwen had gehad en, sinds ze beroemd was, vonden haar vroegere geliefden het nodig om die aan iedereen in geuren en kleuren te vertellen, ze aan te dikken, herinnering en fantasie door elkaar te halen en liefdesgeschiedenissen te maken van wat alleen maar tamelijk onschuldige avontuurtjes voor een nacht waren geweest. Waarschijnlijk was Ruth in de strikt seksuele zin van het woord niet lesbisch en niet eens biseksueel maar ze kon wel in de ban raken van vrouwen die ze aantrekkelijk vond. Ze dweepte met actrices die ze dan een tijdlang met telefoontjes bestookte of cadeautjes stuurde. Ze was bijvoorbeeld helemaal weg van Catherine Deneuve die ze in Cannes in de *boîte* van Canal+ had leren kennen (via een regisseur die verliefd was op Ruth en een fortuin uitgaf om haar het hele festival van Cannes mee te laten maken en haar daarna zomaar had laten zitten) en die ze na die ontmoeting en nadat ze erachter was gekomen in welk hotel ze logeerde een enorm boeket witte bloemen in haar suite had laten bezorgen. Maar onze adviserende psychoanalyticus zou ons kunnen uitleggen dat dergelijke fascinaties niet voortkwamen uit seksuele drang maar uit het symbolisch zoeken naar haar verloren moeder, uit een duister mechanisme om haar gekwetste hart te beschermen dat altijd trouw was gebleven aan de afwezige. Ruths houding droeg er ook toe bij dat men dacht dat ze lesbisch was, op grond van een absurd stereotiep rollenpatroon waarbij in de maatschappij aan iedereen naar persoonlijkheid en handelen een seksuele geaardheid wordt toegedicht. Ruth woonde alleen, ging vaak alleen naar bijeenkomsten, gebruikte geen make-up, droeg bijna nooit rokken, dronk veel, had een behoorlijk grof taalgebruik en bovendien een heleboel – te veel – vrienden met wie ze op voet van gelijkheid omging, een vriendschap die was gebaseerd op betrokkenheid en niet op verlangen. Ruth kwam dus niet overeen met een bekend en begrijpelijk type vrouw, en daarom was het eenvoudiger haar in te delen bij een ander type vrouw waar ze echter ook niet toe behoorde.

Zodoende wist niemand behalve Pedro dat Ruth Swanson en Juan Ángel de Seoane minnaars waren. Praktisch niemand was op de hoogte van Ruths privé-leven, ook al geloofde het merendeel van de zogenaamde grote artistieke wereld in Madrid het tegendeel.

Sinds Ruth Juan kende liet ze het scenario dat ze verondersteld werd te schrijven in de la liggen en legde haar ziel en zaligheid in het geïdealiseerde beeld dat ze zich van hem had gevormd. Ze zagen elkaar elke dag vanaf acht uur 's avonds want overdag moesten ze beiden werken, hij aan zijn roman en zij aan haar scenario. Ze wisten van elkaar niet dat de ander helemaal niet aan het schrijven was en niets anders deed dan lezen of verzinken in romantische fantasieën die met verschillende angstbeelden gepaard gingen: bij hem als gevolg van zijn wroeging, van de angst dat de relatie zou uitlekken en het Biotza of erger nog haar familie ter ore zou komen; bij Ruth als gevolg van jaloezie, omdat het haar ondanks het succes dat ze had geboekt dwarszat dat Juans verleden noch toekomst haar toebehoorde. Ze mocht zich niet bemoeien met het leven dat Juan buiten de vier muren van haar slaapkamer leidde. Maar dat was zelfbedrog, iets waar vrouwen die bang zijn om dominant, bezitterig of erger nog conventioneel gevonden te worden altijd weer intrappen, omdat Ruth zonder het te beseffen al deel uitmaakte van Juans leven, van zijn hele bestaan en altijd een plaats in zijn leven zou blijven innemen (ook al was haar plaats noodzakelijkerwijs onzichtbaar en niet zichtbaar), want Juan zou haar nooit kunnen vergeten.

Hoe dan ook, tegen half zeven zetten beiden al deze bijkomende gedachten uit hun hoofd en maakten zich op voor de volgende afspraak. Juan nam een douche, schoor zich, streek een overhemd en begon om zeven uur als een gekooid dier in zijn kamer rond te lopen tot hij om kwart over zeven het studentenhuis verliet om naar Ruths huis te gaan, want hij deed er altijd vijfenveertig minuten over, en het heerlijke vooruitzicht haar weer te zien bezorgde hem vlinders in zijn buik en verjoeg alle voorgaande sombere schuldgevoelens die verdwenen zodra hij buiten was. Ruth, die zich nooit druk had gemaakt om haar uiterlijk, werd ook rond half zeven vreselijk onrustig, graaide als een bezetene in haar kasten, trok rokken en broeken aan en weer uit op zoek naar iets wat haar goed stond. Ze had dit nog nooit hoeven doen, deze absurde rituelen van een beginneling in de liefde en voelde zich vreselijk onzeker want ze zag er in elke rok hetzelfde uit. En ik heb het over rokken, want sinds Juan bij die boekpresentatie van Marcos Giralt waar hij haar mee naartoe had genomen Ruths mooie benen had geprezen en had gezegd dat hij haar leuker vond in een rok dan in de lange broek die ze op foto's aanhad en die ze droeg toen ze elkaar de eerste keer zagen, had Ruth de outfit die tot dan toe bijna haar handelsmerk was geworden (de designjeans en T-shirts van Custo) in de kast gelaten. Ze droeg geen lange broek meer als ze met hem uitging en haalde alle rokken uit de kast die ze als overblijfsels van haar vroegere leven in Londen bewaard had en al maanden, al jaren diep onder in de laden lagen in afwachting van een geschikte gelegenheid om te worden gedragen. De weer opgedoken rokken waren niet ouderwets omdat Ruth nooit modebewust was geweest, zodat haar kleding juist door de excentriciteit tijdloos was, want mode is het enige wat uit de mode raakt. Ook al kon ze de meeste rokken nog wel aan, toch kreeg ze tot haar verdriet de rits of de knoop moeilijk dicht, zodat ze die vaak open moest laten onder haar trui want anders puilde het ingesnoerde vlees er wel erg duidelijk bovenuit. Die maand sloot Ruth zich vaak op in haar kamer en bekeek zichzelf van top tot teen in de spiegel, met dan weer deze dan weer die rok, in ondergoed, naakt, ze bekeek zichzelf heel nauwkeurig, keek hoe lang ze was, vergeleek zichzelf met andere vrouwen, nam de maat op van haar borsten, heupen en alle in haar ogen belangrijke lichaamsdelen en liet zich uiteindelijk op bed vallen, woedend en snikkend zonder tranen zoals verwende kinderen huilen. Ze dacht aan wat haar zus een keer had gezegd en waar ze zich toen niets van had aangetrokken maar dat nu in haar hoofd doordreunde alsof het daar dikgedrukt stond: Judith was razend geweest toen ze zag dat Ruth in jeans en T-shirt de uitreiking van de Goya-prijs ging bijwonen, waarop Ruth antwoordde dat het helemaal niet belangrijk was hoe ze eruitzag omdat ze ten eerste niet was genomineerd en ten tweede omdat je wanneer je jong en knap bent geen dure creaties nodig hebt, waarop Judith weer antwoordde: 'Jij bent niet erg jong meer en erg knap geloof ik ook niet.' Toen meende Ruth dat haar zus dat alleen maar uit wraak en jaloezie had gezegd, maar voor de spiegel dacht ze dat Judith misschien eerlijk en niet alleen maar bot was geweest. Ruth schaamde zich opeens vreselijk voor haar volle, mollige lichaam, *potelé*, en stelde zich voor hoe Biotza's gracieuze lichaam zou zijn, dat vermoedelijk glad en strak was te oordelen naar de enige foto die ze had gezien, stevig – zo staat het op een militair identiteitsbewijs – zoals je van een jong lichaam verwacht en omdat Juan weleens wat had laten vallen over Biotza's obsessie voor haar lichaam – ze was voortdurend op een streng dieet en trainde wekelijks in de duurste sportschool van Bilbao – en dat onuitwisbaar in haar geheugen gegrift stond. Ze kwelde zich met denkbeeldige vergelijkingen en hoewel een deel van haar wist dat het kinderlijk en absurd was om zich zo te pijnigen, was het andere, van de primaire Ruth vervreemde, deel ervan overtuigd dat het lichaam waarin zij zat opgesloten een vesting was waarin het tot levenslange gevangenschap was gedoemd. Ruth voelde zo sterk dat ze uit deze twee persoonlijkheden bestond dat ze die bijna met elkaar hoorde praten. De ene Ruth vond het stom dat ze zich zorgen maakte, en al had ze geen perfect lichaam lelijk was het absoluut niet en in ieder geval begerenswaardig omdat Juan elke nacht graag met haar naar bed ging. De andere Ruth antwoordde dat wanneer Juan echt van haar lichaam hield, hij ontrouw zou zijn aan de herinnering aan de ander – niet aan het lichaam – en dat Ruths lichaam eigenlijk alleen maar methadon was voor Juan, een ordinair substituut voor de drug waar hij in werkelijkheid aan verslaafd was. De eerste herhaalde dat dat een kromme redenering was, dat je door al die onechte vrouwenlichamen in bladen en advertenties die waren geretoucheerd, door warme en indirecte belichting verzacht en een andere uitstraling hadden gekregen, niet meer wist hoe een doodgewoon lichaam van een echte vrouw eruitzag, zo'n lichaam als dat van haar, gul, weelderig, eerlijk. Maar de andere vond dat allemaal lasterpraatjes en snobisme en hoe de eerste ook beweerde dat haar zelfbeeld vervormd was door de media, de tweede bracht er steeds weer tegenin dat het bewijs geleverd was door haar lichaam in de spiegel en de rokken die niet meer dicht konden.

Als je Ruth kende zou je niet op het absurde idee kunnen komen dat iemand als zij onzeker was over haar figuur, want ze was een van die vrouwen die er door hun omgeving voortdurend aan worden herinnerd hoe attractief ze zijn. Op straat werd ze altijd nagefloten en waar ze ook binnenkwam draaide iedereen zich naar haar om en werd ze, ook al voor ze bekend was, door bewonderende blikken uitgekleed. Toen ze in Londen woonde was het nog erger geweest, omdat in Engeland andere normen golden voor schoonheid en slank zijn niet zo belangrijk leek. Ze weet nog dat ze clubs binnenkwam en de bijna lichamelijke druk voelde van al die blikken die op haar werden geworpen. En een keer gebeurde er iets waardoor ze het gevoel kreeg dat ze bijzonder begeerlijk was. Dat was in Staminet, een heel donkere zeer exclusieve club waar Beau graag naartoe ging en waar altijd fotomodellen, acteurs, musici en andere mensen uit dat wereldje kwamen. Ruth was alleen maar meegegaan om Beau een plezier te doen, want het zelfingenomen gedoe in die club stond haar een beetje tegen en juist daarom had ze zich zo eenvoudig mogelijk aangekleed om zich af te zetten tegen de peperdure creaties, de absurde kapsels en de overdadige make-up om haar heen; de geijkte revanchistische reactie: als ik er niet bij kan horen hoef ik toch zeker niet mee te doen? Na een half uur trof Beau een van de ontelbare muziekvrienden die hij altijd tegenkwam als hij uitging en die Ruths aanwezigheid nooit leken op te merken omdat ze zich waarschijnlijk hielden aan een vreemde code dat de vrouw van een vriend lucht voor hen was. In de loop van de tijd had Ruth geleerd zich niet aan die houding te ergeren en geen aandacht te schenken aan dat arrogante gedrag of althans dat zei ze bij zichzelf. Verveeld leunde ze op de bar en zat naar de deinende menigte onder de stroboscooplampen te kijken toen ze plotseling iets tegen haar schouder voelde. Ze keek om en zag dat een goedgekleed type een beetje erg dicht, schouder aan schouder, naast haar was komen zitten. Hij glimlachte en zei iets tegen haar wat ze niet goed verstond, maar uit de toon en blik van die figuur bleek duidelijk wat hij bedoelde. Vastbesloten er niet op in te gaan snoerde ze hem de mond met wat haar als eerste te binnen schoot, zoiets als 'vergeet het maar, ik ben veel te duur voor je'. 'Dat denk ik niet,' antwoordde hij en dat verstond Ruth wel heel goed. Toen haalde hij een portefeuille uit de binnenzak van zijn jasje. 'Vijfhonderd pond,' probeerde Ruth. 'Akkoord,' antwoordde hij en Ruth begreep dat hij het meende, ook al had ze graag willen geloven dat die kerel net zo blufte als zij, maar de gretige schittering in zijn ogen of de zelfverzekerde blik op haar decolleté deed haar inzien dat hij geen grapjes maakte. Ze wierp een snelle blik op de bieder. Hij was knap noch lelijk, beter noch slechter dan sommige typen met wie Ruth in het verleden naar bed was geweest, alleen had uiteraard niemand van hen haar voor haar gunsten betaald. En meteen daarop besefte ze dat ze op het voorstel van die man zou zijn ingegaan als ze zeker had geweten dat ze geen risico liep en dat die kerel in pak zijn belofte zou nakomen en het afgesproken bedrag betalen. Maar hoe pakten de prostituees het aan om hun geld te krijgen? Wat moest je doen als de klant na gedane arbeid weigerde te betalen? En waarom zat ze aan zulke dingen te denken, terwijl een paar meter verderop in dezelfde ruimte de man zat met wie ze samenwoonde en van wie ze vermoedelijk hield? Diep in haar hart vond ze het aanbod wel interessant, maar niet vanwege het geld. Dat was meer een excuus dan een reden, maar het ging om een gevoel van macht omdat Ruth besefte dat iemand bereid was zoveel te betalen voor wat zij niet veel bijzonders vond: haar lichaam. Verward rende ze naar het midden van de dansvloer zonder die man een blik waardig te keuren, maar hij dacht waarschijnlijk dat Ruth in haar eer was aangetast, terwijl ze alleen maar bang en van zichzelf geschrokken was. Maar een minuutje later was ze haar angst en die kerel in het pak vergeten en liep ze met opgeheven hoofd over de dansvloer van Staminet, haar blik strak op de horizon als een statig schip dat grote woelige zeeën doorkliefde, trots op zijn slanke kiel verder voer en in de verte de vredige baai in de persoon van Beau ontwaarde, met volle zeilen omdat ze dubbel ingenomen was met zichzelf: haar fatsoen had tegen de verwachting in gezegevierd en, niet minder belangrijk, ze was het voorwerp van gulle passie. Later zou ze horen dat dit soort handel heel gewoon was in die club, want de zogenaamde fotomodellen leefden meer van dergelijke overeenkomsten dan van modeshows en fotosessies.

En zo stond ze dus elke avond voor de spiegel, dezelfde vrouw die voor amper een halfuurtje seks hetzelfde salaris als van een gezinshoofd aangeboden had gekregen, ervan overtuigd dat haar lichaam niet waardevol genoeg, niet mooi genoeg, niet begerenswaardig genoeg was.

Maar nadat ze eindeloos rokken had gepast voor de spiegel, op bed had liggen huilen en haar ronde lichaam had vervloekt, was Ruth om half acht klaar, in rok en op hoge hakken, met glanzend gekamde haren die naar kruidenshampoo roken, in een wolk van kaneel en feromonen – ze had een half flesje kaneelpoeder in het badwater opgelost omdat ze wist dat die geur een afrodisiacum was – van top tot teen gespannen en vol verwachting, het bonken van haar hart resoneerde als een echo in een holle ruimte en haar lichaam trilde en beefde van de zenuwen. Haar lichaam was klaar voor Juan en zag er na die rituele reiniging majestueus uit.

Omdat ze van elkaar niet wisten dat er 's morgens niets uit hun handen kwam veranderden ze geen van beiden hun dagelijkse gewoonten en deden alsof ze zich aan een Spartaans werkschema hielden om niet af te gaan voor de ander, die verondersteld werd dat wel te doen en op die manier lieten ze de kans voorbijgaan om tentoonstellingen te bezoeken of ochtendwandelingen in het Retiro te maken of overdag samen iets te ondernemen. Ze schreven weinig en allebei voelden ze de wroeging van de kunstenaar, dat verdriet over onafgemaakte stukken die smeken om vormgeving en afwerking, maar ze konden niet anders dan voor de liefde kiezen, niet zozeer uit vrije wil als wel door een onweerstaanbare drang, en beiden voerden ze als excuus om niet te werken aan dat die ervaring hun ogen opende voor een nieuwe, fleurige, uitbundige, veelbelovende wereld, die je je onmiddellijk moest toe-eigenen en waarin je je talent als geograaf of veroveraar waar moest maken. De kunst kon wachten, die kwam wel weer na de verovering van dat aanlokkelijke gebied en de artistieke ervaring zou ongetwijfeld baat hebben bij de levenservaring, want zijn kunst en leven per slot van rekening geen communicerende vaten? Het scenario en de roman konden wel wachten tot de liefde zijn vurige veroveringsdrang had verloren en in een rustige kolonisatiefase kwam, wat echter nooit gebeurde zoals we later zullen zien.

Zo verstreek een gelukzalige maand waarin ogenschijnlijk op geen enkele wijze de kalme routine van hun leven werd verstoord, want Biotza had niet het voornemen om naar Madrid te komen omdat ze druk was met de voorbereidingen voor het huwelijk van haar nicht Begotxu – ze was ermee bezig alsof het om haar eigen bruiloft ging, ze zag het immers als een generale repetitie voor die van haar – met alles wat erbij kwam kijken zoals bezoeken aan naaisters, meubelzaken, restaurants en hotels waar het huwelijksdiner gegeven zou kunnen worden. Juan op zijn beurt voerde als excuus aan om haar niet in Bilbao op te zoeken dat hij het erg druk had met zijn roman en met het corrigeren en lezen van manuscripten die zijn uitgever hem toezond. Hoe dan ook, na vier jaar verloving was zo'n lange scheiding geen drama voor Biotza die niet zozeer stapelverliefd als wel gewend was aan zijn aanwezigheid en het idee dat hij er was. Dus deed Juan in die gelukzalige maand net of Biotza niet bestond en geloofde Ruth maar al te graag wat hij haar op de mouw speldde: dat hij vroeg of laat Biotza zou verlaten, maar dat hij het verstandiger vond daar nog even mee te wachten tot hun relatie (die van Juan en Ruth) zich consolideerde, tot hij zeker wist dat het goed zou uitpakken en het de opoffering waard was, het verdriet dat hij Biotza en haar ouders zou aandoen. Voor Ruth was het een kwelling, ze had het gevoel getest te worden, als een ezel die een wortel aan het uiteinde van een stok probeert te pakken. Maar in dit geval leek het haar dat de stok – de onmetelijke afstand tussen haar en de vijandige opvattingen van Juans omgeving – nooit zou breken.

Vrienden en buitenstaanders stonden verbaasd over de verandering die Ruth in een maand tijd had ondergaan. Vrienden zoals Pedro, die stomverbaasd was dat hij haar vrolijk en zingend aan de telefoon kreeg, en ook Sara en Judith merkten de verandering op terwijl die toch niet zo'n innig contact hadden met Ruth. En buitenstaanders zoals kennissen die haar weer in bars en kroegen en bioscopen tegenkwamen, altijd lachend, vrolijk en zelfverzekerd en in gezelschap van die jongen met ogen zoals op de schilderijen van Murillo. Ze vonden haar jonger en anders, rustiger, vriendelijker, knapper dan gewoonlijk, en dat wilde heel wat zeggen.

Maar Ruth was niet alleen uiterlijk veranderd. Van de ene op de andere dag was Juan haar orakel geworden en zijn mening was zaligmakend. Pedro vond het beangstigend: hij vermoedde dat Ruth niet zou durven volhouden dat zwart zwart was en wit wit als Juan het tegendeel beweerde. Ze was tot het onderdanige toe gevleid door de belangstelling die die knappe jongeman voor haar aan de dag legde en hield er heel riskant geen eigen mening meer op na. Juan fascineerde haar bovenmatig, niet door het feit dat ze zoveel van hem hield of hem bewonderde, maar door de betovering van de fantasie, Ruth werd immers verblind door de luchtspiegeling van Juans verleiderskunsten. Ze hield zoveel van hem dat het haar geen enkele moeite kostte om alles te geloven wat hij zei, ook al was het meer uit vertrouwen dan uit overtuiging, meer gevoelsmatig dan verstandelijk.

Ruth geloofde dat Juan een zeer ontwikkeld iemand was, een toonbeeld van intellect, een getalenteerd genie, maar ze had niet door dat het laagje vernis van Juan, dat op duur hout leek en slechts hol gips was, uit opvattingen en vernuftige volzinnen, citaten die hij ergens had gelezen en imitaties van de denkwijze van anderen bestond. Juan had zich intellectueel opgedoft, zijn taalgebruik opgepoetst, een galapak laten maken voor de ideeën van zijn vroegrijpe intelligentie. En Ruth was verliefd geworden op haar eigen opvatting over de liefde, een opvatting die ze bevestigd zag in de door Biotza gekochte merkkleding, in Juans onberispelijke voorkomen, in zijn stralende gitzwarte ogen, in de behoefte aan roem, in het stof, in de lucht... Pas na verloop van tijd zou Ruth beseffen dat Juan helemaal niet zoveel wist, dat hij alleen maar zinnen herhaalde die hij in de boeken van anderen had gelezen, dat hij niet de moed of gave had om een eigen of originele mening te geven en dat hij, omdat hij veel literatuur had gelezen maar weinig essays over psychologie, economie, antropologie of andere wetenschappen die eindigen op *-ie*, soms klinkklare onzin uit begin jaren negentig herhaalde en een stupiditeit tot subliem gedachtegoed verhief, alleen omdat het gedrukt stond en ondertekend was door een vooraanstaand schrijver.

Maar Ruths verbeelding had een personage samengesteld dat alle zichtbare en onzichtbare schoonheden in zich had. Haar geest ontvlamde in een liefde die grensde aan het mystieke, omdat het wezen dat dergelijke emoties opriep meer huisde in Ruths hoofd dan in het studentenhuis en de onaantastbare Juan weliswaar iets leek op de echte, hij had in ieder geval zijn fysieke attributen, maar het was eerder zo dat Ruth een god van haar eigen verbeelding aanbad dan een jonge sterfelijke dichter. Ze was verliefd op een man die niet bestond, want als die wel bestond zou het God Zelf zijn geweest en God daalt voorzover wij weten niet op aarde neer als troost voor neurotische drieëndertigjarige dames (nog daargelaten of die God wel bestaat).

Het paar leerde een heleboel liefdevolle uitdrukkingen te gebruiken die ze tot dan toe nog nooit hadden uitgesproken, kinderachtige complimentjes, zoetsappige grapjes, woordspelingen die heel serieus werden geuit. Ze leefden in een sfeer van gekir en grepen elke gelegenheid aan om elkaar stiekem en onstuimig te knuffelen en klapzoenen te geven. Ze moesten om alles lachen en vonden alles leuk, positieve en negatieve dingen: ze lachten geestdriftig en staken de draak met ergernissen. Als de zon scheen moesten ze lachen, als het pijpenstelen regende ook. Alles wat Juan zei, of het nu iets heel serieus was of de grootste onzin, vond Ruth buitengewoon grappig en ze schaterde het uit bij elke onbenulligheid die uit zijn mond kwam. Ze geloofden dat ze voor elkaar leefden en een dubbele ik waren, terwijl ze eigenlijk voor een ideaal leefden. Ze vertelden elkaar uitvoerig de schokkende gebeurtenissen uit hun leven, de dingen die je niet vergeet omdat het bedrieglijke geheugen ze heeft verfraaid of afgezwakt, de dingen die ons maken tot wat we zijn, of ons dat in ieder geval wijsmaken. Ze verzonnen van zichzelf een andere persoon en maakten een nieuw portret dat uit verschillende beelden bestond, zodat het bij de ander in de smaak zou vallen, keken tot in de details terug en haalden steeds dezelfde verhalen aan, verhalen die leidden naar andere verhalen, die naar eigen goeddunken vanuit de herinnering mooier waren gemaakt. Ze ondervroegen elkaar streng, maar hadden begrip voor de antwoorden, herschiepen hun afgelopen leven voordat de ander verscheen, maar herschreven het: het werden nieuwe biografieën. Biotza en Beau bestonden nauwelijks en werden onbelangrijke affaires, omdat bij deze herziening van hun levens, hun werk, hun artistieke roeping, en datgene wat hen tot elkaar bracht belangrijk was. Ze gingen geheel in elkaar op en hadden aangename en vertrouwelijke gesprekken, allemaal over liefde, idealisme en hartstocht, doorspekt met een vleierige klacht of een egoïstisch liefdesverzoek om beloften van diepere liefde, eeuwige liefde in ruil voor een ongelooflijke overvloed aan liefde, zonder te willen zien dat de natuur uiteindelijk een grens stelt aan het geven en nemen van zo'n liefde. Ze logen natuurlijk tegen elkaar zoals alle verliefden doen, maar die leugens bevatten heel veel waarheden omdat ieder sprak over de ik die hij wilde zijn, die eigenlijk veel reëler was dan de ik die hij echt was. En zo ging de tijd ongemerkt voorbij en ze hadden er geen erg in dat de uren die ze samen doorbrachten vervlogen alsof ze wisten dat het onvermijdelijke einde van dat aardse paradijs hen op de hielen zat. Als zij daarentegen niet bij elkaar waren, kropen de uren voorbij als die van een veroordeelde. De een na de ander. De een voor de ander.

Maar deze gelukzalige toestand kon niet lang voortduren, omdat Juan in het noorden nog steeds verplichtingen had. Daar woonden Biotza en haar ouders en Juans ouders. En dat betekende dat Ruth gezien die ijzeren en onzichtbare banden nooit meer zou kunnen verlangen dan wat zij nu had, zij zou nooit deel gaan uitmaken van Juans toekomstige leven.

De situatie werd begin februari duidelijk toen Ruth als goede Britse (hoewel maar gedeeltelijk) voorbereidingen begon te treffen voor het Valentijnsdiner.

Voor Ruth was die januari met Juan een prachtige tijd geweest omdat hij volgde op een voor haar buitengewoon slechte periode: december. December betekende Kerstmis en Ruth hield daar niet van omdat er dan veel nare herinneringen bij haar naar boven kwamen. Soms zei Ruth dat zij Kerstmis zo haatte omdat haar moeder op kerstavond was overleden, wat maar gedeeltelijk waar was. Haar moeder was voor kerstavond overleden, maar in feite kon die herinnering niet de reden voor haar kerstmelancholie zijn, omdat zij zich die avond voor kerstavond toen zij nog een kind was niet kon herinneren. Nee, het was niet de herinnering aan haar moeders verdwijning waardoor ze gedeprimeerd raakte, maar het was eenvoudiger om het op die manier uit te leggen, omdat de meeste mensen makkelijk begrijpen dat de dood een ernstige gebeurtenis is, maar niet dat er kleine dagelijkse tragedies zijn die veel harder aankomen dan een Grote Tragedie op een bepaald moment. De kleine dagelijkse drama's die voortduren zijn uiteindelijk veel moeilijker te verwerken dan een Groot Dramatisch Voorval, en bovendien hebben deze kleine dagelijkse hinderlagen voor buitenstaanders niets vreselijks of dramatisch. Dingen die niet ernstig lijken worden dat wel, zoals een onbetekenende maar voortdurende druppel in de loop der tijd een indrukwekkende stalactiet vormt. Voor Ruth was de dood van haar moeder door de vreemde toestanden daaromheen een trieste, zelfs wrede gebeurtenis, maar begrijpelijk. Het gebeurt elke dag dat er iemand bij een auto-ongeluk omkomt, dat hoeven we niet uit te leggen. Dat is een op zichzelf staand feit en is zelfs te analyseren. Maar de vreemde en verspreide opeenhoping van kleine woordenwisselingen, misverstanden, ruzies, jaloezie, afgunst, scheldpartijen, die ondergrondse stroom van schijnbaar onschuldige beledigingen, die onbewust door het huis zweefden, was niet te analyseren of te begrijpen of te verdragen en leek niet te beantwoorden aan wetten van fysica en logica. Waarom werd de sfeer in huis zo onhoudbaar tegen kerst? Dat fenomeen beantwoordde aan geen enkele meteorologische wet en het gedrag in huis kon evenmin worden verklaard met regels uit enig handboek. Het geval wilde dat het huis in de kerstvakantie bezeten leek te zijn door een kwade geest die de bewoners aanstak, een onverbiddelijke naarling die steeds een aanslag deed op een goed humeur. Je kon bijna zien hoe de lach bevroor, hoe de holle minuten langzaam voorbijgingen, hoe er om het huis een magnetische storm opstak, een orkaan, een allesverwoestende tyfoon met de eetkamer als epicentrum.

Ruths moeder stierf op 23 december en dat maakte het aanvankelijk begrijpelijk dat haar vader die nooit – voorzover Ruth het zich herinnert – buitengewoon vrolijk of communicatief was, steeds stugger en zwijgzamer werd naarmate die datum dichterbij kwam. En Ruth raakte toen ze volwassen werd ook gedeprimeerd als die datum naderde, maar om andere redenen. De kerstverlichting deed pijn aan haar ogen, de kerstkaarten vond ze bombrieven, de kerstliedjes klonken haar als klaagliederen in de oren en de menselijke menigte die wanhopig op zoek was naar cadeautjes joegen haar evenveel angst aan als een kudde buffels. Daarom vermeed zij in kersttijd de warenhuizen en drukke plaatsen, deed ze geen boodschappen op markten en bleef zoveel mogelijk thuis. Ze was graag Madrid uitgegaan, maar haar vrienden – zowel Spaanse als Engelse – brachten de kerstdagen bij hun familie door. Zodoende moest zij dus tot haar spijt naar Judith, ze benijdde haar om haar rust en haar dochters, verveelde zich stierlijk en was ervan overtuigd dat haar vader haar in stilte verweet dat zij nooit zoals Judith was getrouwd en hem geen kleinkinderen had geschonken. Ze haatte de kerst bij Judith thuis die elk jaar hetzelfde was. Er werden geen cadeautjes gegeven, want cadeautjes waren natuurlijk alleen voor kinderen. Haar vader zat de hele avond met glimmende ogen en kon zo in huilen uitbarsten, Judiths man zei geen woord, Judith verwende haar dochters verschrikkelijk en probeerde wanhopig de aanwezigheid te negeren van degene van wie iedereen wist dat die rondwaarde, en Ruth dronk het ene glas wijn na het andere zodat de avond maar zo snel mogelijk voorbij zou zijn. Om half een nam ze afscheid, hield een taxi aan, kwam altijd dronken thuis, plofte als een dooie in bed, barstte in tranen uit en viel huilend in slaap.

Ruths vader was bedroefd omdat hij aan Margaret dacht. Ruth was bedroefd omdat ze aan andere dingen dacht, aan de vorige kerstfeesten en aan Estrella, het kindermeisje, dat de middag van kerstavond altijd slechtgehumeurd was omdat ze voor het copieuze diner moest zorgen dat vergeefse moeite was omdat de gasten nauwelijks aten: dat was de kersttraditie. Tegen drie uur begon Estrella te mopperen en haar humeur werd als een sneeuwbal die met een noodgang van een berg afrolde met de minuut slechter en om negen uur was het kindermeisje buiten zichzelf en begon hardop te schreeuwen en te vloeken zonder dat er iemand in de buurt was, maar wel met de duidelijke bedoeling dat het hele huis haar hoorde. 'Dit is niet te doen,' zei ze, 'mij zo alleen laten ploeteren. Ze denken zeker dat ik een slavin ben?' Als Judith of Ruth aanboden om te helpen met de voorbereidingen werden ze de keuken uitgegooid met het excuus dat twee verwende jongedametjes zoals zij die nog nooit iets met hun handen hadden gedaan alleen maar in de weg zouden lopen. En als ze dan 's avonds in hun kamer gingen lezen hoorden ze hoe ze werden uitgemaakt voor onsolidair en daarbij nog voor verwend. Om tien uur precies gingen ze aan tafel met de grootouders van vaders kant en in plaats dat het een vrolijk feestmaal werd wat je zou verwachten, verliep de kerstmaaltijd in een doodse stilte en was alleen af en toe het geluid van het bestek tegen het serviesgoed te horen. Soms, en dat hing af van de hoeveelheid wijn die er was gedronken, werd de stilte verbroken door nog iets ergers, een felle discussie tussen vader en grootvader die nooit goed met elkaar konden opschieten. De discussies hadden geen concreet doel of reden voorzover Ruth zich kon herinneren en ze wist ook niet meer hoe ze begonnen. Maar wel dat grootvader plotseling zijn servet van zijn borst haalde, zijn stoel met oorverdovend lawaai naar achteren schoof, even bleef staan met zijn kin zo overdreven naar voren dat zijn gezicht iets van een doodshoofd kreeg (als een doodshoofd tenminste zo'n hooghartige uitdrukking kan aannemen) en zoiets zei als 'je hebt nooit naar je vader willen luisteren, nooit, en je moest per se trouwen met die krankzinnige...' Dan stond vader op zijn beurt op en verzocht hem niet zo over zijn vrouw zaliger te praten en ondertussen kwam Estrella die gewend was aan dergelijke taferelen uit de keuken en profiteerde van de verbijstering van de andere gasten om af te ruimen, alsof er niets aan de hand was. Het spektakel was afgelopen, vader en grootvader gingen weer zitten en de rest van het diner ging voorbij in dezelfde doodse stilte als waarmee het was begonnen. Om twaalf uur stond grootvader (een meneer van wie Ruth weinig meer herinnerde behalve zijn waakzame ogen met die vorsende koude blik als van een biechtvader) van tafel op en maakte een einde aan de avond. Alleen wanneer hij opstond mochten de anderen dat ook doen. Dan namen de grootouders afscheid van hun zoon en hun kleindochters (grootmoeder was een onbetekenend iemand en ondergeschikt aan haar indrukwekkende en despotische echtgenoot) en was alles afgelopen. Geen kerstliedjes, geen kerstgeld, geen cadeautjes. Ruth is er nooit achter gekomen waar die diepe antipathie tussen vader en zoon vandaan kwam, maar ze vermoedde dat grootvader – nors, hard, dominant – licht mentaal of anders behoorlijk maatschappelijk gestoord moet zijn geweest, want volgens haar kon iemand die bij zijn volle verstand was niet zo'n ijskoude houding aannemen. Als hij er was leek het wel of de temperatuur een paar graden daalde.

Jarenlang betekende kerst eigenlijk altijd saaie en droefgeestige diners. Op Driekoningen (de grootouders kwamen dan niet omdat ze bij de tantes waren) vonden de meisjes als ze wakker werden stapels dure cadeaus onder een enorme kerstboom die door Estrella overdadig was opgetuigd en leek te lijden aan een plantaardige *horror vacui*, zoveel spuitsneeuw, ballen en lichtjes hingen erin, zodat de groene takken nauwelijks te zien waren onder al die opsmuk en de spar echt op het punt van instorten stond. De vreugde om de gekregen cadeautjes contrasteerde met de stuurse blik van vader, die droeviger leek dan een begrafenis op een regenachtige dag, zodat de meisjes (ook al waren het kinderen toch, of juist daardoor, goed begrepen dat ze niet al te veel kabaal moesten maken) probeerden hun vreugde wat in te houden. Ruth, die de herinnering aan al die intens trieste kerstdagen niet kwijtraakte, kon ook toen ze volwassen was die dagen alleen maar met verdriet associëren.*

December was de kerstmaand. Januari was de periode met Juan. Ruth wilde de tijd met Juan in februari bekrachtigen met een Valentijnsdineetje. Aan Valentijnsdag had Ruth in tegenstelling tot Kerstmis gelukkige herinneringen, de enige gelukkige herinneringen die zij heeft. Vier jaar lang werd ze op 14 februari door Beau uitgenodigd in luxe restaurants, kreeg ze van hem afschuwelijke kaarten met kleffe kinderlijke boodschappen en dure prulletjes: een *cladagh* ring**, die Ruth jaren daarna nog steeds droeg, een amethisten broche, oorbellen in de vorm van margrietjes en het laatste jaar een zilveren armband. De broche en de armband heeft Ruth nooit gedragen, maar ze bewaarde ze zorgvuldig omdat het de enige liefdescadeaus waren die ze ooit had gekregen. De cadeautjes die ze vroeger met Driekoningen kreeg, waren bijvoorbeeld niet met liefde uitgezocht en kwamen niet overeen met Ruths wensen, niet in de periode dat ze verlanglijstjes maakte en ook niet toen ze regelrecht tegen haar vader of haar kindermeisje zei wat ze graag wilde hebben. Ruth vermoedde dat haar vaders secretaresse de cadeautjes moest kopen. En als dat zo was kwam de smaak van de secretaresse absoluut niet over-

* Onze adviserende psychoanalyticus heeft het hier over een associatieve depressie.

**Een Ierse verlovingsring met een hart en twee handen eromheen en daarboven een kroon. Symbolen van liefde, vriendschap en trouw.

een met die van Ruth, net zomin als haar smaak overeen kwam met die van Beau. Maar ook al vond Ruth de cadeautjes van Beau, zijn kaarten en later ook Beau zelf niet leuk, nam dat niet weg dat de herinnering aan die cadeaus en die dineetjes een warm plekje in haar hart hadden, vandaar dat ze het Valentijnsfeest koesterde met dezelfde intensiteit als ze Kerstmis haatte.

Soms kreeg Ruth een eigenaardig onrustig gevoel als ze terugdacht aan Beau, alsof ze haar enige kans, haar laatste trein, had gemist. Want daar in Londen had ze een knappe, rustige, gevoelige, redelijk intelligente man achtergelaten die stapelgek op haar was. Maar Ruth was niet geboren om passief te blijven en naast Beau zag het er niet naar uit dat ze veel met haar leven zou doen. Steeds wanneer Ruth zei dat ze wilde werken, raadde hij het haar af met liefelijke argumenten en woordjes. Waarom moest ze werken? Hij had genoeg geld en als Ruth vaste werktijden had zou ze hem niet kunnen vergezellen op zijn tournees en reizen en kon ze 's avonds niet uit en konden ze samen niet het vrije leventje zonder verplichtingen leiden zoals ze nu deden. Ruth dacht er ook over om weer te gaan studeren, haar studie weer op te pakken, maar ze vond het al tamelijk gênant om op kosten van haar vriend te leven en ze dacht er niet aan hem ook nog geld te vragen voor het hoge inschrijfgeld van London University, zoals ze er ook niet aan dacht om het aan haar vader te vragen die de ballingschap van zijn dochter helemaal niet goedkeurde. Ter compensatie las Ruth zoveel zij kon en kocht in tweedehands boekwinkeltjes alle boeken van vijftig penny die ze krijgen kon en verslond ze in de krakkemikkige stoel in de woonkamer terwijl Beau toonladders speelde, tot ze de volledige klassieke Penguin collectie had gelezen. Een van de dingen die Beau het meest in haar waardeerde, was dat ze hem nooit stoorde als hij oefende, dat ze rustig naast hem bleef zitten als een goed opgevoed hondje. Soms fungeerde Ruth als oplettend toeschouwster, publiek, en bracht ze de vele stille uurtjes door met alleen maar naar Beau's muziek te luisteren. Ze zat half in elkaar half overeind op een kussen als een zwijgzame hoop armen en benen onbeweeglijk te genieten van de muziek, want daar genoot ze echt van.

Beau hield er niet van alleen te zijn en zei dat hij beter oefende als zij in de buurt was. Haar stille aanwezigheid stelde hem op zijn gemak en soms improviseerde hij wat en liet de technische oefeningen voor wat ze waren – de saaie toonladders, het eindeloze herhalen van een frase – om haar te amuseren en zij volgde hem met gesloten ogen, hij herhaalde fragmenten van bepaalde stukken waarvan hij wist dat zijn vriendin ze mooi vond. De arme man kwam niet op het idee dat Ruth ondertussen, somber gestemd door dat parasiteren en vegeteren, piekerde over haar ontevredenheid en de gedachte dat zij meer in haar mars had dan de *vriendin van* te zijn, dat zij niet op aarde was om in de voorbijvliegende stilte van het huishouden weg te zakken, dat het leven niet gewoon geleefd moest worden zonder het te aanschouwen of ter harte te nemen. Beau deed iets, hij creëerde en zij deed niets, maar Ruth putte geen troost uit het intens luisteren naar muziek, het veroorzaakte het tegendeel: ze besefte nog beter dat ze alleen maar veroordeeld was tot passiviteit in plaats van activiteit. Als zij in staat was zo intens te genieten van muziek, zou ze zichzelf dan ook niet kunnen uiten, zoals Beau dat deed? Beau gaf gevoelens weer, bracht ze zelfs over terwijl zij alleen maar ontving en nooit uitzond. Maar dat kon ze doen, dat kon ze doen, dat zou ze kunnen doen als ze dat huis maar uit durfde te gaan om zelf iets te ondernemen. Doordat ze zich zo scherp bewust werd van haar ongebruikte potentieel, dat het leven haar niet bood wat zij ervan verwachtte, speelde ze met de gedachte om terug te gaan naar Madrid en zich in te schrijven bij de filmacademie. Ze dacht aan de film omdat ze daar al haar passies in kwijt kon: literatuur, muziek en kunst. Ruth was op geen van die gebieden deskundig, maar wist overal een beetje van en dacht dat ze zich op de een of andere manier wel kon uitdrukken, iets kon doen om dat creatuur dat ze in zich voelde naar buiten te laten komen. En dat creatuur was niet het kind dat Beau wilde maar iets anders, een andere aanwezigheid die zij nog niet kon definiëren. Ze wilde geen moeder zijn. In ieder geval niet zo spoedig. Ze wilde eerst experimenteren met een ander soort creatie. Ze was geen goed schilderes, maar ze zou de mooiste schilderijen in elke omlijsting kunnen samenstellen zoals Visconti dat deed; ze was geen groot schrijfster, maar ze zou met beelden verhalen kunnen vertellen; ze kon niet componeren, maar ze had een goede smaak en zou de juiste muziek bij elk schilderij kunnen kiezen. En als ze niet kon regisseren... nou ja, dan zou ze het in ieder geval kunnen proberen. Alles was beter dan passief te blijven en later steeds maar te zeggen 'ik had het gekund', 'ik had het kunnen zijn'. Alles was beter dan niet te leven en erin te berusten om alleen maar te bestaan.

Ruth dacht er vaak aan om weg te gaan bij Beau en in Madrid iets van haar leven te maken, of in Londen te blijven en elk willekeurig baantje te nemen, maar ze had een geriefelijk en prettig leven, niet zo saai als het eruitzag, want het stel ging vaak uit en Beau had een uitgebreide kennissenkring, dus liet Ruth zich meenemen, installeerde zich in dat niemandsland, in die *impasse* naar een actiever toekomstig leven. Zo gingen er vier jaar voorbij en het hadden er nog een paar meer kunnen zijn als Beau het op een goede dag niet in zijn hoofd had gehaald om een kind te willen, een voorstel waarin Ruth eerst iets van toekomstig geluk zag, maar ze verwierp die wens meteen want het leek haar een vertederende maar ook saaie idylle. Niet dat Ruth geen kinderen wilde of geen moederinstinct had, maar ze was nog geen vijfentwintig en vond dat ze er te jong voor was. Beau daarentegen was begin veertig en begon naar een echt gezinsleven te verlangen en voor het eerst viel het Ruth op dat Beau oud werd, zijn slapen begonnen grijs te worden, hij kreeg een buikje en een peervormig figuur, er kwamen haren uit zijn neus en oren. Door dat besef van het ouder worden van haar minnaar werd haar overige leven nog duidelijker, het leven waar ze niets van maakte, alles wat Beau al achter zich had, dingen die zij niet had meegemaakt en nog wilde meemaken: een eigen leven, de vrijheid om haar eigen beslissingen te nemen, haar eigen tijd in te delen, het huis in en uit te gaan zonder rekenschap te hoeven afleggen waar ze was geweest en met wie. Aan de andere kant trok het rustige en voorspelbare bestaan haar echter wel, een verzekerde bron van genegenheid, en steeds als ze in de metro of op straat een donker kindje zag, stelde ze zich haar gelaatstrekken voor op een denkbeeldig kind dat het resultaat zou zijn van een kruising van de Nigeriaanse genen van Beau en de Schotse van zichzelf. Ze stond voor een dilemma, wist niet welke weg ze moest kiezen, was verlamd bij het idee de verkeerde keuze te maken, zelfs in de wetenschap dat een verkeerde keuze in ieder geval vooruitgang betekende.

Ruth zag het licht niet toen ze, zoals de heilige Paulus, van een paard viel, maar vlak voor ze in een vliegtuig stapte. Het was in de wachtruimte op Heathrow waar ze met Beau zat tot het vertrek aangekondigd werd van het vliegtuig naar Edinburgh waar Beau zou optreden op een festival, in een ensemble van muziek en dans. Ruth vond het niet prettig om naar Schotland te gaan omdat haar moeder ervandaan kwam en het deprimeerde haar als ze dacht dat daar de sleutel lag van het mysterie van dat leven waarover niemand haar iets wilde vertellen en waar ze ook niet achter kon komen. Ruth had eens in het telefoonboek van Aberdeen, de geboortestad van haar moeder, de achternaam Swanson opgezocht om te kijken of er familie van haar moeder woonde, maar de enige Swanson die erin stond bleek een professor op de universiteit te zijn, die uit Liverpool kwam en niets te maken had met Margaret Swanson. In ieder geval wist ze Beau zover te krijgen om met haar de stad te bezoeken en ze stelde zich voor hoe Margaret Swanson als meisje door die geplaveide straten had gelopen. Ze dacht eraan een detective in te huren om haar familie op te sporen, als die er was, als er nog familieleden in leven waren, een oudoom of misschien een neef van haar moeder. Maar ten eerste had ze geen geld voor een privé-detective, ten tweede had ze de moed niet Beau om geld te vragen, en ten derde zei een stemmetje in haar dat als er familieleden waren die nooit naar haar op zoek waren geweest dat dat een teken was dat ze vroeger weinig met Margaret omgingen en dat ze niet erg geïnteresseerd zouden zijn om met Ruth in contact te komen. Terwijl ze in die deprimerende overpeinzing was verzonken, zoals altijd als ze aan Schotland of haar moeder dacht en voor zich uit zat te staren op het vliegveld, vroeg Beau haar wat er aan de hand was, waarom ze zo stil en afwezig was, en toen Ruth haar hoofd omdraaide om hem te antwoorden vielen haar een paar minuscule rode adertjes in het wit van zijn ogen op die ze tot dan toe nog niet had opgemerkt en ze vond dat het gele spookachtige licht op het vliegveld Beau niet erg flatteerde. Hij was uiteraard nog steeds een bijzonder knappe man, lang en met het voorkomen van een ebbenhouten afgodsbeeld, maar hij werd zienderogen ouder en was niet langer de man met dat spectaculaire figuur die leek op Denzel Washington waar Ruth vroeger zo gek op was. Hij was sinds die tijd minstens tien kilo zwaarder geworden en wie weet hoeveel daar nog bij zou komen. Ruth koesterde een diepe warme genegenheid voor hem, bewonderde zijn talent en kon goed met hem opschieten, maar was minder blij met zijn heen en weer gereis en was dat waarschijnlijk ook nooit geweest, maar ze had de gemakkelijkste kans gepakt die haar werd geboden om dat huis met de begrafenisstemming die op haar zenuwen werkte te ontvluchten. Ja, ze hield van Beau, ze kon goed met hem opschieten... nou, en? Ruth keek om zich heen en haar blik bleef rusten op een paar mensen die ook zaten te wachten: een blonde man die een bijzonder gespierd lichaam verraadde onder zijn zwarte T-shirt, een meisje dat fanatiek op haar laptop zat te tikken, een man in een heel duur pak die in een mobieltje sprak. Ze bedacht dat ze allemaal op weg waren naar het festival in Edinburgh en hun eigen gang gingen, zij waren niet slechts metgezellen, louter aanhangsels van een ander, en toen kwam het bij haar op dat ieder van hen begeerlijker was dan Beau en daarna dacht ze dat ze er nog niet aan toe was om een kind te krijgen en dat ze genoeg had van haar huidige leven als verwende minnares op Trinity Church Square. Zoals wel vaker gebeurde kreeg ze weer te maken met twee verschillende Ruths: de een voelde zich heel erg schuldig, vond dat ze egoïstisch en ondankbaar was, en de ander vond dat Beau de egoïst was, die man die een metgezel wilde hebben, een luxe escort, een steun, iemand die in zijn schaduw leefde.

Drie maanden later was ze al vertrokken uit het appartement van Beau.

Dat jaar had Ruth de kerst zo afschuwelijk gevonden dat ze het nu wilde compenseren door een bijzonder gezellige Valentijnsdag te organiseren. Ze wilde een leuk, klein restaurantje met kaarsen op de tafeltjes, kanten tafelkleedjes en deftige obers, ze wilde een taart met een margriet van suikergoed en de traditionele uitwisseling van cadeaus bij het nagerecht. Ze wist dat de Spanjaarden het vieren van Valentijnsdag kitscherig vonden of een bedenksel van de warenhuizen, die altijd het cultuurimperialisme verdedigden als de tradities van dat imperialisme inhielden dat ze veel winst zouden maken, maar dat kon haar niet schelen. Ze was gek op tradities en Valentijnsdag vond ze de leukste, ze zocht in alle gidsen naar restaurants, en verheugde zich op de voorbereidingen voor die vreugdevolle dag. Maar op 10 februari zei Juan dat hij over twee dagen wegging en hij hoefde haar niet uit te leggen waarom. Ruth vermoedde meteen dat hij Biotza ging opzoeken en dat hij met haar Valentijnsdag zou vieren en hoewel Juan dat aanvankelijk ontkende, gaf hij uiteindelijk toe omdat Ruth maar bleef aanhouden. Hij dacht dat ze er misschien achter was gekomen, via welke vreemde weg dan ook, dat de relatie met zijn officiële verloofde nog even levend en gezond was als anders, zonder dat de gelijktijdige relatie met Ruth die had aangetast. Zodat Ruth moest accepteren wat ze diep in haar hart wel wist maar altijd had weggestopt: dat Juan nooit de bedoeling had gehad om zijn verloofde aan de kant te zetten.

Ruth bleef aandringen en smeken dat Juan zijn afspraak zou afzeggen met welk excuus dan ook en bij haar bleef met Valentijnsdag, maar Juan hield voet bij stuk, niet vanwege Biotza, die zijn afwezigheid waarschijnlijk niet erg zou vinden, maar vanwege zijn moeder die hem in die maand constant had gebeld en het niet had geaccepteerd als Juan zijn reis zou uitstellen en de afgesproken week niet thuis zou komen. Juan wilde ook niet toegeven, uit trots en koppigheid, dat moet gezegd worden. Hoe vaker Ruth het vroeg hoe standvastiger hij werd. Op 12 februari 's middags kreeg Ruth een gigantische woedeaanval: ze huilde en stampvoette, schreeuwde en gooide een asbak tegen de muur, maar daar bereikte ze alleen maar mee dat

Juan vasthield aan zijn standpunt, want hij zei bij zichzelf dat Ruth een hysterica was en hoe meer zij aanhield, des te groter werd zijn achting voor Biotza die in tegenstelling tot haar nooit tegen hem schreeuwde en nooit discussieerde over een eenmaal door haar verloofde genomen besluit. 'Je bent een hysterica,' zei hij voor hij de deur met een klap dichtgooide en Ruth in tranen op een stoel achterliet.

Toch ging hij 's avonds weer naar haar toe en met haar naar bed zoals elke avond, omdat ondanks alles het verlangen zijn bloed sneller deed stromen en zijn een paar uur tevoren genomen beslissing om haar niet meer te zien deed vergeten. Ruth was ook van plan geweest hem er niet meer in te laten en toch lag Juan weer in haar bed, twee dagen voor hij haar voor een ander verliet.

Het was in die nacht dat Ruth, in de bescherming van de valse medeplichtigheid die volgt op de coïtus, in een van die intieme gesprekken die onder de dekens plaatsvinden waarin grote generaals staatsgeheimen fluisteren in de oren van hun minnaressen, en nadat Juan had gevraagd naar de bekende gezichten op haar prikbord met foto's, over Londen was begonnen en niet alleen over haar leven met Beau, die als sessiemusicus had meegedaan op platen van de belangrijkste Britse groepen, en hoe ze in die tijd was omgegaan met deze en gene, maar ook over de twee jaar in Londen zonder Beau, toen ze besloot in te gaan op de voorstellen zoals toen die avond in de Staminet en hoe iemand haar had aangetrokken voor een bureau, en hoe ze uiteindelijk een van de meest exclusieve escortgirls van Londen was geworden, met een agenda van vaste zeer exclusieve klanten waaronder heel veel bekende mensen, omdat zij niet alleen voor seks werd betaald maar ook als gezelschapsdame, om mee te gaan naar zakendiners en omdat ze de gerechten op het menu in vlekkeloos Frans kon uitspreken, om de platenpresentaties op te fleuren en de verzoeken in te willigen van de president-directeur of de financiële directeur wanneer die te veel dronken, omdat ze aantrekkelijk en makkelijk was en klasse had. En zo hoorde Juan waar Ruths spaargeld vandaan kwam waarmee ze al die tijd de huur had betaald.

Zoals te verwachten was wist ze dat ze Juans trots een dolksteek toebracht. Ze wist dat ze hem heel diep verwondde, ze wist dat hij haar dat nooit zou vergeven. Maar op dat moment kon het haar niet schelen om iets te zeggen waardoor ze hem zou verliezen, want vanaf het moment dat hij had verteld dat hij bij Biotza zou zijn op Valentijnsdag, wist ze dat ze hem eigenlijk vanaf het begin al had opgegeven.

Juan op Valentijnsdag

Die ochtend van de dertiende februari haalde Juan opgelucht adem in de trein die hem naar Bilbao zou brengen en hij verheugde zich op de reis als een kantoorbediende die vrijdagmiddag na een week hard werken bij voorbaat al van zijn rust geniet, met dat verschil dat Juan naar geestelijke rust verlangde en droomde van de fijne dingen die hem in Bilbao te wachten stonden, weg van de beklemmende aanwezigheid van Ruth.

Hij was de laatste maand het spoor bijster geraakt maar door Ruths bekentenis had hij definitief de kant van Biotza gekozen. Juan vond zelf dat hij serieus was, hij had geleerd over alles na te denken en de dingen tegen elkaar af te wegen zodat hij niet voor verrassingen kwam te staan. Daarom had hij er ook nooit over gepeinsd om Biotza overhaast aan de kant te zetten maar liever afgewacht hoe het verder zou lopen. En zo was hij die hele maand januari ten prooi geweest aan vreselijke twijfels, omdat hij natuurlijk wel verliefd was op Ruth, dat kon hij niet ontkennen, maar bij het idee dat zijn hart onverbrekelijk verbonden was met die bijzondere vrouw kromp zijn maag ineen. Hoe hij zich ook een toekomst samen met Ruth probeerde voor te stellen, het lukte hem niet en de betoverende persoon loste in nevels op. Omdat hij Ruth luidruchtig vond, overheersend, schreeuwerig, overdreven, opvallend als een metallic kleur. Het was waar dat zij hem als geen ander inspireerde, dat hij van haar leerde en zich met haar vermaakte, dat hij geen vrouw kende die zo welbespraakt en scherpzinnig was, zo'n gevoel voor humor had en over alles kon meepraten, want Ruth was net een wandelende encyclopedie: ze had verstand van kunst, literatuur, film, muziek, zelfs van dans en bracht dat in haar gesprekken met de grootste vanzelfsprekendheid te berde, alsof iedereen zonsondergangen met een schilderij van Turner vergeleek of hotelgangen met decors uit een film van Polanski. En het was waar dat bij haar vergeleken Biotza, voorzover hij zich herinnerde, een duf schepsel was. Maar het was ook zo dat Biotza rustig en betrouwbaar was, terwijl je bij Ruth nooit wist wat je te wachten stond en Juan kon heel slecht tegen die wisselende stemmingen, het ongeduld en de driftbuien van de roodharige. Ruth kreeg bijvoorbeeld helemaal de zenuwen als hij te laat kwam, wat regelmatig gebeurde, en verweet hem dat dan of foeterde hem uit. Ze was als regisseuse duidelijk gewend bevelen te geven en niet om ze te krijgen. En Juan die als kind vreselijk verwend was en met een meisje omging dat hem naar de ogen keek ergerde zich mateloos aan Ruths grillen en dwingelandij. Juan was bovendien erg jaloers en baalde van het idee dat de vrouw met wie hij naar bed ging een seksueel verleden had waar hij niet in voorkwam. In alles wat ze deed, voorstelde en bedacht, meende hij sporen van vroegere minnaars te zien en dat maakte hem ziek. Al voor Ruths bekentenis vond hij het vanwege alle praatjes over haar promiscue gedrag moeilijk om seks met haar te hebben, maar nu ze hem dit had verteld... Welke man maakt nou zoiets mee? Nu ja, het ging niet om prostitutie in de strikte zin van het woord maar het kwam op hetzelfde neer. Al die armen die haar lichaam hadden omklemd, al die lippen die zich op haar lippen hadden gedrukt, al die vingers die door de rode en kaneelkleurige krullen van haar schaamheuvel hadden gewoeld, al die stemmen die haar naam of een andere door haarzelf verzonnen naam hadden genoemd, al die stemmen die hij in zijn dromen zou horen, die voor altijd in zijn hoofd zouden weergalmen als hij met haar doorging; nee, hij kon absoluut niet met haar doorgaan.

Hij dacht aan zijn Biotza terwijl hij door het raampje groene velden, bomen en telefoonpalen voorbij zag flitsen en zei bij zichzelf dat het Biotza was die bij hem paste, zij hadden nooit onenigheid, bij haar voelde hij zich slim en zelfverzekerd. Ook al was hij nog zo stapelgek op Ruth, hij had in zijn hart met al die hoekjes en verborgen kamers altijd een plekje voor Biotza bewaard. In haar bewonderde hij wat hij zelf niet had: geduld, gezond verstand, evenwichtigheid, integriteit. Biotza was weliswaar niet zo ontwikkeld en briljant, maar was dat dan zo belangrijk? Hij kende genoeg mensen met wie hij over boeken kon praten. Voor hij Ruth ontmoette kende hij niemand die zoveel van film, kunst of muziek af wist, maar dat loste hij op door boeken te kopen of op internet te surfen. Hij zou vast en zeker Ruths gevoel voor humor missen omdat Biotza vergeleken bij Ruth kleurloos en saai was: ze had niet die vlotte tong en geestigheid van Ruth, ze zei niet veel en formuleerde met zachte stem haar gedachten in korte en beknopte zinnen, maar meestal waren dat clichés of gezegden of wat ze van haar moeder of toekomstige schoonmoeder had gehoord, en als ze langer aan het woord was of een gesprek voerde struikelde ze over haar eigen woorden. Maar hij zou het zonder Ruth moeten redden, hij zou de draad met Biotza weer moeten oppakken en zich voorhouden dat hij nooit gelukkig zou zijn geworden met een vrouw als Ruth, die zo fanatiek, zo gecompliceerd, zo dominant, zo impulsief, zo driftig was en zo'n verleden had.

Daar komt nog bij dat toen Indalecio Echevarría, Juans uitgever, hem met Ruth bij de presentatie van het boek van Marcos Giralt had gezien, hij hem erop had gewezen dat het slecht was voor zijn reputatie als hij vaak in gezelschap van die Swanson werd gezien en dat ze hem in academische kringen met haar zouden associëren, hij zou frivool gevonden en niet meer serieus genomen worden. En hoewel Juan zich toen weinig had aangetrokken van Echevarría, omdat de verleiding van Ruths gezelschap groter was dan het gezonde verstand, zei hij nu in de trein bij zichzelf dat Indalecio gelijk had.

We moeten hier wel even vermelden dat Juan helemaal weg was van zijn mentor en uitgever. Zijn scherpzinnigheid, charme, goede smaak en radicale standpunt ten gunste van de Grote Literatuur (met hoofdletters natuurlijk) fascineerden Juan, die grote idealen koesterde en graag samen met Indalecio de strijd aanbond met de *oncultuur* en de onbeschaafdheid op het gebied van de letteren, op zijn kruistocht tegen frivoliteit en trends van zoveel jonge schrijvers. Indalecio had namelijk een diepe minachting voor bijna de gehele nieuwe generatie schrijvers, de meesten van hen vond hij ordinaire sjacheraars die geen literatuur schreven maar commerciële producten en die zich voor een voorschot hadden verkocht (terwijl hij Juan ook met een voorschot had gekocht). Hij kon er maar een paar waarderen voor wie hij mild als een Caligula een uitzondering maakte, dat waren degenen die om de paar jaar een boek schreven, omdat Indalecio zo iemand was die werktempo verwarde met radicalisme: hoe minder je schreef hoe radicaler je was, en wee degene die voor goud geld aan de multinationals verkocht was en elk jaar een boek publiceerde! Hij werd door Indalecio aan het kruis genageld! Want de uitgever was zo'n figuur die meent wat hij denkt, terwijl hij in werkelijkheid vooroordelen aan het herschikken is. Door deze starre zienswijze werd Echevarría het soort vriend door wie je vijanden maakte, maar die intolerantie die afgunstige personen als fundamentalisme beschouwden was voor Juan een stralende zon waardoor hij zich liet imponeren, want hij hield Indalecio voor een grote autoriteit op literatuurgebied en hij geloofde zo blindelings in wat hij goed of slecht vond, dat Juan het niet waagde een mening te geven, als hij die had, die niet strookte met de waarheden die door de uitgever verdedigd werden, en dat was maar goed ook, want geen sterveling zou het in zijn hoofd halen Indalecio tegen te spreken in een gesprek over literatuur. Een woord van Echevarría was genoeg om bij Juan definitief alle twijfels over verdienste of talent van een schrijver weg te nemen. Wat hij verkondigde werd een juridisch thema, wetgeving, doctrine, onthulde waarheid. Juan respecteerde zijn woord alsof het op de twaalf tafelen geschreven stond en Indalecio viel voor hem in de categorie van de levende dogma's: de criticus had zelfs evenveel invloed op Juan als Carmen, zijn eigen moeder, en misschien nog wel meer dan de Galicische vrouw wier woord tot dan toe wet was.

Oké dan, zei Juan, de affaire-Swanson is over, des te beter voor iedereen, voor Biotza, voor Juan en voor de gemoedsrust van Juan en de reputatie van Juan.

Op het station in Bilbao werd hij opgewacht door Biotza die hem in de auto naar Bermeo zou brengen waar ze bij de ouders van Juan zouden gaan eten. Ze was nog steeds knap maar Juan vond haar plotseling anders, alsof hij haar met andere ogen bekeek. Ze zag er naar zijn mening altijd goed uit maar nu hij plotseling op het perron dat frêle figuurtje met snelle passen op zich zag afkomen, in dat onberispelijke mantelpakje, leek ze net haar moeder (uiteraard niet Carmen, die hield niet van mantelpakjes). Hij vond Biotza niet elegant meer maar gewoon stijf. Eindelijk stond ze voor hem en strekte haar armen naar hem uit. Juan keek naar haar oorbellen en bijpassende hanger: een drietal minuscule diamantjes, eentje hing aan een bijna onzichtbaar kettinkje om haar hals, een setje dat door een televisiepresentatrice in de mode was gekomen en van de ene op de andere dag door liefhebbers van de roddelpers werd gedragen. De uniformiteit van die sieraden beangstigde Juan, alsof het de voorbode was van het niet minder uniforme leven dat hem te wachten stond. Het meisje dat hem zo verlegen omhelsde en hem in een wolk Eau de Rochas hulde was zijn Biotza, heel blond en heel blank, met om haar smalle pols een Cartier en een gouden armband met parels, suikerzoet en overdadig als een bruidstaart. Ze was uiteraard heel knap, heel lief, zo fijn als koraal, maar Juan vond die schoonheid ineens de meest saaie volmaaktheid die er bestond. Het enige wat aan haar ontbrak was de lelietak.

'*Jontxu, lastana!*'* fluisterde ze hem in zijn oor. 'Wat heb ik je gemist!'

Hij voelde zich vreselijk opgelaten door dat koosnaampje. Hij was zo gespannen en reageerde zo koel op haar omhelzing dat Biotza hem losliet en hem van een afstandje met haar provinciaalse blik gereserveerd en bedachtzaam aankeek.

'Is er wat? Je bent zo anders...'

'Nee hoor, er is niets, maak je maar niet ongerust. Ik ben alleen een beetje misselijk.'

'Ja, je ziet er slecht uit. Heb je ontbeten? Wil je wat eten in de restauratie?'

* 'Juanito, liefste!'

'Nee, maak je maar niet ongerust, het gaat wel.'

Plotseling voelde hij zich vreselijk schuldig. Hij trok Biotza naar zich toe en omhelsde haar innig. Hij begroef zijn gezicht in haar haren en snoof die weeë parfumgeur op in een poging zich daarin te verliezen, zich te bedwelmen en hield zichzelf voor dat die eerste indruk niet echt was, dat het alleen maar kwam omdat hij zo lang in de hoofdstad was geweest en dat hij na een paar dagen weer zou zien hoe Biotza werkelijk was: lief, kalm, vertrouwd, een fijn iemand, een engel.

Tijdens de rit naar Bermeo deed hij zijn best om aardig en lief tegen Biotza te zijn, maar omdat hij weinig zin had om te praten, concentreerde hij zich op het landschap. Hij hield ondanks alles van die groene bergen waar hij was opgegroeid maar die hij nooit als zijn thuis had gezien omdat hij maar een bastaard, een geïmporteerde maqueto was. Hij sprak niet eens goed Baskisch, met het weinige dat hij op de *ikastola* had geleerd kon hij nauwelijks een eenvoudig gesprek voeren. Toen ze bij Mundaka kwamen zag hij plotseling hoe schitterend het uitzicht was op de riviermond van Laida, die eindeloze helwitte zandvlakte die zich aftekende tegen de kalme blauwe zee. Maar ik ben geen Bask, ik ben slechts een maqueto en hij vond bijna dat hij zoveel schoonheid bij elkaar niet verdiende, net zomin als hij zijn verloofde verdiende. Zijn verloofde die in een appartement van tweehonderd vierkante meter aan de Gran Vía midden in Bilbao woonde en die zich ertoe verlaagde een armzalige maqueto mee naar huis te nemen die in een hok woonde zo groot als een lucifersdoosje met formica meubels en overal gehaakte kleedjes.

Eenmaal thuis probeerde hij zich tegenover zijn ouders en verloofde vrolijk voor te doen, maar zijn glimlach was zo geforceerd dat zijn moeder meteen doorhad dat er iets niet goed zat. Door Ruths bekentenis had Juan de nacht ervoor praktisch geen oog dichtgedaan, het zat hem nog steeds erg dwars en de aanwezigheid van zijn moeder en verloofde konden daar geen verandering in brengen. Tijdens het eten had hij het gevoel of er een enorme slang in zijn maag kronkelde waardoor hij geen hap van de heek naar binnen kon krijgen. Het ontging Carmen niet dat haar zoon geen trek had en omdat hij in de Sollube een visje altijd heerlijk had gevonden wist ze bijna zeker dat er iets aan de hand was. De vrouw had geen idee van de liefdesperikelen van Juan maar wel dat er iets ongewoons en zorgwekkends gebeurde in het leven van haar geliefde spruit, en terecht zag ze in haar gedachten hoe in Madrid verderf en gevaarlijke avontuurtjes op de loer lagen.

'Je ziet er slecht uit, Juan, vind je ook niet, Biotza?'

'Tja, ik weet niet, wel een beetje maar hij is nog steeds even knap,' zei Biotza, bescheiden als altijd, die ook nauwelijks van haar vis had gegeten, maar bij haar was dat normaal.

'Hij eet vast nauwelijks en of hij slaapt is ook maar de vraag. Ik weet niet wat je in Madrid zoekt. Volgens mij schrijf je hier net zo goed als daar of nog beter. Bovendien heb je hier niet al die toestanden en problemen aan je hoofd, want ik zie aan je dat je die daar wel hebt. Ik zeg je dit omdat ik van je hou en een beetje weet hoe verraderlijk de wereld is. Er is niets ergers dan het verdorven en zondige leven van een grote stad.'

'Hou toch alsjeblieft op, mama, ik heb alleen maar slaap en ben moe van de reis. Ik zal me een stuk beter voelen als ik even heb geslapen.'

Zo maakte Juan een eind aan het gesprek, terwijl zijn vader zwijgend door het raam naar de zee bleef staren alsof de oplossing voor de gezondheid van zijn zoon en de bezorgdheid van zijn vrouw op de bodem van de Golf van Biskaje lag.

Biotza ging na het eten terug naar Bilbao en sprak af om hem de volgende dag te komen halen. Ze had het groepje vrienden waarmee ze altijd uitgingen, voornamelijk oude studiegenoten van Deusto, gewaarschuwd en ze hadden een etentje georganiseerd ter ere van de veelbelovende jongeman. Juan had eigenlijk niet zoveel zin om met het vriendengroepje te gaan eten omdat het geen echt goede vrienden van hem waren en het contact alleen door Biotza in stand werd gehouden. En hij werd al niet goed bij het vooruitzicht om naar Begotxu's eindeloze verhalen over haar veelbesproken trouwdag te moeten luisteren. Wat een ellende, wat een vreselijk mens...! Misschien was hij door de gedachte aan wat hem te wachten stond zo moe, want hij bleef slapen en werd pas de volgende ochtend wakker. Net voor hij in slaap viel herinnerde hij zich dat het de volgende dag Valentijnsdag was en een intiem etentje met Biotza was beter geweest dan een lawaaierige reünie met vrienden. Ruth was eigenlijk veel romantischer dan Biotza, of misschien overdrevener. Nee, Biotza was degene die overdreven was. Nee, dat mocht hij niet denken... En met de eeuwige vergelijking tussen zijn twee vrouwen in zijn hoofd viel hij in slaap.

Bij dat etentje dat Biotza had georganiseerd (hij begreep nooit waarom ze zo nodig etentjes moest organiseren, terwijl ze zelf nauwelijks iets at) zag hij dat al zijn oude vrienden een vaste partner hadden, alsof hij door zijn afwezigheid nu pas begreep dat het geen hechte groep maar slechts een verzameling tweedelige eenheden was. Ze hadden blijkbaar allemaal een officiële relatie en als ze niet oppasten zou het voor de groep een zomer vol huwelijken worden. Het leek alsof er rondom Juan een romantisch blijspel werd opgevoerd en hij de rolverdeling had gemist. De overige stervelingen leken in een voortdurende optimistische feeststemming te verkeren waarin alles wat ze deden belangrijk was, zolang het maar te maken had met een liefdesactiviteit die niet nader werd omschreven maar wel plaatsvond. Welke vredige en warme couveuse had deze huiselijke en gedresseerde kuikens, onder wie Biotza, uitgebroed? Het groepje vrienden leek net een veelkoppige slang met hun belachelijke regels en afspraken en ineens vond hij die prozaïsche alledaagse intimiteit van de stelletjes waar hij tot voor kort aan had meegedaan onnozel en aanstellerig en begreep hij de bedoeling niet van die groep mensen die zo op elkaar leken en paren hadden gevormd. Je had ze allemaal door elkaar kunnen gooien, de stelletjes hergroeperen, ieder een nieuwe vriend of vriendin toewijzen, en Juan had het waarschijnlijk niet eens gemerkt, ze zagen er voor hem allemaal hetzelfde uit: de meisjes met hetzelfde verzorgde uiterlijk en een goed figuur, nauwelijks aanwezige borsten, smalle heupen en taille, halflang in lagen geknipt haar met coupe soleil, onopvallende maar dure sieraden, schoenen of laarzen met halfhoge hak, make-up in beige tinten, en dezelfde of bijna dezelfde tas, een soort rugzak; de jongens, serieus en keurig, vormden een grote donkerblauwe vlek, kort haar, mocassins, geperste vouw in de broek en truien met ronde hals over witte of gestreepte overhemden met een geborduurd paardje op de borstzak. De meesten hadden dankzij de invloed van hun vader al een baan en staken de gek met Juans bohémienleven, vooral die trut van een Begotxu die van het een of ander sarcastisch familielid de bijnaam *La Saladísima* had gekregen, die ze nog steeds had en wier schelle, doordringende stem in Juans oren klonk alsof er iemand over een schoolbord kraste. Zouden zijn weekends er in de toekomst zo uitzien? Op zaterdag met z'n allen eten, kletsen over voetbal, televisieprogramma's en figuren uit de roddelbladen. Op zondag de voorspelbare ochtendwandeling door de altijd voorspelbare straten in de stad, een paar wijntjes en misschien af en toe naar de film. Juan kreeg een visioen van een gereglementeerd huwelijksleven, opgebouwd uit huichelarij en morele beknotting, een huiselijke komedie volgens een vast uitgavenpatroon en vaste tijdsindeling, een benauwende verbintenis van slecht bij elkaar passende levens. Nee, hij kon niet in Bilbao blijven, niet op deze manier. Hij besefte meer dan ooit dat hij een roman moest schrijven en publiceren om te ontsnappen aan dat monotone en saaie leven dat verscholen in de donkere hoeken van de Siete Calles op de loer lag. Nee, hij zou daaraan ontsnappen en zou alleen naar Bilbao terugkomen als hij naam had gemaakt als schrijver, als hij met andere ogen naar hen kon kijken, als hij contact kon leggen met andere mensen, met een ander leven.

Na het eten en na het geijkte drankje in een bar vol snobs, bracht Biotza hem zoals gewoonlijk met de auto naar Bermeo en beloofde hem de volgende dag te komen halen. Hij zei niet veel tijdens de rit met het excuus dat het eten hem zwaar op de maag lag omdat hij gewend was aan de sobere maaltijden in het studentenhuis en dat hij slaap had gekregen. Dat was een leugen, want sinds hij Ruth kende had hij niet meer in het studentenhuis gegeten. Ze gingen tapas eten in de wijk Huertas of naar een van de Japanse restaurants die hij door Ruth had leren waarderen of ze gingen gewoon naar de bioscoop in plaats van eten. Terwijl hij daaraan dacht zag hij de roodharige weer voor zich en zijn geest die vanwege zijn besluit in de trein om Ruth te verlaten een kalme zee had geleken, begon een lichte golfslag te krijgen en dreigde woeliger te worden. Bij aankomst in Bermeo was het een ruwe zee geworden en toen hij met een haastige kus op haar mond en ontwijkende blik afscheid nam van Biotza stonden er witte koppen op.

De volgende morgen ging hij zijn moeder zoveel mogelijk uit de weg, ze liep hem overal in huis achterna en probeerde tevergeefs een gesprek van moeder tot zoon, omdat ze wilde weten waarom hij zo was veranderd. Ze zei tegen hem dat ze hem anders vond, down, zwijgzaam, stug en ontevreden. Hij hield vol dat er niets aan de hand was. Na het eten kwam Biotza hem halen voor een wandeling door Mundaka, maar hij wilde eerst met haar naar de boulevard omdat hij in een sentimentele opwelling nog een keer Izaro en het standbeeld van de Lamía wilde zien. Toen ze hand in hand over de pier liepen, zag Juan op een van de stenen een bordje met de naam van een jongen die door een golf meegesleurd en verdronken was. In het dorp lagen de jonge stelletjes altijd te vrijen tussen de grote steenblokken van de boulevard omdat daar nooit iemand kwam en het er donker was, maar de jongen had de pech dat de zee die avond erg ruig was en hem meesleurde. Zijn vriendin was nog niet over het trauma heen, althans dat zei Carmen en ze liet doorschemeren dat dat onbeschaamde wicht haar verdiende loon had gekregen. Juan had die dood nooit poëtisch gevonden maar ineens besefte hij de grote symboliek van dat ongeval, dat de zee in een gebeurtenis Eros en Thanatos verbond, en hij zag het als de volmaakte metafoor van zijn relatie met Ruth. Hij was bang voor Ruth, voor de hartstocht, omdat hij wist dat als hij zich daaraan overgaf hij voorgoed de diepte ingesleurd zou worden.

In Mundaka ging hij met Biotza naar bed in een leuk hotelletje waar ze wel vaker samen naartoe gingen en dat in de gidsen van rustieke hotels werd genoemd, maar hij moest voortdurend denken aan het bordje met de naam van de jongen die in een soortgelijke situatie in de golven was verdwenen, terwijl hij onstuimig maar beheerst op Biotza op en neer bewoog, een rituele handeling die door de lichamen automatisch werd uitgevoerd wanneer een man en een vrouw zich volledig aan de liefde overgeven. Hij was Biotza's enige minnaar, hij wist dat er niemand anders was geweest en het had behoorlijk lang geduurd voor ze zover was, ze hadden al twee jaar een relatie voor ze met elkaar naar bed gingen. Hij zou 'mijn' Biotza hebben gezegd als hij haar had moeten omschrijven. Hij was haar enige minnaar geweest en dat zou hem aan haar moeten binden, maar dat was helemaal niet het geval. Niet dat Biotza niet goed was in bed. Voor zo'n formeel meisje was ze verbazingwekkend enthousiast en erg lief, maar ze zei nauwelijks een woord, moest niet lachen en bleef er vreselijk serieus onder, wat Juan vroeger nooit had gehinderd maar hem nu stoorde. Anders dan bij Ruth was hij zich bij Biotza altijd bewust van wat hij aan het doen was. Bij Ruth liet hij zich gaan en voelde hij zich overweldigd door iets wat sterker was dan hijzelf, een hogere wil, alsof hij van zichzelf vervreemd was, terwijl het bij Biotza om iets mechanisch ging, een eindeloos herhaalde gymnastiekoefening die hij wel erg prettig vond. Na afloop bleef Biotza zwijgend met haar hoofd op zijn borst liggen terwijl hij naar het plafond keek en haar zijdezachte blonde haar streelde maar niets aardigs wist te zeggen. Hij durfde ook niets te zeggen omdat naar zijn mening alles verkeerd zou klinken. De volgende dag ging hij terug naar Madrid en hij vroeg zich af hoe hij in dezelfde stad als Ruth zou kunnen zijn zonder toe te geven aan de verleiding om haar te bellen.

De volgende morgen bracht Biotza hem in haar auto naar het station. Carmen was graag meegegaan maar Juan had haar dat afgeraden. Carmen bleef dus in Bermeo omdat ze meende dat Juan alleen afscheid wilde nemen van zijn verloofde, maar het kwam geen moment bij haar op dat Juan niet nog langer in de buurt van zijn moeder met haar onderzoekende blik wilde zijn. In het station somde Biotza in de laatste minuten die ze nog hadden met monotone stem op wat hij allemaal moest doen en waar hij aan moest denken: 'Bel me, vergeet me niet te schrijven, denk eraan een pak te kopen voor de bruiloft van Bego, kijk daar in de etalages of je wat moois ziet...' en zo werd het intieme moment van het afscheid verpest door onbenulligheden. Toen ze de trein zagen aankomen kusten ze elkaar nog een laatste keer. Het was een onbeholpen omhelzing, nauwelijks een snelle en korte toenadering. Juan maakte zich los en bleef even naar haar kijken. Biotza veegde met de rug van haar hand een traan weg. Hij stapte in de trein en zij bleef op het perron staan wachten tot de trein vertrok. Het laatste beeld dat Juan van Biotza had was dat van een tenger, slank meisje, bleek, witjes, mager, een gedwee en ingetogen schepsel dat onhandig stond te zwaaien en steeds kleiner werd.

De lezer zou de logische conclusie kunnen trekken dat Juan niet meer verliefd was op Biotza, maar als hij Juan was zou dat niet zo logisch zijn. Per slot van rekening is het makkelijker het leven te beschrijven dan te leiden. Juan mocht zijn verloofde ontzettend graag, hij had Biotza nodig omdat zij een volmaakte structuur en orde vertegenwoordigde waar hij van hield en die hij respecteerde. Als hij een succesvol schrijver werd en Biotza meenam naar Madrid zou het leven veel makkelijker zijn, dacht hij, omdat hij zich daar niet zo beklemd en verveeld zou voelen als in die provinciestad, waar in tegenstelling tot Madrid weinig gebeurde op cultureel gebied. En met Biotza's hulp, met haar voortdurende aanwezigheid, zou hij langzamerhand Ruth gaan vergeten. Er bestaan veel soorten liefde en hartstocht is er een van. Hij zou Biotza nooit hartstochtelijk liefhebben, maar hij zou om haar ook nooit verdriet hebben of door jaloezie verteerd worden, hij zou zich nooit onzeker voelen en nooit op zijn woorden hoeven passen om haar niet te ergeren, en bovenal zou hij om haar geen onenigheid met zijn moeder krijgen, want die adoreerde Biotza en zou, dat wist Juan zeker, nooit kunnen opschieten met Ruth, niet alleen omdat Ruth bijna tien jaar ouder was dan hij maar omdat zij helemaal niet het type vrouw was dat bij zijn moeder in de smaak zou vallen. Nee, met Biotza zou hij een rustig leven hebben en wat er aan Biotza ontbrak – onrust, emotie, leven, energie, vlees, bloed – zou hij in de Literatuur vinden. Toen dacht hij aan Ruth – haar onrust, emotie, leven, energie, vlees, huid, bloed, haar levendige geest, het rood van haar lippen, geslacht, haren – hij kon haar, ook al zou hij willen, niet uit zijn gedachten zetten. Misschien zou hij het nooit kunnen. Misschien was het waar wat die oude dichtregels van De Conde de Villamediana zeiden... *Liefde is geen wil maar lotsbestemming*. Maar hij wilde dat niet geloven. Hij wilde van Biotza houden en niet van Ruth. En zolang hij dat geloofde maakte het toch niet uit dat het niet zo was? Nee, alsjeblieft. Geen dichtregels meer. En al helemaal niet van Campoamor.

Ruth op Valentijnsdag

Op 13 februari werd Ruth om elf uur wakker en lag alleen in een ongewoon koud en stil appartement. Ze had die nacht nauwelijks geslapen. Juan was om vijf uur 's morgens weggegaan met het excuus dat hij zijn koffer moest pakken, maar Ruth wist drommels goed dat hij niet wilde blijven omdat hij helemaal niet blij was geweest achter dat deel van haar verleden te komen. Wat een onnodige verklaringen, wat belachelijk en kinderachtig om met zo'n excuus te komen om vijf uur 's morgens, wat een laffe gehaaste aftocht en wat lag het gestamel, het trillen van de handen, het plotselinge vertrek, het zenuwachtige gekuch, het geveinsde lachje bij het afscheid, de bittere trek om de mond die maar niet wilde verdwijnen er duimendik bovenop... Wat een stuntelig en deprimerend afscheid. *Een afscheid is een extase, een dwaas feest van misère.* Daarna had Ruth de nacht in sluimertoestand doorgebracht, met dromen die steeds werden onderbroken. Ze had haar zenuwen niet in bedwang en in de bijzonder heldere dromen die ze had kwamen brokstukken van het nachtelijke gesprek weer boven, zodat Ruth voelde hoe ze gekweld werd door vreemde beelden van een vervormde Juan, die zich opeenhoopten en opgesloten zaten in haar hoofd dat elk moment uit elkaar dreigde te spatten. Ruth probeerde die bittere last van zich af te zetten en lag te draaien en te woelen in haar dromen: op een bepaald moment lag ze in haar bed, maar haar bed was vervormd, haar eigen bed zag ze in een dromerige ruimte, maar meteen daarna lag ze weer in hetzelfde bed en nu in haar echte bed, zodat ze niet precies wist of ze droomde of wakker was. Wat was echt en wat was fantasie? Wat was het zichtbare en wat het onzichtbare bed? Ze werd er gek van. Hoe lang nog zou ze de smaak van die ander op haar lippen voelen, de warmte van dat andere lichaam op haar vingertoppen, de blik van de ander op haar pupillen?

Elf uur 's morgens. Een zacht geronk van auto's kwam van de straat omhoog. Buiten ging het leven door en liepen duizenden mensen heen en weer en zochten elkaar op, maar in Ruths kamer leek de tijd stil te staan. Door het raam zag ze een stukje van de Madrileense lucht en Ruth liet de tijd voorbijgaan, had daar geen erg in, zag hoe die ochtend net zo triest verliep als zij zich voelde, het werd langzamerhand bewolkt. Ze was van plan de ramen open te doen om de kamer te luchten, maar vond dat het te koud was om daar zelfs maar aan te denken. Ze klappertandde, misschien niet alleen vanwege de kou maar ook van angst, dat wrede gevoel van verlatenheid en schuld, alsof een draak met klauwen haar in zijn greep had. Juan was vertrokken en zou waarschijnlijk nooit meer terugkomen en die gedachte bleef door haar hoofd malen als migraine. Omdat ze zich niet goed voelde – beroerd, verward en bedroefd – kroop ze weer onder de dekens maar het lukte haar niet in slaap te komen dus bleef ze in foetushouding liggen, beklemd, in zichzelf gekeerd, steenkoud, ongevoelig voor alles wat niet aan Juan deed denken en even onbeweeglijk als de aanwezige herinnering.

Tegen tweeën besloot ze Pedro te bellen in de hoop dat de vertrouwde klank van zijn stem haar zou opbeuren. Ze besloot hem niets te vertellen van haar problemen, van de discussie van gistermiddag, de bekentenis van gisteravond, het stomverbaasde gezicht van Juan, het kille afscheid van vanmorgen. Ze vertelde hem niets, want Ruth haatte confidenties omdat die tot zelfkennis leidden en allerlei angsten losmaakten. Als ze sprak over de dingen die haar diep raakten, riskeerde ze de draad van Ariadne af te wikkelen, omdat elke herinnering in verband stond met andere herinneringen en associaties en soms leidde die weg naar gebeurtenissen die ze langgeleden had weggestopt en waar ze niet aan wilde denken. Over het algemeen luisterde Ruth naar de verhalen van anderen, maar die van haar vertelde ze alleen maar in code, via de camera. Vandaar dat haar conversatie altijd zo oppervlakkig en ironisch was. Maar als zij die ochtend maar een derde van een derde van haar echte wanhoop had laten doorschemeren zou Pedro begrepen hebben hoe diep ze in de put zat en had hij misschien iets gedaan, haar gevraagd met hem ergens naartoe te gaan of haar mee naar zijn huis genomen, of zelf een Valentijnsdiner verzorgd hebben, maar Ruth bespaarde hem de moeite door grappig te doen en de draak te steken met haar angst voor die komende ongeluksdag (die ze 'Warmewijndag' noemde) zodat Pedro niet doorhad hoe slecht Ruth eraan toe was.

Daarna draaide ze het nummer van Sara die ze een hele tijd niet had gezien. Terwijl ze wachtte tot er werd opgenomen bedacht ze dat ze niet wist wat ze moest zeggen. Om haar alle gebeurtenissen van de afgelopen maand te vertellen had ze meer geduld en een beter humeur nodig dan ze die ochtend had. De bedachtzame stem van haar vriendin op het antwoordapparaat bracht een golf zoetzure herinneringen boven. Indertijd was ze dol op haar geweest. Op een bepaald moment dacht ze zelfs dat een van de redenen voor haar vlucht naar Londen was dat ze afstand moest nemen van Sara, van dat ondefinieerbare gevoel dat zij bij haar teweegbracht en waar ze geen raad mee wist. Maar dat was langgeleden. Sara was vijf kilo aangekomen, werkte op een reclamebureau en zag Ruth af en toe, maar Ruth voelde niet meer dan een diepe genegenheid voor haar die eerder veroorzaakt werd door haar herinneringen dan door enige affiniteit. Alles gaat voorbij, zei Ruth bij zichzelf, alles gaat voorbij, zelfs de processies in de Goede Week en eens zal het verdriet dat ik nu heb ook voorbijgaan. Maar een stemmetje in haar antwoordde dat het niet zo eenvoudig was. Juan zou voorbijgaan, die wond zou helen, er zou een nauwelijks zichtbaar litteken overblijven, maar het zag er niet naar uit dat het verdriet, als een inwendig virus of een degeneratieziekte, ooit zou overgaan.

Ten slotte besloot ze op te staan en sleepte zich naar de badkamer om haar toevlucht te nemen tot iets wat ze lange tijd niet nodig had gehad. In het kastje onder de wastafel stond een oude kartonnen doos waar Ruth haar medicijnen in bewaarde: hoestdrankjes, remmers, aspirinen, Alka-Seltzers, Almax, Nolotil, Ibuprofen, vaginale spray, Polaraminen... Ruth gooide alles woest door elkaar tot ze het doosje Lexatin vond dat ze zocht. Die had de verzekeringsarts haar indertijd voorgeschreven. Ze hoefde maar naar het spreekuur te gaan en zeggen dat ze gestrest was en niet kon slapen en die meneer in de witte jas, die eruitzag alsof hij de pilletjes beter kon gebruiken dan zij (als je alleen al keek naar de enorme hoeveelheid verlopen vrouwen die zich verdrongen in de wachtkamer kreeg je medelijden met de dokter), gaf haar zonder iets te vragen een recept. Er lagen ook twee doosjes Orfidal die ze een keer van Pedro had gekregen toen ze in Augusto Figueroa woonde en die Pedro op zijn beurt van Luis had gekregen die in een periode van mystieke inspiratie besloten had afstand te doen van zijn psychofarmaca, in de overtuiging dat hij evenals zijn Noorse of Finse of Zweedse of wat die vriend ook was door de kalmeringsmiddelen belemmerd werd om op een transcendente manier met zijn innerlijk te communiceren. Ruth deed het doosje Lexatin open en haalde er een zilverkleurig plastic stripje met twintig pilletjes uit, elk in een hoesje van cellofaan. *Fee-fi-fo-fum- / Now I'm borrowed. / Now I'm numb.* herhaalde ze in zichzelf. De pillen zouden haar helpen de herinnering aan Juan te verbergen onder een barmhartige deken van vergetelheid. Ze pakte er twee Orfidal uit en stopte die in haar mond, ervan overtuigd dat ze daardoor zou kunnen slapen, het enige waar ze op dit moment behoefte aan had. Ze wilde verdwijnen in een lethargie zonder dromen, in die totale rust, zonder beelden, die alleen de pillen haar zouden kunnen geven, om de herinnering die als een vuist in haar maag stompte uit te wissen.

Haar hele leven was ze als door een draaideur therapie in therapie uit gegaan. In Londen zat ze in een therapiegroep uitsluitend voor vrouwen. Die uitwisseling van ervaringen beviel haar wel, al was het alleen maar om te luisteren naar de verhalen van andere mensen en te beseffen dat haar leven daarentegen fantastisch was en niet zo afschuwelijk als zij wel dacht, maar ze besloot er niet meer naartoe te gaan vanwege het oude liedje: Beau betaalde. Later toen ze niet meer met Beau was ging ze naar een gehaaide psychoanalytica waar ze echter maar vier sessies volgde onder andere omdat, hoe goed Ruth zich ook uitdrukte in het Engels en zelfs in die taal droomde, ze het vreemd vond om over haar diepste roerselen te praten in een taal die niet haar moedertaal was, hoewel het Engels in de meest strikte zin van het woord dat wel was. Het viel de mensen vaak op hoe goed Engels Ruth sprak, bijna zonder accent, waardoor Ruth dacht dat ze die taal waarschijnlijk in haar vroege jeugd had gehoord, taalkundigen beweren immers dat het na je vierde jaar bijna onmogelijk is om een taal perfect te beheersen en de juiste uitspraak aan te leren als je die als kind niet hebt meegekregen. Ze was er bijna zeker van dat haar moeder, toen zij nog leefde, in het Engels tegen haar had gesproken, maar hoe ze haar best ook deed ze kon zich er niets meer van herinneren. Misschien was dat van de taal slechts een excuus om te stoppen met de therapie en was angst de echte reden, misschien wilde ze niet te veel over zichzelf weten, misschien ook wel en misschien ook niet. De 'ander' in haar intrigeerde haar genoeg om een zelfonderzoek te beginnen en daarna vond ze het zo eng dat ze er niet mee door wilde gaan. Ze vond het eng, maar was niet bang, want eenmaal terug in Madrid wilde ze meer weten over de 'ander' en ging ze naar een psychologe, die ze echter niet meer bezocht toen die te veel doorging over Ruths verleden als escort. De psychologe wilde de zelfdestructieve neiging van Ruth catalogiseren die Ruth echter anders zag: ze had dat niet gedaan om zichzelf te gronde te richten maar om te overleven.

Om de moed te hebben bij Beau weg te gaan, om gesterkt te worden in haar eeuwige neiging tot vluchten gebruikte Ruth zoals vaak gebeurt een andere liefde als springplank. De gelukkige was de barkeeper van de enige pub in de buurt – de wijk waar ze woonden, vlak bij London Bridge, vormde niet bepaald een toonbeeld van sociaal leven – een jongen uit Dundee die op de jonge Carlos Larrañaga leek en waarschijnlijk werd gekozen omdat hij voorhanden was, de meeste bekenden van Ruth waren immers vrienden van Beau, en Frankie (zo heette het evenbeeld van Larrañaga) was een van de weinige mannen in Londen die Ruth had leren kennen zonder tussenkomst van haar vriend. Vanaf de eerste dag dat Ruth alleen de pub in kwam merkte ze dat hij haar leuk vond, want hij kwam meteen op haar afstuiven om een praatje met haar te maken. Het was niet haar gewoonte om zonder Beau naar een bar te gaan, niet uit moreel oogpunt maar omdat ze verlegen was en niet graag alleen in openbare gelegenheden kwam, die middag echter was ze boos op Beau vanwege iets onbenulligs. Beau was al kwaad thuisgekomen van een opname die langer had geduurd dan verwacht en reageerde zijn slechte humeur af op Ruth omdat hij zijn bril niet kon vinden, dus zei ze dat ze een ommetje ging maken en over een half uur terug zou komen als hij wat gekalmeerd was. Ruth was gevleid door de duidelijke belangstelling van de barkeeper en accepteerde een tweede biertje van hem. Het beloofde halfuur liep nog een uur uit en toen ze thuiskwam vond ze Beau niet in een beter humeur dan daarvoor maar kwader dan ooit. Na dat eerste biertje volgden er meer en na een maand dacht Ruth verliefd te zijn op Frankie. Om kort te gaan, we kunnen die geschiedenis afdoen in een paar regels: Ruth verliet Beau en trok bij Frankie in, twee maanden later verliet Frankie haar of zij hem, wie dat besluit nam is niet helemaal duidelijk, maar het was wel duidelijk dat het niet klikte tussen die twee.

Ze dacht erover terug te gaan naar Madrid, maar in die drie maanden met Frankie had ze een idee gekregen hoe het leven in Londen voor een single kon zijn en dat wilde ze weleens meemaken. Ze vond werk als verkoopster in een kledingzaak. Haar salaris was redelijk in verhouding tot wat er normaal voor dat werk wordt betaald, bijna tien pond per uur, maar het stelde niets voor vergeleken bij de bedragen waaraan zij was gewend toen ze bij Beau woonde. De winkel was in Oxford Street vlak bij Soho, wat niet gek was want nu kon ze na het werk altijd iets gaan drinken met een andere verkoopster van de winkel met wie ze bevriend was geraakt, Sonia, eveneens een Spaanse die haar een tijdje onderdak verschafte toen ze bij Frankie wegging. De werktijden waren echter belachelijk, er zat geen enkele logica in. Elke dag begon Ruth op een andere tijd en op zaterdag hoorde ze pas haar werkschema en haar vrije dagen voor de week daarop, zodat ze niets kon plannen. Soms moest ze zelfs tot tien uur 's avonds werken en had ze maar één vrije dag per week. Natuurlijk kreeg ze als ze meer dan veertig uur maakte die extra uren uitbetaald, maar dat was geen leven. Ze peinsde zich suf hoe ze aan ander werk kon komen, maar wat voor werk? Ze moest toegeven dat ze behalve dat ze leuk en aardig was niet veel gedaan had in haar leven. Bovendien had ze geld nodig als ze een eigen appartement wilde hebben omdat ze niet langer op de bank bij Sonia kon blijven slapen, er woonden namelijk nog drie andere personen in dat appartement die zoals te verwachten was niet bepaald blij met haar waren. Tijdens een stil uurtje in de winkel viel haar oog bij het doorbladeren van de krant op een advertentie.

Escorts wanted. We look for young women, good looking and open minded. Knowledge of languages desirable. Ze is niet lang escort geweest en heeft er nooit spijt van gehad. Ze herinnerde zich geen namen of gezichten, geen blikken, geen gebaren, geen verloren landschappen, geen oude wegen. Onverschillige zoenen, afgesproken overgave, lichamen die als spiegel dienden, hooghartige afstand, trieste impotentie, zoenen die zij alweer snel was vergeten, snel herstelde wonden, schandelijke verhalen van pijnlijke liezen en bescheiden geslachten, vluchtige beloften van heren die zeiden van hun vrouw en kinderen te houden wat niet waar was. Maar waarom zou ze daaraan denken of zich schuldig voelen als er geen weg terug was, als haar verdorvenheid niet was terug te draaien? Ze dacht er niet aan zichzelf te pijnigen of berouw te tonen, ze dacht er niet aan zich te beteren en een echt of denkbeeldig boetekleed aan te doen. Ze geloofde niet in boeten of vasten of gebeden. Ze dacht er niet aan toe te geven dat ze de verkeerde weg was ingeslagen, dat ze in een bocht of omleiding was gaan dwalen. Ze zat er niet op te wachten dat anderen begrepen dat ze slachtoffer van de omstandigheden was geweest. Ze dacht er niet aan om te liegen. In haar hart was geen plaats voor trots of schaamte over die periode. Lange tijd, tot de vorige avond had ze die dagen uit haar herinnering verbannen, ze hadden geen stempel, spoor of afdruk achtergelaten. Zo erg was het nou ook weer niet, ze wist het bijna niet eens meer, het was niet belangrijk. Niets was belangrijk behalve de door haar uitgezochte naam: Margaret.

De vrouw die haar aannam, de bemiddelaarster tussen haar lichaam en haar klanten, drukte haar één ding op het hart: gebruik nooit je echte naam en stem er nooit maar dan ook nooit mee in hen buiten het werk te ontmoeten. Het ging Margaret, de ander, de ander onder de anderen, gemakkelijk af en met een bepaalde flair loste ze de penibele situaties op die dat ongewone beroep soms met zich meebracht en Ruth zag het als een eerste stap op weg naar een morele en intellectuele verandering, de voorbereiding op een nieuw leven, waarin zij eindelijk een zekere controle over haar eigen persoon zou krijgen. De seks werd een taak die efficiënt werd uitgevoerd, ondanks of afgezien van het plezier. Dat had haar bij de meest trieste en geforceerde gevallen kracht gegeven, een gevoel van beheersing en trots, zelfs bij die gelegenheden waar ze haar cynisme en een gemaakte lach hard nodig had. Op het moment dat ze ging twijfelen, dat ze vermoedde dat ze van zichzelf zou gaan walgen, stopte ze ermee. Ze had geld verdiend, interessante mensen ontmoet en veel geleerd over de wereld, over mannen maar vooral over de ander.

Maar dat wilde de psychologe niet begrijpen. Ze wilde niet begrijpen dat Ruths angst, haar slapeloosheid, haar afkeer van mensen, niets te maken had met die maanden waarin Ruth, laten we maar eerlijk zijn, een luxe hoer was. Hoe dan ook, wat wist een dokter daarvan, iemand die alleen maar recepten voor pillen uitschreef zoals iemand een stempel zet in het paspoort naar het geluk? Van de dokter is haar weinig bijgebleven. Twijfels over zichzelf des te meer en twee doosjes Lexatin.

Ze wilde verdwijnen. Met een slok kraanwater slikte ze de twee pilletjes door die flauw en knipperend de duisternis van die fatale dag oplichtten en ging terug naar bed. Ze sliep zonder te dromen, urenlang, weg van elke wereld, tot de volgende morgen.

De ochtend van 14 februari was bij verrassing een lenteochtend in de laatste wintermaand. Die mooie dag met een heldere stralende zon leek tegenslag te voorspellen voor eenzame mensen. Ruth nam niet eens de moeite om beneden te gaan kijken of er post was, want ze wist dat er geen cadeau of kaart voor haar zou zijn. Ze was dat in Londen gewend geweest waar het heel belangrijk was een valentijn* te krijgen, en nu ze zeker wist dat niemand aan haar zou denken was zij diep gekwetst en bleef de hele ochtend huilend onder de dekens liggen.

Toen ze tegen twaalven eindelijk opstond was het eerste dat ze deed in de boekenkast in de woonkamer een oude gids van Baskenland opzoeken die ze indertijd van de Baskische regering had gekregen om het landelijk toerisme te promoten en op de kaart zocht ze Bermeo op, het schuldige dorp. Ze kon het lokaliseren, het was een klein stipje vlak bij een grotere stip en dat was Guernica, maar ze voelde zich er niet beter door. De punt op de kaart leek een licht briesje aan te kondigen, een nauwelijks merkbare maar aanhoudende wind, als de voorbode van een heel strenge winter.

Om twaalf uur 's nachts besloot ze voor het eerst in jaren alleen uit te gaan. Ze had de hele dag niet gegeten. Dan vier ik Valentijnsdag wel alleen, zei ze. Ze trok haar normale kleding weer aan – laarzen, spijkerbroek, T-shirt en leren jack – deed haar lange haar in een staart en ging naar beneden op zoek naar een taxi.

Doelloos liep ze door de lange straten van de stad, verdwaasd door de drukte, en maakte een ontluisterende zwerftocht langs donkere bars waar dolende figuren zich met gebogen schouders door het gewicht van hun vervlogen dromen voortsleepten. Ze liep de bars van Chueca af waar ze vroeger met Pedro kwam (de Star's, La Bohemia, de Truco, de Mito's) en alsof het de staties van een kruisweg waren dronk ze iets in elke bar. Ze merkte dat ze bij binnenkomst werd herkend, aan het gefluister en de nerveuze lachjes, het aanstoten met de ellebogen, de brutale blikken, er was zelfs iemand die haar om een

* Een speciale kaart voor Valentijnsdag, die anoniem moet zijn en bedoeld is als liefdesbericht. Gewoonlijk is de afzender een bewonderaar, maar een familielid of een goede vriend kan ook zo'n wenskaart sturen.

handtekening vroeg en die Ruth snel en waardig als een verongelijkte maar ietwat dronken prinses neerkrabbelde.

Ze eindigde ladderzat in de Escape*.

Op de dansvloer stonden aardig wat vrouwen, onder wie een paar bijzonder aantrekkelijke, te dansen. Ruth ging naast de bar op een scheve kruk zitten die wiebelde toen Ruth erop plaatsnam en haar het gevoel gaf dat ze elk moment haar evenwicht kon verliezen en op de grond belanden. Ze was rood aangelopen en had het warm. Ze veegde met haar hand het zweet van haar voorhoofd en bestelde een gin-tonic bij de barkeepster van wie ze een stralende witte glimlach kreeg. Weer een die haar had herkend. Toen het meisje het glas voor haar neerzette, dat ze niet hoefde te betalen, dronk Ruth het in drie slokken leeg. Haar onevenwichtig bestaan op die scheve kruk kwam haar algauw even leeg voor als haar glas. De danseressen op de felverlichte dansvloer daarentegen leken hun uiterste best te doen hun zorgen via de dans en de muziek te vergeten en droegen bij tot het beeld van onbereikbaar geluk.

Een van hen, een ongelooflijk frêle en elegant meisje, leek slanker en langer dan de anderen. Ruth keek verrukt naar haar, als een kind naar een dure onbereikbare pop in een etalage, alsof ze van haar leven nooit zoiets puurs en onwezenlijks had gezien. Het meisje had in de gaten dat Ruth naar haar keek. Ze scheen gevleid en glimlachte vriendelijk naar Ruth, die voelde dat ze bijna flauwviel en zich aan de bar moest vasthouden: alcohol en vermoeidheid begonnen op te spelen. Toen kreeg ze braakneigingen. Ze stond zo goed en zo kwaad als het ging op en liep snel naar de toiletten zonder te merken dat het meisje haar volgde.

Toen begon alles om haar heen te draaien. Op de een of andere manier bereikte Ruth met behulp van de onbekende de toiletten, boog haar hoofd boven de toiletpot en geholpen door de ander die zorgde dat ze overeind bleef, gaf ze over.

* Een homobar in de wijk Chueca, zogenaamd gemengd, maar vooral bezocht door vrouwen.

Het meisje legde zachtjes haar hand op Ruths voorhoofd.

'Gaat het weer een beetje?' Het lange slanke meisje dat over Ruth heen gebogen stond werd een soort verzorgende fee en door die ongebruikelijk zachte stem werd ze helemaal warm vanbinnen, alleen die stem kalmeerde haar al. 'Rustig maar, dat was het.'

Ruth kwam het toilet uit steunend op de schouder van de onbekende die een paar centimeter groter was dan zij en dat terwijl Ruth al lang was. Dat meisje was misschien wel een basketbalster, dacht ze. Of misschien model. Nee, haar heupen waren te breed. Ze spoelde haar mond boven de wastafel en spuugde de bittere nasmaak van haar braaksel en ontevredenheid uit. In de spiegel keek haar eigen spiegelbeeld haar lijkwit en hulpeloos aan. En opeens kreeg zij haar zelfvertrouwen weer terug. Ze was knap, ze was nog steeds knap. Met haar ogen, die glommen door de ingehouden tranen, haar rode wangen en haar verwarde haar had ze ondanks haar leeftijd en beschonken toestand nog steeds iets jeugdigs en aantrekkelijks. Iets wat Juan niet waardeerde. Maar dat meisje misschien wel. Ze draaide zich om en keek naar het onbekende meisje dat nog naast haar stond met een bezorgde blik op haar gezicht. Ja, ze was inderdaad knap, net zo knap als ze op de dansvloer leek. Ze had zwarte stralende flonkerende ogen en de wallen daaronder misstonden haar totaal niet maar gaven haar gezicht eerder een interessante en levendige uitdrukking. Ze scheen erg begaan te zijn met Ruths conditie. De roodharige vroeg zich af waarom dat meisje haar had willen helpen. Misschien was het een goed mens, misschien wilde ze haar versieren, misschien wist ze wie Ruth was. Ze stelde zich voor hoe ze de volgende dag haar vriendinnen zou bellen vanuit het kantoor van de verzekeringsmaatschappij of de makelaardij waar ze werkte. 'Je raadt nooit wie ik gisteravond zo dronken als een tor heb helpen overgeven op het toilet van de Escape?' Het was walgelijk, even onsmakelijk als haar eigen kots, aan zoiets te denken, maar ze had dergelijke dingen al eerder meegemaakt. Hoeveel mensen strooiden er niet rond dat ze met haar naar bed waren geweest of een halve gram cocaïne met haar hadden gedeeld bij een *chill out* of haar midden op straat hadden zien plassen na afloop van een feest? Sinds ze bekend was leek het wel of haar hele leven, dat van nu en dat van vroeger, toebehoorde aan de anonieme menigte die popelde om alles tot in de finesses te horen. Iedere willekeurige onbekende zou een geheime spion, een potentiële vijand kunnen zijn.

'Dank je, dank je wel,' mompelde Ruth zacht en verdrietig. 'Ik geloof dat ik naar huis moet.'

Ze had het donkere meisje wel iets willen aanbieden, nog een drankje of naar een andere bar gaan, maar ze durfde niet. Ze strompelde de bar uit, stapte in de eerste taxi die ze op het plein vond en noemde automatisch haar huisadres. Onderweg kwamen de woorden van Anne Sexton in haar op. *What a lay me down this is...?* De straten in Madrid waren smal en donker en Ruth wist dat ze daardoor eveneens de smalle weg aflegde die van paniek naar zelfdestructie leidt. *Fee-fi-fo-fum- / Now I'm borrowed. / Now I'm numb.* Toen de taxi voor haar huis stopte zocht ze in haar portemonneetje naar geld, maar ze was zo dronken dat de munten door haar vingers gleden. In het achteruitkijkspiegeltje kruisten haar ogen die van de taxichauffeur en ze meende daarin een afkeurende blik te zien. Had hij haar herkend? Je wordt paranoïde, dacht ze.

Moeizaam klom ze de oude trap naar boven op waarbij ze een paar keer struikelde. Toen ze naar binnen ging was de afwezigheid van Juan even merkbaar als wanneer de afdruk van zijn lichaam nog aan zijn kant van het bed te zien zou zijn. En toen dacht Ruth opeens aan zelfmoord. Of om precies te zijn het was niet zo 'opeens', ze had daar altijd al mee rondgelopen als een maagpijntje waar je je niets van aantrekt tot je op een dag te laat ontdekt dat het een blindedarmontsteking is. Nog een dag langer leven zou niet erg zijn maar het idee dat ze dat nog dertig, veertig misschien wel vijftig jaar zou moeten doen leek haar doodvermoeiend.

Ze dacht dat ze wel onmiddellijk in slaap zou vallen nu ze zo dronken was, maar dat gebeurde niet. Tot haar verwondering wilde de slaap niet komen, ondanks het feit dat ze duizelig was en kloppende slapen had waar altijd een diepe slaap op volgde. Ze moest alleen maar aan Juan denken. Ze voelde een ijzige koude in haar botten en in haar hart. Toen ze het na een poosje beu was om te vechten tegen Juans beelden die door de stilte en het donker werden opgeroepen, stond ze op en ging naar de computer. Ze deed hem aan en klikte op internet. Toen de provider bevestigde dat ze verbinding had, ging ze naar een zoekmachine en toetste 'zelfmoord' in. Er verschenen honderden sites die ze even fanatiek afspeurde als een jachthond achter zijn prooi aanzit. Elke site die over echte zelfmoord ging las ze in de hoop dat het onderwerp haar bang zou maken, dat de ellende van de details afschrikwekkend was, maar ze vond die sfeer van zelfvernietiging wel aangenaam, bijna betoverend. Ze sloot de computer af. Ze had maar drie of vier webpagina's gelezen en besloot te gaan slapen, maar in bed kon ze weer de slaap niet vatten. Opnieuw stond ze op en ging naar de woonkamer.

In de boekenkast zocht ze een boek dat ze lange tijd niet had ingekeken. Ze wist niet eens of ze het nog wel had, want ze had het bijna vijftien jaar geleden gekocht toen ze kunstgeschiedenis studeerde. Nee, ze moest het nog hebben want het was een heel duur en moeilijk te krijgen boek, geen boek dat Ruth zomaar had uitgeleend of tijdens een verhuizing had weggedaan. Maar waar zou het zijn in die chaos van stoffige boeken die op elkaar lagen in die necropolis van dode letters? Het feit dat haar oog er meteen op viel, dat het bijna voor haar neus lag, vond ze een signaal, een orde van het onzichtbare. Het was een boek over Artemisia Gentileschi*. Ruth bladerde het boek door: Salomé met het hoofd van Johannes de Doper, Judith met dat van Holofernes, Lucretia met een dolk in haar prachtige ronde blanke borst, zoals op de champagneglazen, Lucretia die haar tepel beroert zoals iemand die masturbeert, met zo'n gelukzalige uitdruk-

* Artemisia Gentileschi (1593-1652), dochter en discipel van Orazio Gentileschi. Actief in Rome, Florence en Napels. Haar stijlvolle bijna neoklassieke schilderijen zijn beroemd vanwege het clair-obscur en haar voorliefde voor tragische onderwerpen met een emotionele spanning. Een interessante herinterpretatie/deconstructie van de zelfmoorden en onthoofdingen van Artemisia Gentileschi treffen we aan in het werk van Javier Carpintero (Zamora 1967).

king op haar gezicht dat iedereen die dolk wel zou willen zijn, die fallus bedwongen door Lucretia's hand, fallus zonder drager, zonder gevoel, zonder man die het volmaakte moment van ultiem genot zou kunnen verstoren, van de allerhoogste lust, van de perfecte samensmelting van Eros en Thanatos. En ten slotte de afbeelding van Cleopatra, naakt, perfect, prachtig, liggend, een orgastische uitdrukking van absolute vrede en genot, zich vasthoudend aan de adder, de slang, het geslacht, de zonde, precies ter hoogte van haar schaamheuvel, op dat uiterst erotische moment waarop de mens afscheid neemt van zijn steun, want is een orgasme niet een imitatie van de dood, een tijdelijk verlaten van het lichaam dat het definitieve verlaten imiteert, het vurige verlangen van de vermoeide materie die ernaar smacht niet langer zichzelf toe te behoren? Orgasme, dood, vlucht uit de materie, de noodzaak niet langer te zijn en te voelen, gedachte zonder lichaam, een eindelijk bevrijde geest, scheiding tussen vorm en wezen, uiterlijk en inhoud, daar zijn, maar niet hier, niet hier waar wij sterven, waar wij doodgaan, waar wij zelfmoord plegen; en op een schilderij, in een orgasme, bij een *petite morte*, was de doodswens heel stellig, heel overtuigend.

Juan keert terug naar Madrid

Toen Juan terugging naar Madrid had hij zichzelf twee dingen beloofd: ten eerste zou hij Ruth niet bellen, dat in geen geval, en ten tweede zou hij dagelijks aan zijn roman gaan werken om het manuscript af te krijgen. Hij had zich voorgenomen zich aan een vast schema te houden en elke dag minstens vijf pagina's te schrijven en niet eerder van zijn bureau op te staan voor hij daarmee klaar was. Maar het werkte niet: de twee voornemens doorkruisten elkaar; omdat hij zichzelf steeds voorhield dat hij Ruth niet mocht bellen dacht hij alleen maar nog vaker aan haar en door de herinnering aan Ruth kon hij zich niet op zijn werk concentreren. Vreemd genoeg was het leven met Ruth in nauwelijks een maand tijd een soort routine geworden en hij vond het erg moeilijk om de draad weer op te pakken, de avonden niet meer op de roodharige af te stemmen, niet meer bij haar te slapen en naast haar wakker te worden.

De dagen gingen als in een roes voorbij. De roman stelde opeens niets voor, en wat hem eerst een vernieuwend en interessant project had geleken zag hij nu eigenlijk meer als een stapel waardeloze pagina's die hem onrustbarend aan een samenraapsel van overbekende thema's deed denken. En hoewel hij Ruth aanvankelijk niet miste, had hij een onbestemd en akelig gevoel. Er was iets aan de hand. Hij kon niet zomaar weer het leven in Madrid gaan leiden van voordat hij Ruth kende. Alsof je een oud en versleten pak aantrekt na een maand lang in een onberispelijk nieuw driedelig pak te hebben gelopen. Hij zat zonder inspiratie achter de computer. Wanneer hij zich verveelde ging hij zitten lezen maar hij kon zich niet concentreren. Hoe had hij op het idee kunnen komen...! Vijf pagina's per dag? In tien dagen had hij er nauwelijks twee geschreven en wanneer hij ze overlas kon hij er geen touw aan vastknopen.

Hij kon haar niet bellen omdat ze toch nooit opnam, en hij durfde haar vanaf de uitgeverij geen e-mail te sturen uit angst dat Indalecio hem bij de computer zou betrappen. Juan ging elke twee of drie dagen naar de uitgeverij om verslagen af te geven, manuscripten op te halen, met zijn uitgever over de vermeende vorderingen in zijn werk te praten en zijn e-mail te checken. Hij kreeg en beantwoordde zijn post in het kantoor van de uitgeverij omdat hij in het studentenhuis geen eigen telefoonnummer had (hij kreeg zijn telefoontjes via een centrale), maar omdat Indalecio daar altijd rondliep had hij nauwelijks privacy. Hij kreeg echter niet veel berichten. Biotza noch zijn moeder had internet en hij had ook niet veel contact met vrienden, zodat het enige wat hij ontving mededelingen waren van literaire sites op het net.

Omdat telefoon en e-mail dus niet in aanmerking kwamen, besloot Juan ten slotte Ruth een kort briefje te sturen met de mededeling dat hij weer in Madrid was en graag een keertje koffie met haar wilde drinken. Hij besefte dat het wel erg kil zou overkomen bij de vrouw met wie hij tot voor kort elke nacht naar bed was geweest, maar hij durfde ook niet te lief te zijn uit angst dat Ruth zich iets in haar hoofd zou halen wat er niet was, wat onmogelijk was. In zijn naïviteit dacht hij dat alles weer op zijn pootjes terechtkwam en Ruth en hij vrienden zouden kunnen zijn. Hij had per slot van rekening nooit gezegd dat hij Biotza wilde verlaten. Het tegendeel had hij natuurlijk ook niet beweerd, maar als Ruth zich illusies had gemaakt, als ze had gedacht dat ze op de een of andere manier een serieuze relatie zouden krijgen, was dat uitsluitend haar eigen schuld.

Na twee dagen had hij nog geen antwoord en bedacht toen bij haar langs te gaan om met haar te praten. Hij snapte dat het onzinnig was, zij had hem immers niet geantwoord en waarom zou hij haar dan op die manier lastigvallen, bovendien had hij zich voorgenomen hun prille relatie niet voort te zetten, maar iets wat sterker was dan de logische redenering zette hem in beweging en alsof hij door onzichtbare draden werd geleid was hij ten slotte op weg naar Ruths huis; hij kwam daar als het ware in een droom aan, niet vrijwillig maar gedwongen, alsof hij onder hypnose was. Hij drukte op de intercom maar niemand antwoordde. Hij drukte op alle huisbellen en toen er eindelijk iemand reageerde probeerde hij het met het oude trucje dat hij een koerier was, maar het haalde niets uit. Hij bleef tevergeefs bijna een half uur wachten voor het geval er een bewoner te voorschijn kwam. Niets. Hij werd wanhopig en probeerde de deur te forceren door er met zijn volle gewicht tegenaan te duwen zoals hij dat in films had zien doen. De deur week niet en hij deed een stap achteruit voor een volgende poging. Die houten deur was oud en het ouderwetse slot – niet zo'n veiligheidsslot maar een doodgewoon Yale model, zoals je die op fietsschuurtjes hebt – sprong eindelijk open. Juan stormde de trappen op en bereikte buiten adem Ruths appartement. Hij vroeg zich niet eens af waarom hij zo'n haast had om naar haar toe te gaan, waarom hij als een inbreker te werk ging. Hij drukte vertwijfeld op de bel. Niemand. Hij luisterde aan de deur maar hoorde niets. Hij belde opnieuw, twee, drie, vier, vijf keer. Niets. Hij keek op zijn horloge. Het was twaalf uur 's middags. Om deze tijd was Ruth altijd thuis en als ze nog lag te slapen was ze nu wel wakker geworden. Hij kreeg plotseling een vreemd voorgevoel.

Hij was van plan om Pedro te bellen. Hij moest ergens het nummer van Pedro's mobieltje hebben. Toen hij pas met Ruth omging had ze hem daar een keer mee gebeld. Ze hadden zoals gewoonlijk om half acht bij de roodharige thuis afgesproken en ze belde om af te zeggen, want ze was met Pedro aan het winkelen en haar vriend wilde haar niet laten gaan voor ze precies dat overhemd hadden gevonden dat hij zocht. Ze hadden al twee uur lang zonder succes winkels afgelopen, Pedro wist zeker dat hij het in een etalage in de Calle Almirante had gezien en wilde in elke winkel in die straat kijken, zodat het tien minuten maar ook een uur zou kunnen duren voor die belangrijke missie was volbracht. Bel me over een half uur op dit nummer, dan hoor je wel of we klaar zijn en waar we afspreken, zei ze tegen hem, en hij noteerde het nummer. Maar waar was het? Waar had hij het opgeschreven? In welk boekje, op welk papiertje? Hij probeerde het zich te herinneren. Hij zat aan zijn bureau toen ze belde. Als hij dat nummer nu maar niet op een of ander papiertje had geschreven dat waarschijnlijk in de prullenmand was beland. Juan had twee 'logboeken', twee zwarte schriften waarin hij ideeën voor gedichten opschreef, citaten uit boeken die hij las, lectuur die Indalecio hem had aanbevolen, structuurschema's voor zijn roman, dagboekaantekeningen en andere notities die hij zou kunnen gebruiken voor zijn werk, want Indalecio had hem verteld dat de meeste schrijvers zich uitgebreid documenteren voor ze aan een roman beginnen. Hij liep op een holletje terug naar het studentenhuis en toen hij in zijn slaapkamer was stortte hij zich op de schriften. Als een bezetene bladerde hij ze door en eindelijk zag hij het nummer op een van de volgekrabbelde pagina's alsof het in fluorescerend neon was geschreven. Als Juan de formule voor Coca-Cola in zijn schrift had gevonden zou hij niet gelukkiger zijn geweest dan nu met dat rijtje cijfers. Hij liep meteen naar de openbare telefoon beneden in de hal (met de telefoon op zijn kamer kon hij alleen maar gebeld worden en niet zelf bellen), wierp twee muntstukken in de gleuf en draaide met trillende vingers Pedro's nummer.

'Ja?'

Juan verstarde even en wilde ophangen, maar vatte meteen weer moed.

'Hallo? Met Pedro?'

'Ja, met wie spreek ik?'

'Met Juan. Juan Ángel de Seoane, de vriend van Ruth.'

Het bleef doodstil aan de andere kant van de lijn, waarschijnlijk niet eens vijf seconden maar het leken uren.

'Ja, ik herinner me je. Wat is er?'

'Nou...' Juan wist even niets te zeggen maar herstelde zich meteen. 'Ik wilde wat over Ruth weten. Ik kan haar niet te pakken krijgen.'

'Waar ben je?'

Wat gaat het hem verdomme aan waar ik wel of niet ben, dacht

Juan. Maar het zou onverstandig zijn om de enige brug waarmee hij Ruth zou kunnen bereiken achter zich te verbranden.

'In het huis. Waarom?'

'Welk huis?'

'Het studentenhuis. In de Calle Pinar...'

'O ja, ik weet waar dat is. Ik ben daar een keer op een feestje geweest met Tristán.'

'Wie is Tristán?'

'Tristán Martín Bagués, een schilder. Heb je nog nooit van hem gehoord?'

Het gesprek nam een absurde wending.

'Nee, komt me niet bekend voor,' het is vast een van je talloze geschifte vrienden, die vijf uur lang alle winkels aflopen om het overhemd van hun dromen te vinden. Maar Juan had besloten om Pedro zo nodig naar de mond te praten en de vriend van Ruth niet tegen zich in het harnas te jagen, dus besloot hij vriendelijk te zijn. 'Het spijt me.'

'Goed, maakt niets uit. Luister eens, wat ben je aan het doen?'

'Niets, niets bijzonders.'

'Kunnen we elkaar ontmoeten?'

Hij werd verrast door die vraag. Waarom wilde hij hem verdomme zien?

'Nu?'

'Ja, ik kan in een kwartier bij je zijn. Er is daar toch een cafetaria?'

'Ja... Ja, dat klopt.'

'Oké, wacht daar op me.' En hij hing op voor Juan kon besluiten of hij Pedro wilde zien of een smoes kon bedenken om hem niet te zien.

Het voorgevoel dat hij al bij de deur van Ruths huis had gekregen begon sterker te worden. Er was iets vreemds aan de hand, anders zou Ruths vriend hem niet zo nodig meteen willen zien. Ze waren weleens samen uitgeweest, met Ruth en die Julito, ze waren met zijn vieren naar filmpremières geweest, maar het feit dat Juan en Pedro als vrienden van Ruth elkaar bij evenementen hadden ontmoet wilde nog niet zeggen dat ze elkaar mochten, integendeel, ze waren onderkoeld vriendelijk tegen elkaar geweest, en meer ook niet. Als Juan niet had geweten dat Pedro homoseksueel was, als hij hem niet hand in hand met zijn vriend, met wie hij samenwoonde, had zien lopen, zou hij zweren dat er bij Pedro jaloezie in het spel was, niet die logische en begrijpelijke jaloezie van de vriend die bang is het vertrouwen en gezelschap van een geliefde vriendin kwijt te raken, maar de haatdragende jaloezie van de minnaar. Hoe dan ook, er hing duidelijk een sfeer van rivaliteit tussen hen beiden. Juan zat hieraan te denken terwijl hij in de cafetaria op Pedro wachtte en afwezig naar de schuimkraag van zijn biertje staarde.

Eindelijk zag hij hem door de deur komen, nonchalant elegant gekleed. Hij moest toegeven dat hij heel aantrekkelijk was. Van Ruth wist hij dat Pedro elke maand de *Vogue* grondig bestudeerde om te zien welke kleren hij moest dragen. Zelfs toen hij als ober werkte gaf hij zijn salaris liever aan dure jasjes uit dan aan eten, en toen hij het zich later kon veroorloven – want Pedro had na het grote succes van hun film verschillende reclamespots gemaakt en de reclamebureaus vochten letterlijk om hem – spendeerde hij astronomische bedragen aan kleding. Zijn schijnbaar nonchalante outfit was in werkelijkheid het resultaat van een weldoordachte keuze: linnen pakken en op maat gemaakte tweed jasjes, katoenen of zijden overhemden (polyester nooit van zijn leven), *altijd* kasjmieren truien en *altijd* in gedekte kleuren. Een verkeerde stijl, kleur of stof kon op Pedro's diepe minachting rekenen, en hij vond het vreselijk dat hij Ruth niet zover kreeg om zich met wat hij noemde 'een minimum aan gezond verstand' te kleden. Het was inderdaad een elegante man, dacht Juan toen hij hem zag aankomen, niet alleen door zijn kleding maar ook door zijn manier van lopen. De manier waarop hij zijn schouders naar achteren gooide had iets gracieus en harmonisch zonder dat het aanstellerig was. Biotza zou beslist meteen weg van hem zijn geweest. Juan had de indruk dat Biotza niet blij was met de manier waarop hij zich kleedde. Ze had het nooit gezegd (waarom zou een zo goed opgevoed en beschaafd meisje dat doen?), maar ze gaf hem altijd kleren cadeau alsof ze wat hij droeg niet erg leuk vond. Hij besefte nu dat hij zich altijd een beetje had geërgerd aan haar ondoorgrondelijkheid, aan haar onhandige manier van uitdrukken, dat ze niet oprecht was en als ze wat wilde hebben op anderen een beroep deed – op Carmen of haar moeder meestal – het passieve-agressieve stereotype waar Biotza een sprekend voorbeeld van was.

Pedro kwam naast hem zitten, bestelde een koffie met melk bij de ober, vouwde zorgvuldig zijn kameelharen jas op zodat de zijden voering zichtbaar was en legde hem op de kruk naast hem. Van dichtbij zag die man er nog aantrekkelijker uit. Alles aan hem was goudkleurig, zijn haar en zijn ogen, hij had mooie zachte gelaatstrekken en een gladde, bijna onbehaarde huid. Een babyface, ware het niet dat hij stralende en schitterende ogen had waarin een bepaalde levenservaring te bespeuren was, alsof hij van alles had uitgeprobeerd maar er een bittere nasmaak aan had overgehouden. Desondanks hadden zijn heldergroene ogen een jeugdige uitstraling, geen onschuldige, maar een woedende uitdagende glans als van een boos kind dat zijn speelgoed terug wil. Pedro gaf hem een hand die Juan terughoudend schudde. De handdruk van de ander was energiek en stevig.

'Je zult je wel afvragen waarom ik je zo nodig moest spreken.'

'Nou ja... eigenlijk wel.'

'Ruth ligt in het ziekenhuis,' zei Pedro.

Juan merkte geen huivering of emotie in de stem, zelfs geen verdriet. Hij deelde het mee alsof hij het weerbericht voorlas.

'Waarom? Wat is er gebeurd?'

'Daar zijn we nog niet helemaal achter. Ze had een vergiftiging.'

'Wat voor vergiftiging?'

'Pillen.'

Juan was sprakeloos. Zijn hersenen konden die informatie niet verwerken, althans zo leek het. Hij wist niet of Pedro het over een zelfmoordpoging had of over een stomme fout – hij wist dat Ruth af en toe ecstasy nam – maar hij durfde dat niet te vragen.

'Het was behoorlijk ernstig. We dachten aanvankelijk dat ze niet uit de coma zou komen. Ze heeft een aantal dagen op intensive care gelegen. Haar vader heeft alles geregeld, haar naar een discrete plek laten brengen, je kent dat wel. Ze ligt nog ter observatie, maar ik geloof dat ze spoedig naar huis mag.' Pedro legde de situatie op klinische en zakelijke toon uit.

Juan wist niet wat hij moest zeggen. En ook niet wat hij moest denken.

'Zoals je zult begrijpen willen we hier zo weinig mogelijk ruchtbaarheid aan geven. Daarom wilde ik het je niet over de telefoon zeggen. Maar ik vond dat je het moest weten.'

'Ja natuurlijk...' was het enige wat Juan kon uitbrengen.

Er heerste een ongemakkelijk stilzwijgen terwijl Pedro met het lepeltje in zijn koffie zat te roeren. Het leek geen nerveus gebaar. Juan keek naar zijn goedgevormde handen met de lange verzorgde vingers en zo te zien gemanicuurde nagels. Ze deden hem aan Biotza's vingers denken maar dan zonder de ringen. Biotza droeg heel veel ringen die ze bijna allemaal van haar ouders had gekregen en wanneer zijn roman werd gepubliceerd wilde Juan een verlovingsring voor haar kopen, nog een gouden rondje bij die hele santenkraam die zijn verloofde al aan haar vingers had, iets waarmee hun relatie bevestigd zou worden en iedereen zou weten dat Juan haar met die ring voor zich had gewonnen. Hij dacht opeens aan Ruths handen, grof, onverzorgd, met die Ierse ring aan haar ringvinger, die soepele vingers die tot voor kort over zijn rug kronkelden. Haar haren als water, haar ogen als varens, haar lichaam als zand. Haar lichaam in bed, die vleselijke weelderigheid met de kleur van vers brood; haar lichaam in een ander bed, ziek, in het steriele bed van een privé-kliniek.

'In welke kliniek ligt ze? Kan ik haar bezoeken?'

'Ik zou het niet weten. Het ligt een beetje gevoelig... Kijk, ik heb natuurlijk geen idee hoe jullie verhouding was en ook niet of die wat te maken heeft met wat er met Ruth is gebeurd, maar ik kan me wel iets voorstellen... Kortom, je begrijpt wel dat het misschien niet verstandig is om naar haar toe te gaan.'

Juan kreeg het vreemde, vage gevoel dat Pedro tegen hem praatte en naar hem keek alsof hij een heleboel over hem had gehoord. Je kop erbij houden, zei hij bij zichzelf, je gezicht niet verliezen, hem niet meer vertellen dan nodig is, hem tot vermoeiends toe laten praten. Hier zo goed mogelijk uitkomen.

'Jij bent haar beste vriend. Jij zou moeten weten wat er tussen ons is.'

Een paar seconden die eindeloos duurden bleef Pedro in gedachten voor zich uit staren, alsof hij naar iets binnen in hem luisterde en plotseling draaide hij zijn hoofd weer om naar Juan en vroeg hem op de man af: 'Vertel eens, ben je verliefd op haar?'

Juan had die vraag niet verwacht.

'Tja... Ik weet niet of Ruth het je verteld heeft, maar... ik heb een verloofde in Bilbao en we hebben trouwplannen.'

'Dat is geen antwoord op mijn vraag. Een vriend van mij zou zeggen "dat is lastig maar geen bezwaar". Dat je een officiële verloofde hebt wil niet zeggen dat je verliefd op haar bent of dat je niet verliefd kunt worden op een ander. Liefde is niet aan regels gebonden.'

'En jij? Ben jij verliefd op Ruth?'

Defensieve manoeuvre. Ongezonde nieuwsgierigheid. Jaloezie.

'Ik ga niet met Ruth naar bed. Buiten dat, ik heb een vriend met wie ik samenwoon, voor het geval je dat niet meer weet.'

'Dat is ook geen antwoord op mijn vraag. En zoals je net zelf zei, dat je een vriend hebt wil niets zeggen. Volgens jouw redenering dat regels niets te betekenen hebben, is jouw band met Ruth dus veel sterker dan die ik zou hebben. Per slot van rekening spreek jij haar dagelijks, zie je haar elk moment van de dag...'

'Misschien heb je gelijk. Ruth en ik hebben een soort huwelijk. Misschien hetzelfde als wat jij met jouw verloofde hebt, naar wat je me vertelde.'

'Dat is heel wat anders.'

'O ja? Jij gaat trouwen met een meisje, maar je gaat om met een ander die je elke dag ziet en bij wie je praktisch inwoont. En ik, ik woon met een jongen samen, en dat is alsof we getrouwd zijn maar dan zonder boterbriefje. Ik zie elke dag een ander, een meisje dat ik meer vertrouw dan mijn eigen vriend, wier mening ik meer respecteer dan die van mijn vriend, een meisje voor wie ik alles overheb, een meisje met wie ik de belangrijkste momenten in mijn leven heb beleefd... Kortom, wie is er verliefd op wie?'

Juan deed er het zwijgen toe en beet op zijn lippen omdat dat heftige verwijt hem aangreep. Maar hij kon zich niet goed houden: hij voelde iets donkers en warms achter zijn ogen kloppen. Pedro dacht dat hij onder de indruk was.

'Weet je dat ik je boek heb gelezen?' ging Pedro op een ander onderwerp over. 'Ruth gaf het me.'

'En vond je het goed?'

'Ik vond er niets aan.'

'Ik had niet anders verwacht.'

(De onmiskenbaar vijandige houding tussen rivalen die niet eens meer gemaskeerd hoeft te worden.)

'Eén gedicht vond ik wel mooi. Dat over de zee, *de zee met zijn lange, trage en vermoeide geruis*... Over een monnik die verdrinkt.'

'O ja, ik weet welke je bedoelt.'

'Dat is mooi...'

'Weet je dat het echt gebeurd is? Ik kom uit Bermeo, een dorp vlak bij Bilbao. Ruth zal je dat wel verteld hebben. Voor mijn dorp ligt een eiland, Izaro. Eeuwen geleden stond er een klooster op dat eiland tot een zeerover van koningin Elizabeth, sir Francis Drake, het in brand stak. Volgens een legende was een van de monniken verliefd op een meisje uit Mundaka, het dorp naast dat van mij.'

'Ik dacht dat je als monnik een officiële verloofde had. Dat je niet op een ander verliefd mocht zijn.' Pedro moest lachen om zijn eigen sarcasme. 'Maar ga verder, ga verder. Het is heel interessant,' drong hij aan met een aandachtige en tegelijk sceptische blik.

'Goed, de monnik zwom elke nacht van Izaro naar Mundaka, een afstand van een paar kilometer. In Mundaka was hij een tijdje bij zijn geliefde en zwom dan weer terug naar Izaro. Die monnik moet behoorlijk sterk zijn geweest, want ik geef het je te doen...'

'Maar ja, hij had niets beters te doen... Stel je die arme man eens voor, opgesloten op een eiland, hij verveelde zich stierlijk, zonder televisie of radio of wat dan ook... En hetero bovendien. Ik zou het in zo'n situatie aangelegd hebben met een novice.'

'Ja, maar deze hield van vrouwen. Of van één vrouw in het bijzonder. Maar op een avond zei het meisje dat het voorbij was, dat zij niet door kon gaan met een monnik en ging trouwen met een jongen uit het dorp. En de arme monnik, die een bovenmenselijke krachttoer had uitgehaald door bij noordwestenwind en een buitengewoon ruwe zee naar Mundaka te zwemmen, liet zich op de terugweg door de golven meesleuren en verdronk. En volgens de legende hoor je 's nachts bij storm het gejammer van de monnik.'

'En is dat ook zo?'

'Ja, je hoort het inderdaad. Maar in mijn dorp gaat de zee in stormnachten zo erg tekeer dat je niet alleen het gejammer van de monnik kunt horen maar ook dat van alle verdoemden in de hel.'

'Kan ik me voorstellen. Heb je dat verhaal gekozen omdat je zelfmoord uit liefde een poëtisch thema vindt?'

'Ik geloof het niet... Ik weet niet waarom ik het heb gekozen. Het hoort bij mijn jeugd, denk ik.'

'Jij zou dus geen zelfmoord uit liefde plegen?'

Heeft hij het erover omdat Ruth dat gedaan heeft of, liever gezegd, heeft willen doen? dacht Juan.

'Nee, ik zou nooit zelfmoord plegen, niet uit liefde noch om iets anders. Ik vind het van lafheid getuigen...'

'Nou, ik denk dat er juist veel moed voor nodig is om zoiets te doen.'

'Geloof ik niet, en bovendien vind ik het egoïstisch, het is wreed om voorbij te gaan aan het verdriet dat je de achterblijvers kunt aandoen.'

'En stel dat degene die zich van kant maakt niemand heeft?'

'Ik denk dat er altijd wel iemand is. Ik ben wel geen praktiserend katholiek maar ik heb zelfmoord altijd een barbaarse daad gevonden, misschien ook wel omdat ze me dat hebben voorgehouden. Het verbaast me in ieder geval dat je uitgerekend dat gedicht mooi vindt, het is niet een van de beste uit de bundel. Mijn uitgever vindt er niets aan.' Hij veranderde opzettelijk van onderwerp. 'Hij vindt het uit de toon vallen.'

'Natuurlijk valt het uit de toon, godzijdank. De rest van de bundel is namelijk eenvoudig en vlak proza, alsof je je dagboek hebt geschreven en het daarna in zinnen hebt gehakt om het op een gedicht te laten lijken.'

'Maar dat is met opzet. Het is het zoeken naar eenvoud, de naakte vorm. Het is ervaringspoëzie.'

'Ervaring of geen ervaring, wat moet ik ermee, ik hou er niet van.'

'Maar jij leest ook geen gedichten.'

'En wat dan nog? Daarom kan ik wel een oordeel hebben. Bovendien is dat gedicht, dat van de monnik, het enige waaruit een gevoel spreekt. Het enige wat enigszins oprecht lijkt. De rest komt me allemaal bekend voor. En ik denk dat met jou hetzelfde aan de hand is. Tegenover Ruth ben je eerlijk. Tegenover je verloofde kom je steeds weer met hetzelfde aan. En daarom heb je zo weinig waardering voor Ruth, en waardeer je ook je mooiste gedicht niet, omdat je jezelf niet waardeert en niets van wat je maakt waardeert als het geen goedkeuring van anderen kan wegdragen.' Juan keek hem met grote ogen aan, bleek en gespannen als de knokkel van een gebalde vuist. 'Je zult wel zeggen dat ik me niet met andermans zaken moet bemoeien. Maar als anderen geen mening over je zouden mogen hebben dan zou je je gedichten niet publiceren, nietwaar? In zekere zin is publiceren iets intiems aan de beoordeling van anderen overlaten.'

'Je lijkt wel een criticus.'

'Ik veronderstel dat dat een belediging is.'

'Nee, dat is het niet... Het is alleen dat ik altijd gedacht heb dat je oppervlakkiger was. Of dat ik het niet leuk vind dat er bepaalde dingen in mijn gezicht worden gezegd. Of dat ik nog een beetje van de kaart ben door wat je me over Ruth hebt verteld. Maar je zult begrijpen dat ik niet gewend ben dat een onbekende,' *die niets voorstelt* voegde hij er in gedachten aan toe, 'zo'n toon tegen me aanslaat.'

'Ik ben ook niet gewend om zo eerlijk te zijn. Maar één ding moet je goed begrijpen. Ruth is mijn beste vriendin. Ik hou van haar. En ik weet zonet nog niet of jij niets met dat gedoe met de pillen te maken hebt.'

Het ergste was dat Juan hetzelfde dacht. Dat als Ruth een stommiteit had begaan zijn vertrek naar Bermeo daar misschien wel mee te maken had. Onder andere omstandigheden zou hij een gesprek dat een dergelijke wending nam niet voortzetten, zou hij niet toelaten dat een onbekende zich zoveel vrijheden veroorloofde, zou hij niet zo ogenschijnlijk kalm zulke heftige kritiek op zijn werk gepikt hebben.

'In welk ziekenhuis ligt ze?'

'Waarom? Wil je soms naar haar toe?'

'Ja, ik denk het wel.'

'Ik geloof dat ze vandaag ontslagen is. Bel haar thuis maar.' Hij trok de mouw omhoog van zijn Pedro Morago jasje zodat er een horloge te voorschijn kwam dat meer op een stopwatch uit de ruimtevaart leek, een heel modern designproduct dat er erg duur uitzag. 'Ik moet gaan, het is al laat, ik zal je niet langer ophouden.'

Hij ging staan en met een vreemd hoekig gebaar stak hij zijn verzorgde hand uit naar Juan, dwingend maar eigenlijk ook vriendelijk. Juan liep zwijgend met hem naar de deur, beleefd maar afwezig, en zocht tevergeefs naar een neutrale afscheidsgroet, hij voelde zich gemeen en overgeleverd, klein en bekrompen, terwijl zijn gedachten verzonken in een moeras van zelfverwijten.

Die nacht kon hij niet slapen en bleef hij tot de volgende ochtend liggen lezen. Maar het drong niet tot hem door wat hij las. Hij had het ene boek na het andere gepakt maar vond ze allemaal langdradig, onsamenhangend, duf, betweterig. Hij kon Ruths beeld niet kwijtraken. Maar hij had nergens schuld aan, hij had niets beloofd, hij had haar niet aangemoedigd. Of wel? Kon je soms van een vrouw verwachten dat ze genoegen zou nemen met een tweede plaats, de clandestiene persoon die je kunt verlaten wanneer het je uitkomt? En wat wist hij helemaal? Hij was praktisch onervaren in de liefde. Hij had niet gedacht dat Ruth zich zijn vertrek of boosheid zo erg zou aantrekken.

Zij was een vrouw die veel had meegemaakt, een heleboel relaties had gehad en eraan gewend was dat ze werden verbroken, zo leek het althans. Anderzijds deed die mislukte zelfmoord – als het tenminste een poging daartoe was – hem denken aan een schreeuw om aandacht, aan emotionele chantage. Iets in hem zei dat hij zich afzijdig moest houden, hij moest Ruth niet bellen, niet informeren naar haar toestand, net doen of hij nergens van af wist, zich aan de regels houden die hij zichzelf had gesteld, zich volledig wijden aan zijn roman en de herinnering aan zijn verloofde. Het ging weer goed met Ruth, ze hadden haar al ontslagen, hij moest om haar bestwil het oude vuur niet aanwakkeren, geen oude wonden openrijten, het was beter haar niet op te zoeken, geen nieuwe verwachtingen te wekken...

Maar na het ontbijt – alleen een kop koffie omdat hij niets door zijn keel kreeg – rende hij toch naar de eerste de beste bloemist en liet een enorm boeket margrieten bij Ruth bezorgen, waaraan zijn hele weekgeld opging. Die week dus geen extra uitgaven, geen telefoontjes of brieven naar Biotza of Carmen, geen biertjes 's middags en geen taxi's. Alleen maar angstige spanning. Hij had geen geld meer. Wel verdriet.

Judith ontmoet Ruth

Op 15 februari om kwart over elf 's morgens kreeg Judith tot haar verbazing haar zus zelf aan de telefoon. Ze wilde Ruth eraan herinneren dat hun vader spoedig jarig was en voorstellen om ter gelegenheid daarvan een etentje te organiseren. Ze had gedacht een boodschap in te spreken op het antwoordapparaat van haar roodharige zus, een communicatiesysteem dat de laatste maanden in zwang was geraakt sinds Ruth de gewoonte had om de telefoon niet op te nemen. Maar toen schoot het haar te binnen dat Ruth haar tijdens een van hun laatste telefoontjes had gezegd dat ze in een beter humeur was (en dat was duidelijk, Judith had de verandering opgemerkt) en dat ze alweer de oude begon te worden. 'Ik neem zelfs 's ochtends af en toe de telefoon op,' had ze gezegd, dus besloot Judith haar te bellen, voor het geval, maar ze had niet veel hoop. Wie weet, dacht Judith, ligt de hoorn ernaast, maar eigenlijk betwijfelde ze dat. Haar zus was veranderd, dat was waar, maar niet zo heel sterk. Het verbaasde haar dus om de stem van haar zus te horen en het verbaasde haar nog meer dat die zo zangerig en suf klonk. Aanvankelijk dacht ze dat Ruth misschien net wakker was, na even met haar gesproken te hebben bleek Ruth niet helderder te worden maar juist steeds onsamenhangender en verwarder. Judith dacht dat haar zus de avond ervoor was wezen stappen en kennelijk een behoorlijke kater had. Ze had zich niet al te veel zorgen gemaakt als Ruth niet iets had gezegd voor ze ophing.

'Judith...'

Grote stilte aan de andere kant.

'Ja... wat is er?'

Judith begon de zenuwen te krijgen van dat idiote gesprek, bovendien had ze belangrijker dingen te doen. Soms was ze woedend op haar zus en begreep ze niet hoe een vrouw van haar leeftijd nog steeds zo kinderachtig kon zijn en net deed of ze een meisje van vijftien was – nachtelijke uitjes met drank en drugs en kortstondige verliefdheden – terwijl ze al minstens twee keer zo oud was. Persoonlijk vond Judith dat haar zus te veel dronk en ze veroordeelde haar oppervlakkige wereldje en ook het feit – het excuus – dat Ruth een artieste was rechtvaardigde in haar ogen evenmin dat chaotische bestaan. Toegegeven, haar arme zus was altijd al een beetje vreemd geweest maar je zou verwachten dat ze op haar leeftijd wel wat volwassen zou worden. Maar nee hoor... Hoe kon Ruth volwassen worden als ze met die flierefluiter omging die nu haar vriend was en die alleen maar aan drugs en het kopen van kleren dacht?

Het bleef pijnlijk stil aan de andere kant.

'Ruth, Ruth, Ruth? Ben je er nog?'

'Ja.' Haar stem klonk zwaar en slaperig.

'Wat is er?'

'Niets... Ik wil je zeggen dat ik veel van je hou, heel veel. Dat moet je niet vergeten. Dag.'

En ze hing op.

Judith was sprakeloos. Zoiets had haar zus nog nooit van haar leven gezegd. Zelfs niet toen ze klein was, want hun familie was niet gesteld op sentimentele uitbarstingen. Ruth kon daarentegen heel aanhankelijk zijn, dat wist Judith omdat ze had gezien hoe lief ze was tegen haar vrienden en hoe ze Pedro omhelsde en kuste alsof hij haar vaste vriend was, maar tegenover haar vader en haar zus hield ze zich aan de huisregels. Hun vader was heel koel, evenals hun grootouders en hij had uitingen van affectie, lichamelijk of geestelijk, nooit aangemoedigd tussen de zussen. 'Ik wil je zeggen dat ik veel van je hou.' Dat was niets voor Ruth, dat was niets voor iemand met de achternaam De Siles. Ruth deed heel vreemd... Judith kreeg het er koud van en had opeens een eigenaardig voorgevoel, zwak maar helder. Judiths zelfvertrouwen en zelfbeheersing berustten grotendeels op gewoontegebaren en vormelijkheden. Daardoor leken al haar telefoongesprekken op elkaar en vooral die met haar zus verliepen altijd volgens een vast patroon. Een nog nooit geuite zin die plotseling werd opgenomen in het patroon verontrustte en verwarde haar.

'Ik wil je zeggen dat ik veel van je hou...' In feite had Judith er nooit over nagedacht of haar zus veel of weinig van haar hield. En ze wist ook niet wat zij voor Ruth voelde. Een keer flapte Estrella eruit dat Judith toen ze klein was Ruth met een kussen had willen laten stikken. Maar daar sprak ze nooit meer over. Ja, het is waar dat Judith erg jaloers op Ruth was geweest, dat wist ze nog heel goed. Als klein meisje was haar zus heel leuk, heel schattig, met haar rode krulletjes en haar sproetjes in het gezicht, net een pop, ze leek precies op haar Raggedy Ann*. En tot overmaat van ramp sliste ze. Het was logisch dat het kleintje alle aandacht kreeg van Estrella, de onderwijzeressen, zelfs van Judiths klasgenootjes. Niet van haar vader omdat haar vader behalve in zijn zaken nooit in iets anders was geïnteresseerd. De puberteit gaf Judith het excuus om afstand te nemen, om haar kleine zusje te mijden, om zichzelf als een superieur iemand te zien en vanaf die tijd beschouwde ze Ruth als een vreemd meisje en wapende ze zich op die manier tegen de jaloezie die ze soms voelde. Later, toen Ruth naar Londen ging, merkte ze dat ze haar miste hoe vreemd Judith zelf dat ook vond en ze kon dat gevoel niet verklaren of plaatsen. Ze was Ruth dankbaar dat ze uit Londen was gekomen voor haar trouwdag en op dat feest leek ze een ander iemand omdat ze haar met andere ogen bekeek, met die van de vrienden van haar man die voortdurend vroegen wie toch dat roodharige stuk was en ze waren zeer verbaasd te horen dat het de zus van de bruid was. Tegen alle verwachtingen in gaf Ruth bij die gelegenheid niet de toon aan, ze werd niet dronken en viel niet voor een van de gasten, maar bleef met een verveeld gezicht keurig aan tafel zitten. Misschien miste ze haar vriend, die figuur met wie ze in Londen woonde en over wie haar

* Een heel bekende lappenpop in Angelsaksische landen met rood haar en sproeten en een stoffen hart op haar borst waar 'Ik hou van je' op staat.

vader niets wilde horen vanaf het moment dat hij wist dat het een kleurling was. De huidskleur van de vriend van haar zus interesseerde Judith niet; of misschien zou je moeten zeggen dat de vriend van haar zus haar eigenlijk niet interesseerde. In ieder geval probeerde ze zo min mogelijk over hem te praten. Uiteindelijk kende ze hem niet, en ook haar vader heeft hem nooit gezien, zodat zij hem nooit hoefde te noemen in haar gesprekken waarin ze het trouwens ook nooit over haar zus had. Toen die zus bekend werd kwam daar geen verandering in, omdat Judith van mening was dat waar je niet over spreekt niet bestaat en dat het altijd beter is te zwijgen over onderwerpen waarover je niet kunt praten. En zo had de zwarte vriend nooit bestaan omdat niemand van de familie hem had gezien en ze het bijna nooit over hem had in haar sporadische telefoongesprekken met Ruth, haar promiscuïteit of haar seksuele leven, haar verdriet en haar homovriendjes bestonden evenmin. Judith vertelde nooit dat die filmregisseuse haar zus was en weinig mensen in haar omgeving brachten die twee met elkaar in verband. Ze was Ruth diep in haar hart dankbaar dat ze haar eerste achternaam niet gebruikte, net als haar vader, daar was ze zeker van. Dus niemand zag de connectie. Judith dacht dat de vrienden van haar vader niet erg blij zouden zijn met het gedrag of de carrière van de dochter. Dus was het beter voor iedereen om de dingen te laten zoals ze waren en hoe dan ook die fragmentarische en wankele vrede te handhaven. Maar toch bewonderde Judith haar in zekere zin en was zelfs een beetje jaloers op haar. Haar mondaine houding vond een soort weerklank bij haar, de nauwelijks geuite wens deel uit te maken van dat clubje en haar manieren en rituelen over te nemen. Heimelijk vond Judith de relaties van haar zus wel leuk, de feesten waar ze naartoe ging, het feit dat ze omging met mensen als Javier Bardem of Tristán Ulloa, lachende onbekenden voor Judith, lichamen die op het doek geheime fantasieën symboliseerden. Wanneer Judith op de roddelpagina van een krant las dat haar zus iets had met Guillaume Depardieu was ze sprakeloos. Daar wilde ze niet te veel over nadenken, over hoe die knappe man in bed zou zijn en hem vergelijken met haar man, de enige man met wie Judith naar bed was geweest en die al een buikje had en een kale kruin alsof hij een franciscaner monnik was.

'Ik wil je zeggen dat ik veel van je hou...'

Judith had het telefoonnummer van Pedro maar ze had hem heel zelden gebeld. Lange tijd dacht ze dat hij Ruths vaste vriend was, tot Ruth haar zelf uitlegde hoe de vork in de steel zat. Maar toch bleef Pedro voor Judith in zekere zin zoiets als de partner van haar zus, ook al was hij dan homoseksueel, omdat hij uiteindelijk het meest met Ruth omging en in dit geval de enige was bij wie Judith te rade kon gaan. Dus belde ze hem op en vertelde hem over het vreemde gesprek en dat ze het gevoel had dat er iets met Ruth aan de hand was. Ze hoopte dat Pedro haar gerust zou stellen en zou vertellen dat ze de avond ervoor waren wezen stappen en dat Ruth waarschijnlijk nog een kater zou hebben of zoiets. Maar het tegendeel gebeurde: wat Pedro haar vertelde verontrustte haar nog meer. Pedro zei dat hij Ruth de vorige ochtend had gebeld en dat hij ook vond dat ze heel vreemd deed.

'Ze leek zo gespannen, weet je? Ik vond dat ze raar deed, verontrust, ze wilde me echter niet vertellen wat er met haar aan de hand was, als dat zo was.'

'Maar de laatste tijd ging het zo goed met haar, toch? Ik vond haar nogal opgewekt als ik belde.'

'Juist daarom is dat gedrag van gisteren zo vreemd. Dat staat haaks op haar opgewektheid van de laatste tijd. Ze ging om met een heel knappe jonge jongen, een beetje een betweter onder ons gezegd, maar zij was verrukt. Gisteren dacht ik dat ze misschien ruzie hebben gehad of zoiets, maar ik durfde het niet te vragen. Ze heeft me het een en ander over hem verteld en het schijnt dat hij een verloofde of zoiets heeft, ik weet het niet helemaal. Je weet hoe Ruth is, ze vertelt de dingen altijd maar half...'

Judith bleef de hele ochtend bellen met tussenpozen van een half uur maar er werd niet opgenomen door haar zus. Dat verbaasde haar niet want Ruth nam zelden de telefoon op, maar wat ze wel vreemd vond was dat ze niet reageerde op de dringende boodschappen die

Judith insprak op het antwoordapparaat waarin ze haar met klem verzocht terug te bellen. Om twaalf uur belde ze Pedro om te zeggen dat ze ongerust was.

Pedro gebruikte het bekende noodsignaal (twee keer bellen, pauze, twee keer bellen) om Ruth te laten weten dat hij haar dringend moest spreken. Dat trucje werkte niet. Hij maakte zich in ieder geval niet zulke zorgen als Judith. Hij dacht dat Ruth boodschappen aan het doen was of een ommetje maakte en vond het niet zo verontrustend, en dat zei hij tegen Judith.

Die bleef zich echter zorgen maken hoewel daar schijnbaar geen reden voor was. Haar zus belde niet terug. Nou en? Ze kon weggegaan zijn, dat was niets bijzonders. En wat ze haar had gezegd van dat ze zoveel van haar hield... Ja, dat was vreemd maar toch ook weer niet heel alarmerend. Het was waarschijnlijk weer een van Ruths rare kuren. Misschien zat ze wel in een mystieke crisis of zo. Maar hoe Judith zichzelf ook probeerde te overtuigen, ze raakte dat angstige voorgevoel dat ze de hele morgen al had maar niet kwijt. Om vier uur 's middags besloot ze ten slotte langs Ruths huis te gaan als ze de meisjes uit school ging halen. Heel toevallig stond de voordeur open. Ze ging de holle gehorige trap op naar Ruths appartement, belde aan maar niemand deed open. Ze duwde tegen de deur en merkte dat hij niet op het veiligheidsslot zat. Als ze sterker was geweest, had ze hem met geweld kunnen openen zoals in films gebeurt. Daar was geen denken aan: Judith woog maar tweeënvijftig kilo en zat er niet op te wachten dat ze door een van de buren werd betrapt bij het forceren van een deur. In een opwelling, in een onverwachte impuls belde ze met haar mobieltje naar huis om haar Dominicaanse hulp te vragen de meisjes uit school te halen en meteen daarop belde ze een slotenmaker voor noodgevallen. Jaren geleden had Judith eens haar sleutels in huis laten liggen en de slotenmaker die zij meteen belde was binnen vijftien minuten verschenen en had binnen twee minuten de deur open. Het viel haar toen op dat de man geen enkel bewijs wilde hebben dat zij inderdaad in het appartement woonde waarvan hij de deur zojuist had opengemaakt. Ze dacht toen hoe eenvoudig je kon inbreken in het appartement van iemand van wie je de gewoonten goed kent: je hoefde de slotenmaker maar te bellen op een tijd dat je zeker wist dat er niemand in het appartement aanwezig was. Wat een makkelijke wraak voor een ex-minnares, wat een eenvoudige manier om een huis leeg te halen! Maar omdat ze helemaal geen ex-minnaars had en totaal niet de bedoeling om welk huis dan ook leeg te roven, had ze er verder niet bij nagedacht en ook niet aan die geschiedenis met de slotenmaker tot ze voor de dichte huisdeur van Ruth stond.

Als Ruth niet thuis is, zei ze bij zichzelf, als dit voorgevoel alleen maar hysterie van mijn kant is, doe ik de deur gewoon weer dicht, zeg niets tegen Ruth en zal ik me nergens meer mee bemoeien tenzij ik gebeld word.

Aan zoiets ernstigs als een zelfmoordpoging dacht Judith echter niet, maar eerder dat haar zus ziek zou zijn of heel erg gedrogeerd en ze overdacht allerlei mogelijkheden terwijl ze op de slotenmaker stond te wachten die de deur zou moeten openen. Als Ruth gedrogeerd was wat moest ze dan doen, de SAMUR* bellen? En zou haar zus niet kwaad worden over zo'n inbreuk op haar privacy door zo'n invasie? Met een beetje geluk was ze niet thuis, ja, dat was het meest waarschijnlijk. Ruth zou niet thuis zijn en als zij een beetje opschoot zou ze nog op tijd bij school zijn om de meisjes zelf op te halen, het incident en haar belachelijke bezorgdheid als bangelijke en superbeschermende zus vergeten.

Eindelijk arriveerde de slotenmaker die alleen maar een kaart tussen de kier van de deurstijl schoof. De deur was binnen vijf minuten open met deze eenvoudige methode en hij had de onbeschaamdheid voor zoiets simpels 15 000 peseta te vragen. Het is natuurlijk beter dat niemand hierachter komt, want dan vinden ze me behalve een bemoeial ook nog een stomkop. Met een allerliefste glimlach betaalde ze de man, die ze had verteld dat toen ze net buiten stond merkte dat ze had vergeten haar sleutelbos in haar tas te stoppen, zodat hij

* Noot v.d. vert.: ambulancedienst.

niets zou vermoeden. Maar het zag er niet naar uit dat hij ook maar een moment dacht dat die elegante dame een dievegge of een rancuneuze minnares zou kunnen zijn en als dat wel zo was liet hij het natuurlijk niet merken; hij pakte het geld aan en vertrok. Judith stond alleen in dat naargeestige appartement, zo stil als een graf, waar een warme muffe en vochtige lucht naar haar hoofd steeg en ook nog een vage zachte kaneelgeur hing.

Het was halfdonker in huis, maar Judith deed het licht niet aan en liep langzaam en gespannen door de gang met voorzichtige stapjes, op haar tenen om geen geluid te maken, met de langzame en precieze bewegingen van een inbreker, die met gejaagde ademhaling naar de stilte in het huis luistert, want ook al probeerde ze zich ervan te overtuigen dat er niets aan de hand was, dat het appartement leeg was, toch zei iets in haar, een inwendige en trillende stem die hardnekkig bleef doorzeuren dat ze zich niet had vergist.

'Ruth?' riep ze hardop, niet zozeer omdat ze dacht dat Ruth haar zou kunnen horen als wel om haar angst af te reageren in die doodse stilte.

Door de schemer en haar angst verbeeldde ze zich de opstelling van de meubels en de objecten, de afmetingen en hoeken van het appartement waar ze zich verdwaald en onbeschermd voelde meer dan dat ze ze echt zag. Een schilderij met een enorme margriet kwam haar voor als een wakend oog dat toezag op het territorium van de eigenaresse. Het leek wel of ze haar hart angstig en heftig hoorde kloppen in dat lege huis.

'Ruth?'

Ze liep door de gang naar Ruths slaapkamer waarvan de deur op een kier stond. Ze kreeg de neiging om zich om te draaien, maar nu ze eenmaal zover was kon ze niet meer terug.

Toen ze in Ruths slaapkamer kwam zag ze iemand in bed liggen, maar omdat die gedaante niet bewoog en eigenaardig stil lag begreep ze meteen dat er iets niet in orde was. Een koude rilling liep over haar rug. Als er maar niets met haar is, prevelde ze voor zich uit, als er maar niets met haar is. Als ze maar niet dood is. Ze riep hardop haar naam en daarna in paniek opnieuw, maar nu luider en vragend. Een slanke hand stak boven het dekbed uit, bleek als was en gespannen als de klauw van een dode vogel. Judith liep naar het bed, sloeg het laken terug van het roerloze pakket en draaide het lichaam om. Haar zus reageerde niet. Maar ze leek niet dood, hoewel Judith nog nooit een dode had gezien en niet zeker wist of ze die ook als zodanig zou herkennen. Nee, ze kon niet dood zijn. Ze was koud en wit, had hele bleke kleurloze lippen maar ze waren niet blauw. Judith probeerde haar pols te voelen maar hoe ze zich ook concentreerde, ze voelde niets. Eindelijk vermoedde ze meer dan ze voelde een heel zwakke polsslag bij haar zus. Nee, het absolute en onherroepelijke einde dat hen definitief zou hebben verbonden was nog niet gekomen. Haar zus ademde, of dat leek erop.

Ze probeerde sterk te zijn, want ze moest haar hoofd koel houden om de SAMUR te bellen met haar mobieltje. Tevergeefs probeerde ze het trillen van haar handen tegen te gaan die geen kracht hadden en er amper in slaagden de toetsen in te drukken. Het leek wel de stem van een ander die om een ambulance vroeg. Meteen daarna begon ze onbeheerst te snikken. Rustig maar, zei ze, de mensen van de SAMUR komen zo en je wilt toch niet dat ze je zo hysterisch aantreffen. En natuurlijk is je mascara doorgelopen. Ze ging naar de badkamer om te kijken hoe haar make-up eruitzag en om zich wat op te frissen.

En wat kan het die lui van de SAMUR schelen of mijn mascara is doorgelopen of niet? dacht ze. Kom op, ze hebben wel wat anders aan hun hoofd. Ik kan mijn gezicht beter wat nat maken en kalmeren.

Ze snikte automatisch en merkte niet eens dat ze huilde, dat de tranen over haar wangen stroomden en hele sporen achterlieten. Het heeft totaal geen zin om dijken om je emoties te leggen want eens breken die onvermijdelijk door.

In de badkamer zag ze, wazig door het natte tranenfilter, de open pillendoosjes en de zilverkleurige doordrukstrips met de lege vakjes verspreid op de grond liggen. Het verleden en het heden smolten opeens samen. Toen begreep ze alles.

Ze waste haar gezicht hardhandig met zeep en droogde het daarna met de handdoek tot het pijn deed. In de spiegel zag ze de ware Judith, ouder en moe, zonder make-up, lijkbleek, koortsachtig en stereotiep, met ogen die niet meer konden lachen, rimpels in het gezicht, de voorbije tijd in iedere gelaatstrek, veertig jaar bewerkt land. Maar toch leek ze meer dan ooit op het bange meisje van tien dat ze nog steeds was, dat had geprobeerd het leven te ontkennen.

Ze ging terug naar de slaapkamer en bleef in de deuropening geleund kijken naar de roerloze gedaante van haar zus. Haar rode haardos op het kussen creëerde een vreemd schilderachtig effect.

'Ruth, Ruth,' zei ze luidkeels en snikkend. 'Dit zal ik je nooit kunnen vergeven.'

Ruth betreedt en verlaat het licht

De vijftiende om elf uur 's morgens ging Ruth na een slapeloze nacht naar de badkamer, zag de doosjes kalmeringsmiddelen naast de wastafel liggen (die ze vergeten was terug te leggen in de doos met medicijnen), vulde het glas waar haar tandenborstel in stond met water en slikte met een paar slokken de inhoud door van beide doosjes en voor de zekerheid ook nog die van het potje Polaramine. Daarna ging ze op bed liggen wachten.

Op dat moment rinkelde de telefoon. Ruth besloot op te nemen maar waarom begreep ze later zelf ook niet. Waarschijnlijk was ze doodsbang voor de naderende dood en dacht ze dat een menselijke stem haar op haar gemak zou stellen, haar de zelfgekozen overgang naar de dood zou helpen vergeten. Of misschien was het feit dat ze opnam een zwakke kreet van haar overlevingsinstinct. De stem van wie dan ook zou haar kalmeren tot ze insliep, dacht ze. Aan de andere kant van de lijn hoorde ze Judiths stem, zoals gewoonlijk vlak en toonloos, maar het pleit niet erg voor Ruth dat ze er geen moment bij stilstond dat ze haar zuster verdriet zou kunnen doen. Ruth dacht eigenlijk helemaal niet meer, ze deed alleen maar haar uiterste best om haar aandacht erbij te houden, want die verflauwde met de seconde, ze verstond nauwelijks wat Judith haar wilde vertellen, haar stem klonk heel ver weg alsof hij gefilterd werd door een onmetelijke afstand en omdat Judiths stem wegviel en zich met andere doffe stemmen vermengde begreep ze dat ze al half sliep. Ze had niet gedacht dat de pillen zo snel zouden werken. Ze zei Judith dus gedag en toen ze ophing voelde ze een heftige pijn vanuit haar borst door haar ledematen trekken – net zo'n verstikkend gevoel als na heel eind hardlopen – een pijn die uiteenviel in een heleboel kleine pijntjes alsof er ijskoude slangen door haar aderen kronkelden. Ze had ook niet gedacht dat het pijn zou doen. In haar fantasie was de overgang van het leven naar de uiteindelijke rust zacht, loom en bijna onbewust. Ze wankelde naar haar bed en liet zich op het dekbed vallen. De pijn werd ondraaglijk en het ergste was dat ze zich niet meer kon bewegen, niet anders kon gaan liggen, haar lichaam niet onder controle had, zelfs haar arm niet kon optillen, ze voelde wel die stekende pijn, een ondraaglijke druk op haar borst. Ze wilde niet geloven dat dat de dood zou kunnen zijn, ze had niet verwacht dat het zo moeilijk was, ze kon het niet meer uithouden... En toen werd Ruth overvallen door een diep niets dat al haar pijn in een enkele leegte deed verdwijnen.

Geen herinnering, niet geleefde uren, als het slaap was, was het een onschuldige slaap zonder beelden. Ambulance, ziekenhuis, operatiekamer, al die uren hebben nooit in Ruths herinnering bestaan.

Ze opende haar ogen naar het licht. Ze lag in een operatiekamer, er stonden heel wat mensen om haar heen. Wazige silhouetten die zich mengden met nog waziger stemmen. Ze voelde zich los van haar omhulsel; haar lichaam was slechts een pakket, een aanhangsel. Plotseling steeg ze omhoog, maar haar lichaam bleef op de brancard liggen. Zij keerde terug naar haar eigen lichtspoor, ze trad uit zichzelf en verspreidde zich als een echo, zweefde er vijftien centimeter boven, aanschouwd door het witte licht, voorbij het leven, voorbij de dood, voorbij de zevende kring van het onbegrip. Haar bewustzijn hing in de lucht, intact en eeuwig, stralend, in zijn eigen ruimte, veelkleurig, weerspiegelend, als een volmaakte lichtbal, trillend en gewichtloos in een atmosfeer van pure volheid, terwijl het lichaam als zijn menselijke verschijningsvorm op de brancard lag, zich transformeerde in licht en opging in het licht. De artsen of verplegers of wie die onbekenden in groene jassen ook waren gingen luider praten. Ze leken ongerust. Daarna, een immense helderheid, zilverkleurig; geen verandering van licht of vorm meer, maar volledig en onfeilbaar licht. Het was geen tunnel, meer een omhulsel, een soort baarmoeder van licht, als de herinnering aan een baarmoeder tenminste mogelijk is, licht dat bij haar binnendrong met zachte onweerstaanbare kracht, dat met zijn aanwezigheid elke andere aanwezigheid tot zwijgen bracht, dat alle namen onder zijn naam bijeen leek te brengen, alle vormen door gebrek aan vorm leek op te roepen. Een absolute, tijdloze rust. Een lichtzuil die alle dode hoeken in een helder licht zette, de brokstukken samenvoegde, het totale uiteenvallen verijdelde. Plotseling voelde ze dat ze razendsnel door iets werd opgezogen, hoe een heel dun draadje om haar heen werd gesponnen en ze ingekapseld een duizelingwekkende val maakte. Ze keerde terug. Het licht was weg, het pact met de stilte en de blindheid werd weer gesloten, opnieuw was alles zwart. Zwart.

Ze was niemand meer. Haar naam en kleding in handen van de verpleegsters, haar ziektegeschiedenis in die van de anesthesist, haar lichaam in die van de wetenschap. Vanuit de operatiekamer naar een zaal, niet geleefde uren, zwarte leegte.

Haar ogen staren naar het plafond. Rijen vierkante platen, een effen grijs geheel. Ze kan haar hoofd niet bewegen maar wel haar ogen, ook al gaat dat moeilijk, en ziet vanuit haar ooghoek dat haar arm verbonden is aan een infuus en heel veel elektrische apparatuur met allemaal flikkerende rode, witte en groene lichtjes. Ze voelt de ruwe stof van de lakens op haar huid en begrijpt zonder te hoeven kijken dat ze naakt is. Ze verwondert zich over de doodse stilte in de kamer. Ze voelt iets hinderlijks en vervelends in haar neus. Ze vermoedt dat er een sonde in zit en dat blijkt ook uit de kluwen kabels en slangen waaraan ze verbonden is. Hangt haar leven daarvan af? Van apparaten en slangen en serums? Ze kan maar beter haar ogen dichtdoen en verder slapen, omkeren, teruggaan naar dat vage gebied zonder herinnering van waaruit ze op de wereld kwam.

Ontslagen van de intensive care, zwarte leegte.

Ze deed haar ogen weer open. Ze lag op een brancard in een smalle, duistere ruimte die meer op een gang leek. Ze had in haar bed geplast en werd misselijk van de zure lucht. Ze was halfnaakt. Ze had een soort jasschort aan van ruwe stof, zo dun als papier. Ze hees zich overeind en zag Judith naast zich. Ze stapte voorzichtig als een koorddanser uit het bed, dat voor haar gevoel heel hoog was. Door de koude tegelvloer werd ze zich weer bewust van haar lichaam, van haar zintuigen die zo lang inactief waren geweest. Ze werd plotseling duizelig. Vallen, vallen – is dit flauwvallen? – en weer zwart.

Ontslagen uit het ziekenhuis, in een ambulance overgebracht naar de kliniek. Alles één zwarte leegte, ze bestond niet.

Ze doet haar ogen open. Iemand heeft haar aangekleed. Ze vraagt zich af of het haar eigen kleren zijn. Ze loopt tussen twee personen in die haar onder haar armen vasthouden. De ene is Judith, de andere kent ze niet. Een verpleegster? Maar ze staat rechtop, kan bijna zelf lopen. Haar oogleden worden zwaar, ze voelt hoe ze haar meetrekken, hoe haar tenen over de grond glijden, hoe ze door een gang lopen. Ze sluit haar ogen en laat zich meevoeren. Ze opent haar ogen weer. Ze bevindt zich in een kantoor met geel, droefgeestig elektrisch licht. Ze zit in een stoel (wie heeft haar daarin geholpen?), tegen de rug geleund en vastgehouden door Judith.

Opname in de kliniek. Judith is degene die het formulier tekent. Dit zal nooit in Ruths herinnering bestaan, zij heeft het niet beleefd.

Ze opent haar ogen. Ze ligt in een bed, in een duistere, kale, ongezellige kamer. Een raampje boven in de muur, bijna aan het plafond, met tralies ervoor. Ze begrijpt daaruit dat de kamer in een souterrain ligt. Misschien is het daarom zo koud. Ze staat op, loopt naar de deur, probeert die open te doen, hij zit op slot. Ze begint zo hard te gillen dat haar oren er pijn van doen, een dierlijk gehuil, zonder woorden, een schril geluid dat pijn doet aan haar keel en haar trommelvliezen. De schreeuw is een onsamenhangende ontlading, een louterende stroom die schokken van agressie losmaakt en Ruth doen trillen, stampvoeten en knarsetanden. Ze hoort dat het slot wordt opengedraaid en de deur gaat naar buiten open. Er verschijnt een vrouw in een witte jas die haar beveelt haar mond te houden. Achter de vrouw staat een jonger meisje met een verschrikt muizengezicht. 'Roep een dokter,' zegt de oudste. Ruth beseft maar half wat er gaande is. Ze is verstijfd van angst en kan geen woord uitbrengen. Ze is doodsbang om opgesloten te zijn, paniek, woede van een gekooid dier, wanhoop met klauwen en tanden. De oudere vrouw legt haar uit dat er een dokter wordt gehaald, maar dat Ruth nu ter observatie is en niet weg mag. Ruth wordt hysterisch, ze raakt in paniek door gesloten ruimten, eenzaamheid, duisternis, ze zou de verpleegster een klap in haar gezicht willen geven, ze snikt het uit, ze wil daar weg, wie heeft haar naar dat souterrain gebracht, naar die kerker, met welk recht, waar is Judith? Ze heeft een huis, een leven, haar huis, ze wil naar haar huis, ze hebben het recht niet haar tegen haar wil vast te houden. De arts verschijnt en probeert haar te kalmeren. Hij maakt een afspraak met haar: ze mag de verdieping niet verlaten maar als ze het in de kamer zo eng vindt mag ze de gang op, ze kunnen haar echter niet ergens anders onderbrengen, nog niet. Een meisje in een jasschort komt de gang in, maar het is geen verpleegster, op haar verwrongen gezicht ligt een verloren, doffe uitdrukking, een uitgebluste blik, ze loopt als een levende dode, een sliert speeksel sijpelt uit haar mondhoek, afwezig, niets lijkt door te dringen tot de groteske duisternis waarin ze zich bevindt. Ruth voelt angst, haat, woede, frustratie, wat is dit voor straf? Ten slotte gaat ze ermee akkoord op de gang te blijven zitten naast de dienstdoende verpleegster die een stoel voor haar pakt. Van vermoeidheid is ze zichzelf niet meer, ze barst opnieuw in huilen uit, overweldigd door een verstikkende angst omdat een primaire wond weer opengereten is, ze raakt uitgeput maar houdt niet op met huilen, een klaaglijk zwak gejammer, bijna onhoorbare zielige hikjes gevolgd door verward gesnik als van een vermoeid kind. De woede zakt totdat Ruth geluidloos zit te pruilen en in een doodmoe stilzwijgen vervalt. Op het punt om in duizenden stukjes uiteen te vallen, te desintegreren, te versmelten, doet Ruth haar ogen dicht en valt weer in slaap op de stoel.

Zwart. Hoeveel uur zwarte leegte?

Het eerste wat ze ziet is een wit doek dat, als ze beter kijkt, een stuk van een witte doktersjas is. De jas van een man van rond de veertig, vriendelijk gelaat en onverwacht milde ogen. Ze ligt weer in hetzelfde bed, hij zit op een stoel naast haar en op zijn knieën heeft hij een klembord met daarop een paar vellen papier. In zijn linkerhand een balpen en zijn rechterhand onder zijn kin. 'Ik ga je een paar vragen stellen die je misschien raar vindt, maar het is heel belangrijk dat je ze beantwoordt,' zegt hij. Zijn stem is warm, uitnodigend, heel professioneel, maar monotoon alsof hij zich nauwelijks bewust is van Ruths lijfelijke aanwezigheid en alleen maar routinematig een opdracht uitvoert. Zou hij dat geleerd hebben om zo kalmerend over te komen? Hoe heet je? Ruth, Ruth Swanson, Ruth de Siles Swanson. Je leeftijd? Drieëndertig. Je geboortedatum, telefoonnummer, heb je broers en zusters? Drie januari vijfenzestig, vijfdertigtachtigtwaalf, één zus. Ze weet alle antwoorden tot hij haar vraagt: 'Wat voor dag is het vandaag?' Ze heeft geen idee welke dag het is en hoe lang ze heeft geslapen. Ze weet niet dat het al 23 februari is, dat ze een andere dimensie, een andere tijd is binnengegaan en daar alweer uit is. Hij laat haar praten, maar niet over wat zij had verwacht, hij wil niet weten waarom ze de pillen heeft genomen en hoe ze zich voelt, hij vraagt alleen naar voor de hand liggende feiten en dan begrijpt Ruth ineens dat hij erachter wil komen of ze bij de tijd is, of ze niet ijlt, of ze geen onherstelbaar hersenletsel heeft opgelopen. Ze heeft geluk gehad – hij vertelt het nu niet, dat hoort Ruth pas later – ze is uit coma gekomen zonder dat haar geheugen of oriëntatievermogen beschadigd is, terwijl de meesten die dit meemaken in het begin hun naam niet eens meer weten. Ruth snapt dat ze zich rustig moet houden en meewerken als ze hieruit wil komen en glimlacht dus zo lief mogelijk, zet haar zoetste stemmetje op en gooit vertwijfeld al haar acteertalenten in de strijd om de arts ervan te overtuigen dat het allemaal een vergissing is. Ze vertelt hem op zachte toon dat ze moe is, dat ze bang is in de kamer. 'Maak je geen zorgen,' zegt hij sussend, 'je gaat zo meteen naar een andere verdieping. Vertrouw me maar en probeer te slapen. Je zult wel doodmoe zijn.' Ruth doet gehoorzaam haar ogen dicht. Ze vindt het heerlijk zich over te geven aan die stem die haar zachtjes naar het verre gebied van de vergetelheid voert.

Zwart.

De voorzienigheid beschikte dat ze als een ongeadresseerde brief werd teruggestuurd naar de zichtbare wereld. Het was haar tijd nog niet. Toen ze haar ogen weer opende lag ze in een steriele kamer, met de klassieke ziekenhuislucht van ontsmettingsmiddelen – die chloorlucht die haar zo aan sperma deed denken – maar vreemd genoeg was het er toch gezellig. De kamer baadde in een zee van crèmekleurig rustgevend licht dat door het raam naar binnen viel. Ruth kwam moeiteloos overeind. Ze had nergens meer pijn maar wel een vreemd licht gevoel, een klein wezen getekend door pijn en tijd. Ze liep naar het raam en zag een indrukwekkend wit gebouw, statig en oud, met een tuin rondom. Haar kamer lag in een vleugel van het gebouw. Ze herinnerde zich niet hoe ze hier was gekomen of wie haar had gebracht. Iemand moest haar die kleren hebben aangetrokken die ze niet herkende. Van Judith? Vast en zeker. Ze keek naar haar handen die er anders leken uit te zien, meer... spiritueel? Nee, het was geen optisch bedrog, haar handen waren slanker, het leken maanhanden en niet de Jupiterhanden van eerst. Als je lot werd bepaald door de vorm van je handen zou je het dan kunnen veranderen door je uiterlijk te veranderen? Blauwe aderen tekenden zich af op de rug van haar hand. Volmaaktere, fijnere handen. Haar vroegere handen waren typisch de handen van een doortastende vrouw, maar de nieuwe handen waren die van een kunstenaar, van de maan, van een aardse vrouw. Ja, ze was magerder. Ze had de onderarmen van een kind. Toen zag ze de blauwe plekken aan de binnenkant van haar linker onderarm: een rosarium van groene, gele, roze en paarse vlekken. Indrukwekkend. Het zou walgelijk moeten zijn maar het was mooi, als een schilderij van Bacon of een foto van Cindy Sherman. Had ik maar een camera, dacht ze, wat een kunstwerk zou ik maken... Haar lichaam deed er niet meer toe, het was niet menselijk of dierlijk meer, de symbolische buffer tussen beide condities was omvergehaald. Dat onderdeel van haar lichaam – zuivering, samenvatting en reductie van de vorm – had een eigen betekenis. Ruth voelde zich niet meer één geheel maar een verzameling organen, delen met elk hun eigen dwingende behoeften en uitdrukkingswijzen. Zij had er immers niet voor gekozen om de huidskleur te veranderen van dat stukje lichaam, de binnenkant van haar linkerarm van elleboog tot pols, om met een cryptogram van veelkleurige blauwe plekken een bewijs te leveren van haar pijn, zij had dat niet schriftelijk neergelegd op haar lichaam. Waar had ze gelezen dat het lichaam drager was van de merktekens van de goddelijke orde? *Ongelukkig jij die je hoop vestigt op het vlees en de gevangenschap die verloren zal gaan...* Nu ze weer teruggekeerd was zag ze duidelijker dan ooit dat ze een gevangene van haar lichaam was, dat ze er alleen maar in verbleef, *want wie de Tao bereikt bezit geen vorm...* Ze had toch gezien dat ze van haar lichaam was losgerukt toen ze het licht binnenging? Maar buiten dat ronde blanke lichaam was ze nog steeds Ruth of liever gezegd het wezen van Ruth (wie weet hoeveel namen ze vroeger had gehad of in de toekomst nog zou krijgen?). Dat was het belangrijkste, dat dit haar duidelijk was gemaakt.

De deur achter haar ging open en er kwam een verpleegster binnen om haar de situatie uit te leggen. Ze bevond zich in een privé-kliniek, ze was opgenomen op verzoek van haar familie en zou een psychiatrische behandeling moeten ondergaan. Maar het onderzoek was niet verplicht, ze mocht weg wanneer ze wilde, want zij had zelf niet om opname verzocht en dus was de kliniek wettelijk niet bevoegd om haar vast te houden. Ruth knikte dat ze het begreep en verzekerde de verpleegster dat ze zich niet zou verzetten tegen het onderzoek, dat ze overal mee akkoord ging. Ze vroeg of ze bezoek mocht ontvangen. De verpleegster zei dat ze geen idee had.

Er werd een dienblad met eten gebracht. Om vijf uur zouden ze haar komen halen voor het gesprek met de arts, zei de verpleegster. Ruth at nauwelijks van de omelet met groenten en zat te spelen met de erwten en wortelblokjes. De verpleegster kwam het dienblad weer halen, wierp een verwijtende blik op het bijna onaangeroerde eten maar zei verder niets. Ruth vroeg hoe laat het was. Half drie, zei ze zonder op haar horloge te hoeven kijken. Hoe hou ik het vol om tweeënhalf uur op bed te liggen niksen, vroeg Ruth zich af waarbij ze vergat dat ze 's morgens vaak nog twee tot drie uur in bed warm en behaaglijk onder de lakens bleef liggen soezen. De twee uur waren echter voorbij voor ze er erg in had en dezelfde verpleegster, die van het dienblad, kwam haar met een onbewogen gezicht halen.

Ruth liep gewillig achter haar aan door een labyrint van trappen en gangen, net zo volgzaam als ze vroeger de nonnen naar de kamer van de directrice volgde, net zo mak als een schaap dat naar de slachtbank wordt geleid. De verpleegster bleef aan het eind van een gang staan, wees naar een deur en zei alleen maar: 'Hier is het.' Ruth haalde diep adem en probeerde een zo waardig mogelijke houding aan te nemen. Ze ging heel kalm naar binnen waar een vrouw achter een bureau zat, steunend op haar ellebogen en met haar vingertoppen van beide handen tegen haar kin alsof ze in gebed was. Ruth keek ervan op dat het een jonge vrouw was, ze had een ouder iemand verwacht, eigenlijk een oudere man omdat specialisten meestal mannen zijn. Maar deze vrouw was misschien nog wel jonger dan haar patiënte. Met een licht hoofdknikje wees ze naar de lege stoel tegenover zich. Ruth snapte het en ging zitten.

De vrouw begroette haar vriendelijk maar gereserveerd. Ruth groette terug en probeerde een glimlach te voorschijn te toveren om niet voor haar onder te doen. Vervolgens bleef het een paar minuten onbehaaglijk stil. Eindelijk begon de vrouw te praten en vroeg aan Ruth welke vragen ze van haar verwachtte met betrekking tot de motieven voor haar zelfmoordpoging. Ruth, die voor zichzelf een aantal redenen zat te bedenken waarom de arts zo lang had gewacht voor ze wat zei, vond het nodig haar erop te wijzen dat het geen echte zelfmoordpoging was geweest, niet in de strikte zin van het woord.

'Bedoelt u,' vroeg de arts, 'dat u, toen u al die pillen nam niet wist dat u daaraan dood kon gaan?'

'Ik bedoel dat het was alsof ik het niet zelf deed.'

Het was moeilijk uit te leggen te meer omdat als een zwaard van Damocles de angst boven haar hoofd hing dat die onbekende de diagnose zou stellen dat ze ernstig verward was en inderdaad zou moeten worden opgenomen. Ruth besefte dat ze op haar woorden moest passen want ze zette haar vrijheid op het spel, maar aan de andere kant moest ze toch aan iemand vertellen wat er was gebeurd, want hoe zou ze anders achter de reden kunnen komen? Met andere woorden, als zij niet eerlijk vertelde waarom ze het had gedaan, hoe zou ze dan een antwoord kunnen krijgen, een confrontatie die haar als een spiegel werd voorgehouden en waarin ze zichzelf kon zien? Iemand van wie ze zou horen of haar gedrag wel of niet uitzonderlijk was, of er nog meer van dergelijke gevallen beschreven, gecatalogiseerd, in verhandelingen opgenomen waren, of haar gedrag al een naam had, gerubriceerd was en in handboeken voor de psychiatrie voorkwam. Als ze dan gek was (dat dacht Ruth, want als dat niet zo was waarom had ze het dan gedaan?) wenste ze met haar afwijking tenminste een normale gek te zijn, aan een vorm van waanzin te lijden die uitvoerig was gedocumenteerd, die te diagnosticeren, te behandelen, te meten... te genezen was. Als die arts haar kon helpen dan moest ze dat doen.

In de eerste plaats was ze dronken toen ze het deed. Ze wist wel dat het geen excuus was... Een verzachtende omstandigheid? Een vrijbrief? Hoe dan ook, het begon allemaal met dat verraderlijke refrein dat haar te binnen schoot en maar in haar hoofd bleef hangen, een paar regels van Anne Sexton die ze langgeleden had gelezen en waar ze uitgerekend die veertiende februari aan moest denken, waarom wist ze niet, het was belachelijk, want ze had niet eens een boek van die Sexton – vroeger wel maar het was waarschijnlijk weggeraakt bij een verhuizing of blijven liggen in Beau's appartement – en vreemd genoeg kon ze zich die regels nog precies herinneren, alsof ze die op een scherm geprojecteerd zag:

What a lay me down this is
with two pink, two orange,
two green, two white goodnights.
Fee-fi-fo-fum-
Now I'm borrowed.
Now I'm numb.

Het ging over pillen, en Anne Sexton had zelfmoord gepleegd, en misschien had ze daarom de link gelegd, maar ze vond het moeilijk om uit te leggen dat ze door de geest van iemand anders bezeten was geweest, want Ruth de Siles Swanson wilde niet dood, maar ze had een ander in zich die ernaar hunkerde en het was die ander die de pillen had genomen, die ander die ervan overtuigd was dat het leven zonder liefde geen zin had, die geloofde dat Ruth had gefaald omdat ze de enige man die haar ooit had geboeid niet had kunnen vasthouden, de ander die vond dat kunst, film, roem, succes niets voorstelden, want dat betekende alleen maar iets zolang het fantasieën waren, onbereikbare dromen, het was de ander die die ochtend het heft in handen had genomen, toen Ruth te bedroefd, te dronken of te vermoeid was om zich ertegen te verzetten. Voor een buitenstaander was het onbegrijpelijk dat een vrouw die de droom van haar leven had waargemaakt – een film maken, uitbrengen, een belangrijk contract tekenen met een gerenommeerde productiemaatschappij – zichzelf van kant wilde maken toen ze wat men noemde 'op het toppunt van haar roem' was. Goed, Ruth was creatief geweest en had haar creaties kunnen uitbrengen, maar wat had ze eraan gehad? Had ze de liefde van haar vader of haar zus, het beeld van haar moeder soms teruggekregen? Had ze er soms mee bereikt dat iemand van haar hield? Had ze soms haar ware ik gevonden door zich steeds bloot te geven, zichzelf binnenstebuiten te keren en zichzelf te kwellen voor en achter de camera? Kon zij iets bijdragen aan de kunstgeschiedenis, iets zeggen wat niet al was gezegd? En zelfs als ze dat kon, wat schoot ze ermee op, zou ze zich minder beklemd voelen, zou haar leegte zich opvullen? Ze voelde zich net zo gefrustreerd als een vlinder met één vleugel, en de allesoverheersende gedachte dat haar geen geluk was gegund overschaduwde ten slotte zijn vertrek die ochtend, ze kon het niet anders verklaren.

Ruths uitleg was een grote onsamenhangende woordenstroom, met pauzes en gestamel, alsof ze alles wat haar dwarszat eruit wilde gooien, en de arts hoorde het aan zonder haar ook maar een enkele keer te onderbreken; af en toe knikte ze geruststellend alsof ze gewend was naar dergelijke en nog triestere verhalen te luisteren. Ruth vond het fijn dat ze reageerde zoals ze had gehoopt.

'Ik denk dat je toen je de telefoon opnam hulp zocht, op de een of andere manier wist je waarschijnlijk dat de ander zou begrijpen dat er iets vreemds aan de hand was.' Ruth merkte dat de arts de beleefdheidsvorm achterwege liet en haar tutoyeerde, alsof haar bekentenis hen plotseling nader tot elkaar had gebracht of (en dat was veel erger) dat de arts haar nu verachtte. 'En dat bewijst dat je hoe dan ook de wens had om te leven.'

'Wilt u daarmee zeggen dat ik het alleen maar deed om aandacht te trekken?'

'Dat kan. Ik weet het niet. Ik ken je niet. Dat zou je zelf moeten weten, denk ik. Misschien kom je er ooit nog achter of begrijp je het.'

'Wie weet,' antwoordde Ruth, omdat ze wist dat ze maar beter geen discussie kon aangaan met de arts en zich zo rustig mogelijk moest houden.

'De bloed- en urineonderzoeken die we hebben gedaan toen je hier werd binnengebracht – ik denk niet dat je je dat herinnert, je was praktisch buiten kennis – hebben aangetoond dat je lichamelijk niets mankeert, zodat we in principe een ernstige, degeneratieve aandoening kunnen uitsluiten,' ging de arts op professionele toon verder. 'Ik denk haast dat er sprake is geweest van een reactieve crisis en ik geloof niet dat opname nodig is. Ik zou een behandeling met angstremmers aanraden maar ik kan ze je in dit geval alleen maar voorschrijven als iemand erop toeziet hoeveel je inneemt, en aangezien je alleen woont zal dat wel niet mogelijk zijn, tenzij je bij iemand intrekt, een familielid of vriend. Hier staat op je kaart dat je een zuster hebt...'

'Geen denken aan. Ik ga echt niet bij mijn zus wonen. Ze heeft twee dochters en ik kan niet zo goed opschieten met haar man.'

Ruth wist drommels goed dat het een onbenullige smoes was, maar de arts ging er tot haar opluchting niet verder op door.

'En je vader?'

'Hij is al over de zeventig. Onmogelijk.'

Ze loog. Ze kon niet naar haar vader toe maar dat had niets te maken met zijn leeftijd, hij kon zich uitstekend redden, hij had een groot huis, een handige hulp in de huishouding en zou zonder al te veel problemen voor Ruth kunnen zorgen.

'Je moet goed beseffen dat je weg kunt wanneer je wilt, dat we je niet tegen je wil hier mogen houden, hoewel dat strikt genomen wel zou kunnen als je familie daarom zou vragen... maar ik denk niet dat het nodig is. Het probleem is dat het me echter niet erg verstandig lijkt je onder deze omstandigheden alleen naar huis te laten gaan.'

Ruth dacht aan Pedro. Ze wist zeker dat ze bij hem terecht kon als ze het hem vroeg, maar ze moest er niet aan denken het huiselijke leven van Pedro en Julio te delen. Tussen Julio en Ruth heerste een gespannen machtsevenwicht dat de hevige onderhuidse rivaliteit tussen hen beiden in toom moest houden en op de een of andere manier slaagden ze erin om het netjes en beschaafd te laten. Maar Ruth was ervan overtuigd dat haar intrek in het huis van die twee het begin van het einde van de *entente cordiale* zou betekenen.

'Ik denk dat ik heel goed alleen kan zijn. Per slot van rekening woon ik alleen.'

'Misschien kunnen we dat beter morgen bespreken. Uw familie komt in ieder geval morgenochtend op bezoek, tenzij u ze niet wilt zien.'

Ze sprak haar weer formeel met u aan en Ruth begreep dat het gesprek of de evaluatie of het onderzoek of hoe je het ook wilde noemen ten einde liep.

'Ja, natuurlijk wil ik ze zien.'

'Goed, tot morgen dan, dezelfde tijd.'

De arts stond op uit haar stoel en gaf Ruth professioneel beleefd een hand. Een heel lichte handdruk. Toen Ruth het kantoor uitkwam stond de verpleegster al op haar te wachten om haar weer naar haar kamer te brengen.

'Wil je in je kamer eten of liever in de eetzaal?'

'In mijn kamer,' antwoordde Ruth meteen.

Ze wilde door niemand gezien, door niemand herkend worden.

Die nacht was ze in een diepe slaap verzonken. En toen kwamen de herinneringen aan Juan boven, aan die onverwachte dingen die er tussen hen waren gebeurd. Alles wat ze niet aan de arts had verteld, met andere woorden, dat Juans vertrek de doorslag had gegeven om de pillen te slikken (wier beslissing dat ook was geweest, van haar of van de ander) kwam in golven naar boven en slokte elk ander gevoel op, en geplaagd door beklemmende en hartstochtelijke beelden van Juan lag Ruth de hele nacht in haar dromen te woelen, in dat krappe bed van negentig centimeter breed.

Haar zus had verstandig en vooruitziend als ze was schoon ondergoed meegebracht. Ruth bedankte haar maar dacht het niet nodig te hebben omdat ze de arts zou gaan zeggen dat ze nog die middag weg wilde. Judith toonde zich verdrietig, vol medelijden maar ook kwaad. Ze voelde zich persoonlijk beledigd dat Ruth had geprobeerd hen te verlaten. 'Heb je er wel bij stilgestaan, heb je er wel één moment bij stilgestaan hoe verschrikkelijk het voor me was toen ik je vond en hoe vreselijk ik me nu zou voelen als ik te laat was geweest?' zei ze zachtjes en op angstige toon, zodat haar vraag iets theatraals kreeg en haar gefluister meer indruk maakte dan een luidkeels verwijt. De tranen sprongen in haar ogen en Judith moest een zakdoek uit haar tas halen om ze met een ietwat overdreven gebaar te drogen. Haar vader bleef echter heel waardig en verbazingwekkend lief. 'Je hoeft je geen zorgen te maken over geld, als je hulp nodig hebt of als je hier nog langer wilt blijven zal ik het betalen,' zei hij. Maar Ruth wilde daar geen minuut langer blijven en had gemakkelijk zelf de kliniek kunnen betalen als ze had gewild. Ze was haar vader in ieder geval dankbaar voor dat gebaar en wilde dat tonen door zijn hand te pakken, maar hij was zo weinig gewend aan lichamelijke blijken van affectie dat hij voorzichtig zijn hand wegtrok.

Ruth komt weer tot leven

Toen Ruth uit het ziekenhuis kwam hadden bekenden en onbekenden (degenen die over haar spraken zonder haar te kennen) de gebeurtenis toegevoegd aan de lijst met Ruths onvoorspelbare excentriciteiten als iets wat je niet erg serieus hoefde te nemen, want waarom zou Ruth anders de scène zo in elkaar gezet hebben dat ze op het nippertje gered zou worden? Op die manier onttrokken ze zich aan hun verantwoordelijkheid. De mensen zeiden dat ze het had gedaan om aandacht te trekken, een absurde redenering omdat Ruth veel aandacht kreeg, overdreven veel aandacht. Zo overdreven dat een incident dat aanvankelijk alleen de betrokkenen (Judith, haar vader, Ruth, Pedro en Juan) aanging algemeen bekend werd, een of andere praatgrage verpleegster of een indiscrete dokter had de patiënt herkend en verteld wat zij of hij had gezien en later kwam de welbekende stroom geruchten op gang en verspreidde zich het nieuws algauw als een lopend vuurtje dat Ruth Swanson had geprobeerd zich van het leven te beroven. Er werd gezegd dat het Ruths eigen schuld was omdat ze met zo'n onbenul omging, dat halfbakken schrijvertje dat tien jaar jonger was en de laatste tijd niet van haar zijde week, het was duidelijk dat hij alleen maar in de publiciteit wilde komen; het bleek dat hij haar had gedumpt of zoiets en zij gebroken was, je weet hoe het gaat bij dat soort mensen…

Inmiddels had Ruth van Judith al gehoord van de lange zwerftocht die haar lichaam van ziekenhuis naar ziekenhuis had afgelegd. De ambulance bracht haar naar het Ramón y Cajal-ziekenhuis waar haar maag met spoed werd leeggepompt, maar waar ze de patiënte niet wilden opnemen vanwege een of ander bureaucratisch probleem volgens Judith, zodat Ruth in een ambulance naar het La Paz-ziekenhuis werd gebracht waar ze een paar dagen op de intensive care heeft gelegen, eerst in een lichte coma en daarna buiten bewustzijn. Toen ze van de intensive care afkwam zaten ze met hetzelfde probleem omdat Ruth ook daar niet kon blijven, deze keer niet vanwege de bureaucratie maar omdat er geen bed vrij was. En toen besloot haar vader haar in het Hospital San Juan de Dios te laten opnemen.

'Als je eens wist, als je je eens kon voorstellen hoe je ons hebt laten schrikken... Het is een wonder dat je het hebt overleefd. Er is inderdaad een moment geweest waarop je althans in technische termen klinisch dood was. Toen de dokter ons dat vertelde dacht ik dat papa flauw zou vallen...'

'Dat was in de operatiekamer, hè?'

'Wat?'

'Dat ik klinisch dood was. Dat was in de operatiekamer. Ik denk toen ze mijn maag leegpompten. Ik herinner me dat ik dat heb gehoord, dat zeiden de artsen of de verpleegkundigen of wie het ook waren: we verliezen haar. Dat zeiden ze: we verliezen haar. Het was duidelijk dat ik degene was die ze verloren.'

'Maar dat kan niet... Dat kun je niet hebben gehoord. Je was niet bij bewustzijn. Tenzij je natuurlijk daar in de operatiekamer bijkwam.'

'Ja, zoiets zal het wel geweest zijn, ik moet een seconde bijgekomen zijn,' zei Ruth.

Ze durfde haar zus niet te vertellen wat ze al voor dat gesprek had begrepen of geweten en wat ze zojuist had beaamd: dat ze in een paar seconden had gezien hoe het andere leven was, het hiernamaals, de pure energie of hoe je dat ook noemt. Het Alles. De Tao.

Natuurlijk wist ze dat er een andere verklaring was voor dat fenomeen, uitgebreid besproken in talloze studies. Het merendeel van de mensen die klinisch dood waren en daarna 'weer tot leven kwamen' (om het maar een naam te geven) hebben het allemaal over dezelfde ervaring: een tunnel van wit licht, heel erg wit, stralend; een gevoel van oneindige rust.

'Wat ik dus niet had,' zei Ruth tegen Pedro toen ze het probeerde uit te leggen, 'was het visioen van overleden vrienden. Veel mensen verklaren dat ze aan het eind van de tunnel hun overleden vrienden of familieleden zien die daar aan het eind van de lichttunnel als een soort ontvangstcomité staan te wachten. Soms is er zelfs iemand van dat comité die tegen de zojuist overledene zegt dat het zijn tijd nog niet is...'

'... dat ze in de doorvoerafdeling een fout hebben gemaakt met de verzendingsdatum en dat hij terug moet naar waar hij vandaan is gekomen.'

'Zoiets... Natuurlijk wordt het in boeken iets lyrischer beschreven, want zoals jij het vertelt lijkt het alsof je het als een geintje ziet.'

'En hoe moet ik het dan zien?'

'Ik weet niet, als de waarheid. Ik denk er nu nog steeds over hoe ik het moet opvatten... Ik heb in ieder geval niets van dat alles gezien, geen welkomstcomité, geen overleden vrienden, weet je... Wel licht en vrede en het gevoel buiten mijn lichaam getreden te zijn. Maar bekende gezichten, absoluut niet.'

'Dat bewijst alleen maar iets wat we al wisten, Ruth: dat wij, jouw vrienden, niet degenen zijn die in de hemel komen,' antwoordde Pedro.

Ruth wilde zeggen dat ze had gehoopt iemand in dat andere leven te ontmoeten, de persoon die haar moeder zou zijn, maar ze besloot te zwijgen.

In de boeken die Ruth had gelezen stond dat een van de verklaringen voor dit soort hallucinaties zou kunnen liggen in het feit dat wetenschappers menen dat de hersenen nog een tijd doorleven nadat het hart is gestopt met kloppen. De visies van vrede en volledigheid zouden het resultaat kunnen zijn van een soort hallucinatie ten gevolge van een storing in de bloedsomloop. Alsof de natuur een laatste mechanisme in het werk stelt om de overgang van de mens naar het totale heengaan makkelijker te maken, om angst te voorkomen die de bewustwording van de eigen dood met zich meebrengt: de laatste hallucinatie als kalmeringsmiddel, als morfine die de dierenarts inspuit bij de hond die afgemaakt wordt. Maar als die theorie juist is, hoe is het dan te verklaren dat alle visioenen overeenkomen? Een collectief onderbewustzijn natuurlijk. Het collectieve onderbewustzijn kan echter niet op alle breedtegraden hetzelfde zijn; de symbolen zijn in elke cultuur anders, zoals de voorstelling van het paradijs niet in elke godsdienst dezelfde is; de visioenen van de 'herrezenen' echter wel. Altijd dezelfde vrede, hetzelfde witte licht. Wit: de synthese van de totaliteit. De woorden die Ruth op school uit haar hoofd had opgezegd en tot dan toe niet had begrepen kregen dus zin: *Degene die mij volgt gaat niet in het donker, maar met het levenslicht... Hij had het leven en het leven was het licht van de mensen...* Maar Ruth was niet katholiek, niet eens christelijk, het feit dat ze plotseling de evangeliën op een andere manier begreep deed haar niet in één God die in een zekere Jezus was gereïncarneerd geloven. Een truc van de hersenen, een visie van een andere waarheid... met de fundamentele onmogelijkheid van de magie zou dat witte licht, onverwacht en overtuigend, alles kunnen zijn en betekenen.

Ruth had het altijd heel leuk gevonden wanneer de critici, als ze het over een jonge artiest hadden of dat nu een beeldend kunstenaar, een schrijver of een cineast was, zoiets belachelijks zeiden als 'hij heeft nog een lange weg te gaan om iets blijvends te scheppen'. Uiteindelijk is niets blijvend, zei ze bij zichzelf, als zelfs de planeet waarop wij leven op weg is naar een min of meer nabije vernietiging. Roem overleeft het leven, maar in de oneindigheid van tijd en ruimte zullen zowel de roem als het leven evenals onze planeet verdwijnen voor het onverschillige oog van de eeuwigheid: niets ontsnapt aan de uiteindelijke vergetelheid. En trouwens, als de auteur dood is wat doet de toekomstige betekenis van zijn werk er nog toe als hij dat zelf niet meer kan meemaken? Aan de andere kant blijven de meeste namen voortleven vanwege de legende en niet vanwege hun werk. Raspoetin, Herodes, Jack the Ripper, Salomé, Caligula... hebben niets geschreven of geschilderd of gebeeldhouwd voorzover wij weten. Van Sappho rest ons niet meer dan een handvol verzen her en der en waarschijnlijk was die *post mortem* cultus niet ontstaan als de lesbiennes niet vreselijk verlegen zaten om een icoon, een historische legitimatie. Die obsessie voor het eeuwige werk is alleen te verklaren vanuit de angst voor de dood, als een vorm om onsterfelijkheid te garanderen via de herinnering van toekomstige generaties. Al met al was Ruth nooit zo onnozel om te geloven dat zij met haar werk – hoe ver ze het ook zou brengen, iets waaraan ze eigenlijk heel erg twijfelde – eeuwig in de herinnering zou voortleven. Voor haar was er geen groter bedrog dan dat van postume faam. Bovendien was Ruth nooit bang geweest voor de dood, niet toen zij het als het absolute einde zag en evenmin na de ervaring in de operatiekamer, toen ze het ging zien als een eenvoudige overgang. Toen ze dacht dat er niets was na het leven vond zij de dood een aantrekkelijk niets, het einde van het lijden – *de gedachte dat een enkele droom een einde maakt aan alle angst en al het kwaad* – en later toen zij het gevoel had dat er iets kon zijn na het leven op aarde, bleef ze wat erna kwam beschouwen als het einde van het lijden, toen het voor haar vaststond dat het een prettige gewaarwording was. Zelfs als het een hallucinatie was geweest, wat aangenaam was dat dan! *Was dat doel het niet waard om devoot naar te verlangen?* Nee, zelfs als bleek dat Hamlet uiteindelijk gelijk had. En zelfs als Anne Sexton gelijk had. Ja, dezelfde stem die gedichten had geschreven waaraan Ruth de schuld gaf van haar schisma, van haar dubbele persoonlijkheid, had ook een gedicht geschreven over een verslaafde aan de dood, die steeds opnieuw zelfmoord probeerde te plegen. Natuurlijk, dacht Ruth toen ze eenmaal dat vredige gevoel van de dood kende, wie zou het niet graag opnieuw proberen? Dat was als een orgasme maar duizend keer heviger. Een orgasme was eigenlijk niet meer dan een tijdelijke vlucht van het lichaam terwijl het Licht het Eindorgasme was, de definitieve Vlucht. Maar zij zou het niet opnieuw proberen, zij was geen verslaafde aan de dood, alleen een Vrouwelijke Lazarus, een herrezene. Het gedicht van de Vrouwelijke Lazarus was echter niet geschreven door Anne Sexton maar door Sylvia Plath… En Ruth had er genoeg van om aan zelfmoorddichteressen te denken, zei ze. Toch bleef haar dat de hele tijd achtervolgen. Nu ze weer teruggekeerd was tot het leven, het zichtbare leven, tot de verbazende gave van de dagelijkse herhaling, was ze geobsedeerd door het andere onzichtbare leven, door de dood. Terwijl ze zich in het verleden nooit aangetrokken had gevoeld tot het begrip onsterfelijkheid. Het leven was moeilijk genoeg om het dan ook nog eeuwig te laten duren. Het woord *altijd*, met betrekking tot wat zij had meegemaakt, zou haar met angst vervuld hebben. Maar na haar ervaring zag ze het eeuwige leven niet als een vervolg maar als een transformatie, als een stap naar een heel wat aangenamer toestand.

Dat wilde niet zeggen dat ze eraan dacht zichzelf opnieuw van het leven te beroven. De zelfmoordpoging had Ruths schuldgevoel en angst vergroot. Een tijdlang ontkende ze tegenover zichzelf wat ze had gedaan en gaf als excuus dat het buiten haar om was gebeurd ('ik deed het niet, maar de Ander') om de verantwoordelijkheid van zich af te schuiven, maar langzamerhand gaf ze het tegenover zichzelf en de anderen toe en vervolgens zou het een onderwerp worden dat Ruth vaak te berde bracht in nachtelijke gesprekken, wanneer ze veel had gedronken en haar opgekropte emoties naar buiten kwamen, ook al wilden haar vrienden en bekenden niet naar haar luisteren en eigenlijk liever dat ze naar haar kamer ging om haar roes uit te slapen. Maar Ruth, achtervolgd door de herinnering, kon dat onderwerp maar niet van zich afzetten: het idee van het Licht bleef haar de komende maanden achtervolgen als een verbitterde minnaar.

Ruth leeft in een wereld vol leugens

De bij haar bezorgde bos margrieten met het door Juan geschreven kaartje verbaasde Ruth niet erg, ook al had ze geen vermoeden dat Juan iets wist van de medicijnvergiftiging. Pedro had haar niets verteld over Juans telefoontje en het daaropvolgende gesprek. Ze veronderstelde dat Juan op dezelfde voet door wilde gaan, de klassieke situatie van maagd tegenover hoer, van legaal tegenover illegaal, van echtgenote tegenover minnares die bepaalde mannen zo aantrekt, zodat ze hoopte dat hij zou bellen als hij terug was uit Bilbao, ook al was ze daar niet zeker van. Ze moest wel toegeven dat ze het hem moeilijk had gemaakt na haar confidenties, want ze wist maar al te goed hoe behoudend hij was. Maar ze was ervan overtuigd dat als hij de draad weer zou oppakken, alles weer zou zijn als daarvoor of erger. Juan zou Biotza voor de gek houden en hij zou Ruth voor de gek houden door haar te laten denken dat hij Biotza eens zou verlaten, en hij zou zijn moeder voor de gek houden door Ruths bestaan geheim te houden en zich voor te doen als de ideale katholieke zoon die hij niet was, maar hij zou vooral zichzelf voor de gek houden. Ruth zou ook Ruth voor de gek houden evenals de Ander omdat ze die situatie in stand zou houden, die verhouding zonder toekomst, door te denken dat ze er niet onder zou lijden terwijl ze er in feite aan onderdoor zou gaan, door te denken dat ze het uit liefde deed terwijl het in wezen uit trots was, door te denken dat ze er plezier aan zou beleven terwijl het alleen maar een straf was.

Maar ondanks het feit dat ze besefte dat ze een enorme stommiteit beging, haalde ze een ansichtkaart van haar prikbord die ze in Londen had gekocht en die ze jarenlang overal mee naartoe had genomen, de foto van een immens veld met witte, gele en groene margrieten en krabbelde haastig op de achterkant:

Margrieten uit dank voor jouw margrieten. Wat die koffie betreft, wat dacht je van donderdag zeven uur in Comercial? Als je niet komt, niets aan de hand; ik ben daar toch.
Toujours à toi,
R.

Daarna schreef ze Juans naam en het adres van het studentenhuis op de linker onderkant en rende de straat op om een postzegel te kopen en de kaart zo snel mogelijk te posten. Ze voelde zich als een gouverneur die de definitieve afwijzing van gratie voor een ter dood veroordeelde tekent en verstuurt.

Ruth was opgegroeid in een wereld vol leugens. Leugenaarsters waren haar klasgenootjes die steeds maar weer tegen iedere minnaar een rituele formule herhaalden die ze van elkaar leerden: 'Jij bent de derde man met wie ik naar bed ben geweest', omdat bij de eerste bloed moest worden aangetoond en bij de tweede een onaangenaam en voortdurend contrast met de ander bestond. Leugenaars waren haar jeugdvriendjes die hun officiële verloofdes om tien uur 's avonds thuisbrachten en daarna met Ruth tot vroeg in de ochtend aan de zwier gingen en van haar de gunsten gedaan kregen die hun officiële verloofdes niet toestonden. Een leugenaar was haar vader die vasthield aan zijn rol van diepbedroefde weduwnaar en bleef ontkennen dat die vrouwelijke stemmen die hem af en toe belden meer waren dan vriendinnen en dat zijn veelvuldige nachtelijke uitjes meestal geen zakelijke etentjes met collega's waren.

Een leugenaarster was haar zus die hoe dan ook de schijn wilde ophouden en niet in staat was te erkennen wat voor iedereen heel duidelijk was: dat haar huwelijk een saaie boel was en haar seksuele leven niets voorstelde, omdat Judith had geleerd te huichelen. Ruth weet nog heel goed hoe, toen ze nog samenwoonden en midden in een verhitte discussie zaten over een verdwenen trui die Ruth van Judith zou hebben ingepikt – een van die zusterlijke ruzies waarbij gescholden en getierd wordt en het bijna tot een handgemeen komt – de telefoon rinkelde en Judith opnam met onberispelijke dictie en professionele glimlach, met dezelfde gemaakte intonatie als van receptionistes van grote bedrijven en ze tegen een vrouwelijke stem zei dat haar vader er op dit moment niet was, alsof ze niet wist dat de eigenaresse van die stem met haar vader naar bed ging, of alsof dat feit haar koud liet. Ruth verwonderde zich erover hoe snel ze zich had getransformeerd van een kijvend viswijf tot een keurige juffrouw, je zou bijna zeggen dat het niet dezelfde Judith van een seconde daarvoor was, dat ze in een oogwenk een ander mens was geworden. Dat ogenschijnlijk onbelangrijke incident stond in Ruths geheugen gegrift en illustreerde voor haar overduidelijk de aard van haar zus, die zo nabije maar tegelijk afstandelijke vrouw, die in haar huis woonde maar toch in een andere wereld leefde, in een wereld van conventies en formaliteiten die gerespecteerd moesten worden en waar Ruth niets van begreep.

Een leugenaarster was Ruth zelf die doorging voor filmregisseuse terwijl ze alleen maar een goed scenarioschrijfster was en een min of meer expressieve actrice die het geluk had te kunnen rekenen op de beste cameraman, producer en decorontwerper, in één persoon. Hoe dan ook, de scenario's en de ideeën waren van Ruth, de hallucinerende schilderachtige zienswijzen waren van Ruth (de hele crew werd gek van haar obsessie voor kleurencompositie en semantiek) maar de manier dat op het doek vorm te geven was van Pedro.

Ruth had in haar jeugd en haar puberteit die wereld vol leugens zo gehaat dat de dood haar de enig mogelijke waarheid leek. Een dood van woorden zonder geluid, van alle waarheden die bij leven niet waren gezegd. Maar toen vond ze dat zelfmoord niet eerlijk was tegenover haar vader en haar zus. Het was waar dat haar zus niet bepaald dol op Ruth leek, maar toch voelde Ruth dat Judith op een eigenaardige manier van haar hield, ook al was het alleen maar door hun dagelijkse omgang en om iemand te hebben aan wie zij zich voortdurend kon spiegelen, om zich gesterkt te voelen in wat zij was. En haar vader... nou, eerlijk gezegd leek hij ook niet dol op haar te zijn, maar hij zou zeker niet blij zijn met een dochter die zelfmoord pleegde. Hoe je het ook bekijkt, zelfmoord is geen aangenaam gespreksonderwerp. Haar vader had het grootste deel van zijn leven al achter de rug, hij had niet meer zo lang en het zou heel ondoordacht zijn om zijn laatste jaren te verpesten. Zelfs Estrella zou eronder lijden, zij was waarschijnlijk degene die er het meest last van zou hebben of tenminste de enige die dat wist te uiten. Jarenlang heeft ze gedacht dat ze moest wachten tot na haar vaders dood om haar eigen leven te gaan leiden: te besluiten om eruit te stappen of niet, een pornofilm te maken of niet (dat kon ze niet doen zolang haar vader leefde zonder echte problemen te krijgen). Maar Ruth wilde niet dat haar vader doodging; integendeel zelfs, ze was daar bang voor en bovendien leefden de twee grootouders van vaders kant nog (zij moesten rond de negentig zijn) en waren voor hun leeftijd nog tamelijk gezond, hetgeen een respectabel en bijna gegarandeerd lang leven voor de heer De Siles voorspelde.

Ruth verlangde hevig naar een garantiebewijs van Juan, een belofte die ze niet van hem kon eisen, wist ze. Die dingen bestonden niet, bestaan niet. Zelfs mensen die trouwen kunnen niet hun hele leven rekenen op de liefde van de ander. Niet alleen omdat een scheiding of de dood op de loer ligt, maar ook omdat een relatie minder hecht wordt en er iets optreedt dat Ruth zelfs nog angstiger vond dan te worden verlaten: de verveling, het gevoel stervende te zijn terwijl je leeft had ze gekend bij Beau. Ruth geloofde in een relatie, niemand heeft iets anders beweerd. Ze geloofde in synergie. Ze geloofde in liefde en seks. Maar ze geloofde niet in beperkingen en was panisch voor compromissen en opgelegde verantwoordelijkheden. Ze liet zich niet van buitenaf tot iets verplichten. Wat ze moest geven, gaf ze; zonder dat daarom verzocht hoefde te worden. Toen ze verliefd werd op Juan gaf ze zich voor honderdvijftig procent, niet omdat ze voelde dat dat moest, maar omdat ze niets anders kon. Maar ondanks Ruths inzet had de situatie een ongunstige wending genomen. Ruth was ervan overtuigd dat als het erop aankwam ze haar hele leven met Juan kon doorbrengen zonder iets anders te doen en toch gelukkig zijn. Weer een leugen, want zij zou haar werk, haar onafhankelijkheid, haar eenzaamheid, haar eigen leven waar ze in haar jaren in Londen zo naar had verlangd en die ze zo moeizaam had verkregen nooit kunnen opgeven. Haar redenering en haar geloof waren vals. Maar ze kon haar zelfbedrog niet toegeven en daarom niet begrijpen waarom Juan Biotza niet in de steek wilde laten. Misschien, dacht Ruth, wil hij niet bij me blijven omdat hij denkt dat ik hem niet nodig heb, omdat ik sterker lijk dan ik eigenlijk ben. Misschien voelt hij zich minderwaardig omdat ik niet op alles wat hij voorstelt ja zeg, omdat ik discussieer en tegen hem inga. Maar ik kan me niet anders voordoen dan ik ben, ik kan mijn mond niet houden en net doen alsof ik het met iets eens ben waar ik het niet mee eens ben, of iets leuk vind wat ik niet leuk vind, of me voordoe zoals ik niet ben. Kon ik dat maar. Bovendien als ze Juan, die een deel van haarzelf was, voor de gek zou houden, zou ze zichzelf of een van haar karaktereigenschappen voor de gek houden. Ze verloor hem liever dan dat ze tegen hem loog. Omdat vertrouwen en respect niet uit zichzelf ontstaan, daar moet je zelf aan werken.

Dat dacht Ruth.

Eigenlijk was Ruth bijgelovig en er heilig van overtuigd dat ze zodra ze van de leugen een levensvorm maakte ze het contact met het onderbewustzijn, met het onzichtbare zou verliezen. Het zou werken als een slaapmiddel: je valt in slaap maar droomt niet. De complexiteit en vruchtbaarheid van dromen en zelfs van succes waren volgens Ruth afhankelijk van de onbewuste strijd om verlangens waar te maken, of om zich aan te passen aan hoe je echt bent. Hoewel Ruth terdege besefte dat het begrip waarheid iets subjectiefs of zelfs iets utopisch had. De waarheid was niet een object, niet eens een methode; alleen een complexiteit die voortdurend toenam, want de waarheid leeft evenals de kunst alleen in de waarneming van degene die haar kan bevatten. Maar ook al bestond de zuivere waarheid niet, leugens maakten elke relatie onmogelijk.

Dat dacht Ruth.

Van vrouwen wordt verwacht dat ze bedriegen: ze ontharen zich, ze verven hun grijze haren, ze lakken hun nagels, ze dragen beha's met vulling zodat het lijkt of ze meer hebben, of step-ins om hun buikje te verbergen. Ze simuleren orgasmen of simuleren ze niet, al naargelang ze de hoer of de maagd spelen. Ze simuleren onervaren of dommer te zijn dan ze in werkelijkheid zijn. En Ruth was grootgebracht in de overtuiging dat haar identiteit als vrouw gebouwd was op leugens en stiltes. Daarom ontpopte ze zich als een waarheidsmaniak. Ze probeerde met alle geweld haar eerlijkheid te behouden, omdat dat voor haar gevoel het enige was wat nog intact was, omdat ze als vrouw geweldig was afgegaan: omdat ze niet kon simuleren, omdat ze de hoer was geworden en de gedumpte, er zat dus niets anders op dan van haar overwinning een nederlaag te maken en van haar enorme eerlijkheid een vlag. Ten slotte was ze Gaelisch, daar kon ze niet omheen. Haar rode haren, haar groene ogen en haar sproeten verkondigden dat luid en duidelijk, dat was de erfenis van haar moeder, dat was haar bloed, haar wezen, ook al sprak Ruth geen Gaelisch en was ze duizenden kilometers buiten Schotland opgegroeid. En was 'vertel altijd de waarheid' niet het eerste gebod van de druïden? *De grootste vijand voor de eer van een koning is het gebrek aan respect voor de waarheid, het verbond met het valse.*

Dat zou haar moeder hebben gezegd. Of dat dacht Ruth.* Een oprechte menselijke verhouding, een verhouding zoals Ruth graag zou hebben, dat wil zeggen een verhouding waarin twee personen (of die twee nu vrienden, minnaars of familie waren) het recht hadden om het woord liefde te gebruiken als ze refereerden aan hun verbondenheid, zo'n verhouding impliceerde onvermijdelijk een lang aanpassingsproces, een ontwikkeling die soms delicaat, soms heftig, soms dankbaar en soms pijnlijk voor de betrokkenen was. Ruth had geleerd van de verhoudingen met haar vader, Judith, Beau, Pedro en

* Maar dat zei volgens de legende de druïde Cathba tegen Cuchalainn, het Monster van Ulster, held van de Keltische sagen.

Juan dat het in zo'n soort relatie heel gecompliceerd was om oprecht over te komen en het bijna ondoenlijk was om zich juist uit te drukken. Wat betekende bijvoorbeeld precies 'ik mis je'? Betekent dat hetzelfde voor degene die het zegt als voor degene die het aanhoort, voor degene die het schrijft als voor degene die het leest? Bestaat de zuivere waarheid wanneer het onmogelijk is om die over te brengen, want niemand garandeert dat een betoog één enkele interpretatie heeft? Woorden zijn dubbelzinnig en zomaar uitgesproken, met positieve en negatieve gevolgen. In de relaties die voor Ruth de moeite waard waren geweest, had ze diep moeten wroeten in wat ze dacht dat ze wist en had ze de dingen nooit klakkeloos aan moeten nemen. Wat wilde Pedro bijvoorbeeld zeggen als hij verklaarde dat hij meer van haar hield dan van wie ook? Dat hij Julito voor haar in de steek zou laten of dat hij haar nodig had als lichtbaken, als gids, als vertrouwelinge? Wat wilde Juan zeggen als hij haar zo vaak verzekerde dat hij niet zonder haar leven kon? Dat hij niet leven kon zonder haar te neuken, dat hij zich verveelde zonder haar, dat hij eens Biotza voor haar in de steek zou durven laten, of dat hij die bizarre *menage à trois* zijn hele leven wilde volhouden? Wat wilde bijvoorbeeld zeggen 'ik heb je nodig'? Eten, water en zuurstof heb je nodig... Naar de minnaar verlang je. Tenminste in strikte zin.

Of dat dacht Ruth.

Als Ruth had gelogen over haar leven in Londen of als zij niet de volledige waarheid had verteld, was alles misschien gemakkelijker geweest, maar misschien vertelde Ruth Juan de waarheid wel als een domme onafhankelijkheidsverklaring. Omdat zij geloofde dat wanneer relaties gekenmerkt werden door een behoefte aan controle ze zichzelf herhaalden, en dan zouden de mogelijkheden, de oneindige mogelijkheden binnen die relatie opraken. Dat had zij tenminste geconcludeerd uit haar ervaring met Beau. Maar om een goede relatie met Juan te hebben hoefde ze hem niet alles wat ze dacht of voelde te vertellen of alles wat hij dacht of voelde te begrijpen, ze hoefde zelfs niet van tevoren te weten wat ze hem allemaal zou gaan vertellen. Maar de meeste tijd verlangde ze ernaar hem alles te kunnen vertellen wat er door haar hoofd ging, zonder van tevoren te moeten afwegen of hij haar daarom wel meer of minder waardeerde, of dat hij bang voor haar zou zijn, of dat hij haar beter of slechter zou vinden. Er waren zoveel dingen waarover zij niet met hem kon praten... Ze kon niet praten over vroegere minnaars, over erotische fantasieën waar anderen bij betrokken waren, over haar wantrouwen ten opzichte van Juans uitgever of zijn moeder. Ze kon natuurlijk niet praten over Biotza. En ook niet over Pedro, want Ruth had gemerkt dat dat onderwerp Juan vreselijk irriteerde alsof hij jaloers was en langzamerhand kwam haar beste vriend steeds minder voor in de gesprekken met haar minnaar. Maar toch probeerde Ruth zo goed en zo kwaad als het ging over meer onderwerpen te praten, de vertrouwelijkheden tussen Juan en haar uit te breiden, wat hetzelfde betekende als de mogelijkheden van een gezamenlijk leven te scheppen, een relatie van welke aard dan ook: minnaars, vrienden, broer en zus. Dat was waarschijnlijk een van de redenen dat ze hem over haar ervaringen in Londen had verteld (andere redenen zouden kunnen zijn: jaloezie, trots, verbittering...), omdat ze genoeg had van verboden onderwerpen, omdat ze het volledige vertrouwen miste dat ze bijvoorbeeld van Pedro had.

Of dat geloofde Ruth.

De keuze van Café Comercial was natuurlijk niet willekeurig geweest. Dat was de plaats waar ze voor het eerst tegenover elkaar zaten, de plaats waar hun geschiedenis begon en bijgelovige Ruth wilde daar de geest van verzoening oproepen voor een nieuw begin. Ruth die daarna niet meer in het café was geweest, ging er om kwart voor zeven naar binnen, iets ongewoons voor haar doen want ze was nooit zo punctueel; ze liep afwezig door de zaal, ongevoelig voor de begerige blik van de ober die natuurlijk dezelfde was als bij de eerste ontmoeting, en omdat ze hem niet wilde teleurstellen in wat hij klaarblijkelijk van haar verwachtte, heupwiegde ze overdreven, trok haar rok nog strakker aan en ging ten slotte bij het raam zitten om de straat goed in de gaten te kunnen houden. Toen de ober aan haar tafeltje verscheen, bestelde ze een lindebloesemthee. Thuis zou ze een Lexatin genomen hebben als ze een doosje had kunnen krijgen, maar ze had geen recept en kon daar op zo korte termijn ook niet aankomen en zoals de zaken ervoor stonden dacht ze er niet aan om pillen aan Pedro te vragen, zodat ze haar zenuwen in bedwang probeerde te houden en ging zitten wachten. Toen de ober met de thee kwam betaalde ze zonder hem aan te kijken en dronk de inhoud van het kopje bijna in een slok leeg, ook al was het gloeiend heet.

Ze droeg een witte jurk die ze speciaal voor deze gelegenheid had gekocht. Gewoonlijk – dat hebben we al eerder vermeld – droeg ze geen witte jurken. In de eerste plaats omdat ze bijna nooit jurken droeg, alleen 's zomers, omdat ze die als kind al truttig en lomp vond; en ten tweede omdat wit, behalve dat het een besmettelijke kleur is, haar nog dikker maakte. Maar ze herinnerde zich dat ze op hun eerste afspraakje iets wits voor hem had aangedaan en dat het trucje had gewerkt, dus had ze een fortuin uitgegeven aan het jurkje van Schelesser. Het was Schelesser geworden op aanraden van Pedro natuurlijk die met haar mee naar de winkel was geweest, maar als Pedro te weten kwam dat Ruth zo gek was om alleen maar zo'n dure jurk te kopen omdat ze met Juan had afgesproken, had hij haar nooit ofte nimmer die jurk of een andere jurk aangeraden. Er was nog een reden om wit te kiezen: de herinnering aan het licht. Wit, spectrum van alle kleuren, de vibratie van zuiverheid, het kosmische vlak van perfectie, de kleur van het licht dat Ruth had omgeven, de vrede. Toen ze uit de kliniek kwam had Ruth zich serieus voorgenomen op een heel andere kleur garderobe over te gaan, maar ze had het geld noch het lichaam om zich dat te veroorloven, nog daargelaten dat haar vrienden zouden denken dat ze zich bij een sekte had aangesloten en ze haar al gek genoeg vonden om hen ook nog de stuipen op het lijf te jagen met nieuwe buitenissigheden.

Om vijf over zeven stopte er een taxi voor het café en Ruths hart sprong over en er ging een siddering door haar bloed toen ze een bekend iemand uit de duisternis van de auto zag opduiken. Meer intuïtief dan waarneembaar raadde ze wie het was en die schaduw en dat silhouet riepen in Ruths binnenste een onvermijdelijke aantrekkingskracht op, begerig en pijnlijk tegelijk, waardoor Ruth zich meer dan ooit met zichzelf identificeerde terwijl ze zichzelf niet meer was. En dat visioen kroop in haar bloed, nam bezit van haar, nestelde zich uiteindelijk in haar hart en bracht toen een acuut gevoel van angst teweeg. Haar eerste opwelling was om te vluchten, naar de toiletten rennen, zich daar verstoppen en er pas na een half uur of misschien nog langer uitkomen (hij was immers geduldig en gewend op haar te wachten, omdat Ruth uit wraak ook later begon te komen sinds ze had gemerkt hoe weinig punctueel hij was), als Juan er genoeg van zou hebben om tevergeefs te wachten. Een vreemde kracht – misschien een afweermechanisme van het laatste restje gezond verstand dat ze op het punt stond te verliezen – trok haar naar de toiletten, terwijl een instinctieve sympathie haar met tegengestelde kracht naar de straat dreef, naar de man die uit de taxi stapte, elegant, verwaand en hooghartig en zich daar misschien niet eens van bewust was, naar de man die vervaarlijk naar de cafédeur liep, naar die verschijning waarin Ruth begerig en meer dan ook in op wilde gaan. Ze verwierp haar eerste impuls en koos voor het tegengestelde, dus liep ze naar hem toe, terug door de zaal met een grote en warme lach als welkom en stond voor hem zodra Juan het café binnenkwam.

'Hallo,' zei ze.

De zenuwen verraadden haar en haar gewoonlijk lage stem klonk overdreven hoog, bijna als een falset.

Hij keek haar verbaasd aan en liet zijn blik van boven naar beneden glijden, zonder iets te zeggen. Dat moest Ruth wel opvallen en ze dacht dat het misschien kwam omdat ze zo was veranderd, want ze was bijna zeven kilo afgevallen in het ziekenhuis en haar sleutelbeenderen waren duidelijk te zien in haar decolleté.

'Hallo, Juan,' herhaalde ze. 'Ben je doof geworden?'

'Zoiets ja. Ik ben stomverbaasd...' Zijn schorre en gesmoorde stem trilde alsof het hem moeite kostte iets te zeggen. 'Omdat ik niet kan beschrijven... hoe knap je bent.'

Ze probeerde een ironische ondertoon in die zin te ontdekken maar dat lukte niet. Misschien meent hij het echt, dacht ze. En Juan meende het echt, omdat die nieuwe versie van Ruth, die slanke, bleke, lome Ruth met die maagdelijke uitstraling, in die luchtige witte jurk, hem met stomheid had geslagen, zo apart vond hij haar soort schoonheid. In dat nieuwe slankere driehoekige gezicht met de uitstekende jukbeenderen schitterden haar ogen met een eigen en vernieuwde glans en de dichte groene gloed leek vloeibaar metaal. Biotza was knap, dat had hij nooit ontkend. Maar Ruth had iets van een... aura; ja, een aura die Biotza niet had.

'Zullen we iets drinken?' vroeg zij.

'Hier?'

'Waar anders?' Ruth vond dat nu juist de geschikte plek om 'iets te drinken' of wat dan ook, daarom had ze die uitgezocht.

'Ik weet niet, we kunnen naar een andere plek gaan, iets...' intiemer lag op het puntje van zijn tong, maar hij hield zich in, 'minder formeel.'

'Goed...' Ruth die urenlang over deze nieuwe ontmoeting had nagedacht, die alles voor zich had gezien: de juiste tafel waar ze aan zouden zitten, naast het raam, de juiste lichtinval, de blauwe weerschijn die de zon op Juans haar zou hebben, het ronde marmeren tafeltje, de obers met vlinderdasjes, alles... zag hoe dat beeld dat ze had samengesteld opeens afbrokkelde. 'Zoals je wilt.'

Maar hij wilde dat café vermijden om dezelfde reden als waarom zij wilde blijven: omdat het een heleboel herinneringen in hem losmaakte, herinneringen die pijn deden.

'Zullen we anders naar Malasaña gaan? Er is daar een leuk café tegenover het plein.'

'Sinds wanneer ga jij naar Malasaña?' wilde ze zeggen, maar ook zij hield zich in en de vraag werd niet gesteld. Als het een filmshot was geweest, zou de vraag als een stem buiten beeld te horen zijn. Ze wist wel dat hij een leven zonder haar had, maar dacht dat dat alleen in Bilbao was, en het idee dat hij ook in Madrid dingen deed zonder haar gaf haar een heimelijke steek van jaloezie.

Ze gingen samen de namiddagzon in en liepen naast elkaar zonder elkaars hand te pakken tot hij onder het lopen zijn arm om haar schouders sloeg. Toen draaiden ze zich naar elkaar toe en bijna onbewust omhelsden ze elkaar midden op het trottoir en klampten zich aan elkaar vast als twee drenkelingen in ademnood die elkaar als laatste redmiddel gebruikten, met zoveel passie dat voorbijgangers geamuseerde en nieuwsgierige blikken naar hen wierpen. Hij verborg zijn gezicht in haar dikke rode haardos en ging niet op in het duister van haar haren maar eerder in de vurige schemer daarvan (zij was rood, niet donker) en bleef die bekende geur van kaneel en feromonen opsnuiven die vleugjes herinneringen boven bracht. Zo had hij willen blijven staan, met zijn gezicht verhuld om de overweldigende emotie te verbergen die bezit van hem nam, die salvo's van begeerte die als elektrische stromen door zijn vingertoppen gingen als hij haar aanraakte.

Ten slotte maakte zij zich los, zich bewust van de gratis voorstelling die zij gaven, en liepen ze hand in hand verder, en dat contact van de vingers met de huid van de ander veranderde algauw in een voelbare herinnering, een herinnering van strelingen op de huid waar, heimelijk en diep, de hartslag van het leven scheen te kloppen. Ze liepen door Fuencarral haast zonder een woord te zeggen, lachten naar elkaar als verlegen kinderen, onderhevig aan een argeloze en wederzijdse vervoering. De toppen van de gebouwen en het stukje lucht daarboven waren geelgekleurd en hielden het laatste zonlicht van die dag vast als een aura waardoor het geheel iets irreëels, iets fantastisch kreeg. Hoewel zij het niet had voorgesteld liepen ze automatisch naar Echegaray als paarden die na op hol te zijn geslagen instinctief terugkeren naar hun stal. Ze staken de Gran Vía over, liepen Montera af, over Sol en sloegen de Calle Príncipe in zonder te praten, ze lachten alleen naar elkaar en wisselden af en toe bescheiden kusjes uit. Het jarenlange verdriet dat Ruth had achtervolgd, het vervelende gevoel anders te zijn was opeens verdwenen, in slaap gesust, als ze naar Juans gezicht keek, want de aanwezigheid van die man veranderde die vieze, rumoerige, lelijke, onveilige stad in een aangename plek, een plek die zij ten slotte de hare kon noemen.

Zij verbaasde zich erover dat hij zo welwillend was, dat hij zich niet verzette en zich zo gemakkelijk liet meenemen, en ze durfde niets te zeggen om de betovering niet te verbreken, om het tafereel niet als een luchtspiegeling te laten verdwijnen, zodat hij niet plotseling ontnuchterde en zich realiseerde waar hij mee bezig was, niet uit deze hypnotische trance kwam waarin hij scheen op te gaan en onverwacht zijn verstand terugkreeg en besefte dat hij naar het huis van Ruth liep, dezelfde Ruth op wie hij nog maar nauwelijks twee weken geleden zo kwaad was geweest, want wat Ruth op dat moment het liefste wilde was met hem naar bed gaan, en ze kon zich niet voorstellen dat hij, terwijl hij met een verbaasd gezicht naar haar lachte, min of meer hetzelfde dacht.

Ze kwamen bij het flatgebouw en liepen hand in hand de trap op. Ruth zag vanuit haar ooghoek hoe de schaduw die zij samen vormden, zwart en met vleugels, op een allegorische vleermuis leek, hen op twee stappen afstand volgde en de trappen op ging met de onverschrokkenheid van Lucifer. Ze was een beetje bang voor de naderende emotie van hun eerste samenzijn na de eerste breuk. Ze stopten bij de deur zodat Ruth de sleutel uit haar tas kon pakken en toen zij opkeek door dat bekende gevoel geobserveerd en aangestaard te worden, keek ze recht in Juans vurige ogen die haar in brand leken te zetten, of hij laserstralen in zijn pupillen had en Ruth staarde hem ook aan. Er gingen een paar seconden voorbij die uren leken waarin alleen het geluid van hun gelijktijdige ademhaling te horen was en ze elkaar smachtend aankeken. Zij verbrak de betovering en was de eerste die haar blik afwendde. Ze stak de sleutel in het slot en deed de deur zachtjes open.

Langzame overgang op zwart.

Anatomie van een aangekondigd onheil

Er was geen waarzegster voor nodig om de relatie van Juan en Ruth een sombere toekomst te voorspellen. Ten eerste omdat ze hemelsbreed van elkaar verschilden, want zoals we al zeiden was Ruth goudkleurig en blank en Juan gitzwart en donker, het typische zwarte maangroen van Lorca; Juan voelde zich voortdurend geobserveerd door een god aan wie hij rekenschap moest afleggen en Ruth, die aanvankelijk evenals Buñuel dacht dat God atheïstisch was, geloofde nu in een godin van wit licht die ze in zich had, die als een boom binnen in haar groeide; Ruth hield niet bij hoeveel minnaars ze had en Juan wist met een obsessief schuldgevoel precies hoe vaak hij Biotza ontrouw was; et cetera, et cetera.*

Toch leken die twee erg op elkaar. Beiden waren obsessief en egocentrisch, leefden volgens het beeld dat anderen van hen hadden, hadden een moeilijke puberteit doorgemaakt en deden er alles aan om in hun beginnende carrière de wereld te laten zien wat ze waard waren of dachten waard te zijn. En ondanks of juist door hun verschillende karakters veranderden ze uiteindelijk in twee tegenover elkaar opgestelde verzilverde spiegels waarin ze een vertekend beeld van zichzelf zagen.**

Veel personages hebben op min of meer relevante wijze uiting gegeven aan hun passie en om de waarheid te zeggen kon er niet één bogen op een bijzonder nobel karakter, geest of oprecht altruïsme.

Goed, laten we bij het begin beginnen. Na die middag van het

* Oké, oké... Dat hadden we al gezegd.
**Dat hadden we ook al gezegd.

weerzien die een en al hartstocht en liefde was; nadat Juan Ruth innig omhelsde en door haar haren had gewoeld; nadat hij haar in de ogen had gekeken die in het duister van de kamer en de gedachte groener dan ooit oplichtten en hij die groene, kinderlijke blik had gezien, die hem onmiddellijk in vuur en vlam zette; nadat hij met zijn hand over haar gezicht had gestreken alsof hij besefte dat hij op een dag niet meer zou weten hoe ze eruitzag; nadat de tijd stil was blijven staan, toen alles mogelijk of onmogelijk leek, omdat bij dat intense genot winnen of verliezen, geven of nemen er niet toe deed; nadat ze een innige, woordloze dialoog waren aangegaan, die door het verzwijgen des te veelzeggender was; nadat hun bevredigde lichamen niet verder hadden kunnen gaan zonder te bezwijken... nadat ze zich hadden verzoend – lichamelijk tenminste – pakten ze min of meer de draad weer op. Met andere woorden, in overeenstemming met de stelling van Wittgenstein werd verzwegen waarover niet kon worden gesproken, niet over de zelfmoordpoging van Ruth, niet over Juans leven in Bilbao, niet over Ruths tijd in Londen. En alles werd weer als vanouds maar onderhuids was er bij beiden bitterheid en diepe wrok aanwezig die er voorheen niet waren.

Ontrouw komt altijd uit en het kon niet anders of Biotza kwam er na verloop van tijd achter wat er in Madrid gebeurde. Alsof de geruchten die ze te horen kreeg via vrienden en kennissen met familie of contacten in de hoofdstad nog niet voldoende waren, bevestigden de media wat ze tot nu toe alleen maar had vermoed. Per slot van rekening was Ruth Swanson een bekend iemand, zodat op een gegeven moment zelfs de kranten over de affaire schreven; als het over een première ging stond er altijd wel zoiets als: 'Veel bekende gezichten woonden de première bij: je weet wel, die en die (...) *en de filmregisseuse Ruth Swanson in gezelschap van haar sinds kort onafscheidelijke vriend, de dichter Juan Ángel de Seoane*.' Uiteindelijk vroeg Biotza het Juan op de man af en kreeg ze – zonder veel moeite, dat moet gezegd – de verwachte bekentenis los. Ze was eerst natuurlijk des duivels, want meisjes uit Bilbao reageren op die manier, en zei meer dan eens dat het voorgoed uit was tussen hen en bijna had ze, zoals in het liedje, de rozenkrans van haar moeder teruggevraagd, maar omdat Biotza hem helemaal geen rozenkrans had gegeven wilde ze alleen de brieven en foto's uit hun verlovingstijd terug, waar Juan echter niet op inging; ten eerste omdat hij de brieven van Biotza niet had bewaard en ten tweede omdat hij dat een belachelijk overdreven en theatraal, om niet te zeggen vreselijk aanstellerig, gebaar vond.

Zoals altijd wanneer ze problemen had, zocht Biotza haar heil bij de twee vrouwen die ze het meest vertrouwde en die haar altijd hadden gesteund: haar eigen moeder en die van Juan. Ze hoefde hun niet te vertellen wat er aan de hand was, want allebei keken ze 's avonds na het eten naar de roddelprogramma's op de televisie en het was hun niet ontgaan hoe innig Juan en die Swanson waren bij de première van *A los que aman*. Leire, Biotza's moeder, voelde zich in het diepst van haar ziel gekwetst: het was erg dat haar dochter werd bedrogen, het was nog erger dat een ordinaire maqueto dat deed, maar het allerergste was dat heel Bilbao het op de televisie had kunnen zien, voorzover het al niet bekend was. Carmen reageerde echter heel anders en probeerde Biotza zoveel mogelijk te kalmeren, want zij zag haar als de dochter die ze nooit had willen hebben. En we zeggen 'had willen' en niet 'had kunnen', omdat Carmen nooit een tweede kind had gewild en er altijd van uit was gegaan dat als haar zoon trouwde de schoondochter haar dochter zou worden, omdat de vrouw van haar zoon deed wat híj wilde. En omdat Carmen er nooit aan had getwijfeld dat haar zoon haar op haar oude dag tot steun zou zijn vond ze het vanzelfsprekend dat de schoondochter haar bij ziekte zou verzorgen, met haar aan de arm door het park zou wandelen en haar de laatste lepeltjes soep zou voeren. Deze rol leek Biotza op het lijf geschreven: ze was lief, goed, huiselijk, praktisch en een keurig meisje... Ze was niet ambitieus en omdat ze geen slechte trekjes had, rookte ze ook niet. Maar wat bezielde die klojo van een zoon van haar om zo'n parel de bons te geven? Ze had het immers steeds gezegd: dat van Madrid was een stomme zet geweest, hoe kom je erbij om de jongen op die leeftijd alleen naar zo'n grote stad te laten gaan, de hoofdstad was gevaarlijker dan een mijnenveld, en ze zou Biotza zelfs hebben aangeraden om persoonlijk bij hem voor haar rechten op te komen als Biotza's familie niet tegen seks voor het huwelijk was geweest (ze waren erin gebleven als ze wisten dat het meisje geen maagd meer was) en het afkeurde dat Biotza alleen naar haar vriend toe ging. Maar er was geen reden tot bezorgdheid, dacht Carmen, en dat zei ze ook tegen Biotza, want iedereen weet toch dat er voor mannen twee soorten vrouwen bestaan: die waarmee je trouwt en die waarmee je plezier hebt. Daarom moet een vrouw een keuze maken: ze wil óf iets bijzonders betekenen in het leven van een man óf alleen maar handelswaar, foerage zijn, want als je voor het grijpen bent oogst je verachting, dat is altijd al zo geweest en het was zo duidelijk als wat dat Juan vroeg of laat genoeg zou hebben van dat geintje in de hoofdstad en weer bij zijn positieven zou komen, iedereen weet en vindt het normaal dat een jongeman wat van de wereld wil zien voor hij trouwt maar ook dat hij als hij weer bij zinnen is dat niet doet met gebruikte waar, met zo'n ordinaire slet die ook nog eens tien jaar ouder is dan hij. Ze zei dus tegen Biotza dat ze maar beter niet te veel ophef over die affaire moesten maken en Juan niet onder druk zetten, want dan zou hetzelfde gebeuren als met kinderen die om het speeltje zeuren waar ze nooit naar hebben omgekeken juist wanneer hun moeder het besluit weg te gooien, kinderen doen immers het liefst wat niet mag, en mannen zijn per slot van rekening net grote kinderen. 'Dus, meisje,' raadde ze haar aan, 'doe zoals wij in Galicië zeggen en *finxe que no vedes*, dan zul je zien dat hij genoeg van haar krijgt en bij je terugkomt, want jij bent degene van wie hij werkelijk houdt, dat is overduidelijk, en zo niet, dan komt dat nog wel.'

Dus nadat Biotza door de telefoon die scène had gemaakt, de brieven en foto's had teruggevraagd en Ruth voor alles en nog wat had uitgemaakt met een taalgebruik dat we hier niet willen herhalen, want uit de mond van een welopgevoed meisje uit Bilbao zou dat niet klinken, belde ze Juan drie dagen later poeslief op, hij was stomverbaasd en vond het verstandiger er niet tegenin te gaan en het over koetjes en kalfjes te hebben alsof er nooit een knallende ruzie was geweest en er ook geen derde in het spel was. De kalmte en rust van

Biotza waren natuurlijk maar schijn en aanvankelijk toonde ze zich heel tolerant en vol begrip, maar al spoedig veranderde haar houding en kwamen de beschuldigingen en emotionele chantage; Juan was volgens haar slecht en een egoïst die alleen maar voor zijn eigen pleziertjes leefde en niet het minste medelijden had met de mensen die hij verdriet deed; het waren dezelfde argumenten als die van Ruth die Juan de godganse dag met dergelijke verwijten om de oren sloeg zodat het voor Juan op een gegeven moment lood om oud ijzer was, want hoe verschillend zijn beide vrouwen zich ook opstelden, voor hem waren het twee versies – de ene modern en werelds, de andere behoudend en provinciaals – van zijn eigen moeder: manipulerend, veeleisend, egoïstisch en hysterisch. En ten slotte leed iedereen eronder. Ruth, Biotza, Juan en zelfs Pedro die Ruth steeds minder zag omdat zij alleen voor Juan leefde en als ze die niet zag zo gedeprimeerd was dat ze niemand anders wilde zien. De weinige keren dat Ruth en Pedro met elkaar afspraken – meestal had Pedro de smoes dat hij wilde zien hoe het met het scenario ging, ook al wist hij maar al te goed dat het niet opschoot – zag hij tot zijn verdriet hoe ze was veranderd, een en al zenuwen en met donkere wallen onder haar ogen, net een pandabeer.

De arme Juan was onderhevig aan vreemde en tegenstrijdige gevoelens die zo hevig in zijn binnenste woedden dat hij het ene moment gelukkig en meteen daarop helemaal van de kaart was. Af en toe maakte zich een wilde opwinding van hem meester alsof een langverwacht avontuur was begonnen waarbij zijn ego zwol van trots; maar even daarna verviel zijn zojuist verheven ego in de meest sombere zelfverachting: hij had Biotza en zijn moeder voor de gek gehouden, hij had hun vertrouwen beschaamd, hij had zijn eigen waarden verloochend, de dingen waarin hij tot voor kort geloofde, en Biotza, die hem al die jaren nooit verdriet had gedaan, verdiende dat niet en zijn moeder al helemaal niet, zij had zich kapot gewerkt om hem te laten studeren. Maar tegelijkertijd vond hij dat zij niet het recht hadden hem zijn eigen leven te ontnemen, dat hij tegenover hen geen verplichting had, alsof gevoelens koop- en verkoopwaarde hadden, zoiets als 'ik heb je liefde gegeven, dan moet jij mij liefde teruggeven'. Maar het besef dat hij ook van hen hield en het erg vond dat hij hen verdriet had gedaan verhevigden uiteindelijk zijn eigen angstgevoelens en verwarring. Soms was hij er serieus van overtuigd dat hij geen lijn meer kon brengen in de wereld om hem heen, de wereld die tot voor kort beantwoordde aan duidelijke en voorgeschreven gedragsregels, dat rustige en bezadigde leven met Biotza, waarin niets kapotging behalve af en toe een glas, waarin alleen maar rook was van sigaretten, en geen grotere ergernis dan het missen van de bus. Maar zelfs toen al, in die regelmaat, in die schijnbaar zo diepgewortelde overtuiging was niet zozeer een rationele bedenking als wel het voorgevoel van een afwezige vreugde te bespeuren. En toen die vreugde eindelijk verscheen in de persoon van Ruth – ook al was het een vreugde vol verdriet en beklemming – werd de droom van dat idyllische bestaan van de ene op de andere dag verstoord en leek alles chaos en afbrokkeling.

De beklemming was zo hevig dat hij geen nacht meer kon doorslapen; hij die zijn hele leven acht uur achter elkaar als een blok had geslapen. Hij kreeg angstdromen die door zijn hoofd spookten, verdwenen en terugkwamen, hij schrok meerdere keren per nacht wakker en viel dan uitgeput weer in slaap om een paar minuten later opnieuw – badend in het zweet en met maagkrampen – wakker te worden, waarbij alle episoden van die in zijn ogen ellendige en miserabele liefde naar boven kwamen; te onrustig om de slaap weer te vatten, te futloos om wakker te blijven. En zo bracht hij rusteloos de nacht door, hij sliep met tussenpozen, werd wakker en viel weer in slaap. Wanneer hij eindelijk 's morgens definitief wakker werd in Ruths bed duurde het even voor de werkelijkheid tot hem doordrong en hij besefte waar hij was. Alles deed hem pijn: het licht in zijn ogen, het geluid in zijn hoofd, Ruths aanwezigheid in zijn hart. Hij zou bijna weer in slaap willen vallen, hoe koortsachtig en onaangenaam die ook was, maar dan had hij tenminste geen last van de nieuwe, werkelijke nachtmerrie, die van het wakker zijn; hij stond op met een vreselijk slecht humeur en had de pest aan zichzelf en aan de vrouw die naast hem lag te slapen. Meestal ging hij zo vlug mogelijk weg met het excuus dat hij moest werken, zelfs als hij wist dat hij zich diezelfde avond toch weer zou laten meevoeren (zo heftig klopte het verlangen in zijn bloed) en diezelfde nacht weer in Ruths bed zou slapen. Hij liet in dat huis niet eens een tandenborstel achter, die had hij altijd in zijn jaszak, want met dat symbolische gebaar zou hij ongewild aangeven te willen blijven.

Maar de man die niets wilde weten van zijn band met die roodharige en haar bed, was dezelfde die buiten zinnen raakte als hij met haar naar bed ging, die voortdurend aan haar dacht als ze niet bij hem was, aan elk moment dat ze samen waren geweest, dat een betoverende glans kreeg door de zoete geheugenleer van de hartstocht waardoor hij elk klein detail opnieuw beleefde en zich liet meevoeren door de hartstocht van een lichaam dat pure oerdrift was. Hij kon niet ontkennen dat hij verliefd was, dat kon hij niet, maar was het die hoge prijs waard? Was het dat waard om de vrouwen van wie hij hield te kwetsen, om zijn uitgever kwaad te maken, zijn eigen opvattingen overboord te gooien, en dat alles voor de eerste de beste die hem elk ogenblik zou kunnen verlaten, die hem geen enkele garantie voor een serieuze relatie kon geven, voor een vrouw die in haar lichaam de sporen van wie weet hoeveel verschillende mannen droeg? Arm lichaam van Ruth, alleen bedoeld als ontvanger, onschuldig gemanipuleerd dier. Die gedachte – de sporen van andere mannen in het lichaam van zijn minnares – vond hij weerzinwekkend, daar kon hij niet mee leven. Die nestelde zich in zijn hoofd als een praktisch fysieke, stekende pijn en toen begreep hij dat hij nooit met Ruth zou kunnen leven, want hij zou die retroactieve jaloezie die hem verteerde nooit kwijtraken. Hij wist dat hij weer van Biotza zou kunnen houden, dat hij rustig met haar zou kunnen leven maar daarvoor moest hij zich eerst van die last bevrijden, van die verwoestende obsessie, en hoe dan ook ophouden steeds aan Ruth te denken. Een plotselinge angst waarschuwde hem tegen die zinnelijke nachtelijke liefde, angst voor het vreemde en onbekende, voor het oncontroleerbare, dat opkomen van een primaire en oeroude doodsangst in een ziel die het altijd zou voelen, een angst die – gehaast, vurig, dwingend, beklemmend – in zijn bewustzijn de vorm zou aannemen van een onontkoombare vlucht naar voren.

Want bedenk wel dat Juan nooit een zelfverzekerd iemand was geweest, ook al deed hij zich zo voor, zijn hele leven had hij onder de plak van zijn moeders liefde gezeten, geen gulle en absolute liefde zoals zij het deed voorkomen maar een liefde die afhankelijk was van Juans gedrag. Zij hield van hem wanneer hij zich netjes gedroeg, wanneer hij zich aanpaste aan het beeld dat zij voor hem had bedacht en daarom had hij zichzelf nooit als een perfect en volmaakt iemand gezien maar als een bedrieger die een rol speelde, die een vermomming droeg waaronder de echte walgelijke persoon schuilging die hij meende te zijn, de leugenachtige en ontrouwe man die bij Ruth sliep. Hij was uiteraard snugger genoeg om te begrijpen hoe dat gedachtemechanisme werkte en zelfs hoe hij het voor zichzelf had opgezet. Af en toe dacht hij pijnlijk helder na over zijn schuldcomplex en besefte dan terdege dat niemand anders dan hij zelf alleen zijn verdere leven in de weg stond, dat zijn schuld zogezegd in de neuronen gedrukt stond, als een inwendige gesel, een controlemechanisme. Hij besefte maar al te goed dat hij zich had aangewend om volgens bepaalde regels te leven, regels die hij belangrijk vond, of die de mensen om wie hij gaf belangrijk vonden (wat op hetzelfde neerkwam). Hij vond het vreselijk wanneer hij merkte dat hij die regels waarmee hij was grootgebracht overtrad, hoewel hij eigenlijk heel goed wist dat ze verkeerd en achterhaald waren en net zo willekeurig als de spelregels van mens-erger-je-niet.

Maar zijn gevoel was sterker dan zijn verstand en soms dacht hij liever weer als vroeger te willen leven, ouderwets en onzinnig maar rustig, dan gevangen te zitten in die spiraal van verraad en schuldgevoelens; liever de gebaande en bekende wegen te bewandelen met hun gevestigde normen, verboden en sancties, dan zijn weg proberen te vervolgen door de onberekenbare jungle van het ongereglementeerde. Hij blikte met verdriet en heimwee terug op dat zoete kalme leven, die duidelijke en saaie dagen die voorgoed achter hem lagen. En ondertussen bevond hij zich in een onhoudbare situatie, aan de ene kant de verloofde die zijn verloofde niet meer was maar zich als zodanig bleef gedragen, en aan de andere kant de minnares die nooit zijn verloofde zou worden, maar meer macht over zijn hart en genitaliën uitoefende dan tweehonderd verloofdes bij elkaar. Hij dacht gek te worden want niemand kan tegelijkertijd twee verschillende gezichten tonen en zeker weten welk gezicht het ware is. Juan hield zich onbewust aan de code van de Bushi-Do: een echte samoerai kan niet twee heren tegelijk dienen.

Ja, hij zou verder kunnen gaan met Biotza, hij zou van haar kunnen houden en hij hield ongetwijfeld van haar met een diepe, door tijd en gewoonte routine geworden, genegenheid. Hij kende haar goed en kon haar gevoelens en reacties voorspellen. Hij vertrouwde haar blindelings, maar het probleem met Biotza was dat hij haar hopeloos saai vond, hij vroeg zich af hoe lang een man het uithield bij een goede en knappe vrouw die geen gesprekstof had, hoe lang hij die verveling, als een soort rugzak, kon verdragen. Ooit had hij van Biotza gehouden of dat althans gedacht of van een droombeeld gehouden dat alles vertegenwoordigde waar hij naar verlangde – goedheid, schoonheid, lieflijkheid, onvoorwaardelijke liefde – en daar de ogen, het haar, de handen en het lichaam van Biotza aan toegevoegd. Het probleem was dat de fantasieschepping de werkelijke persoon overvleugelde en er voor de geïdealiseerde visie meer liefde was dan voor de rationele overweging en door van het ideaalbeeld – heel volledig en heel volmaakt – te genieten kon hij onmogelijk van de echte Biotza houden; want toen na jarenlange verkering en dagelijkse omgang de realiteit zich aan hem opdrong, toen hij onmogelijk een vrouw kwaliteiten kon blijven toedichten die ze duidelijk niet bezat, bleek de dagelijkse Biotza – doffe ogen als stilstaand water, uitdrukkingsloze stem zonder intonatie of warmte – zo anders dan de gedroomde Biotza dat Juan die klap nauwelijks kon verwerken. En met Ruths verschijning werd alleen maar bevestigd wat Juan al wist: hij hield allang niet meer van Biotza, zijn vroegere verliefdheid was het zelfbedrog van een puber en daarna had hij die deels uit gewoonte, deels uit sleur en deels uit lafheid in stand gehouden omdat hij niet de moed noch duidelijke redenen had om haar te verlaten.

Het ging er niet alleen om dat Ruth inderdaad veel ontwikkelder was dan Biotza, maar ze kon intelligent en snel echt interessante associaties tot stand brengen, bezat een vreemd analytisch vermogen dat concreet en zwevend tegelijk was, kon zo afdwalen of vasthouden aan conclusies. Ze wist alles van een andere kant te bekijken – een roman, een schilderij, een film, een half opgevangen gesprek in de bus... – en onverwachte verklaringen voor dingen te geven, de grappige kant van de ernstige situatie en de verstandige kant van de onzinnige te ontdekken. Ze kon de dingen waarderen en ervan genieten of het nu ging om wijn, eten, muziek of seks, en belangstelling tonen voor Juans gesprekken, ze tegenwicht geven, meningen uiteenzetten en ideeën aandragen, iets wat Biotza in geen geval kon, want Biotza keek hem alleen maar met enorme nietszeggende ogen aan en knikte instemmend zonder na te denken of, erger nog, toonde helemaal geen interesse. En voor de arme Biotza, die geen notie had van milde en spontane alledaagsheid, was creatieve verbeelding net zo onwezenlijk als water in de woestijn.

We moeten nu nog bekijken hoe Ruth met deze situatie omging. Goed, waarschijnlijk heeft ze het vanaf het begin helemaal verkeerd aangepakt omdat ze misschien na verloop van tijd van Biotza had kunnen winnen als ze rustig aan had gedaan, als ze had kunnen wachten zonder druk uit te oefenen, als ze had begrepen dat de situatie voor Juan net zo beangstigend was als voor iemand die veroordeeld is door twee paarden uit elkaar getrokken te worden, als Ruth de geduldige minnares op de achtergrond had gespeeld, als ze zich had gedragen als een ander die ze niet kon zijn. Omdat het voor iedereen (voor haar, voor Pedro en voor Juan zelf) overduidelijk was dat hij hevig naar Ruth verlangde, dat hij stapelgek op haar was. Maar Ruth was er niet aan gewend om te wachten of geduldig te zijn, ze was wel heel onzeker en vertrouwde niet zo op haar charme of bekoring om te denken dat, als ze de relatie met Biotza zou laten doodbloeden, de zaken een goede wending zouden nemen en Juan Biotza steeds minder zou ontmoeten en tegelijkertijd zijn beginnende verhouding met Ruth doorzette.

Steeds wanneer Juan in de daaropvolgende drie maanden een weekend naar Bilbao ging, raakte Ruth in een diepe, verkrampte angstneurose, het leek wel een aanval van waanzin die zo hevig was dat ze nauwelijks adem en geen hap door haar keel kreeg. Ze werd steeds magerder en zwakker, had de blik van een opgejaagd dier, een doffe huid van vermoeidheid, slap als een pop zonder vulling, want hoewel Juan bij hoog en bij laag zwoer dat hij niet meer met Biotza naar bed ging en hoogstens af en toe met haar afsprak om koffie met haar te drinken vanwege vroeger, wist Ruth dat Biotza nog steeds contact had met Carmen die zij bijna dagelijks belde en in Bermeo opzocht terwijl Juan Ruth nooit had voorgesteld om haar Bilbao of Bermeo te laten zien en al helemaal niet om haar aan zijn moeder voor te stellen, maar hij gaf toe dat Biotza praktisch vanaf het begin van hun relatie bij hem thuis kwam. Het was kwetsend dat Biotza werd geaccepteerd en zij zo goed als buitengesloten werd, het maakte Ruth ziek van jaloezie, een jaloezie die haar bloed vergiftigde en in hevigheid alleen te vergelijken was met die allesverterende jaloezie van Juan wanneer hij aan Ruths verleden dacht. Ruth verkende de wereld met onzichtbare antennes, nam de ervaringen van anderen op en vergeleek ze met die van haarzelf om ze dan opnieuw te beschrijven. En zo vormde zij haar zelfbeeld door zich met het spookbeeld van Biotza te vergelijken, een spookbeeld dat de optelsom was van de ontelbare vernederingen die Ruth had ondergaan of dacht te hebben ondergaan door een omgeving die vrouwen zoals zij verachtte, de tegenpolen van de duizenden Biotza's op de hele wereld. Soms geloofde ze zelfs dat ze niet op Juan zou zijn gevallen als hij niet een dergelijke uitdaging had betekend, als hij niet de mogelijkheid had gesymboliseerd om voor één keer dat legioen *brave meisjes* te verslaan, als ze hem niet in zekere zin als buit zag, een trofee veroverd op het kamp van de moraal en het fatsoen. Ook al was trots een belangrijke factor in haar obsessie en innerlijke drang om hem te krijgen, toch moeten we toegeven dat er veel meer was dat hen bond: niet alleen de seks, ondanks het feit dat seks net zo'n solide band kan zijn als een paar ijzeren ketens, ook de gemeenschappelijke lectuur, hun voorliefde voor dezelfde films, maar vooral de hartstocht voor het leven, de wens om iets meer te zijn dan wat anderen hadden beslist dat ze moesten zijn.

Telkens wanneer Juan wegging sloot Ruth zich die drie of vier dagen op in huis, verteerd door angstgevoelens, in plaats van met Pedro of iemand anders af te spreken of alleen uit te gaan. En zo werd ze een stille en eenzelvige Penelope, slachtoffer van haar eigen Ithaca. De hartstocht woedde in Ruths binnenste, bedierf haar dagen en haar bestaan. Ze hunkerde ernaar, zelfs ten koste van alles wat ze bezat, zelfs van haar bloed als dat moest, om altijd bij Juan te kunnen zijn, ze zou alles verkopen, alles verloochenen, alles voor hem in de steek laten, want ze verlangde dat hij haar toebehoorde met een hartverscheurende, volledige en satanische behoefte die haar urenlang in zijn greep had. Langzame en onregelmatige uren waaraan geen eind kwam wanneer hij niet bij haar was; uren die nooit leken te verstrijken, nauwelijks door te komen; uren die in eeuwigheid leken te veranderen, die in hun zestig minuten eeuwen leken te bevatten; uren die daarna snel in de herinnering weggleden tot ze praktisch niet meer bestonden. Maar toen kon ze zich niet voorstellen dat die pijn op een dag zou overgaan, dat de wond uiteindelijk zou genezen en alleen een litteken in het geheugen zou achterlaten.

In de toekomst zou dat litteken steeds wanneer iets het beeld van Juan opriep – een gesprek, een vertrouwde geur, een liedje, een film die ze samen zagen – weer pijn doen, zoals littekens bij weersverandering pijn doen, maar niet zo pijnlijk meer als een open wond die voortdurend wordt gevoeld, meer als een vertraagde emotie die de emotie van dat moment zou overvleugelen en fragmenten van vroegere ruimten en tijden meevoerde die alleen zichtbaar zouden zijn voor de herinnering van daarvoor. Maar wie is zo moedig dat hij midden in een liefdescrisis tegen zichzelf durft te zeggen 'maak je niet druk, dit gaat over, over een paar jaar denk je niet eens meer aan dit ogenblik, dan moet je er zelfs om lachen, je lacht je kapot dat je zo idioot bent geweest'? Nee, Ruth uiteraard niet. Ruth niet.

Kortom, de volgende maanden gingen alle betrokkenen door een hel. Biotza, omdat ze in de steek werd gelaten en haar trouwplannen op de lange baan moest schuiven, maar ze werd tenminste in bescherming genomen door haar twee moeders en zat niet opgescheept met de chagrijnige buien van Juan omdat ze hem bijna niet zag. Juan, omdat hij werd verteerd door zijn schuldcomplex, besluiteloosheid en jaloezie. Ruth, omdat ze bij Juan het gevoel had dat ze de horizon probeerde te bereiken die zich verder verwijderde hoe meer ze zich inspande om erbij te komen, altijd dichtbij, altijd ver weg. Pedro, omdat hij zich machteloos voelde en niets kon doen om een vriendin op te beuren die steeds schuwer en afweziger werd, die zich zelfs lichamelijk verwaarloosde.

Alsof dat nog niet genoeg was begon Juan overmatig te drinken, dat had hij altijd al gedaan maar dat was nooit zo opgevallen. Per slot van rekening dronk zijn vader ook elke dag een stevige borrel en in Bermeo is drankgebruik zo normaal dat niemand ervan opkijkt als je 's middags na het werk een paar glaasjes wijn neemt, bij de lunch en het avondeten wijn drinkt of na de maaltijden een pruimenlikeurtje. Maar het alcoholisme van zijn vader had zijn pluspunten, omdat hij er zwijgzaam en suf door werd en zaterdagavond niet meer aanspreekbaar was, niet bij machte om kritiek te hebben of een eigen mening te ventileren en Carmen zat er niet mee dat hij dronk, het hinderde haar niet en ze vond ook niet dat ze er iets tegen moest doen. Wat Juan betrof had Ruth gemerkt dat wanneer ze uitgingen hij gin-tonics dronk alsof het Coca-Cola was en hij er op een avond wel zes achter elkaar op kon, maar omdat ze aanvankelijk vond dat ze hem goed deden, dat zijn schuchterheid in de glazen oploste en hij spraakzaam en gevat en vooral lief voor haar werd, had ze er niet al te veel aandacht aan geschonken. Sterker nog, in het begin in die eerste idyllische maand van hun verhouding, had Ruth het bijna fijn gevonden dat hij dronk, want als hij aangeschoten was werd hij heel hartstochtelijk en vurig en was zo lief voor haar in en buiten bed dat Ruth de gin bijna een zegening vond, een liefdesopwekkende nectar, manna uit de hemel. Maar de zaken lagen nu anders, Juan haatte Ruth omdat hij werd verteerd door jaloezie en hij haatte haar omdat zij zijn leven op zijn kop zette, en omdat de alcohol zijn diepste gevoelens naar boven bracht was hij elke keer als hij dronk niet te genieten; als hij begon te drinken werd hij aanhankelijk, wist niets van Ruths verleden en bracht niets zijn stabiele verhouding met Biotza in gevaar, maar na enige tijd veranderde hij door de alcohol in een onaangenaam en driftig persoon, in een wassende rivier, een maalstroom van jaloezie en rancune.

Een karakteristieke situatie zou er ongeveer zo uitzien: ze kwamen op een feest en onvermijdelijk kwam er een of ander manspersoon op Ruth af om haar te begroeten. Dat konden simpelweg bewonderaars zijn, acteurs op jacht naar een rol, oude bekenden uit de tijd dat ze 's nachts met Pedro in Chueca doorzakte, vroegere minnaars, one night stands, of ook totaal onbekenden die Ruth voor alle zekerheid fatsoenlijk en beleefd begroette. Maar één ding deden ze allemaal: ze staarden naar Ruth met begerige ogen die bij haar diepe decolleté bleven steken, althans zo meende Juan het te zien en vervolgens stortte hij zich in een onzinnige spiraal van alcohol en wrok. Hij dronk om zijn gevoel van onbehagen kwijt te raken, maar dat werd door de alcohol alleen maar erger. Bovendien wist hij nooit waarom hij eigenlijk kwaad was, zodat hij na afloop van het feest Ruth als saai bestempelde als ze niet al te veel had gezegd, of als een aanstellerige tiener als ze dat wel had gedaan om haar dan onvermijdelijk aan te vallen over wat Ruth, zoals hij wist, het meest verdriet deed: haar werk. Want een van de argumenten waar Juan steeds weer mee aankwam als hij had gedronken, was dat ze in haar leven net zo oppervlakkig was als in haar kunst, net zo onvolwassen in haar optreden in het openbaar als achter een camera en dat volgens hem iedereen wist dat Ruth alleen maar een opportuniste was die geluk had gehad, een aanstellerige meid die van haar schoonheid misbruik had gemaakt om het onverkoopbare te verkopen, een mooi meisje dat slechts beroemd was geworden omdat ze in de media verscheen en alleen in de media was verschenen om haar mooie gezichtje omdat dat zo decoratief was.

Hoe dan ook, dat argument dat Ruth als decoratie diende ging niet meer op, omdat hij in die tijd het uiterlijk van Ruth steeds weer afkraakte en geen kans voorbij liet gaan om haar aan haar overtollige kilo's te herinneren. Als ze uitgingen moest ze zich van hem omkleden omdat haar vetrollen te veel uitkwamen in wat ze aanhad en vervolgens raadde hij haar aan om te gaan lijnen. Het was zelfs zo dat Juan op een ochtend toen Ruth uit bed stapte en naar de badkamer ging, aanmerkingen had op haar cellulitis, hij keek bestudeerd gemeen vanuit zijn bevoorrechte uitkijkpost in bed naar de sinaasappelhuid op de dijen van zijn minnares, die bobbelige wand die hij zelf uren ervoor beklommen had, groeven waarin zoveel anderen geploegd en geoogst hadden, groeven die hij tot dan toe niet had opgemerkt en hij vroeg tot Ruths grote verbijstering of ze weleens aan liposuctie had gedacht. Aan de andere kant maakte hij als hij met Ruth was altijd lovende opmerkingen over het uiterlijk van andere vrouwen die in geen enkel opzicht op haar leken, waarbij hij in zijn woordkeus geen blad voor de mond nam. Je zou haast zeggen dat Juan plotseling belangstelling had gekregen voor broodmagere vrouwen. Maar deze belangstelling werd ook al snel weerlegd, niet alleen omdat hij met Ruth naar bed bleef gaan maar omdat hij de zenuwen kreeg zodra een andere man naar haar toe kwam. Hoe kan iemand nu jaloers zijn op degene die hij niet meer begeerlijk vindt?

Je zou natuurlijk kunnen beweren dat als hij zo meedogenloos kritiek op haar had, hij dat alleen maar deed omdat hij jaloers was op haar talent en roem, omdat hij haar benijdde om haar succes, een succes dat hem ertoe dwong zijn eigen falen onder ogen te zien en je zou nog een argument kunnen aanvoeren: Ruth werd dan wel door de kritiek afgekraakt, maar zo slecht kon een regisseuse toch niet zijn wier eerste korte film zoveel prijzen in de wacht had gesleept en wier debuutspeelfilm geselecteerd was voor het filmfestival van Cannes. En je zou met nog meer argumenten kunnen komen, bijvoorbeeld dat de grote avant-garde kunstenaars over het algemeen bij hun start nooit goede kritieken hadden gekregen en dat Ruth alleen in Spanje door de kritiek was neergesabeld, want in Frankrijk was ze de hemel in geprezen. En natuurlijk zou iedere wat minder neurotische vrouw en een klein beetje zelfverzekerder dan Ruth Juan in zijn gezicht hebben uitgelachen. Maar bij Juan werkte de truc omdat een deel van Ruth er eigenlijk net zo over dacht als hij.* Zoals een alpinist zich aan de uitsteeksels van de rotswand vastgrijpt om naar boven te komen, zo benutte Juan Ruths onzekerheid om zijn aanval uit te voeren en met een uitzonderlijke intuïtie wist hij de zwakke kanten van de roodharige te herkennen en ze in zijn eigen voordeel te benutten.

Toen Ruth zich beklaagde over die drastische verandering in zijn houding ontkende Juan dat hij veranderd was of zich anders gedroeg. Ruth die er alles voor over zou hebben om hem bij zich te houden, probeerde de ruzie te sussen door hem ten slotte gelijk te geven, ook al wist ze heel goed dat het niet meer zo was als vroeger. Uiteindelijk gaf hij toe dat hij veranderd was, maar hij verzekerde haar dat het haar schuld was omdat zij hem zo onder druk zette wat Biotza betrof en omdat ze altijd zo droevig en verbitterd was. 'Ik ga niet met je uit als je zo'n begrafenisgezicht trekt,' zei Juan vaak bij de voordeur als ze van plan waren weg te gaan en als hij later op de avond merkte dat zijn geliefde een terneergeslagen of vermoeide blik had ging hij onmiddellijk tekeer over wat hij 'Ruths droefgeestige gezicht' noemde en klaagde dat hij er genoeg van had om met zo'n gedeprimeerd type uit te gaan. Hij leek nooit geïnteresseerd in Ruths problemen en beschuldigde haar er bovendien van dat ze hem niet probeerde op te monteren en hem bij zich te houden. Maar als zij daarentegen vrolijk en spraakzaam was scheen hij dat nog erger te vinden, want dan leek het of Ruth met iedereen flirtte of zich als een oppervlakkige en zelfingenomen tiener gedroeg.

* Onze adviserende psychoanalyticus zou het hebben over het 'Syndroom van de Kwaadspreekster', waarmee de schuldcomplexreactie tegenover succes wordt aangeduid bij vrouwen die de traditionele sociale minachting vertonen voor onafhankelijke of werkende vrouwen.

Hun samenwonen was een verboden onderwerp geworden. Als Ruth erop aandrong dat hij tenminste zijn tandenborstel achterliet wond hij zich op; als ze vroeg mee te mogen naar Baskenland was het nog erger, als ze toekomstplannen maakte werd hij woedend, en o wee als Ruth Biotza noemde of zich beklaagde over de voorkeursbehandeling die zij van Juan kreeg! Dan beschuldigde Juan haar ervan hysterisch, ziekelijk jaloers, onvolwassen te zijn en zei dat het haar schuld was dat hun relatie nooit vaste vorm zou krijgen omdat zij hem onder druk zette.

'Probeer me geen schuldcomplex aan te praten, ik waarschuw je,' zei hij tegen haar, 'want daar bereik je niets mee, of hooguit dat ik genoeg van je krijg.'

'Dat je genoeg van me krijgt? Het lijkt wel of je dat al hebt! Ik heb niets te verliezen! Laat ik je heel duidelijk zeggen dat het laatste wat ik wil is dat je je schuldig voelt. Alleen geloof ik dat als we niet over deze dingen praten we er nooit een oplossing voor zullen vinden.'

'We hoeven nergens over te praten. Je vernedert me, Ruth. Zo bereiken we niets. Dat zou jij toch het beste moeten weten.'

'Ik? Wat bedoel je daarmee? Wat probeer je verdomme te insinueren? Ik begrijp er echt geen snars van.'

'Ik begrijp jou niet.'

'Zou dat niet komen omdat ik het niet kan uitleggen, want dat mag ik niet van je. Als ik de laatste tijd over ons probeer te praten, of liever gezegd, als ik waar dan ook over probeer te praten, krijg ik een kat van je. Ik begrijp echt niet wat ik je heb aangedaan, waarom je me zo behandelt.'

'Begrijp je niet wat je me hebt aangedaan? Begrijp je dat echt niet?'

'Nee, schat, dat begrijp ik niet.'

'Als je dat niet begrijpt, denk er dan maar over na.'

En zo maakte hij op dogmatische toon een einde aan het gesprek. Zijn gedrag, gestrest in alle opzichten, onderstreepte wat hij zei: een gespannen lichaam, schuwe blik, star van lijf en geest.

Deze obsessie om niets bij de naam te noemen, alleen maar te insinueren maakte Ruth wanhopig, want hoe ze haar hoofd er ook over brak, ze begreep niet wat Juan haar nu precies verweet, Juans betoog was gebouwd op een wirwar van misverstanden en bedekte insinuaties, waardoor het onmogelijk was achter de uiteindelijke motivaties van haar daden te komen. Bovendien maakte Juans ontwijkende verbale strategie, gebaseerd op suggereren in plaats van benoemen, insinueren in plaats van beschuldigen, het Ruth onmogelijk zich te verdedigen, een tegenaanval te doen, hoe moest ze zich verdedigen tegen een beschuldiging die niet eens duidelijk was? Ruth vroeg zich daarna steeds af: wat heb ik gedaan? Heb ik hem op de een of andere manier gekwetst zonder dat ik het besefte? Ze begreep niet waarom Juan haar de ene dag de hemel in prees en haar de volgende de grond in boorde zonder dat er duidelijk aanleiding was voor die veranderende houding, Ruth had niets uitgelokt en Juan had niet geklaagd of opmerkingen gemaakt. Zelfs wanneer ze er zeker van was dat haar niets te verwijten viel, probeerde ze toch in haar herinnering te zoeken naar een of ander detail dat ze over het hoofd had gezien, dat hem beledigd zou kunnen hebben. Aanvankelijk verdedigde ze zich, maar haar verklaringen werden pathetische verzoeningspogingen, want hoe meer ze zich verdedigde ('Juan, ik weet niet wat er is, of ik een beetje vervelend ben geweest de laatste tijd, of ik niet aardig genoeg voor je ben geweest, of ik je onder druk heb gezet...') hoe schuldiger ze leek.

Ruth zag het als een belediging dat Juan weigerde erover te praten en er oplossingen voor te zoeken, omdat voor haar het weigeren van de dialoog het conflict niet opschortte of verborg maar het juist verergerde, want het leek of Juan alleen maar probeerde zijn minachting over te brengen alsof hij wilde zeggen zonder het te zeggen: 'Jouw meningen, gevoelens en conflicten interesseren me niet... Jij interesseert me niet.' Wat dat betreft geloofde Ruth niet dat wat je niet noemt niet bestaat, maar dat wat je niet noemde daarentegen het Onnoembare werd en daardoor een veel onheilspellender en bedreigender karakter kreeg, zoals dat in goede horrorfilms gebeurt, waarin de angst juist door het denkbeeldige ontstaat, wanneer het vermoeden van een aanwezigheid meer angst inboezemt dan de confrontatie daarmee omdat onze fantasie veel sterker is dan de werkelijkheid, en dat wat we ons verbeelden altijd erger is dan wat we zien, nog daargelaten dat we ons kunnen verdedigen tegen de realiteit maar niet tegen de fantasie. Daarom was Ruth toentertijd zo weg geweest van *The Blair Witch Project* (bovendien had die haar geïnspireerd om haar eerste film zonder een rooie cent op te nemen) omdat de heks nooit te zien was, die was er alleen in de verbeelding en dat bleek veel angstaanjagender dan de allerbeste special effects. Dat is ook de reden dat een verfilming altijd minder is dan het boek zelf, behalve wanneer het boek erg slecht is, omdat de beschrijving in woorden meer ruimte laat voor de verbeelding dan het visuele. En algauw voelde Ruth zich verloren in een bos vol vaagheden en hypocrisie, intriges en omwegen, denken en niet zeggen, vermoeden en intuïtie, zonder te weten waar en wanneer Juans volgende aanval zou zijn. Te veronderstellen wat hij zou denken was erger dan een rechtstreekse confrontatie. Als hij gewoon tegenover haar was komen zitten en had gezegd: 'Luister, ik hou niet meer van je, of misschien ook wel, ik verlang natuurlijk wel naar je, maar toch wil ik naar mijn eigen huis, naar mijn vroegere verloofde en wil ik mijn leven niet met jou delen,' had het haar pijn gedaan, maar dan had ze het onvermijdelijke ongetwijfeld geaccepteerd en Juans bekentenis overleefd. Maar hij zei nooit iets concreets, hij bleef alleen maar klagen, hij scheen niets goed te vinden aan Ruth, was niet geïnteresseerd in haar gesprekken, haar mooie lichaam, vroeg nooit naar haar werk, er waren geen zichtbare redenen om bij haar te blijven, maar toch verliet hij haar niet, kwam hij elke avond naar haar toe, ging elke nacht met haar naar bed, tergde haar voortdurend; hij bleef haar hardnekkig vergezellen terwijl het wel leek alsof hij zich schaamde bij haar te zijn. Vroeger had hij Ruths heldere ideeën en haar rake oordeel over literatuur altijd geroemd, maar van de ene op de andere dag begon hij alles af te kraken wat zij zei, haar meningen die hij daarvoor zo waardeerde. Dat was niet zo moeilijk voor hem omdat Ruths standpunt inzake literatuur lijnrecht tegenover dat van Indalecio stond,

Juans leermeester wat literaire opvattingen betrof. Zij was weg van Galdós, een schrijver waar Indalecio op neerkeek; zij hield meer van Onetti dan van Borges, terwijl Indalecio om de tien minuten herhaalde tegen wie ook maar naar hem wilde luisteren dat hij Borges *de beste schrijver van de eeuw* vond (elke keer dat Juan op zijn beurt die bewering van Indalecio herhaalde, zei Ruth ironisch dat het heel triest was dat *de beste schrijver van de eeuw* het kruis van verdienste uit handen van *de beste dictator van de eeuw*, Augusto Pinochet, had gekregen) ze vond *Dubliners* beter dan *Ulysses*, iets wat Indalecio bijna als ketterij beschouwde.

'Hoe durft een vent die niet eens Engels spreekt een leerstoel te bekleden over Joyce?' zei Ruth.

'Hij spreekt het wel, Ruth,' verzekerde Juan haar als echte Spaanse heer die de goede naam en eer van zijn uitgever door dik en dun verdedigde.

Hij beschouwde hem als zijn allerbeste vriend en tegen hem was hij heel aardig op het vleierige af, attent op het heroïsche af. Juan was inderdaad erg innemend en bijzonder voorkomend tegen iedereen (dat sociale karakter, die onderhoudende conversatie, die bereidwilligheid, die beleefdheid volgens het boekje...). Tegen iedereen, behalve tegen Ruth.

'Nee, hij spreekt geen Engels, want ik heb hem gezien in het programma van Sánchez Dragó waarin hij zelf zei dat hij niet met ik weet niet welke schrijver die zijn boek kwam promoten kon praten omdat zijn Engels niet goed was en het weinige dat hij spreekt niet voldoende was om een boek te begrijpen dat bijna helemaal gebaseerd is op woordspelingen en ook nog in Ierse *slang*. Daarom zal hij wel de vertaling van Valverde hebben gelezen, maar dat doet niet terzake.'

'Maar je zult moeten toegeven dat de monoloog van Molly Bloom goed is.'

'Dat geef ik ook toe en ik heb het er niet over of die goed of slecht is, maar ik begrijp niet hoe hij de monoloog goed kan vinden als hij de monologen van Villaamil in *Miau* niet kan waarderen.'

'Wat ik niet begrijp, Ruth, is dat iemand als jij, die niet eens een universitaire titel bezit, het lef heeft om een prestigieus criticus te corrigeren die aardig wat meer weet dan jij.'

'Dat ik niet afgestudeerd ben wil niets zeggen...'

'Dat wil wel wat zeggen, sorry dat ik je tegenspreek. Trouwens het heeft geen zin dit soort discussies te voeren met iemand die nooit een waardeoordeel heeft gegeven, want welke publicaties, artikelen of literatuurbeschouwingen heb jij geschreven, meisje? Dus als je het niet erg vindt wil ik liever ergens anders over praten.'

Niemand had Ruths mening ooit zo afgekraakt en ze begreep ook niet hoe iemand zo wreed kon zijn tegen zijn partner (als hij haar tenminste zo beschouwde, iets waar Ruth erg aan begon te twijfelen). Het verbaasde Ruth dat Juan zich totaal niet geneerde om er maar van alles uit te gooien. Het was niet zo dat hij te impulsief was met het geven van zijn mening, maar elke opmerking van hem had het effect van een kanonskogel. Toen Ruth met Beau samenwoonde was het bijvoorbeeld nooit bij haar opgekomen hem te verwijten dat hij bijna niet las, ze vond dat dat Beau's probleem was en niet dat van haar, behalve dat begreep zij heel goed dat er diverse soorten cultuur zijn, dat niet alles in boeken staat. Soms dacht Ruth zelfs dat een overdreven, verkeerd opgevatte passie voor boeken een direct negatief effect had op andere vormen van cultuur. Als iemand zich alleen maar bezighield met lectuur en daardoor afzag van het leven zelf, was dat een belediging voor de essentie van het lezen: hij las dan niet meer om het leven te begrijpen, maar zag door de boeken af van het leven zelf en maakte uiteindelijk van zijn eigen bibliotheek een immens kerkhof van de geest, van het hart. Voor Ruth moest een boek in wezen een levend iets zijn, een openbaring, waardoor iemand na het lezen niet meer dezelfde was. Zo niet, waartoe diende louter encyclopedische kennis dan? Tenslotte bestaan er lichamen die veel instructiever zijn dan honderd boeken, lichamen die een boek op zich zijn en dat was iets wat Juan noch Indalecio begreep. Bij Beau was het overigens zo dat de manier waarop hij het leven opvatte en verklaarde gebaseerd was op noten en niet op woorden en wie was zij of Juan of Indalecio, die saaie vent die dacht boven goed en kwaad te staan, die altijd iedereen vanuit de hoogte bekeek met zijn rigide arrogantie van hoogwaardigheidsbekleder, of wie dan ook om Beau onontwikkeld te noemen, een van de gevoeligste mensen die Ruth ooit had gekend? Juans onverdraagzaamheid bracht dat in diskrediet, want hoe durfde iemand die zelfs niet de meest elementaire normen van beleefdheid en tact respecteerde te doen alsof hij een cultuurexpert was? Maar omdat Ruth een onstabiel persoon was, voortdurend in conflict met zichzelf, bleek het gemakkelijk haar onzekerheid over haar capaciteiten – daarvoor al gezaaid – te besproeien en te laten tieren. Langzamerhand had de twijfel die bij Ruth was gegroeid en gevoed door haar angsten en trauma's zich genesteld, alles aangetast, zich vastgezet in hoeken en gaten, en begon Ruth zichzelf te bekritiseren en te onthouden van welk commentaar dan ook als Juan haar maar niet weer aanviel. Door handig gebruik te maken van schaamte en angst kreeg hij haar er volledig onder. Aangezien Ruth bang was dat het conflict de zo gevreesde scheiding zou veroorzaken, gaf ze liever toe dan dat ze hem verloor en er ontstond tussen hen een soort tactisch verbond: hij zei dingen waarvan hij wist dat ze niet waar waren, zij accepteerde ze in de wetenschap dat ze niet waar waren, zich ervan bewust dat Juans argumenten onwaar waren, maar ze had de gave noch de welbespraaktheid om daar tegenin te gaan; wanneer zij probeerde met tegenargumenten te komen leek alles, ideeën en woorden, te vervagen en bleef er alleen een diep spoor van frustratie en het intrieste gevoel van haar eigen stilte achter. Er zat voor Ruth niets anders op dan te wachten tot Juan op een dag zou veranderen, tot hij weer degene werd die hij eens was, omdat ze echt dacht dat zij in wezen de schuld van alles was, hoewel ze niet goed wist wat ze precies had gedaan om deze situatie uit te lokken. Maar door Juans houding kon ze niets doen, wat ze ook deed, hoe ze ook deed – actief of passief, onderworpen of dominant, gedienstig of strijdlustig – altijd liep het op ruzie uit. Wanneer Juan niet wilde praten nam Ruth volledig de schuld op zich en dat maakte het zonder dat zij het besefte allemaal nog erger.

Die avond bijvoorbeeld die zij zich nog levendig herinnert, op het verjaardagsfeest van Shangay Lily* die eindigde in een van de allergrootste ruzies uit die tijd, toen Ruth op alle mogelijke manieren probeerde geen aanleiding te geven tot onenigheid, te doen wat hij zei en zich voorbeeldig te gedragen... Maar toch pakte het slecht uit, slechter dan slecht, afschuwelijk slecht. Toen ze de zaal waar het feest plaatsvond binnenkwamen liet Juan Ruth alleen, hij dook de bar in en ging onder in de geanimeerde en sociale prietpraat, fladderde wat rond, begroette met veel kouwe drukte mensen die hij nergens van kende en gedroeg zich alsof hij alleen en zonder partner was gekomen. Omdat hij knap was en de mensen speciaal naar dit soort feesten toe komen met de bedoeling nieuwe relaties aan te knopen (en dat gaat gemakkelijker als er vrij drinken is) stond hij binnen een paar minuten gezellig te praten met twee opzichtige modellen (met geverfde gladde kapsels, minirokjes, overdreven decolletés en niet minder overdreven siliconen implantaten) van wie Ruth dacht ze weleens gezien te hebben op de voorpagina van de roddelbladen waarmee de kioskhouder in haar wijk de wanden van zijn hok bijna dichtplakte. Die houding ergerde Ruth, maar ze gaf er de voorkeur aan kalm te blijven omdat ze die middag een heftige discussie hadden gehad nadat Ruth voor de zoveelste keer aandrong dat Juan bij haar kwam wonen, een ruzie die Juan schreeuwend beëindigde met een ultimatum: 'Als je hier nog één keer over begint zweer ik je dat je me nooit meer ziet.' Ik zet hem onder druk, dacht Ruth, en als ik dat doe vertrekt hij. En nu laat hij me links liggen omdat hij er genoeg van heeft dat ik steeds weer over hetzelfde begin, dus kan ik me maar beter van de domme houden. In ieder geval hoefde Ruth niet de rol van verlaten vrouw te spelen, want ze was geen minuut alleen. Tal van acteurs en acteurtjes, televisiepresentatoren, een radioproducer, een conceptuele kunstenaar, een aankomend actrice die bekende een groot be-

* Veelzijdig en dominant personage, heel bekend in het artistieke wereldje van Madrid. Acteur, schrijver, radiocommentator, televisiepresentator en nog veel meer, bovendien overtuigd feminist.

wonderaarster te zijn... een heleboel personen van diverse pluimage kwamen om de beurt bij haar langs en stelden zich voor zonder dat iemand daarom had gevraagd ('hallo, je kent me niet maar ik heb je laatste film gezien en die vond ik echt fantastisch' of: 'wat geweldig dat ik jou hier tegenkom...') en zo verliep de avond, Ruth en Juan spraken met iedereen en hielden elkaar ondertussen in de gaten. Dit soort feesten waar ze naartoe gingen en waar iedereen elkaar tegenkwam, waar een bonte menigte zich duwend en stotend verdrong en elkaars lucht inademde; waar de mensen er meer dan van de muziek of hun gezelschap van genoten om te zien wie er binnenkwam of wegging, of er veel of weinig beroemdheden waren, of die en die waren gekomen, wat ze aanhadden, welke juwelen of wat voor schoenen ze droegen; deze samenscholingen van ijdelheden waar het fysieke contact zo nauw was en het geestelijke zo nietszeggend deed Ruth denken aan een uitvergroting van haar verhouding met Juan.

Om vier uur besloot Ruth uiteindelijk naar Juan toe te gaan, maar toen ze in de buurt van zijn groepje kwam draaide hij zijn rug naar haar toe en om te benadrukken dat hij niets van haar wilde weten sloeg hij zijn arm om het middel van een van die mooie blondjes die naast hem stond. Ruth was ervan overtuigd dat de ruzie van die middag Juan nog steeds hoog zat en besloot het niet nog erger te maken en zei met haar liefste stemmetje (we moeten niet vergeten dat Ruth een goed actrice was) dat het al laat was, dat ze moe was en naar huis wilde. Juan negeerde die opmerking. Hij bood niet eens aan met haar mee te lopen, al was het maar tot de deur, al was het maar tot de taxi – wat heel normaal zou zijn omdat ze samen naar het feest waren gekomen – maar hij deed of hij haar helemaal niet zag, of Ruth lucht voor hem was, of ze onzichtbaar was. Dus nam Ruth afscheid van iedereen, liep de straat op en nam met tranen in haar ogen en een akelig gevoel – half uit vernedering en half uit verlatingsangst – een taxi terwijl ze zich doodongelukkig voelde.

Ze was nauwelijks thuis toen de telefoon ging. Ze nam hem op, want ze wist heel goed dat het Juan was, wie zou haar anders om half vijf 's morgens bellen?

'Hallo?'

'JE BENT EEN TAKKEWIJF! Waarom laat je me verdomme in de steek op een feest zonder iets te zeggen?' Aan zijn dikke tong hoorde ze dat Juan te veel, behoorlijk te veel, had gedronken.

'Hoezo ben ik weggegaan zonder iets te zeggen? Ik heb je heel duidelijk gezegd dat ik wegging, maar jij negeerde me.'

'Ga nu niet weer het slachtoffer spelen want daar trap ik niet in! Zal ik je eens wat zeggen? Ik heb genoeg van jou en je emotionele chantage! Het is voorgoed afgelopen tussen ons!'

'Maar Juan...'

Ze kon haar zin niet afmaken omdat hij had opgehangen. Onmiddellijk draaide ze Juans mobiele nummer maar kreeg de voicemail: het was duidelijk dat hij zijn telefoon had uitgezet. Dat was echt iets voor hem, hij moest per se het laatste woord hebben. Steeds wanneer ze ruzie hadden door de telefoon hing hij plotseling op en deed dan meteen zijn mobieltje uit zodat ze geen kans kreeg hem van repliek te dienen. In het begin belde zij hem om de vijf minuten en liet boodschappen achter tot hij zich eindelijk verwaardigde weer op te nemen en het presteerde wanneer Ruth hem aan de lijn kreeg zich niet eens te verontschuldigen voor zijn onbeschofte gedrag maar haar ook nog eens verweet hem te pressen en op te jagen ('als je zo door gaat, krijg ik meer dan genoeg van je, ik waarschuw je'). Ruth had haar lesje geleerd en probeerde hem die nacht niet nog eens te bellen maar draaide in plaats van Juans nummer dat van Pedro.

'Hallo?' Ook Pedro's stem klonk verward, niet omdat hij dronken was maar omdat Ruth hem duidelijk wakker had gebeld.

'Pedro, met mij, het spijt me dat ik je zo laat bel...'

'Maakt niet uit, schat. Wat is er?'

Pedro had natuurlijk kwaad kunnen zijn door dat telefoontje op zo'n onchristelijk tijdstip maar zijn vriendelijke houding, zijn zachte toon in vergelijking met die van Juan, maakte dat Ruth zich nog ellendiger voelde. Ze voelde zich afschuwelijk, een hysterica, ze voelde zich zoals Juan zei dat ze was.

'Luister eens, ik heb ruzie gehad met Juan...'

'Laten we daar maar over ophouden... Dat is niets nieuws...'

'En ik zie het niet meer zitten, het huis komt op me af en ik weet dat ik op deze tijd niet hoor te bellen, maar ik voel me zo belabberd dat ik geloof dat als ik alleen thuis blijf in deze toestand, ik weet niet...'

Ze kon niets meer zeggen omdat ze in snikken uitbarstte. Ze schaamde zich vreselijk zo te huilen, zich zo te laten gaan, vooral tegenover Pedro die haar alleen maar kende als een sterke en beheerste vrouw.

'Kom op, Ruth, bel een taxi en kom onmiddellijk hiernaartoe.'

'Waarnaartoe?'

'Naar mijn huis.'

'En wat zal Julio daarvan zeggen?'

'Niets, Julio zegt helemaal niets, hij zal blij zijn een vriendin in nood te kunnen helpen. Vooruit, kom alsjeblieft en laat me je niet hoeven halen. Als je wilt bel ik wel een taxi.'

'Nee laat maar, ik bel zelf wel.'

Toen Ruth bij Pedro aankwam had hij het bed al klaarstaan en opgemaakt in de logeerkamer. Julio sliep.

'Ik weet niet hoe ik je moet bedanken...'

'Laat maar zitten, Ruth... Waarom zou je me moeten bedanken, malle meid? Ik heb tenslotte in jouw huis gewoond en ook al was dat niet zo geweest... Ik vind het een hele eer dat je hier bent. Sterker nog, ik wil je vragen om hier een paar dagen te blijven. Dan kom je een beetje bij en kunnen we samen aan het scenario werken dat al behoorlijk achterloopt en vangen we twee vliegen in één klap.'

'Nee, ik geloof niet dat dat een goed idee is. Ik wil jullie niet in de weg lopen.' Ruth dacht vooral aan Julio. 'Zullen we het daar morgen maar over hebben?'

'Oké.' Pedro boog zich naar haar toe voor een kus op haar wang en gaf haar toen een stevige knuffel. Ruth wendde zich wat verlegen af ondanks het feit dat ze in haar hart dat teken van steun en vriendschap wel prettig vond, of misschien juist daarom wel.

Ruth kon niet weten dat Juan haar de hele nacht had gebeld en omdat ze de telefoon nooit opnam was hij naar haar huis gegaan. Toen zij niet opendeed (hij had op de bel van de deurtelefoon gedrukt tot Ruths buurman er wakker van was geworden) nam hij aan dat zij naar bed was gegaan met een van haar bewonderaars (want in Juans verbeelding zat half Madrid te wachten op een telefoontje van Ruth) waardoor hij razend werd. In wezen was het niet eens uit jaloezie dat hij zo kwaad was, maar omdat Ruth had bewezen een eigen leven te hebben, los van dat van hem, en niet huilend thuis had zitten wachten op zijn telefoontje, een nieuwe aanval met woorden, zoals hij had verwacht. Ruth bleef drie dagen bij Pedro logeren en tot haar verbazing bleek Julio allerliefst tegen haar en fronste hij niet één keer zijn voorhoofd of trok een wenkbrauw op.

Maar Ruths opgewektheid tijdens haar verblijf bij Pedro verdween zodra ze weer thuis was. Ze kon zich niet bedwingen, draaide het nummer van het studentenhuis en vroeg naar Juan. Tot haar verwondering antwoordde hij heel gewoon, deed alsof er niets was gebeurd en zinspeelde zelfs niet op het laatste incident. Eigenlijk wilde Ruth daar dolgraag over praten, omdat ze het niet normaal vond dat Juan haar zo onbehoorlijk en zo onbillijk had behandeld en dat hij zich daarna niet eens verontschuldigde. Ze was echter zo blij dat hij zich niet hield aan zijn dreigement om haar in de steek te laten dat ze besloot het te vergeten en Juan wilde vergeven door bij zichzelf te zeggen dat hij die avond zo dronken was dat hij waarschijnlijk niet wist wat hij deed of zei, en dat ze inderdaad zou kunnen aannemen dat hij het niet meer wist en dat die arme jongen zo gestrest was door de scheiding van Biotza en door de druk van zijn moeder (hij had haar verteld dat Carmen op de breuk met Biotza had gereageerd met 'het grootste verdriet dat je me in mijn leven hebt aangedaan'), en Ruth had in plaats van zich begrijpend op te stellen die arme jongen ook nog eens onder druk gezet...

'Hé... stop!' zei Ruth opeens. 'Ik heb hem niet onder druk gezet; die avond heb ik hem helemaal niet onder druk gezet.'

'Maar je vergeet,' zei Ruths inwendige stem, de andere Ruth, 'de ruzie die jullie 's middags hebben gehad...'

‘Dat was geen ruzie. Daar maakte Juan een eind aan met een schreeuw waardoor ik de kans niet kreeg daar iets op te zeggen…’

‘Ja, maar het is jouw schuld omdat je hem zo op zijn huid zit met dat samenwonen.’

‘Maar het is toch belachelijk dat hij in het studentenhuis woont terwijl hij elke nacht in mijn huis slaapt? Wat maakt het hem nou uit om hier definitief zijn intrek te nemen of tenminste zijn tandenborstel hier te laten?’

‘Je gaat veel te snel en dat weet je heel goed.’

‘Oké, maar dat kan hij ook gewoon tegen me zeggen, hij hoeft niet te schreeuwen.’

‘Maar hij heeft er genoeg van dat je er iedere keer weer over begint en hij durft het niet op een andere manier tegen je te zeggen. Je jaagt hem op.’

Dit soort gesprekken waren heel normaal in Ruths leven en elke keer als ze een moeilijk besluit moest nemen liet de primaire Ruth haar twee secundaire Ruths met elkaar van gedachten wisselen en schreef daarna hun respectieve argumenten in twee rijtjes op een papiertje met daarboven ‘Pro’ en ‘Contra’, maar sinds haar problemen met Juan was haar innerlijke verdeeldheid zo vreselijk verscherpt dat het angstaanjagend werd, en soms had ze de indruk dat ze op een echt mentaal kruispunt stond, want ze kon bijna duidelijk horen wat die twee strijdende partijen in haar tegen elkaar zeiden, de twee die tot elkaar veroordeeld waren, die niet buiten elkaar konden en waar ze gek van werd. De ware Ander, de spitsvondiger Ander, de diepzinniger Ander, de wezenlijke en nuchtere Ander was heel wat ongrijpbaarder en bemiddelde niet in dit soort discussies, want die kwam alleen te voorschijn bij extreme omstandigheden.

Toen Ruth een paar dagen later op bezoek was bij Pedro, ontmoette ze Jorge, een vriend van Julito, een nicht van de bovenste plank. Hij werkte in de garderobe van de Alien en dankzij die baan was het gemakkelijk om met iedereen aan de praat te komen en omdat hij aardig was en goed van de tongriem gesneden was hij op de hoogte van de laatste roddels uit het bruisende Madrileense nachtleven. Hij was koffie komen drinken bij Julio en Pedro om even zijn gezicht te laten zien, want Jorge wilde acteur worden, een droom die hij trouwens deelde met de meeste obers, voorlichtingsmedewerkers en garderobejongens uit de hippe Madrileense uitgaansgelegenheden. Toen hij Ruth door de deur zag binnenkomen begroette hij haar uitbundig met overdreven gebaren. Zij mocht Jorge wel en vond het leuk om even met hem te praten in plaats van te doen waar ze voor gekomen was en wat ze had moeten doen, namelijk meteen met Pedro aan het werk te gaan in zijn studio.

'Zeg Ruth,' zei Jorge zichtbaar opgewonden, 'ik moet je iets heel leuks vertellen: *raad eens* wie er gisteravond onder de coke bij me kwam in de Alien!'

'Ik weet niet, het astrale lichaam van Cher?'

'Nee schat. Susi Gracia.'

'Geweldig. En wie is Susi Gracia?'

'Ken je die niet?'

'Een aankomend actrice,' legde Julio uit. 'Ze komt regelmatig in *Tómbola* en dat soort programma's... Lang, geblondeerd haar, verveelde mond, overal siliconen, type snolletje... Kind, die moet je wel kennen...' Julio ergerde zich aan het absoluut onwetende gezicht van Ruth alsof het een doodzonde was niet op de hoogte te zijn van alle intriges uit de roddelpers. 'Zij was laatst ook op het feest van Shangay.'

'Daar liepen meer geblondeerde meiden rond dan op een modeshow van L'Oréal... Bovendien weet je wel dat ik niet op de hoogte ben van roddels.'

'Nou dat zou je wel moeten zijn, lieverd,' zei Jorge, 'anders heb je alles voor niets gedaan.'

'Wat bedoel je?' vroeg Ruth. Een bijna retorische vraag, want ze wist het antwoord eigenlijk al.

'Susi strooit namelijk overal rond dat ze met Juan gaat, *jouw* Juan. En dat het op die avond van het feest van Shangay is begonnen.'

Juan maakte alleen schreeuwend een eind aan de discussies wanneer zij een netelig onderwerp ter sprake bracht. Hij schreeuwde veel en keek Ruth nooit begrijpend of dankbaar aan, alsof wat Ruth zei maar een procent van de waarheid of ook maar enigszins van belang was om Juan te laten ophouden met schreeuwen om één minuut naar haar te luisteren. Hij deed nooit een stap terug. Hij erkende nooit dat zijn reactie onredelijk was en, erger nog, nergens toe leidde. Ruth vroeg zich af wat ze kon doen om dat geschreeuw te stoppen, hoe wanhopig ze moest zijn voor hij besefte dat ze voor hem stond en hem tot rede probeerde te brengen. Want als zij ook maar een heel klein beetje gelijk had, verhinderde hij ieder verder gesprek op een eenvoudige manier: haar afkappen. Ofwel door zo te schreeuwen dat Ruth ermee ophield of, als het telefonisch was, op te hangen en zijn telefoon uit te zetten. Maar zijn strategie was heel anders als hij degene was die de discussies uitlokte. Dan veranderde de toon in zijn stem: in plaats van hem te verheffen tot onvoorstelbaar hoge decibellen was hij stabiel, onveranderd en sprak hij koel en monotoon en kreeg Ruth een preek te horen waarin hij buitengewoon ironisch en onhebbelijk was en een koele vijandigheid, minachting en zelfs haat in zijn schijnbaar neutrale woorden liet doorschemeren. En hij ging achter elkaar door, was niet vatbaar voor Ruths antwoorden, hij leek niet eens naar haar te luisteren en behield een gekunsteld ernstige en onbeweeglijke gelaatsuitdrukking, alsof hij een kartonnen masker op had. Omdat er dan geen discussie mogelijk was, werd Ruth kwaad en begon ze te schreeuwen. Hij reageerde niet op Ruths gekrijs, werd nooit van zijn stuk gebracht, verhief nooit zijn stem zelfs niet als het er heel heftig aan toe ging om zijn superioriteit over haar te behouden. Getergd zocht Ruth dan onvermijdelijk haar toevlucht tot fysiek geweld, een extreme vorm om haar frustratie af te reageren. Dit soort voorvallen vond altijd plaats als ze samen waren, zonder getuigen.

Een willekeurig voorbeeld: op een avond keken ze bij Ruth thuis naar een film. Alles leek goed te zijn en hij gedroeg zich allercharmantst, zodat Ruth dacht dat dit waarschijnlijk het gunstigste moment was om het onderwerp aan te snijden dat haar al een paar maanden bezighield.

'Juan,' zei ze, 'ik heb eens nagedacht...'

'Ja?'

'Ik heb over ons nagedacht. Weet je, je zegt steeds dat je er nog niet zeker van bent of je je wel wilt binden en dat je net een relatie achter de rug hebt en niet zo snel aan een nieuwe wilt beginnen en dat ik je onder druk zet en opjaag en... nou ja, ik heb nagedacht en ik geloof dat je in zekere zin gelijk hebt.'

'Kijk aan, ik ben blij dat je dat inziet.'

'We zien elkaar bijna elke dag behalve wanneer jij naar Bilbao gaat natuurlijk en ik weet niet... ik vind dat we aan de ene kant heel erg close met elkaar zijn maar aan de andere kant helemaal niet... Ik bedoel dat het niet serieus is tussen ons, maar dat we ook geen tijd hebben om andere mensen, andere vrienden te ontmoeten...'

'Hoezo, we gaan toch van het ene feest naar het andere?'

'Dat bedoel ik niet, ik bedoel het soort vrienden dat je alleen wilt ontmoeten, om koffie mee te drinken, om mee uit eten te gaan, om mee te praten. Ik weet niet hoe lang het geleden is dat ik alleen met Pedro of met Sara heb afgesproken of naar Barcelona ben geweest naar Coixet...'

De redenering klopte eigenlijk niet helemaal. Ruth zag haar vrienden niet omdat ze niet wilde, omdat ze zo geobsedeerd was door Juan dat ze nergens anders aan dacht en bovendien was de vriendschap wat bekoeld toen ze besloot zich in haar huis te verschansen en bijna geen bezoek te ontvangen. En Juan zag zijn vrienden niet omdat hij die niet had. Zijn vrienden uit Bilbao waren eerder bekenden, en nu zijn relatie met Biotza op een laag pitje stond vermeden ze bijna allemaal alleen met Juan af te spreken om haar niet voor het hoofd te stoten. En in Madrid was de enige persoonlijke relatie die wat dieper ging die met Indalecio, maar hem zag hij bijna altijd op de uitgeverij, tijdens werkuren, en maar zelden buiten het kantoor, gewoonlijk alleen met boekpresentaties. Eigenlijk waren de paar mensen met wie Juan enigszins bevriend was geraakt in de hoofdstad vrienden van Ruth. Die had hij allemaal leren kennen op feesten of premières en hij was er erg op gebrand met hen in contact te komen, behalve met

Pedro natuurlijk. Hij stond op goede voet met Sara en met Paco Ramos, die hij e-mails stuurde vanaf kantoor en van tijd tot tijd belde. Ruth had tweeslachtige gevoelens bij de toenadering van Juan tot haar vrienden. Aan de ene kant vond ze het leuk dat hij in haar kringetje opgenomen wilde worden maar aan de andere kant vond ze dat een beetje vreemd, want ze had de indruk dat Juan van haar profiteerde. Bovendien vermoedde ze dat Juan hen privé-dingen over haar vertelde.

'Je spreekt niet met Pedro en Sara af omdat je niet wilt. Sara zou het heel leuk vinden je te zien, maar jij hebt daar geen zin in. Mejuffrouw Swanson is zo beroemd geworden dat ze haar vrienden niet meer ziet staan.'

'Je weet dat dat niet waar is. Overigens ken je de redenen noch de omstandigheden waardoor ik Sara minder zie en die gaan je ook niet aan.'

'Je hebt je van Sara gedistantieerd omdat je een egoïste bent, Ruth. Dat zegt zij zelf.'

Sara had haar verteld dat Juan op een middag met haar had afgesproken om over Ruth te praten. Zij vond het een beetje vreemd dat Juan een meisje belde dat hij nauwelijks kende, maar Sara verzekerde haar dat hij heel gedeprimeerd was door hun slechte verstandhouding en behoefte had om erover te praten met een derde, iemand die haar kende. Ruth voelde zich om verschillende redenen verraden: ten eerste omdat Sara met Juan had afgesproken zonder het van tevoren met haar te overleggen; ten tweede omdat Juan haar behandelde alsof ze een geesteszieke was over wie je achter haar rug om moest praten zonder dat zij dat te weten kwam; ten derde omdat Juan zich in Ruths leven binnendrong zonder dat zij ook maar enige toegang tot zijn leven had, Ruth kende immers zijn familie noch zijn vrienden en Indalecio had zij alleen maar ontmoet bij die bewuste boekbespreking. Maar ze kon niet geloven dat Sara haar een egoïste had genoemd of tegenover een derde kritiek op haar had. Maar misschien ook wel, wie weet... In zekere zin was het begrijpelijk dat zij wrok koesterde. Het was logisch dat ze Ruth egoïstisch vond. Maar het was van Sara's kant ook egoïstisch geweest om niet te begrijpen dat hun vriendschap niet kon blijven zoals in hun studententijd, dat *zij van toen niet meer dezelfden waren* en dat Ruth sinds haar terugkeer uit Londen niet over de tijd noch de gezamenlijke onderwerpen beschikte om hun band, die gebaseerd was op dagelijks contact, weer aan te halen. Ze bleven elkaar in ieder geval wel zien en onderhielden een in zekere zin hechte vriendschap, en Ruth achtte Sara niet in staat haar op die manier te verraden, haar vriendin Ruth zwart te maken tegenover een bijna onbekende... Als ze dat tenminste ook echt had gedaan.

'Je verzint het. Sara zou zoiets nooit zeggen.'

'O nee, kom nou, Ruth, denk eens na.'

Ruth dacht na: weer de zinspelingen, de verdekte insinuaties. Insinueren zonder te beschuldigen. Zwijgen zonder iets duidelijk aan te tonen. Juan zei niet wat Sara precies had verteld, waar zij Ruth van had beschuldigd, welk soort wrok ze koesterde. Hij liet Ruth het ergste vrezen.

'Je trekt het uit zijn verband.'

'Nee, ik trek het niet uit zijn verband. Sara vindt je een egoïste en dat zegt Paco Ramos ook. Maar wat dacht je dan, Ruth? Vandaag heb ik zin om thuis te blijven, het komt me niet uit, dus zeg ik nu een afspraak vijf minuten van tevoren af... Er moet altijd worden gedaan wat het verwende meisje wil. Je zou eens moeten horen wat Paco zegt over je hysterische scènes in Cannes. Je was elke avond verdwenen, niemand wist waar je uithing, je kwam amper op de persconferentie van je eigen film... Je had er genoeg van.'

Ruth was als versteend. Alles wat Juan vertelde was waar: in Cannes was ze elke avond dronken geweest en het was waar dat ze Paco een paar keer had laten zitten, maar het leek erop dat Paco die net zo dronken was als zij er niet erg mee zat. Het was ook waar dat ze te laat kwam op haar eigen persconferentie, maar dat waren maar vijf minuutjes. Aan de andere kant begreep iedereen dat Ruth hevig gestrest was en in Cannes hechtte trouwens niemand erg aan formaliteit. Nee, Paco kon niet zo op haar hebben afgegeven. Misschien had hij Juan wel een humoristisch beeld geschetst zonder kritiek te willen leveren en gaf Juan er nu opzettelijk een andere draai aan?

'Hou jezelf niet voor de gek, Ruth. Je wilt geen tijd vrijmaken voor je vrienden, omdat je geen vrienden meer hebt, omdat ze allemaal genoeg van je hebben. Pedro is de enige die jou verdraagt maar alleen omdat hij met je werkt en je nodig heeft,' zei hij met een vlakke en kleurloze stem zonder intonatie, als iemand die een litanie opzegt. 'Hou jezelf niet voor de gek en mij ook niet. Je wilt geen tijd vrijmaken voor je vrienden, je wilt alleen maar contact krijgen met een ander soort *vrienden*...'

'En wat dan nog? Heb ik daar het recht niet toe? Wij zijn niet met elkaar verloofd, wij zijn niet eens vrienden, wij zijn niets van elkaar, wij zijn slechts twee mensen die af en toe het bed delen, jij gaat om de haverklap naar Bilbao naar je ex van wie niemand weet of het je ex is of meer... Is het normaal dat een ex-verloofde ieder ogenblik bij de moeder van haar zogenaamde ex-verloofde zit? En nog erger, dat zij nog steeds afspreekt met haar ex-verloofde als ze de kans krijgt?'

'Nou en? Als zij met elkaar afspreken is dat mijn zaak niet. En je hoeft niet te denken dat ik Biotza zomaar in de steek kon laten. Als je uit bent op een excuus om met anderen te neuken, reken dan niet op mij om je dat te verschaffen.'

Het was inderdaad waar dat zij aan anderen begon te denken, omdat zij meende dat dat de enige manier was om Juan te vergeten. Zelfs Pedro had haar voortdurend aangemoedigd om meer open te staan, om andere relaties aan te knopen. Er zijn ontzettend veel mensen die het heel leuk zouden vinden met jou uit te gaan, zei hij, waarom doe je dat niet? Het is duidelijk dat jouw Juanito niets met je wil, alleen maar af en toe een wip. Hij is nooit van plan geweest zijn verloofde te dumpen en hij zou haar natuurlijk nooit in de steek hebben gelaten als zij niet achter jullie relatie was gekomen, en daarom wil hij niet echt opnieuw met je beginnen, omdat hij afwacht of zijn officiële verloofde hem weer terugneemt. Luister nou naar me, zei hij, je moet hem uit je hoofd zetten. Maar aan de andere kant kon Ruth begrip opbrengen voor Juan, ze begreep dat iemand wat huiverig was om een relatie te beginnen terwijl zijn oude net uit was. Het enige wat zij wilde was de zaken gemakkelijker maken; voor hem, maar vooral voor haarzelf.

'Je snapt me niet, Juan. Het is helemaal niet zo dat ik graag met anderen naar bed wil. Ik wil onze relatie alleen maar een beetje openbreken, zowel jou als mij wat lucht en ruimte geven. We maken er een puinhoop van, de hele dag zitten we ruzie te maken. We maken elkaar het leven zo moeilijk...'

'Hoor 'ns, Ruth, ik ga mijn tijd niet verdoen met dit soort discussies die eerder in een soap thuishoren. Ik moet morgen een hele stapel manuscripten doorlezen en ik moet naar bed, en dat ga ik dus nu doen.'

'Ja, maar hoe komen we eruit als we er niet over praten? Uitgerekend jij zou je wat moeten aantrekken van de oplossing die ik voorstel, per slot van rekening ben jij degene die het niet meer ziet zitten, die terneergeslagen is en zich onder druk gezet voelt...'

'Ik heb je al gezegd dat ik nodig naar bed moet en geen tijd heb voor idiote discussies die bovendien nergens toe leiden.'

'Dat zal ook nooit gebeuren omdat jij het vertikt te praten.'

'Ik vertik het inderdaad om over onzin te praten en al helemaal niet om deze tijd. Ik zei toch dat ik morgen aan het werk moet. Het lijkt wel of je mijn werk wilt verpesten.'

'Goed, ga dan maar slapen als je daar zo'n behoefte aan hebt. Ik blijf hier nog even zitten lezen,' zei Ruth die altijd gelijk met Juan naar bed ging.

'Uitstekend,' antwoordde Juan op kille toon en verdween waardig de gang in als een hooggeplaatst persoon in ballingschap.

Ruth bleef weggedoken in de stoel zitten nadenken over de toestand. Wat hij over haar vrienden had gezegd had haar het meest gekwetst. Ze vond het ontzettend gemeen van Juan dat hij haar die steek onder de gordel had gegeven, maar aan de andere kant was ze bang dat er iets van waarheid in zat. In hoeverre kon zij bijvoorbeeld Sara vertrouwen? In hoeverre mocht Sara Ruth of benijdde ze haar? Zij had natuurlijk gemerkt dat de houding van haar plotseling beroemde vriendin veranderd was. Het afgezaagde zinnetje 'sinds je beroemd bent moet ik audiëntie aanvragen' was waarschijnlijk grappig bedoeld, maar Sara zei het altijd met een ondertoon van wrok en omdat ze het tot vervelens toe herhaalde werd het bijna een soort begroetingsformule. Ja, het kostte moeite om haar te zien maar ze had het ook veel drukker en Sara deed ook niet veel moeite om haar te zien. Misschien was Sara jaloers op haar roem, ze was uiteindelijk altijd al een beetje jaloers geweest op Ruth en het was waar – dat wist zij maar al te goed – dat als iemand beroemd wordt de mensen om hem heen zich anders gaan gedragen. Maar Ruth geloofde niet dat Sara haar achter haar rug zat af te kraken of liever gezegd, ze wilde dat niet geloven. En wat Paco betrof, hij had altijd pal achter haar gestaan. Hij had in het begin niet alleen haar filmproject gesteund toen niemand er een cent voor zou hebben gegeven, maar hij stond haar bij de promotie voortdurend als een rots in de branding terzijde en toonde zich altijd behulpzaam, belde haar op, stuurde haar berichten en hoorde geduldig Ruths ergernissen en twijfels aan. Hij moest natuurlijk wel, hij had tenslotte heel wat geïnvesteerd in die film en toen die zoveel succes had kon hij het niet riskeren om Ruth kwijt te raken, kon hij geen onenigheid met haar krijgen, dan zou hij de kip met de gouden eieren slachten. Maar zou Pedro zo hypocriet zijn om zich tegenover haar anders voor te doen dan tegenover de anderen, ontzettend aardig tegen haar zijn en haar daarna achter haar rug om zwart te maken? Nee, dat mocht ze niet denken. Ze werd er gek van. Of liever gezegd, ze werd gek van Juan. En het was zinloos om met alle geweld bij hem te willen blijven terwijl hij duidelijk helemaal niet van haar hield. Of toch wel? Hij zei haar meerdere keren per dag hoeveel hij van haar hield, hoe gek hij op haar was. 'Ruth, ik hou van je, ik heb nog nooit zoveel van iemand gehouden en zal dat ook nooit meer doen, want dit overkomt je maar een keer in je leven...' Ja, hij zei de meest tedere dingen tegen haar en stuurde haar nog lievere brieven maar waar waren al die zoete woordjes goed voor als hij haar daarna als een vod behandelde? Misschien wilde hij niet door haar in de steek gelaten worden. Maar waarom zou hij haar bij zich willen houden? Moest ze dan tot in de eeuwigheid ondergeschikt en gefrustreerd blijven?

En het allerergste was toen Ruth zijn zwarte notitieboekje doorbladerde, een van zijn kompaskaarten of logboeken of hoe hij die verdomme ook noemde, dat Juan bij Ruth thuis had laten liggen. Had hij dat per ongeluk of met opzet vergeten? Want even dacht Ruth dat hij het boekje daar had achtergelaten, zogenaamd vergeten, zodat ze die zin zou lezen die door haar ziel sneed: *ik ben omringd door onbenullen: mijn verloofde is een onbenul, mijn minnares is een onbenul, mijn ouders zijn onbenullen en mijn eventuele kinderen zullen ook onbenullen zijn.* Er zou natuurlijk een verklaring kunnen zijn voor die zin. Misschien waren het aantekeningen voor zijn roman of een soort symbolische ontboezeming in een moment van verstandsverbijstering of zelfs de tekst voor een liedje, het kon van alles zijn, maar diep in haar hart was Ruth bang dat die zin Juans diepste gevoelens weergaf. Ze begreep echter niet dat juist Juan, die beweerde zoveel van haar te houden, haar een onbenul noemde. Als hij zichzelf nu ook tot die onbenullen had gerekend...! Maar nee. Ruth vond het arrogant en intolerant dat hij zichzelf niet meerekende, zo aanmatigend om te denken en te schrijven dat hij de enige normale in zijn omgeving was en zo bezeten van het idee slachtoffer te zijn van een enorm complot, een soort samenzwering van de joodse vrijmetselarij, dat ze bijna van plan was om hem te bekennen dat ze die uitspraak had gelezen, maar ze hield zich alleen in omdat hij volgens haar misschien juist die reactie wilde uitlokken: weer een ruzie, weer een kans om Ruth hysterisch te noemen. Want dat was ook zoiets waar Ruth zich vreselijk kwaad om maakte: altijd weer schoof Juan de verantwoordelijkheid van zich af. Ruth kreeg altijd de schuld, zij oefende druk op hem uit, zij zat te drammen, zij maakte hem kwaad, maar dat hij onaangenaam, beledigend, gemeen kon zijn, wilde hij nooit toegeven.

Ruth was het ten slotte zat om maar in die stoel te zitten piekeren en besloot naar bed te gaan. Ze kwam de kamer binnen en zag in het halfduister Juans lichaam onder de dekens, want ze had het licht niet willen aandoen om hem niet wakker te maken en bij het licht dat door het raam viel kon ze zich zo goed en zo kwaad als het ging oriënteren. Toen ze eindelijk naast hem lag en zich tegen zijn buik wilde aanvlijen, alsof hij zwanger was van haar, want in die houding sliepen ze meestal – hij met zijn armen om haar heen en haar tegen zijn borst gedrukt – draaide Juan zich om en ging met zijn rug naar haar toe liggen; ze kon niet precies zeggen of het een reflexbeweging in zijn slaap was of dat hij wakker was en haar bewust verstootte of erger nog dat hij, als hij dat in zijn slaap deed, zelfs diep in slaap haar aanwezigheid kon voelen en dat hinderlijk vond. Ruth luisterde scherp naar zijn ademhaling maar kon er niet achter komen of Juan wel of niet sliep. Voor alle zekerheid sloeg ze haar armen om hem heen en drukte zich tegen hem aan. Alsof hij door een veer werd gelanceerd sprong hij abrupt op – voorzover iemand liggend kan opspringen – en Ruth was zo overdonderd door deze plotselinge beweging dat ze niet in staat was om te reageren. Voor ze het zich realiseerde had hij het licht aangedaan, was rechtop in bed gaan zitten met zijn rug tegen de kussens en keek haar venijnig aan.

'Dat doe je zeker met opzet, hè?' zei hij op de toon die Ruth zo haatte, liefdeloos, ijzig en beangstigend. 'Ik heb je toch gezegd dat ik morgen aan het werk moet, maar jij moet me zo nodig wakker maken.'

'Ik wilde je niet wakker maken, ik sloeg alleen maar mijn armen om je heen en bovendien maakte ik je niet wakker, zo vlug gaat dat niet, je was al wakker.'

'Jij wilde me wakker maken zodat ik morgen niet kan werken,' ging hij op dezelfde ijzige botte toon verder, alsof hij haar niet had gehoord. 'Jij wilt niet dat ik werk, jij wilt niet dat ik ook maar iets doe omdat mijn werk je niet interesseert, je bent alleen maar in jezelf geïnteresseerd, je vrienden zeggen dat ook, je bent een egoïste...'

'Dat is niet waar. Ik ben geen egoïste en ik geloof ook niet dat mijn vrienden dat zeggen.' Ruth baalde van de hele toestand. 'Bovendien, als je wilt slapen snap ik niet waarom je daar nu over begint. Ga slapen en bespaar me je gezeur.'

'Nee, dat doe ik niet. Je houdt me wakker, zo gemeen ben je, ja toch? Dan zul je nu luisteren naar wat ik je te zeggen heb. Je bent een egoïste die andere mensen niet op hun waarde weet te schatten. Die interesseren je niet. Je gebruikt iedereen uit eigenbelang.'

'Hou je mond,' zei Ruth, maar hij ging onverstoorbaar door alsof hij haar niet hoorde.

Hou eindelijk je mond. Maar de woorden bleven stromen, als achtergrondmuziek. Hou je mond! Maar het bleef dreunen, je bent een egoïste en jaloers op de mensen om je heen, jaloers op mijn verloofde, jaloers op mijn moeder, jaloers op Julio. HOU JE MOND! Jaloers op iedereen en het liefst wil je dat we ons allemaal naar jou richten en naar je pijpen dansen. Ruth stapte uit bed, ze wilde niets meer horen, maar hij liep haar achterna de gang in en bleef het maar herhalen, je voelt je boven ons verheven, Pedro mag niet als coregisseur op de aftiteling staan, hoewel iedereen weet dat je er geen flauw benul van hebt hoe je een camera moet hanteren, en Ruth sloot zich op in de badkamer, maar hij bleef bij de deur staan oreren met dezelfde monotone, meedogenloze klank in zijn stem. Iedereen baalt van je, Ruth, je eigen familie is je zat, ze willen je liever niet meer zien, en daarom ben je erop tegen dat ik mijn familie opzoek, omdat je weet dat ze van me houden, dat mijn familie van mij houdt en me accepteert, voor jouw familie gaat dat niet op, die zou jou liever doodzwijgen, niet door jou te schande gemaakt willen worden, en daar kun je niet tegen. Ruth zat op het toilet en stopte als een klein kind haar vingers in haar oren maar het gedreun drong door in haar hoofd, die scheldkanonnade van halve en hele waarheden en leugens, alles door elkaar heen, een onontwarbare kluwen waarin goed en fout niet meer van elkaar was te onderscheiden, het nestelde zich in haar hoofd en deed pijn, pijn, pijn, en het idee dat ze niets voorstelde kwam zo sterk tot leven dat Ruth het meende te zien alsof het vaste vorm had aangenomen en boven haar hoofd in de badkamer zweefde, als een verdwaasde vleermuis tegen de muren en het plafond opvloog, tot ten slotte de Ander, bezworen door die onophoudelijke reeks beschuldigingen, zich binnen in haar losmaakte en de badkamerdeur opendeed.

Daar stond Juan met strak gelaat, woedend opeengeklemde kaken en vlammende ogen nog steeds dezelfde argumenten op te dreunen, dezelfde reeks onverbiddelijke waarheden die als roodgloeiende dolken in haar werden gestoken, en nog steeds met diezelfde monotone, onaangedane stem. En toen krabde Ruth hem in zijn gezicht, maar hij was veel groter en sterker dan zij en draaide haar arm op haar rug terwijl hij in haar oor fluisterde: 'Je bent gek, je bent volslagen gek, je bent niets anders dan een hysterica.'

Het werd een vast patroon. Hij provoceerde, zij reageerde. Alles overeenkomstig de Eerste Wet van de Thermodynamica van Newton: bij iedere kracht behoort een even grote maar tegengestelde reactiekracht. Ruth voelde zich in een hoek gedrukt door de verbale kracht waarmee Juan haar overmeesterde, wanhopig probeerde ze aan deze kwelling te ontkomen, aan dat meedogenloze, beledigende verbale geweld, maar kon dit alleen bereiken door hardhandig op te treden. Hij maakte haar woest en ze gaf hem een klap, zodat zij degene was die agressief leek en hij het slachtoffer. Het was simpel: je hoefde de vernedering of verachting alleen maar te overdrijven om een negatieve reactie te krijgen waar je vervolgens verwijten over kon maken. Het geweld werd herverdeeld als in communicerende vaten. Het was een uitzichtloze situatie. Als Ruth reageerde leek zíj degene die de problemen veroorzaakte, die gek en hysterisch was. Als ze niet reageerde liet ze verdere vernedering toe. Als ze moedeloos werd, als ze het allesverterende verdriet zoveel mogelijk over zich heen liet gaan was ze een slome donder die alleen maar droefgeestig kon kijken. Het was natuurlijk het eenvoudigst geweest hem met gelijke munt te betalen, de verbale aanval te retourneren, maar dat kon ze niet. Ten eerste was ze niet zoals hij in staat het hoofd koel te houden, onaangedaan, monotoon en effectief de woorden eruit te gooien, zij beschikte niet over die sleutel waarmee hij wonden openmaakte. En ten tweede kende ze zijn zwakke kanten niet en ook al had ze die gekend dan had ze geen stoten onder de gordel kunnen geven, ze wist niets af van die tactiek en kon die dus ook niet nadoen. Bij haar thuis waren ze onverschillig, maar nooit kwetsend in hun woorden (behalve haar grootvader, die Ruth godzijdank niet vaak zag) en tot een dergelijk soort agressie was Ruth niet in staat, net zomin als ze in staat was om gewichten van honderd kilo op te tillen, eenvoudigweg omdat ze daar niet in getraind was, niemand had haar ooit een dergelijke tactiek geleerd of haar daarop voorbereid. Ze kon ook niet wegvluchten wanneer hij die dingen ging zeggen, zout in de wonden ging wrijven, haar herinnerde aan datgene waaraan ze niet herinnerd wilde worden, dingen die al zo lang onder een barmhartige laag vergetelheid en zwijgen begraven lagen, want als ze probeerde te vluchten, als ze de kamer uit ging, als ze zich in de badkamer opsloot, kwam hij haar achterna en liet haar niet met rust. Als ze weleens op straat een eind maakte aan de discussie en besloot naar huis te gaan, belde hij haar midden in de nacht op en liet berichten achter op het antwoordapparaat (Ruth had er op zijn verzoek een genomen, want anders was het zo moeilijk om afspraken af te zeggen, hoewel hij nooit doorgaf dat hij later of niet kwam), berichten die ze de volgende dag verwijderde. En hij kwam weer met hetzelfde aan (je bent een oplichtster, als kunstenares stel je niets voor, je familie houdt niet van je, je vrienden hebben je laten vallen) waarbij hij de nodige scheldwoorden gebruikte tot de band afsloeg.

Andere keren had de strategie een subtieler karakter en werkte het simpele systeem van uitlokken – antwoorden niet meer. Zij onderging de aanvallen met stoïcijnse kalmte en deed alsof ze de middernachtelijke telefoontjes niet had gehoord (hij belde haar altijd op als ze niet had willen blijven en Ruth vermoedde dat hij dat uit jaloezie deed, om te kijken of ze met iemand anders was), of de e-mail niet had gelezen waarin hij haar de huid vol schold, of veinsde dat het haar niets had kunnen schelen dat Juan niet was komen opdagen en dat hij vervolgens niet te lokaliseren was, de voicemail op zijn mobiel aanstond en niemand in het studentenhuis wist waar hij uithing. Zij vroeg niet: waarom kwam je gisteren onze afspraak niet na? Waar ben je de hele avond geweest? Of: waarom heb je het me niet even gemeld? Uit angst dat hij haar voor de voeten zou werpen dat ze bezitterig was en hem controleerde en er weer een van die ruzies losbarstte waarin zij het onderspit moest delven omdat hij Ruths argumenten nooit accepteerde. Soms rende hij zomaar op straat weg, hij rende letterlijk weg, en liet haar midden in een zin op de stoep staan.

Op een keer liet hij Ruth bijvoorbeeld de correcties en aantekeningen lezen voor een manuscript waarvan hij het verslag aan het maken was. Ruth vatte dat op als een bewijs van vertrouwen en dacht dat hij haar mening wilde horen. De volgende dag in de cafetaria van de Fnac vond ze dat ze die dan ook moest geven.

'Weet je, ik vind dat die roman die je me hebt gegeven een beter verslag verdient dan wat jij hebt gemaakt. Hij is eigenlijk heel goed.'

'Hij is niet goed, helemaal niet goed. De plot is ongeloofwaardig, de dialogen lopen niet en het personage heeft geen diepgang.'

'De argumenten van jouw geliefde Borges zijn toch ook ongeloofwaardig? Een plot hoeft niet per se geloofwaardig te zijn om effect te hebben. Ik vind dat de dialogen goed zijn. En het personage heeft geen diepgang omdat de stumper een eenvoudige ziel is en daar gaat het hele verhaal over, dat die vent alles meemaakt zonder dat hij er erg in heeft.'

'Kijk aan, juffrouw Swanson is opeens literair criticus geworden.' Ruth begon het ergste te vrezen omdat hij haar nooit bij haar voornaam noemde als hij op haar afgaf. 'Vertel eens, sinds wanneer schrijf jij romans?'

'Ik hoef geen roman geschreven te hebben om een goed verhaal te kunnen waarderen. Nu we het er toch over hebben, jij hebt ook nog steeds geen roman geschreven.'

'Wil je daarmee zeggen dat ik uit jaloezie een negatief verslag heb geschreven? Hoe durf je?'

'Dat heb ik niet gezegd...'

Maar ze kon haar zin niet afmaken omdat hij al weg was en haar met de mond vol tanden liet staan. Ruth was met stomheid geslagen. Ze legde een biljet van duizend peseta op de bar voor de twee koffie en ging hem achterna. Ze zag dat hij bijna op de hoek van Callao was. Toen hij merkte dat ze hem achterna kwam holde hij als een marathonloper weg en verdween de straat uit. Het kwam niet eens bij haar op dat het onbeschoft was van Juan, maar wel dat zij niet over zijn werk had moeten beginnen. En vervolgens dacht ze: gelukkig ben ik hier thuis niet over begonnen, anders hadden we weer de hele nacht ruzie gehad.

Een bijna identieke situatie deed zich drie dagen later voor. Uitgerekend in de bar van García. Ruth ging daar eigenlijk niet meer naartoe omdat ze wist dat Juan zich er mateloos aan ergerde dat de ober zo vertrouwelijk met haar omging, maar toen ze uit de bioscoop kwamen wilde Juan voor ze naar huis gingen met alle geweld nog een laatste biertje drinken. Er zat voor Ruth niets anders op dan ermee akkoord te gaan, want anders zou Juan waarschijnlijk denken dat ze iets te verbergen had, iets wat verband hield met de ober. Dus liepen ze de bar binnen, gingen aan de bar staan en Ruth bestelde twee biertjes met een schietgebedje aan de voorzienigheid dat García niet dat zielige gezicht opzette waarmee hij naar haar keek sinds ze niet meer met elkaar omgingen en/of dat Juan daar geen erg in had.

'Ruth... Heb jij weleens aan kinderen gedacht?' vroeg Juan haar plompverloren.

'Ja, natuurlijk wel.'

'Maar je bent al drieëndertig, je bent toch veel te oud?'

'Ik zou niet weten waarom. Mijn moeder was achtendertig toen ze mij kreeg, en Madonna kreeg op haar veertigste haar eerste kind.'

'Dus... heb je er weleens over gedacht om van mij een kind te krijgen?'

'Tja, als jij zou willen... ja.'

'Maar van mij of van iemand anders? Ik bedoel, als je niet met mij zou zijn, zou je dan een kind van een ander willen krijgen?'

'Ik weet het niet... Ik denk dat als het zover is, als ik verliefd word... ik denk van wel.'

'Met andere woorden, het zou je niet uitmaken van wie het was.'

'Dat zeg ik helemaal niet. Ik zei dat als ik niet met jou was...'

'Wat betekent dat je de mogelijkheid incalculeert dat je niet met mij bent...'

'Hou alsjeblieft op met die retorische trucjes, Juan. De enige die eraan denkt niet met mij te zijn ben jij.'

'En als we een kind zouden hebben, waar zouden we dan wonen?'

'In Madrid toch, waar anders?'

'En mijn moeder, hoe kan die het kind dan zien?'

'We kunnen haar opzoeken.'

'Maar ze zou het vreselijk vinden om haar enige kleinkind slechts af en toe te zien.'

'Wat wil je dan... Ze zou bij ons kunnen komen wonen. Dan hebben we gratis oppas...'

'Hoe haal je het in je hoofd om dat te zeggen? Wie denk je wel dat je bent? Mijn moeder is je dienstmeisje niet!'

En hij verliet overhaast de bar. Ruth nam niet eens de moeite om af te rekenen omdat ze wist dat ze van García mocht betalen wanneer het haar uitkwam en ging hem achterna. Ze was echt kwaad, in de greep van de soort gemoedstoestand waarin zelfs de verstandigste mens een rood waas voor de ogen krijgt en de blinde, brute kracht bezit om iemand te wurgen, klappen uit te delen, de hersens in te slaan of botten te breken. Wat dacht die idioot wel? Ze was het meer dan zat dat hij haar bij het minste of geringste in een bar liet zitten. Ditmaal vond ze niet dat het haar schuld was, dat ze het niet over zijn moeder had mogen hebben. Juan was hysterisch en hij was weggelopen met het absurde excuus dat zijn moeder was beledigd, niet omdat hij echt geloofde dat Ruth zijn moeder als dienstmeisje wilde hebben maar omdat hij jaloers was, jaloers op García of op de denkbeeldige man die Ruth denkbeeldig zwanger zou kunnen maken in het geval van een denkbeeldige scheiding van Juan en haar. Juan had er natuurlijk goed de vaart in. Ruth haalde hem in bij de hoek. Het liefst had ze hem een daverende klap verkocht, in de stijl van Gilda, ze hield zich echter op het laatste moment in, maar omdat ze haar hand al woedend naar zijn gezicht had uitgestoken, rukte ze zijn bril af (een dure zonnebril van Donna Karan, uiteraard een cadeau van

Biotza), smeet hem op de grond en vertrapte hem. Het is duidelijk dat ze Juan daarmee prachtig in de kaart speelde om haar verbaal aan te vallen: Ruth was alleen maar een krankzinnige hysterica die in een vlaag van gewelddadige woede zijn bril had vernield. En die zin 'je ben een hysterica', of die nu letterlijk werd gezegd of alleen maar geïnsinueerd, werd zo'n deel van Ruth dat zij uiteindelijk een hysterica *cum laude* werd. Ze ging er nooit tegenin en werd een hysterica wanneer Juan haar als zodanig bestempelde. En omdat Ruth een geboren perfectioniste was speelde ze haar rol met verve: zij werd de grootste hysterica, de slechtste van allemaal.

De ene keer ging ze achter hem aan, de andere keer niet. Ze kreeg er genoeg van om hem op straat achterna te lopen, ging moedeloos naar huis terug en legde de hoorn van de haak om het onvermijdelijke telefoontje niet te hoeven horen. Soms kon ze zich wel inhouden, negeerde de beledigingen, liet stoïcijns de vloedgolf van kritiek over zich heen gaan, maar schoot daar niets mee op, want ze leefde onder zo'n emotionele stress dat ze daarna bij iets vreselijk onbenulligs overdreven reageerde.

Op een avond had hij zich bijvoorbeeld een stuk in zijn kraag gedronken en bij thuiskomst bleef hij in de hal staan en weigerde met haar mee naar boven te gaan. Ik hou niet van je, ik heb nooit van je gehouden en zal nooit van je houden, zei hij, want je bent een klotewijf. Wat heb ik nu weer gedaan, vroeg ze verbijsterd, maar hij negeerde haar en bleef maar in het wilde weg herhalen *jebenteenklotewijfjebenteenklotewijf*. Ze zag dat hij stomdronken was (zijn tong sloeg dubbel en hij stond te zwaaien op zijn benen) dus deed ze de volgende dag net of er niets was gebeurd, omdat ze wist dat hij er geen woord over vuil wilde maken. Maar toen hij midden in een gesprek Biotza's naam noemde, gooide ze zonder enige aanleiding het glas bier dat ze in haar hand had over zijn zijden overhemd (een cadeau van Biotza natuurlijk). Zo op het oog was er geen reden voor, was het de reactie van een gek, maar zij wist heel goed waarom ze het deed.

Toen hij een andere keer na een bijzonder heftige avond waarin hij haar volledig had genegeerd 's morgens bij het opstaan weer de diverse beschuldigingen opratelde – je familie houdt niet van je, je vrienden moeten je niet meer, je bent geen regisseuse maar een oplichtster... – bedreigde Ruth hem met een mes. En zoals na elke ruzie zei hij haar natuurlijk weer dat ze gek, hysterisch en reddeloos verloren was.

'Je bent niet goed bij je hoofd, Ruth. Je kunt niet zomaar geweld gebruiken.'

'Maar dat doe jíj wel. Verbaal geweld, moreel geweld, psychologisch terrorisme...'

'Dat is niet hetzelfde.'

'Hoezo is dat niet hetzelfde? Wat ik doe is alleen maar reageren op geweld. Iedereen gebruikt het soort geweld waartoe hij in staat is om zich zo goed mogelijk te verdedigen.'

Maar toch voelde ze zich weerloos en probeerde zich te rechtvaardigen alsof het werkelijk haar schuld was, omdat haar gewelddadigheid zichtbaar was, dingen kapotmaakte, sporen naliet, terwijl die van Juan netjes en onzichtbaar was, geen sporen achterliet. Bovendien had hij nu de troef in handen om de boot af te houden, namelijk: ik zou dolgraag mijn leven met je willen delen, maar zolang je geen andere houding aanneemt zal ik dat niet kunnen. Maar zij zou zich natuurlijk niet anders kunnen gedragen zolang hij het ook niet deed, het een bracht het ander met zich mee.

Het was net Russische roulette. Elke keer als ze met elkaar afspraken wisten ze dat die avond hoe dan ook op een van de twee manieren zou eindigen: óf ze zouden slaande ruzie krijgen óf alles zou idyllisch zijn en de avond zou uitlopen op een werkelijk zinderend seksueel gebeuren. In die relatie was immers geen plaats voor vaagheden. Juan gedroeg zich als een engel of als een duivel, blijkbaar bestond er voor hem geen tussenweg. Ruth dacht weleens dat hij het met opzet deed, dat hij van het ene in het andere uiterste verviel omdat hij zelf eigenlijk wel wist dat hij haar zou kwijtraken als hij zich altijd als een tiran gedroeg, en de engel dus echt fantastisch moest zijn wilde Ruth het met de duivel blijven uithouden, en dat hij er niet alleen op aanstuurde dat zij zich bij de situatie zou neerleggen maar ook dat ze ging twijfelen, dat hij in haar ogen niet gemeen was – een man die zulke dingen tegen haar zei, die haar als een koningin behandelde kon toch niet gemeen zijn – dat hij het alleen maar deed uit wanhoop en dat was Ruths schuld, want zij zette hem onder druk, maakte hem jaloers, was niet tegen de situatie opgewassen.*

Nu zult u zich allemaal wel afvragen waarom zij in godsnaam bij die vent bleef. En dat vroegen ook alle kennissen van Ruth zich af. De verklaring is heel eenvoudig of heel gecompliceerd, het is maar hoe je het bekijkt: Ruth geloofde dat het allemaal aan haar lag. Zij was het die de scheiding had doorgedrukt en hij maakte nu een crisis door. Zij was het die erop had aangedrongen dat ze gingen samenwonen en hij zag het niet meer zitten. Zij was het die hem had geslagen, een glas over zijn overhemd had leeggegoten, hem met een mes had bedreigd, en hij was nu bang. Ruth wist dat ze steeds wanneer ze geweld gebruikte in Juans achting daalde, maar vooral in die van haarzelf. Dus werd ze steeds angstiger en had ze het gevoel dat ze weinig voorstelde en dat ze verdiende wat hij zei of haar aandeed. Bovendien zou alles veel eenvoudiger zijn als hij echt een vreselijk iemand was geweest, maar hij was bij tijd en wijle nog steeds een fantastische kameraad, een toonbeeld van beminnelijkheid en tederheid zoals toen ze hem net leerde kennen, en daardoor was Ruth ervan overtuigd dat die hele verandering slechts een tijdelijke crisis was, dat hij weer de oude zou worden, dat alles weer zoals vroeger zou worden, dat zij hem met liefde en geduld zou kunnen veranderen. Ja, hij zou weer de oude worden, de persoon van wie ze had gehouden, de persoon met wie ze ondanks de ellende zo hecht verbonden was, met wie ze zo'n innige band had. Ze kon zich onmogelijk losmaken van Juan zonder zich tegelijkertijd van zichzelf los te maken, van wat zij als persoon

* Diagnose van onze psychoanalyticus? Juan is een perverse narcissus (iemand die op een ander die emotioneel of economisch van hem afhankelijk is – meestal zijn partner of een ondergeschikte op het werk – zijn minderwaardigheidsgevoel en schuldcomplex projecteert om daar niet mee geconfronteerd te worden). Anderzijds vertoont Ruth sterk masochistische trekjes.

voorstelde, van het enige gevoel waarop ze trots kon zijn. Ze had soms het idee een Opdracht te moeten uitvoeren. Ze geloofde alles te kunnen begrijpen, alles te kunnen vergeven, alles te kunnen rechtvaardigen. Met doorzettingsvermogen en inspanning moest je een relatie kunnen redden, niet voortijdig de handdoek in de ring gooien, niet bij de eerste crisis het hoofd laten hangen. Ruth hing zozeer aan Juan dat de minste blijken van toenadering haar weer hoop gaven, als gloeiende kooltjes die worden aangeblazen en het vuur weer doen oplaaien. Ze vertrouwde erop dat met praten alle misverstanden uit de weg zouden worden geruimd en weigerde zich erbij neer te leggen dat ze niet in de wieg was gelegd voor heilige of martelares (maagd kon uiteraard niemand meer voor haar regelen). Het slot van het liedje was dat ze als in een spinnenweb gevangenzat in haar idee over de liefde, ze was nergens meer zeker van, ze wist niet of zíj gek was of híj of dat ze het allebei waren; of zíj gelijk had of híj of geen van beiden, ze wist alleen dat ze zichzelf haatte omdat ze er geen vat op kon krijgen. Ruth voelde zich schuldig en als Juan haar op een dag accepteerde, met haar wilde leven, een relatie met haar wilde beginnen, dan zou hij haar als het ware vrijspreken. Alsof hij haar verloste van een onbestemde schuld die betrekking had op een langgeleden begane zonde. Juan was haar boetedoening en de tranen die ze om hem had vergoten waren oude tranen die ze heel lang had opgespaard en niet op het juiste moment de vrije loop had gelaten. Bovendien, als Juan haar accepteerde, als zij in plaats van Biotza het object van zijn liefde zou worden, zou zij Hoer af zijn en een Net Meisje worden, een legitieme, volledige en complete vrouw. Natuurlijk ging het om argumenten in Ruths onderbewustzijn, maar op heldere ogenblikken schemerden ze toch door. In tegenspraak met Freud weerhield het feit dat Ruth heel goed wist of vermoedde waarom ze het deed haar er niet van op dezelfde voet door te gaan.

Ze kon ook niet terugvallen op haar vrienden omdat de meesten partij hadden gekozen voor Juan. Juan had Sara verteld dat hij stapelverliefd was op Ruth en Sara, zo sentimenteel en behoudend als wat, begreep dat een man het heel moeilijk moest hebben met een vrouw die een dergelijk karakter en verleden had als haar vriendin; Sara adviseerde Ruth dan ook niet op te geven, want ze was ervan overtuigd dat als de roodharige lang genoeg wachtte alles vanzelf goed kwam en Juan weer de verlegen en charmante jongen werd die haar had verleid. Paco Ramos in hoogsteigen persoon was op Juans hand en geloofde niets van wat Ruth hem vertelde. Hij ging ervan uit dat alle verhalen van Ruth alleen maar overtrokken gedoe van een kunstenares was, want Paco zag Ruths klachten als simpele verschijnselen van een conflictieve en hartstochtelijke relatie tussen twee sterke karakters en bovendien bemoeide hij zich uit principe liever niet met onenigheden tussen partners. De enige die het voor Ruth opnam was Pedro, die Juan bij de eerste kennismaking al doorhad, maar omdat hij dat vanaf het begin had laten blijken vertrouwde Ruth niet al te zeer op Pedro's adviezen of meningen, Pedro was per slot van rekening niet objectief omdat hij Ruth aanbad en zich kantte tegen iedereen die te veel aandacht van zijn vriendin kreeg. Kortom, er was niemand die tegen Ruth zei dat het haar schuld niet was, dat ze moest ophouden zich te kwellen, de hele toestand moest vergeten en weer de oude moest worden. De meeste mensen daarentegen vonden Juan heel charmant, beminnelijk, sympathiek, attent... en erg knap! Ja, ze hadden gemerkt dat hij de laatste tijd wat veel dronk, maar dat was nog geen reden om uit elkaar te gaan, Ruth dronk ook, iedereen dronk in Madrid en in bepaalde kringen zelfs heel veel, nietwaar? Je moest de dingen niet overdrijven. Toen Ruth erover klaagde dat Juan haar kwelde had ze de indruk dat ze het niet goed beschreef, dat de anderen haar niet begrepen. Hoe moet je de tocht door die doolhof uitleggen aan mensen die geen flauw benul van de route hebben, zelfs niet in vogelvlucht? Hoe moet je de wreedheid van Juan beschrijven, gemaskeerd, intiem en besloten, die alleen vermoed werd door veronderstellingen, insinuaties en stiltes. Verward en verstrikt in haar situatie ervoer ze het ongeloof van haar vrienden als een extra druk. En ze dacht ten slotte dat zij wel gelijk zouden hebben, dat ze de dingen misschien wel overdreef. Niemand om haar heen zag iets. De meningen van Paco en Sara dienden als spiegel voor Ruths eigen onzekerheid. Omdat Ruth voortdurend in twijfel verkeerde werd die door de spiegel vermenigvuldigd en vergroot teruggekaatst. Omdat Ruth geen zelfvertrouwen had durfde zij geen oordeel te geven over anderen. Wat Juan ook deed, wat hun vrienden ook zeiden, Ruth vond altijd verzachtende omstandigheden: Juan verkeerde in een crisis. Paco gedroeg zich als een verstandig man. Sara kon alleen maar consequent zijn omdat ze een conservatief standpunt innam. Iedereen dacht dat Ruth heel sterk was, ze was echter zo zwak als wat.

Tot overmaat van ramp begon Ruth, de strijd en ruzies beu, met andere mannen uit te gaan. Zodra Juan haar belde zou ze bij hem terugkomen, dat wist ze, maar ze wilde voor alle zekerheid haar bewonderaars ontmoeten om voor zichzelf op de een of andere manier bevestigd te zien dat ze geen zieke hysterica was, of dat niet voor honderd procent was, dat er nog iets over was van haar vroegere vastberadenheid en zelfvertrouwen, van de durf waarmee ze praktisch zonder middelen een film had geregisseerd en uitgebracht. Ik zal wel niet zo gek zijn, dacht ze, want bij andere mannen schreeuw ik nooit, word ik nooit kwaad en hoef ik ook nooit te huilen. Andere mannen moesten haar dus als spiegel dienen, als bewijs dat ze haar verstand kon gebruiken, al was het dan niet voortdurend dan ten minste bij bepaalde gelegenheden. En dit bracht Juan alleen maar tot nog meer razernij, hij voelde zich steeds machtelozer en jaloerser, baalde ervan dat Indalecio hem keer op keer vertelde dat iemand Ruth bij een filmpremière had gezien, haar op de Castellana had zien lopen of wat had zien drinken in de Chicote, in gezelschap van een man, altijd in gezelschap van een andere man, alsof honderden anonieme spionnen, duizenden waakzame ogen Ruth in de gaten hielden en op de loer lagen om elke beweging van de roodharige over te brieven aan de uitgever. Hoe kon ze weten dat er aan het tafeltje tegenover haar iemand zat die zij niet kende en die ze nog nooit had gezien, maar die haar onmiddellijk herkende en niet wist hoe vlug hij iemand anders moest vertellen wat hij had gezien en die vertelde het weer door aan een ander en zo ging het verder tot het nieuwtje Juan bereikte?

Je kunt je ook afvragen waarom Juan haar niet definitief verliet, waarom hij steeds weer bij Ruth terugkwam als een boot naar een bekende haven ondanks het feit dat hij genoeg van haar had, haar verachtte, haatte en vreesde. Maar hij hield van haar, eigenlijk hield hij zielsveel van haar, en de emotionele nabijheid van het object van zijn liefde – Ruth – benauwde hem en was hem te veel. Soms was hij bang dat Ruth zich aan hem zou opdringen en hem zijn eigen levensruimte zou ontnemen. Juist daarom haatte hij Ruth soms zo, de meest intieme relatie die hij ooit had gehad. Als Ruth lief en gewillig was vond hij haar gevaarlijk, kruiperig, bezitterig, bedreigend. Wanneer ze tegen hem inging, hem uitschold of met andere mannen uitging was ze gemeen en verwerpelijk. Het lag altijd aan Ruth. Hij kon niet zonder haar om dezelfde reden als waarom hij niet met haar kon, want wat hem zo fascineerde was tevens zo groot en zo intens dat hij meende dat niet te kunnen overzien. Hij voelde zich tot Ruth aangetrokken omdat hij haar eenvoudigweg meeslepend vond, in de goede en slechte betekenis van het woord, want volgens hem zou ze alles van hem kunnen meeslepen, zijn gemoedsrust om mee te beginnen en die had ze hem al ontnomen. Hij kende geen andere vrouw die zoveel kwaliteiten in zich verenigde: schoonheid, intelligentie, sensualiteit, smaak, cultuur en talent. Maar heel veel anderen hadden dat waarschijnlijk ook al opgemerkt en op een dag zou ze genoeg van hem krijgen en hem verlaten voor een van haar vele minnaars, welgestelder en minder gecompliceerd dan Juan. Al met al had ze geen begrip van fatsoen, aan één man had ze niet genoeg, dat was wel gebleken, en ze zou er niet mee zitten om hem aan de kant te zetten zodra ze genoeg van hem had. Maar Ruth was hem niet beu, ze was gek op hem, misschien alleen maar omdat ze hem niet had kunnen veroveren en Juan de enige man was waar ze geen greep op had. Er werd veel gekletst over Ruth en hij had heel wat gehoord. Dat er vroeger bij haar thuis orgiën georganiseerd werden, dat ze een verhouding had gehad met Pedro, dat ze het had aangelegd met Guillaume Depardieu, dat een zekere regisseur met wie Ruth een paar maanden was omgegaan zo met haar dweepte dat zijn volgende film de titel *Ruth en de eeuwige terugkeer* had gekregen (met als hoofdrolspeelster, ook dat nog, een roodharige jonge en gestileerde uitgave van Ruth), dat Ruth de mannen het hoofd op hol bracht, dat ze met heel Madrid naar bed was geweest, dat ze een slet was, et cetera, et cetera... Het kon natuurlijk ook alleen maar kletspraat, grootspraak en geroddel zijn, maar waar rook is is vuur en bovendien ontging het Juan niet hoe mannen naar haar keken en, erger nog, hoe zij terugkeek, hij dacht gek te worden en als hij met Ruth doorging zou dat nog erger worden, omdat hij nooit haar gangen zou kunnen nagaan, weten waar ze naartoe ging of vandaan kwam, en bovendien baalde hij van de scènes die ze maakte, hij baalde van alles, hij baalde ervan dat hij zich door haar onzeker ging voelen omdat ze altijd de draak stak met zijn manier van kleden ('je lijkt wel een opa,' zei ze), zijn manier van praten ('je praat als een professor,' zei ze), met zijn plattelandsafkomst ('je zou eens naar Londen moeten gaan,' zei ze). En altijd dat bekakte gedoe van haar, ze wist alles van de laatste mode, de nieuwste muziek en technologie, ze was irritant verwaand en zelfingenomen. Hij kon er niet meer tegen dat ze de spot dreef met Indalecio en daardoor eveneens het schrijven van Juan minachtte, want als ze zijn mentor minachtte sloeg dat indirect toch ook op hemzelf? Hij baalde ervan dat hij niet meer zo was als vroeger en vervloekte de dag dat hij haar ontmoette. Was hij maar verdergegaan met Biotza, was hij maar met haar getrouwd, had hij maar naar zijn moeder geluisterd... Dan zou hij niet zoveel hebben meegemaakt maar het ook niet hebben gemist, want je kunt niet verlangen naar iets wat je niet kent, en dan zou hij ook niet zoals nu volledig van slag zijn geweest.

Hij voelde zich zo vreselijk machteloos door zijn tweeslachtig verlangen naar iemand die niet beantwoordde aan zijn morele ideaal, een vrouw die hij niet eens kon vertrouwen, die hem zo'n minderwaardigheidsgevoel bezorgde, dat hij zijn toevlucht nam tot de alcohol, het enige *hulpmiddel* waarmee hij uitdrukking kon geven aan zijn woede en frustratie. Hij kon zomaar zonder dat Ruth hem provoceerde in woede uitbarsten en uit bars verdwijnen omdat hij er behoefte aan had om te lopen, te vluchten, te vergeten, in eenzaamheid zijn haatgevoelens af te reageren.

Juan kon Ruth niet loslaten, hij hoopte echter dat zij hem zou loslaten. Hij zou dan niet hoeven te wachten op wat hem doodsbang maakte. Vroeg of laat zou ze hem toch verlaten. Zij zou niet haar hele leven bij hem blijven, dat stond vast, zij was geen evenwichtige vrouw en zag niets in vaste relaties, ze was volslagen gek en labiel, zoals gebleken was uit die toestand met de pillen en de opname; hij wilde dus liever vooruitlopen op de gebeurtenissen en niet bij verrassing verlaten worden. Maar zij moest het zijn die hem verliet, de schuldige moest zíj zijn. Hij moest de schuld op Ruth afwentelen, want zonder schuld zou Juan niet lijden. Dat Juan zo tegen haar tekeerging was in feite een afweermechanisme. Juan wilde Ruth van alles de schuld geven en ze kwam hem daarin tegemoet omdat ze altijd bereid was het mislukken van hun relatie op zich te nemen. Juans beschuldigingen waren geen aanklacht maar een constatering: omdat hij zichzelf niet verantwoordelijk voelde moest zij dat wel zijn. Hij werd overheerst door een stekend, verraderlijk gevoel van afkeer van Ruth en hij kon de verleiding niet weerstaan om haar te beschuldigen, te kwellen en te krenken. Zo reageerde hij niet alleen zijn frustratie af maar pleitte zichzelf ook vrij.

Het leek op de aangekondigde botsing van twee treinen die in volle vaart op elkaar afstormen: iedereen kon de dreigende catastrofe zien aankomen maar niemand kon er wat tegen doen. Wel was duidelijk dat ieder voor zich tot een min of meer stabiele, vaste relatie zonder scheldpartijen in staat was geweest. Ruth was nooit uitgevaren tegen Beau en Juan dronk nooit als hij met Biotza was, schold haar niet uit en vernederde haar niet geestelijk, ogenschijnlijk een bewijs dat geen van beiden schuld had, of beiden schuld hadden, of dat het aan de omstandigheden lag, maar al met al was Ruth met de dag vermoeider en gedeprimeerder. Ze vermagerde zienderogen en er bleef weinig van haar over, een vrouw zonder substantie, zonder ruimte, onzichtbaar, haar ogen stonden flets en leken glans en diepte te hebben verloren; Juan op zijn beurt dronk veel, werkte weinig, genoot minder en dacht nergens over na. En uiteraard zat er geen schot in hun plannen en in hun werk, alsof ze geen eigen wil meer hadden en ertoe gedoemd waren een geschiedenis te beleven waar ze niets mee te maken wilden hebben, beiden lamgeslagen door de gedachte aan de ander, door de afwezigheid van de ander, door de aanwezigheid van de ander: dreigende val, gevaarlijke afgrond, open venster naar de diepte.

Bericht in een fles

Maart, april, mei en juni volgden elkaar in een gedeprimeerde sfeer op. Discussies en misverstanden waren aan de orde van de dag en door de aankomende zomer waren ze bovendien allebei in een slecht humeur.

Juan moest 15 juli het studentenhuis verlaten: zijn beurs liep af en hij had met moeite een proefversie van honderd bladzijden geschreven. Hij had Indalecio beloofd de roman begin september in te leveren en hij wist niet hoe hij hem af zou moeten krijgen en of hem dat wel zou lukken. Hij dreigde niet alleen zijn uitgever teleur te stellen maar nog erger was dat dat een eind zou maken aan zijn dromen: als hij niet kon publiceren zou hij terug moeten naar Bilbao, want het was duidelijk dat hij niet in zijn eigen onderhoud kon voorzien in Madrid omdat dat zonder beurs niet lukte. Hij kon ervoor kiezen om bij Ruth in te trekken, waardoor hij huur uitspaarde en niet bepaald royaal maar wel enigszins fatsoenlijk zou kunnen leven. Juan overwoog die mogelijkheid echter niet eens, omdat zijn trots hem niet toestond onderhouden te worden, zei hij. In wezen, omdat samenwonen zijn afhankelijkheid van Ruth, zowel economisch als emotioneel, zou accentueren.

Ruths humeur was niet veel beter. Zij had ook niet veel gedaan aan het scenario en ook zij had Paco beloofd het op 1 september te overhandigen, maar het scenario kon haar eigenlijk weinig schelen. Wat haar niet lekker zat was het bericht dat Juan de zomer in Bermeo zou doorbrengen, wat zou betekenen dat Juan Ruth twee maanden niet zou zien, maar Biotza wel en dat hield in dat er een verzoening met zijn ex-verloofde dreigde. Ruth had Juan gebid en gesmeekt om met haar op vakantie te gaan. Kies maar uit waarnaartoe, had ze gezegd, dan zorg ik voor de rest: ze had het er graag voor over om het voorschot van het scenario uit te geven aan een vakantie met Juan en daarna zou ze wel zien waar ze geld vandaan haalde, zo nodig vanonder de stenen. Maar Juan had voet bij stuk gehouden. Hij had geen geld, zei hij, voor een vakantie met Ruth, niet eens om met haar in Madrid te blijven, omdat hij geen geld meer van zijn beurs kreeg en de uitgeverij dichtging en hij stond het natuurlijk niet toe dat Ruth voor zijn kosten opdraaide.

'Goed, dan kom ik je opzoeken.'

'In Bermeo? Ben je helemaal gek?'

'Er zijn toch zeker hotels?'

'Nee, die zijn er niet. Niet eens pensions. Het is een dorp met dertigduizend inwoners, Ruth...'

'Is er niet een miserabel pensionnetje? Neem jezelf in de maling! Als er nou iemand, laten we zeggen, naar een begrafenis of een bruiloft moet, wat dan?'

Juan stond op het punt het hotel in Mundaka te noemen maar hij hield op tijd zijn mond. Als Biotza zou horen dat de vrouw die zij hartgrondig haatte in *haar* hotel logeerde, zou ze razend zijn.

'Dan verblijven ze bij familie of overnachten in Bilbao, zoals iedereen. En Ruth, hou alsjeblieft op om over dit onderwerp door te zeuren, want ik heb er genoeg van.'

De blik waarmee hij dat zei maakte Ruth duidelijk dat ze dit onderwerp maar beter kon laten rusten.

In de laatste week van juni had Juan een uitnodiging ontvangen om deel te nemen aan een literair congres dat zou plaatsvinden in Gijón en waaraan dichters, schrijvers en critici zouden meedoen. Ieder moest een lezing voorbereiden over 'De literatuurfabrieken', een tekst van vijf à tien pagina's (vooraf in te zenden) die voor publiek voorgelezen moest worden. Ruth vond het onderwerp voor een discussie of gedachtewisseling nogal saai, maar ze hield wijselijk haar commentaar voor zich.

'Ben je echt nooit in Gijón geweest?' Juan sprong uit zijn vel door Ruths gewoonte om zo denigrerend te doen en te laten zien dat zij overal al was geweest. 'Het is prachtig. Op welke dag is die poëzievoordracht?'

'Op dinsdag. Waarom?'

'Nou, ik dacht zo... Sara heeft daar een huis in de bergen op nauwelijks tien minuten van Gijón. Als ze mij de sleutels geeft zouden we er het weekend naartoe kunnen gaan en tot dinsdag blijven. Ik ga met je mee naar het seminar en we komen samen terug. Omdat je ticket wordt betaald door het congres kost de reis je niets, en het vervoer en het onderdak evenmin. Je hoeft alleen maar tegen de organisatoren te zeggen dat ze het ticket op een eerdere datum zetten.'

Tot Ruths verbazing vond Juan het een uitstekend idee. Met de vakantie in het vooruitzicht was hij meer dan ooit bang haar te verliezen. Aan de ene kant wilde hij niet dat ze naar Bilbao of Bermeo kwam, omdat hij zeker wist dat de aanwezigheid van zo'n bekend persoon als Ruth opgemerkt zou worden. Carmen en Biotza zouden vroeg of laat horen dat de roodharige daar rondliep, wat ongetwijfeld conflicten zou veroorzaken die hij liever vermeed. Maar aan de andere kant begon het steeds duidelijker te worden dat het niet lang meer duurde en dat als hij niet iets kon regelen om terug te gaan naar Madrid hun relatie door de afstand zou doodbloeden, hij begon het in zekere zin te betreuren voor Ruth, maar ook voor zichzelf. Toen hij Ruths voorstel aannam, voelde hij zich als een cipier die een ter dood veroordeelde zijn laatste wens inwilligt.

Het was een paradoxale situatie. Naast Ruth had hij zich gevoeld alsof zijn besloten wereld bruut was overvallen en nu het duidelijk was dat het nooit wat zou worden tussen hen, voelde Juan zich als een uitgeputte wandelaar die alleen maar een rustig en stil plekje zoekt om op adem te kunnen komen. Hij verlangde naar de kalmte en de routine van zijn dorp, ver van valse stemmen, ruzie en dwang. Terug naar een aangename stabiliteit, naar een leven zonder die ups en downs: verzoeningen/ruzies, extase/wanhoop, liefde/haat. Wat verlangde hij naar een leven waarin hij de uitersten in de hand had.

Waarin hij zichzelf in de hand had. Toen hij eindelijk licht aan het eind van de tunnel meende te zien, toen hij dacht dat de zomer het begin van het einde van die relatie zou betekenen, een mogelijke verzoening met Biotza, terugkeer naar zijn vroegere monotone en elementaire leven, kortom naar de zo verlangde vrede, kreeg hij een vreemde beklemming, een kinderlijke angst Ruth te verliezen, een dierlijke behoefte haar koste wat kost te behouden. Bovendien verlangde hij aan de ene kant smartelijk naar zijn verdiende rust, maar aan de andere kant wilde hij niet terug naar Bilbao, want het was immers een fiasco geworden, hij had de strijd in de hoofdstad verloren, hij keerde met hangende pootjes terug naar zijn dorp als de provinciaal die in de grote stad was verslagen. En zou een verzoening met Biotza nog mogelijk zijn? Als hij aan haar dacht kreeg hij een vreemd vertekend beeld en moest hij zich heel erg inspannen om haar voor de geest te halen. Hij hield natuurlijk niet erg van haar als hij niet eens meer wist hoe ze eruitzag, als hij haar bijna niet miste, haar nooit had gemist.

'Ik heb een beter idee,' opperde Juan. 'Ik bel en vraag of ze in plaats van de tickets mijn benzine betalen. Indalecio heeft me wel duizend keer de auto van zijn vrouw aangeboden om naar Bilbao te gaan. Zij schijnen hem nooit te gebruiken. Ik vraag het hem, dan rijden we naar Gijón en kunnen tripjes daar in de buurt maken.'

'Denk je dat ze dat doen?'

'We kunnen het proberen... Ik zal zeggen dat ik vliegangst heb. Manuel Hidalgo heeft dat kennelijk ook en hij reist altijd per auto of trein als dat kan, hoewel dat iets langer duurt.'

Ruth was in de wolken bij het vooruitzicht van die reis. Niet alleen omdat ze dan samen met Juan zou zijn, zonder derden erbij die Ruths stemming zouden kunnen verpesten, die mannen die naar haar lachten in bars, die haar vriend leken te negeren, maar omdat het feit dat Juan wilde dat ze met hem meeging naar de poëzievoordracht veel meer betekende: daarmee wilde hij zeggen dat hij zich niet voor haar schaamde, dat hij met haar in het openbaar op zijn eigen terrein voor de dag wilde komen, in een wereldje dat Ruth waarschijnlijk veel te opzichtig of frivool of opvallend vond. Ze was eraan gewend geraakt dat hij haar werk en talent verachtte en daarom was zijzelf ook gaan geloven dat zij niet goed was, dat haar werk geen diepte, diepgang, ruimdenkendheid, gewicht had; kortom dat ze niet *intellectueel* genoeg was.

Tot verbazing en vreugde van Ruth verliep de reis in een wonderlijke rust. Juan was net zo charmant als in zijn betere tijden, een en al vriendelijkheid en verwennerij, en wil je dit en moet ik je daarmee helpen en mijn schat hier en schoonheid daar, en Ruth begon weer hoop te krijgen, die ze eigenlijk al bijna had opgegeven. Het weekend verliep in diezelfde sfeer. Het huis bleek groot, licht en gezellig, met een geweldig uitzicht en de omgeving was prachtig als een ansichtkaart, zodat ze het grootste deel van de dag in de auto rondreden over secundaire wegen en landweggetjes. Ruth die niet kon rijden zat naast de bestuurder en zong mee met de liedjes op de radio. Ze had een heel goed geheugen en hoefde een refreintje maar één keer te horen om de tekst en de muziek uit haar hoofd te kennen. Ze had geen slechte stem, maar zong enorm vals, dat scheen Juan niet te storen, hij vond het juist wel grappig. Toen de zender met uitsluitend grote hits van de afgelopen jaren *Sittin' on the Dock of the Bay* liet horen hoefde Ruth niet eens naar het refrein te luisteren, want ze kende van jongs af aan het liedje al van a tot z. Ze keek ervan op dat Juan het liedje ook kende, Ruth had niet verwacht dat een zo jonge jongen van *soul* hield. Toen hij met haar meezong durfde Ruth hem niet te vragen waarom hij het liedje zo goed kende en waar en wanneer hij het had geleerd. Op dat moment vond ze dat die knappe jongeman die naast haar zat en meezong alle kwaliteiten bezat die Ruth in haar eenzame jaren had toegeschreven aan haar Droomprins, de Ware, de Uitverkorene, de Enige die schitterde door afwezigheid. Ze wilde dat perfecte moment niet verstoren, dat unieke ogenblik van betrokkenheid en besloot zich te laten meevoeren door de betoverende muziek en verder te zingen zonder vragen te stellen. Ze kon op dat Nescafé Moment, opgenomen in de Weergaloze Omgeving van de Asturische bergen en gewiegd door de Onvergetelijke Soundtrack, niet vermoeden dat het melodietje niets anders was dan de zwanenzang van hun liefdesgeschiedenis.

Van vrijdag tot maandag verliep alles zo plezierig dat Ruth zeker wist dat alle ruzies van de afgelopen maanden een crisis waren geweest die ze nu weer te boven waren gekomen, dat al hun inspanningen beloond waren en dat hun relatie vanaf deze reis vaste vorm had gekregen. De Juan die de auto bestuurde, die cider met haar dronk, die 's nachts in haar armen lag, was dezelfde Juan die haar intrigeerde in Café Comercial, die haar verleidde voor een etalage, op wie ze verliefd werd in de Madrileense winter. Ze was er zeker van dat alle problemen die ze hadden te wijten waren aan de omstandigheden. Door de spanning hadden ze hun hoofd verloren: de spanning van Juan door zijn breuk met Biotza en zijn schuldcomplex, de daarop reagerende spanning van Ruth voor de uitvallen van Juan, de spanning van hen beiden in een stad waar ze te veel dronken, te veel uitgingen en te veel luisterden naar mensen die te veel en onterecht hun mening gaven. Maar hier in deze groene bergen waar ze met z'n tweetjes waren was het allemaal anders. Zelfs Juan begon weer hoop te krijgen wat zijn relatie met Ruth betrof. Toen hij zag dat ze zo rustig, zo gewillig was, dacht hij dat het misschien toch wat zou kunnen worden. Uiteindelijk was Ruth in ieder opzicht net zo'n goede partij als Biotza of misschien nog wel beter. Biotza's familie had geld en naam, maar de familie van Ruth had meer geld en een illustere familienaam (met een wijdvertakte stamboom overigens), met het verschil dat Ruth bovendien zelf geld had en een carrière waarmee ze nog meer, heel veel meer zou verdienen, terwijl Biotza economisch afhankelijk was van haar familie. Ja, zijn moeder zou zich er wel bij neerleggen en Biotza was geboren voor het huwelijk en zou spoedig een andere verloofde vinden, en met behulp van Ruth en haar contacten zou het voor Juan niet moeilijk zijn om zich een plaatsje in het literaire wereldje te veroveren. Ja, ze zouden een synergetisch koppel zijn, een alliantie waarin het samengaan van twee krachten effectiever was dan de som van twee krachten apart en heel Madrid zou jaloers op hen zijn... En zo bouwden die twee luchtkastelen, deden net of het verleden niet meetelde, of ze nog konden vergeten, of ze elkaar nog konden koesteren met de overgebleven restjes respect.

Na vier dagen van wederzijdse verrukking kwam de dinsdagmorgen, zo stralend en helder als een reclame voor wasverzachter, en Ruths humeur was even onbewolkt als de lucht. Ze vertrokken uit Sara's huis en gingen naar een hotel in het centrum van de stad dat uitgezocht en betaald was door de organisatoren van het congres. Vandaar gingen ze naar het congres in een ruime zaal die beschikbaar was gesteld door een bankinstelling. Zij trok voor die gelegenheid een broekpak aan, ingetogen als een kloosterlinge, dat ze van Judith had gekregen en bijna nooit droeg, ze stak zelfs haar haren op in een streng knotje om zo min mogelijk op te vallen, zodat velen haar niet eens zouden herkennen. Tijdens de lezing bleef ze keurig netjes op haar plaats zitten op de eerste rij, zwijgzamer dan in de kerk, met een serieuze en geconcentreerde uitdrukking op haar gezicht, zonder te hoeven doen alsof ze aandachtig luisterde omdat ze echt trots was op haar Juan en betoverd werd door zijn woorden. Te midden van alle aanwezigen in die zaal was Ruth ongetwijfeld zijn grootste fan, zijn hardnekkigste verdedigster en ze zou zonder een spier te vertrekken drie weken achter elkaar naar hem hebben kunnen kijken en luisteren.

Later, tijdens de lunch na de lezingen en omringd door dichters, hoogleraren, medewerkers van de subsidiërende banken, vertegenwoordigers van het patronaat van cultuur en andere personen die je kunt verwachten bij dit soort feestmaaltijden, probeerde Ruth alles wat ze zeiden positief te benaderen en geïnteresseerd over te komen, zelfs toen haar kaak bijna ontwricht was door het onderdrukken van haar gegeeuw. Kortom, ze gedroeg zich als de *partner van*, de rol van alle vrouwen die daar rondliepen, vrouwen die met hun mannen meereisden en via hen interessante mensen ontmoetten en een zekere culturele bagage kregen door het verplichte contact, vrouwen die heel erg dankbaar leken voor die enorme privileges, die volledig ter beschikking stonden van hun partners als secretaresses, verpleegsters, onzelfzuchtige vriendinnen, hartstochtelijke minnaressen, hun trouwste fans. Al die daar aanwezige vrouwen leken alleen maar een ondergeschikte functie te hebben. Sommigen werkten natuurlijk, maar het was duidelijk dat hun werk stukken minder belangrijk was voor de gemeenschap dan dat van hun mannen, die zij ophemelden tegen Ruth en waarbij ze zonder schroom hun eigen levens verspilden, ze wedijverden in trots met de anderen, eens kijken wie het bloemrijkste apologetische betoog hield, nooit kregen ze er genoeg van de vele deugden van hun mannen te loven en zichzelf te prijzen met hun keuze. Ook al werd Ruth inwendig niet goed van die vertoning van gedienstig leven, toch probeerde ze haar afkeer of bevreemding zo min mogelijk te laten blijken, geobsedeerd als ze was om Juan te plezieren en ze deed haar uiterste best, haalde haar beste dramatiek uit de kast om over te komen als de gelukkige ondergeschikte vriendin van de gelauwerde dichter. Wie weet, dacht ze, is dit afzien van een eigen leven bevredigend als je zwak, laf of lui bent. Uiteindelijk ontloop je zo de verantwoordelijkheid voor je eigen daden, de ellende je leven te leiden zonder hulp. Zonder dat ze zich ervan bewust was, beging ze de stommiteit om te proberen Biotza's plaats in te nemen, een scheidslijn over te gaan waarvan ze zich altijd afzijdig had gehouden en zich te begeven op vijandig terrein en haar eigen identiteit op te geven. En dat deed ze allemaal uit naam van de liefde.

Die avond was er een informele bijeenkomst voor de jongste deelnemers in een bar in de stad, een duister en luidruchtig hol waar de zogenaamde incrowd van Gijón scheen te komen, dat wil zeggen, een groep jongeren met merk-T-shirts en coupe soleil. Sommige critici en professoren die naar dit informele samenzijn waren gekomen detoneerden daar als een emmer sop op een galabijeenkomst, maar dat schenen zij niet te merken en ze dronken vrolijk het ene na het andere glas. De meesten hadden hun wettige echtgenoten god weet waar gelaten en kwamen veel relaxter over dan tijdens de lunch, en velen schenen Ruths aanwezigheid voor het eerst op te merken. Ze had zich verkleed en haar normale outfit weer aangetrokken, spijkerbroek en een T-shirt waarin duidelijk uitkwam dat de draagster in de nadagen van haar jeugd was maar er nog best mocht zijn. Ruth deed echter net of ze de min of meer brutale toenaderingen in haar richting niet merkte, niet zozeer omdat ze Juan niet wilde kwetsen maar omdat ze sinds Beau een bizarre aversie had van oudere mannen, een paradoxaal vrouwelijk Peter Pan-syndroom. Ook al wist ze heel goed dat ze niet moest drinken, omdat ze door alcohol nog impulsiever en driftiger werd dan ze normaal al was, kon ze de verleiding niet weerstaan: door de spanning om zich tijdens de lunch anders voor te doen en ook nog eens de spanning om de hitsige blikken vanuit de bar te negeren, die wrede kwelling van ogen en kletspraat, had ze vreselijke dorst gekregen.

Maar de aandacht van een van de uitgenodigde dichters op het symposium viel haar wel op, een Catalaan die knap noch lelijk was, maar een hoog en sympathiek voorhoofd had, een ironische blik en een Romeins profiel waardoor hij ontegenzeglijk een bepaalde aantrekkingskracht had. Die dertiger kwam heel wat verstandiger en minder pedant over dan de andere aanwezigen en hij was tenminste zo beleefd om haar in de ogen te kijken als hij tegen haar sprak in plaats van naar haar tieten. Terwijl Juan opging in een gesprek met de dienstdoende criticus die de dichtbundel van de verrukte dichter enorm ophemelde, kwam de Catalaan verdacht dicht naar Ruth toe tot ze zij aan zij stonden. Ruth dacht dat de dichter de voorkomende indruk die hij tot nu toe op haar had gemaakt zou verpesten en bereidde zich geestelijk al voor op min of meer beleefde afwijzingen toen hij in haar oor fluisterde: 'Luister eens, heb je zin in een lijntje coke?'

Voor Ruth kwam dat aanbod als een geschenk uit de hemel. De vorige avond had ze bijna niet geslapen omdat ze behoorlijk laat naar bed waren gegaan en om acht uur op hadden moeten staan voor de eerste lezing van het congres (het maakte een slechte indruk als deelnemers niet aanwezig waren bij de lezingen van de anderen), een saaie uiteenzetting over Literatuur en Norm, een rommelig geheel van concepten, een trieste poging literatuur tot wetenschap te maken – alsof zoiets absurds mogelijk zou zijn – waarvan Ruth – evenals waarschijnlijk de andere aanwezigen – de helft niet begreep. Daarna was de lunch in kwestie, doodvermoeiend door de spanning die dat huichelen vereiste van een verlegen iemand als Ruth, en daarna nog een ellenlange serie lezingen en voordrachten, waarbij Ruth al haar wilskracht nodig had om niet op haar stoel in slaap te vallen. Als het aan haar had gelegen zou ze liever in het hotel zijn gebleven, maar Juan wilde graag uit en had in de bar afgesproken met een criticus tegen wie hij nu zo slijmerig deed, en hij vroeg of Ruth, die bereid was hem overal te volgen, alsjeblieft meeging.

Ja, ze was doodmoe en een lijntje coke zou haar goeddoen.

'Oké,' zei ze tegen de Catalaan.

'Goed, dan wacht ik op je bij de uitgang.'

Hij ging naar buiten en Ruth volgde hem een paar minuten later. Omdat het stil was op straat en slechtverlicht legden ze leunend tegen de motorkap van een auto twee lijntjes cocaïne op de portefeuille van de Catalaan die gewend moest zijn onder lastige omstandigheden dope te nemen, want hij hield zonder trillen met een hand stevig zijn portefeuille vast en snoof het lijntje met behulp van zijn andere op zonder dat het spul gevaar liep. Toen ze allebei hun lijntje hadden genomen bleven ze nog even tegen de motorkap aan staan praten.

'Om je de waarheid te zeggen,' sprak hij, 'weet ik eigenlijk niet waarom ik nog naar zulke gelegenheden toe ga. Ik verveel me dood en kom zelden een interessant iemand tegen, maar omdat het moeilijk is om poëzie gepubliceerd te krijgen en er zo willekeurig over wordt geoordeeld, als je tenminste niet bepaalde connecties hebt, en niet naar dit soort congressen komt, krijg je geen contacten. Maar ik zou nu eigenlijk liever thuis willen schrijven.'

'Ik ben blij dat je dat zegt, want ik dacht dat ik de enige was die de sfeer hier oubollig vond.'

'Nou, dit seminar is wel bijzonder saai. Ze hebben niet de beste deelnemers uitgezocht. Ik heb heel wat leukere bijeenkomsten meegemaakt, vooral in Catalonië. Soms waren er zelfs echte gedachtewisselingen, ook al zal je dat verbazen. Het probleem hier is de gemiddelde leeftijd. De meeste deelnemers zijn te academisch en verkondigen alleen maar bijzonder afgezaagde ideeën.'

'Maar jij begrijpt het tenminste nog, al zijn ze nog zo afgezaagd. Ik moet je bekennen dat ik bijna niemand kon volgen. Ik was meteen de draad van hun verhaal kwijt en dwaalde af en dacht aan andere dingen. Het was allemaal zo onduidelijk... Ik vind dat ze de dingen op een begrijpelijker manier moeten zeggen...'

'Dat is academisch jargon, meisje. Waarom zou je *personage* zeggen als je *uitvoerder van de pulserende handeling* kunt zeggen? Maak je maar geen zorgen want je was niet de enige die wegdroomde hoewel de anderen omdat ze er afhankelijk van zijn dat niet zomaar durven toegeven. En omdat dit jouw werk niet is, hoef je niet meer van dit soort seminars bij te wonen als je niet wilt.'

'Blijven we eigenlijk niet te lang weg? Ze zullen ons binnen wel missen.'

'Wat is er? Ben je bang dat je vriend jaloers is?'

'Nee, dat niet,' ontkende Ruth maar de Catalaan had haar gedachten gelezen. 'Waarom zeg je dat?'

'Door de manier waarop hij naar je keek. Hij heeft je de hele tijd in de gaten gehouden.'

'Wat een onzin. Hij zag me niet eens! Hij deed bijna alsof ik niet bestond. Hij had alleen maar oog en oor voor die criticus.'

'Nee, geloof me. Hij keek voortdurend naar je.'

'Flauwekul, dat verbeeld je je maar. Kom, we gaan.'

Toen ze rechtop ging staan wankelde ze zodat het leek of ze in een roeiboot stond. Ze besefte tot dat moment niet dat ze zo dronken was. Door de cocaïne was ze niet opgeknapt maar voelde ze zich nog beroerder dan daarvoor. Als het cocaïne was tenminste. Wie weet waarmee hij dat poeder had versneden. Ze leunde tegen de dichtstbijzijnde muur en probeerde rustig te worden.

'Voel je je wel goed?' vroeg de Catalaan.

'Ja, ja, maak je maar niet ongerust.' Ruth zag een wazig gezicht, als een spiegelbeeld in het water. Ze voelde zich echt beroerd, het leek wel of al haar vermoeidheid plotseling naar haar hoofd was gestegen. 'Kom, we gaan naar binnen.'

Toen ze de bar in ging keek ze of ze Juan zag, hij stond nog steeds met de criticus aan de bar op dezelfde plek en in dezelfde houding als toen ze wegging. Ruth voelde zich opeens zweven, los van zichzelf, en ze had moeite om vooruit te komen, want haar benen werkten niet mee, alsof er kortsluiting was in de kabels die de opdrachten van haar hersenen uitvoerden. Ze liep voorzichtig zodat het niet opviel dat ze niet goed was. Het was niet alleen omdat ze te veel had gedronken maar ook door een gebrek aan slaap, daar was ze zeker van. Ze zweefde naar Juan toe in een soort nevel van onsamenhangende contouren waarin ze met moeite de bar herkende en de glimmende rij flessen daarachter, en klampte zich net zo stevig aan zijn arm vast als een drenkeling aan een reddingsvest. Ze stond daar stilletjes zonder iets te zeggen en trok een vriendelijk gelegenheidsgezicht en hoopte dat Juan besloot dat het tijd was om te vertrekken. De anderen hadden dat kennelijk al besloten, want de een na de ander liep langs om afscheid te nemen. Ruth schonk hen allemaal een brede glimlach en vervloekte inwendig Juans gewoonte om altijd als laatste te vertrekken op feestjes. Eindelijk pakte Juan haar bij de arm en zei dat ze weggingen.

Bij de uitgang van de bar verbaasde ze zich over Juans houding. Hij zei niets tegen haar, keek haar amper aan en begon zomaar opeens te schreeuwen: 'NEEM IN JEZUSNAAM EEN TAXI, WANT ZO KOMEN WE ER NOOIT!'

Op dat moment kwam er als geroepen een taxi de hoek om en Ruth hield hem aan. Onderweg bleef Juan chagrijnig, hij bromde dingen die zij niet verstond en haar niet interesseerde, omdat ze zich zo ellendig voelde en alleen maar naar het hotel en naar bed wilde, zonder erbij stil te staan waarom zijn houding zo was veranderd. Ze had echt genoeg van de driftbuien van dat jochie en door de drank werd haar kwaadheid vijftien keer zo erg. Toen ze uit de taxi stapten keek Ruth in zijn zwarte ogen (zij zag vier zwarte ogen) en zei op haar alleronaangenaamste toon, terwijl ze probeerde op Juans hoogte te komen: 'Soms kan ik je niet uitstaan.'

In de kamer aangekomen liet ze zich op bed vallen en viel met haar kleren aan in slaap.

Toen ze haar ogen opende wist ze niet hoe lang ze had geslapen. Ineens was ze alleen. Er was niemand. Ze kreeg een volkomen kinderlijke paniekaanval als van een kind dat midden in de nacht wakker wordt en als eerste om zijn moeder schreeuwt. Maar toen zij als klein meisje wakker werd en schreeuwde kwam niemand haar troosten. Haar vader kwam natuurlijk nooit. Soms verscheen Estrella met een kwaad gezicht. Er was geen moeder die kwam aansnellen om haar tegen zich aan te drukken tot ze weer in slaap viel. En uiteindelijk leerde ze om niet te schreeuwen en niemand te roepen en in stilte te huilen, maar vanaf die tijd vond ze het woord verlating het akeligste woord op de hele wereld. Ze voelde zich in de steek gelaten, doodsbang, ze wierp zich op de telefoon in de kamer en toetste het nummer van Juans mobieltje in. Het kostte haar moeite, omdat ze nog half sliep en haar vingers niet meewerkten bij het indrukken van de toetsen, want ze beefde van angst, kou en dronkenschap; maar door de angst en het besef dat op dat moment haar sufheid of gebibber, minder belangrijk was dan de noodzaak om Juan hoe dan ook te bereiken en niet alleen in die koude en onpersoonlijke kamer te blijven, in een nog koudere en onpersoonlijker stad, moest ze al haar krachten verzamelen. Toen ze Juans stem hoorde aan de andere kant van de lijn kon Ruth nauwelijks uit haar woorden komen, het enige wat er met een matte stem uitkwam was een wanhopig verzoek om hulp: waar ben je, waarom ben je weggegaan, laat me niet alleen, kom terug, alsjeblieft, laat me niet alleen.

Even later werd er geklopt en stond hij weer voor haar, met zijn reistassen over zijn schouder. Nee, hij was niet nog even wat gaan drinken of een luchtje scheppen. Hij was de kamer uit gegaan met de bedoeling niet meer terug te komen, waarom had hij anders zijn bagage bij zich? Ruth geloofde het niet, ze kon niet geloven dat hij zo onbeschoft was om haar daar alleen achter te laten, haar in de steek te laten, zonder een briefje, zonder uitleg, maar ze kon en wilde hem niet vragen waarom hij was vertrokken, ze voelde zich nog steeds ellendig, misselijk en moe, zodat ze zich opnieuw op bed liet vallen.

'Je bent een vervelende trut,' zei hij, 'en ik weet niet waarom je me altijd zo moet kleineren, waarom je zo onuitstaanbaar en idioot tegen iedereen doet, je hebt echt geen manieren of beschaving...'

Ze had er genoeg van. Ze had zich juist helemaal niet ongemanierd gedragen. Ze had haar rol voorbeeldig gespeeld. Ze had de lunch uitgezeten, deelgenomen aan de voor haar oninteressante gesprekken terwijl hij niets tegen haar had gezegd en druk bezig was om zich aan deze en gene criticus op te dringen. Ze had slaperig en vermoeid tot het eind in de bar gewacht tot hij weg wilde. Ze was heel aardig geweest, zoals altijd. Hij had het recht niet om zulke dingen te zeggen, er sprak alleen maar jaloezie uit want dat zat hem dwars: jaloezie. Hij dacht zeker dat ze buiten een nummertje had gemaakt met de Catalaan met wie ze op straat dat lijntje had gesnoven... Of wie weet wat Juan dacht, want je wist nooit wat hij dacht. Als Ruth hem antwoordde, als ze tegengas gaf, als ze zei wat ze voelde aankomen – dat hij niet zo tegen haar hoefde te praten, dat zijn redeneringen belachelijk waren, dat hij haar onterecht beschuldigde, alleen maar om haar pijn te doen... – dan zou hij met hernieuwde kracht aanvallen, zou hij gaan schreeuwen, zou hij haar beledigen en zouden ze weer een van hun gebruikelijke ruzies krijgen. En als dat gebeurde zou hij opstappen en ervandoor gaan zoals altijd wanneer hij niets meer wist te zeggen. Vluchten, punt uit: dat was zijn antwoord wanneer zijn kwetsende woorden op waren. Nee, in een verbale strijd kon ze niet van hem winnen, dat was al heel vaak gebleken. Maar als Ruth geen acht op hem sloeg, als ze ging slapen dan zou Juan weggaan. En ze had ook geen zin om de hele nacht ruzie te hebben, een ruzie waarbij ze het onderspit zou delven, maar ze wilde ook niet weer alleen blijven, omdat ze samen weg waren en samen die reis hadden gepland en hij had niet het recht haar in een hotelkamer achter te laten als een gebruikt condoom. Het was een spel dat altijd op nul uitkwam en waarbij geen van de mogelijke uitkomsten een oplossing was. Ze had geen enkele kans om te winnen. Ze zou hem nooit kunnen tegenhouden als hij wegging omdat hij sterker was dan zij, omdat ze hem niet kon beletten te vluchten. Was dat echt zo? Ja, hij schermde altijd met zijn overwicht, hoewel dat helemaal niet zo zeker was... En opeens, opgezweept door haar gekwetste instinct, kwam haar opvliegende karakter boven waar ze haar hele leven al last van had, en voor Juan weer kon zeggen 'vervelende trut' had Ruth een lege fles Mahou in haar hand, het laatste biertje dat Juan had gedronken voor hij wegging. Haar rechterarm haalde snel en krachtig uit en ze gaf Juan een geweldige klap met de fles op zijn hoofd waartegen hij niets kon doen en schreeuwend viel hij op de grond. Hij ging echter niet van zijn stokje zoals zij had verwacht. In films verliezen mensen altijd hun bewustzijn wanneer ze een klap met een fles krijgen. Maar in films zijn het acteurs die niet echt bewusteloos vallen en alleen maar doen alsof. Film is een leugen, een van de vele leugens in een wereld vol leugens waarin Ruth terecht was gekomen. In het echte leven is het anders. En in het echte leven was het duidelijk dat mensen niet buiten westen vielen door een eenvoudige klap op hun hoofd. De gedachte is veel sneller dan het geschreven woord, dus deze redenering kostte Ruth maar een fractie van een seconde. Juan begon al overeind te krabbelen, zodat Ruth niet één keer maar nog diverse keren sloeg, ze bereikte er echter niets mee. Hij wilde maar niet bewusteloos vallen, hij viel niet als een blok op de grond zodat zij hem kon opvangen. Juan stond al overeind en liep de kamer uit. Ze hoorde de deur met een klap dichtslaan en daarna was het opnieuw stil.

Dat was allemaal in een paar seconden gebeurd. Juan had bijna niets gezegd en zij had op een schijnbaar irrationele manier geantwoord. Op het eerste gezicht was de provocatie minimaal geweest en geen reden voor zo'n heftige woedeaanval. Maar zij wist uit ervaring wat het zinnetje dat Juan had gezegd maar vooral op de toon waarop hij het had gezegd inhield: weer een nacht van bittere verwijten, weer een eindeloze ruzie. Ze had in paniek gehandeld, als een hond die op een bepaald bevel aanvalt, zonder provocatie, alleen omdat die in de loop van de tijd had geleerd prikkels met elkaar in verband te brengen en door de training had hij dat bevel geassocieerd met de dreiging van een klap. Eigenlijk valt een agressieve hond niet aan: hij verdedigt zich, hoewel dat zo ogenschijnlijk moeilijk te begrijpen is. Agressief gedrag komt niet vanzelf, maar wordt aangeleerd. Leg dat maar eens uit aan de vader wiens kind door een hond is aangevallen, leg hem maar eens uit dat de hond evengoed slachtoffer is als het kind dat hij heeft gebeten. En leg dat jezelf maar eens uit als je niet kunt begrijpen hoe je tot zoiets barbaars in staat was.

En nu, wat nu? De situatie liep uit de hand. Ruth werd verondersteld een sterke vrouw te zijn, snel in haar beslissingen en alert in onverwachte situaties. Ze had zich altijd gered uit de moeilijkste toestanden en had kunnen leven met opgelopen kwetsuren, maar had die goed verborgen gehouden, evenals haar onzekerheden, haar angsten en zelfs haar depressieve buien. Daarom had Pedro besloten dat zij de functie van regisseuse op zich moest nemen, ook al was het duidelijk dat hij technisch gesproken meer van film wist dan zij.

'Nou Ruth,' zei ze bij zichzelf, 'je bent toch zo assertief en snel in het vinden van denkbeeldige oplossingen voor onverwachte problemen: wat doe je nu, lieve schat?'

En toen rinkelde de telefoon in de kamer.

Ze liet hem een paar keer overgaan omdat ze dacht dat het Juan was en dat er een stortvloed van beledigingen uit de hoorn zou komen. Maar Juan had zijn tassen laten staan en had het recht ze op te halen, dus zat er niets anders op dan de telefoon op te nemen.

'Ja?'

'Goedenavond. Met de receptie. Het schijnt dat er een incident was met uw kamergenoot...' een langere pauze dan nodig, seconden waarin Ruth zich afvraagt wat de receptionist verdomme niet durft te zeggen: heeft Juan zijn polsen doorgesneden in de lobby van het hotel? 'De politie is hier.'

De receptionist heeft het hoge woord zo goed en zo kwaad uitgesproken. In een hotel zullen ze wel gewend zijn aan dit soort scènes. Ruth kon nog niet geloven wat er aan de hand was. Of de politie komt met Juan of er is iets met hem gebeurd.

'Laat ze maar bovenkomen,' zei ze rustig en ervan overtuigd dat ze niets te verbergen had.

Binnen twee minuten werd er weer op de deur geklopt. Ruth deed open en stond tegenover twee politieagenten, een kleine met wit haar en een gelegenheidsgezicht, de andere was jonger en langer en zag eruit als een vechthond. En daarachter stond Juan, als een kind dat een klasgenootje heeft beschuldigd hem in de pauze te hebben geslagen en zich verbergt achter zijn neef uit een hogere klas die het voor hem opneemt, zo te zien ongeschonden, zonder sneeën, zonder een enkel schrammetje. Het was duidelijk dat er voor Ruth geen toekomst was weggelegd op het gebied van *saloon*-gevechten.

'Goedenavond,' zei de lange agent.

'Goedenavond,' zei Ruth terug terwijl ze met haar hoofd aangaf dat ze binnen konden komen.

De langste agent kwam het eerst binnen en begon als een jachthond verwoed naar sporen te zoeken in de kamer en zelfs in de badkamer. Aanvankelijk begreep Ruth niet waar dat voor nodig was. Zochten ze misschien drugs? Toen begreep ze dat ze wilden kijken of er op 'de plaats van de misdaad' aanwijzingen waren dat daar een hevige worsteling had plaatsgevonden. Maar de kamer zag er netjes uit. Er lagen geen lampen op de grond, geen kapotte stoelen, geen scheve schilderijen. Zelfs de bedden waren keurig opgemaakt omdat Ruth boven op de sprei was gaan liggen.

De oudste politieagent stelde een aantal vragen die Ruth beleefd, kortaf en berekenend beantwoordde. Naam, achternaam, nummer van de identiteitskaart. Ze wist dat ze niet hoefde te antwoorden, niets hoefde te zeggen zonder haar advocaat, zoals in films, maar ze had ook geen zin om het ingewikkelder te maken. Toen de politieagent de gegevens had genoteerd bleef hij haar lang van top tot teen aankijken en Ruth begreep heel goed dat het geen bewonderende of wellustige blikken waren, maar dat de man het voor de hand liggende vaststelde: dat een zo zwakke, uiterlijk zo fragiele vrouw – Ruth was in die maanden heel erg afgevallen, en ondanks haar lengte zag ze eruit als een opgejaagd katje – onmogelijk zo'n stevige en atletische vent, die ondanks zijn slanke figuur duidelijk sterk moest zijn, kon hebben aangevallen. Ruth was in ieder geval fysiek en geestelijk zo moe dat het haar absoluut niet kon schelen wat die meneer nou wel of niet zou denken. Ze wilde alleen maar met rust worden gelaten. En ze had geluk, want alles bij elkaar duurde het niet meer dan vijf minuten. Juan pakte zijn spullen zonder haar een blik te gunnen en vertrok.

Een half uur later, toen ze aannam dat Juan niet meer in het gezelschap van de politie zou zijn, belde Ruth hem weer op zijn mobieltje. Juans betoog was precies zoals ze had verwacht. Als het de scène uit een draaiboek was en Ruth de tekst moest schrijven voor wat een personage als Juan zou zeggen, kwamen de woorden bijna helemaal overeen.

'Je bent gek, je bent helemaal doorgedraaid, Ruth. En dan hebben ze het over mishandelde vrouwen.' Waarom zou Ruth antwoorden dat mishandelde vrouwen in een fysiek ongelijke situatie zijn ten opzichte van hun mannen? 'En jij bent een recidiviste, net zoals die mishandelaars, een van nature wild dier, een hysterische gek...'

Ze wilde zijn woorden van zich afschudden, een soort vlek van zwarte teer, een kleverige substantie die alles aantastte en zich over haar lichaam verspreidde terwijl ze hem hoorde praten. Ze wist dat het absoluut niet waar was, maar haar zekerheden verdwenen stukje bij beetje en werden opgeslokt door de zwarte vlek die alles uitwiste en niets achterliet, alleen maar volslagen duisternis.

'Dat is niet zo, dat is niet zo! DAT IS NIET ZO!'

Haar stem haperde. Ging over van schreeuwen naar snikken. En uiteindelijk geloofde ze alles wat hij zei. Op dat moment zou ze alles hebben gedaan, haar haren uit haar hoofd trekken, haar kleren verscheuren, zichzelf wat aandoen als hij maar terugkwam.

'Ik ben in het ziekenhuis geweest en daar zeiden ze dat ik voorzichtig moest zijn, dat ik bloeduitstortingen en builen heb en dat dat gevaarlijk kan zijn...'

Precies hetzelfde als wanneer je je hoofd stoot, dacht Ruth. Ze stelde zich de scène voor – Juan die een verpleger in een witte jas ervan probeert te overtuigen dat hij het slachtoffer van een hysterische gek was – en ze wist niet of ze moest huilen of lachen.

'Ik wilde bij je terugkomen, ik was tot alles bereid, maar het is onmogelijk het bij je uit te houden, er is niemand die dat kan, Ruth...'

Er ging Ruth een lichtje op. En als dit allemaal berekening was? Het was tenslotte een vaak herhaalde scène, een gedragspatroon dat ze beiden kenden. Hij provoceerde, zij reageerde en zo droeg hij geen verantwoordelijkheid. Hij zou haar een week later toch hebben verlaten, maar nu leek het of híj haar niet verliet, maar dat zíj de breuk had veroorzaakt. Nu kon hij beweren dat hij nooit bij Biotza was teruggekomen als Ruth niet zo idioot had gedaan, dat het wel gewerkt zou kunnen hebben, dat hij bereid was daarvoor te knokken, maar dat Ruth alles in de war stuurde, nu kon hij de last van het mislukken van zich afwerpen en alles op Ruths schouders schuiven. Ruths hysterische gehuil werd minder en veranderde in berustend gesnik. Hij bleef praten en zij bleef huilen en uiteindelijk verbrak hij de verbinding zonder dat ze goed had begrepen wat hij zei. Iets als 'haar gewelddadige liefde'. Gewelddadig, ja. Dat was het woord. Hoe je ook tegen geweld bent, hoe je er niet bij betrokken wilt worden, geweld zoekt jou. Je wordt geboren met een gegarandeerde portie, alleen omdat je vrouw bent. Een bedorven lucht dringt door in elke ademwolk.

De rest van de nacht verliep in een koortsachtige slapeloosheid. Ruth lag de hele nacht wakker, bang en rillend, toetste af en toe Juans nummer in om steeds weer het bericht op zijn voicemail te horen dat ze zo langzamerhand wel uit haar hoofd kende, elke pauze en elke stembuiging kende ze. Er liep een rilling over haar rug toen ze bedacht dat die telefoon niet langer in gebruik zou zijn, dat ze Juan nooit meer zou kunnen spreken. Nu eens had ze het koud, dan weer ontzettend heet over haar hele lichaam, soms huilde ze, soms kwamen de meest absurde gedachten bij haar op: ze dacht erover naar buiten te gaan, Juan overal te zoeken, de politie te bellen en hen het kenteken van de auto te geven, zodat ze de wegen zouden kunnen uitkammen om hem te vinden, maar ze wist het kentekennummer niet meer en wat zou de politie wel denken, er was immers een paar uur daarvoor een aanklacht tegen haar ingediend? De uren daarop verliepen in een doodse eenzaamheid, zonder een teken van leven van hem. Het regende buiten, vanuit het hotelraam was de vochtige donkere lucht nauwelijks te zien, het leek wel een modderpoel, een vergroting van haar eigen gemoedstoestand, en veel meer zag ze niet, duistere contouren van gebouwen die zich zwak aftekenden onder een vreemde schittering van een bleke maan of de zwakke weerschijn van de straatverlichting. De regen bleef tegen het raam slaan, een lugubere pauze tussen de ene en de volgende druppel gaf de voorbij kruipende tijd aan, als een secondewijzer, als een hart, boven- en onderdruk van het water, terwijl de eenzaamheid steeds akeliger en griezeliger werd, met elke minuut die verstreek. Elke seconde, elke nanoseconde hechtte zich zo vast aan haar ruggengraat dat haar zenuwen zich spanden en pijn deden en ze nog een stap verder afdaalde naar de wanhoop. Ruth vroeg zich alleen maar af waaraan haar excessieve reactie te wijten was, want ook al volgde haar gedrag een actie-reactiepatroon, haar reacties op zijn acties waren nooit zo overdreven geweest. Het was vreselijk te bedenken dat wanneer ze in plaats van een fles een pistool bij de hand had gehad, ze hem had gedood, dat is zeker, zo intens was haar haat in die paar seconden. Ze probeerde bij zichzelf te zeggen dat er een andere uitleg voor die extreem gewelddadige reflex moest zijn, behalve louter overdaad, de opeenhoping van steeds opnieuw herhaalde provocaties, de druppel die de emmer doet overlopen. Een chemisch gebrek, een acuut premenstrueel syndroom, een slechte trip door de coke? Of niets van dit alles, of alles tegelijk? Ruths angst hield aan, werd heviger en maakte zich meester van alles wat ze was geweest of had gevoeld of had liefgehad voor dat moment, voordat ze een volkomen ander iemand werd, want die klappen met de fles markeerde een grens tussen wat ze was geweest en wat ze vanaf dat moment zou zijn, omdat ze nooit, tot op die dag, zo'n sterke neiging had gevoeld met iemand af te rekenen. Ze voelde zich niet meer dan een schim, een visioen van zichzelf. De wazige objecten in de kamer – contouren van nachtkastje, lamp, ladekast, zwijgzame telefoon – duistere deelgenoten van Ruths slapeloosheid, maakten het ellendige moment zo mogelijk nog ellendiger. Verschrikkelijke en afschuwelijke kilte van hotelkamers.

Om tien uur 's morgens nam ze aan dat hij haar niet zou komen halen. Dus belde ze het vliegveld om een ticket te reserveren voor de eerste vlucht naar Madrid. Daarna bestelde ze een taxi, pakte haar koffers in, ging naar de receptie, betaalde de rekening en vertrok.

Ruth is gebroken

Bij aankomst op het vliegveld was ze zo duizelig dat ze haar ogen dicht moest doen en haar hoofd naar beneden om de ronddraaiende balies niet te zien. Ze liep zo goed en zo kwaad als het ging naar de balie van Iberia om het ticket te halen dat ze had gereserveerd. De stem waarmee ze tegen de juffrouw achter de balie sprak klonk zo schor en flets dat ze die bijna niet als haar eigen stem herkende. Alsof er een vreemde in haar keel zat, een krachtiger iemand dan zij die het heft in handen nam nu Ruth zich tot niets in staat voelde. Daarna ging ze zitten op een rij plastic stoelen, zo ver mogelijk van de drukte vandaan, die op dit uur trouwens erg meeviel op dat vliegveld. Of het nu kwam door de kater, de vermoeidheid, het gebrek aan slaap of het verdriet, haar hoofd voelde aan of ze er met een drilboor in bezig waren. Ze probeerde zich te herinneren wat ze moest doen als ze aankwam. Als eerste Sara bellen. Ze zouden een bliksembezoek aan Barcelona brengen om naar de tentoonstelling van Rothko te gaan. Ze zou de reis afzeggen, ze wilde niemand zien, hoewel Sara natuurlijk vreselijk zou balen want ze had al maanden enthousiast plannen gemaakt voor dat weekend alsof het om een huwelijksreis ging en had al haar overredingskracht moeten gebruiken om Ruth – die er aanvankelijk niet voor voelde om uit Madrid weg te gaan terwijl Juan daar bleef – over te halen met haar mee te gaan. En wat nog meer? Ze wist dat ze afspraken had lopen, een met Pedro, een bijeenkomst in Alquimia... Maar haar geweten werd geplaagd door een overdosis wroeging, ze kon niet begrijpen welk vreemd mechanisme haar de vorige avond had aangezet tot die absurde daad die ze zelf afschuwelijk vond en niet kon rechtvaardigen, ze herkende zichzelf niet in die agressieve driftkikker, ze wilde niets met zichzelf te maken hebben, ze was niet in staat plannen te maken, kon zich nergens op concentreren, zelfs niet op Juan (hoe kan iemand zich niet concentreren op een alomtegenwoordig en alomvattend idee, dat zich met de seconde vermenigvuldigt en vertakt?), niet op de excuus- of afscheidsbrief die ze hem zou moeten schrijven, niet op het leven zonder hem waaraan ze zou moeten wennen, niet op de bijna onmogelijke kans om hem terug te krijgen (hoe moet je weer van elkaar houden als de liefde zo vaak gestorven is, hoe moet je zijn begraven lichaam weer tot leven wekken?). Ze was dermate van streek, moe en verdrietig dat het aanvankelijk niet tot haar doordrong dat haar vlucht door de luidspreker werd aangekondigd en ze hem bijna had gemist; toen ze eindelijk bij de gate kwam, keek de stewardess haar met een vreemde blik aan waar Ruth geen verklaring voor had. Verwijt? Verbazing? Zij was de laatste passagier die instapte en besefte dat ze er vreselijk uitzag: verwarde haren, gekreukte kleren, rode ogen met grote wallen eronder. Erger kon niet.

Toen ze op zoek naar haar stoel door het gangpad liep, voelde ze de nieuwsgierige blikken van de andere reizigers op zich. Ze vond haar zitplaats en plofte neer. Ze probeerde door het raampje strak naar buiten te blijven kijken omdat ze er in haar oververmoeidheid van overtuigd was dat de andere passagiers constant naar haar zouden blijven kijken. Hoe was het mogelijk, vroeg ze zich af, dat ze het had overleefd, hoe was het mogelijk dat ze hier zat, tussen die mensen waar ze zo op leek (allemaal goedgekleed, allemaal van hetzelfde ras, dezelfde sociale groep, dezelfde cultuur, de angstaanjagende eenvormigheid van vliegtuigpassagiers) en toch zo van verschilde. Het vliegtuig steeg op en liet de stad onder zich die Ruth nooit meer wilde terugzien en op dat moment kreeg ze heftige braakneigingen. Ze deed haar ogen dicht en probeerde te slapen maar de obsessieve gedachte bleef door haar hoofd malen: ze was gek, ze was volslagen gek, ze was onverbeterlijk, ze was nergens goed voor... kon ze maar in stukjes uiteenvallen. Nee, het lukte haar niet om te slapen hoewel ze al meer dan zeventig uur op was. Ze deed haar ogen weer open en keek door het raampje: daarbuiten zag ze, door een dunne glazen wand van haar gescheiden, de hemel, de wolken, de vrede, nuchter verspreid over die onmetelijke witte ruimte. Hemel, oneindige hemel, blauwe en witte hemel, hemel tussen niets en niets. Op die hoogte zul je wel geen adem kunnen halen, maar wat een intens gevoel van harmonie, van rust, wat een belofte van ontspanning gaven die door zonnestralen doorbroken wolken! Wat een immens heimwee naar het niets, wat een zelfhaat, wat een verlangen om aan alles een eind te maken, om niet meer te lijden!

Alsof ze door een automatische piloot werd bestuurd kon ze ondanks haar vermoeidheid na de landing op Barajas haar bagage oppikken, een taxi nemen en zonder problemen thuiskomen. Ze ging naar binnen en liet haar koffer in de hal staan, ze had geen fut meer die mee naar de kamer te nemen en nadat ze twee slaappillen had genomen liet ze zich met kleren en al voorover op bed vallen en voelde hoe alles van haar afgleed, haar denkvermogen, het kloppen van haar bloed, haar hele leven, haar angst en wrok, haar verdriet en vrees, haar zelfbewustzijn, opgenomen en opgeslokt door de diepe slaap.

Twintig uur later werd ze wakker van het aanhoudende gerinkel van de telefoon. Ze herinnerde zich vaag in haar slaap dat geluid te hebben gehoord en vermoedde dat iemand haar met alle geweld wilde bereiken. Ze herinnerde zich opeens de bijeenkomst waar ze naartoe moest en nam aan dat de telefoontjes van Pedro of van Paco Ramos waren, of van allebei, zoals later op het antwoordapparaat bleek. Ze belde Pedro terug hoewel ze helemaal geen zin had om te praten, met hem noch met iemand anders. De stem die haar antwoordde klonk als altijd: hartelijk, warm, welluidend. Per slot van rekening hoefde de rest van de wereld niet te veranderen omdat zij zich zo ellendig voelde.

'Hoe was je reis?' De onvermijdelijke vraag die Ruth al had gevreesd en waarop ze geen antwoord kon geven.

'Laten we het daar maar niet over hebben... Hoor 'ns, wat die bijeenkomst met Paco betreft, ik vind het onzinnig om over een scenario te gaan praten waarvan de inhoud nog niet eens goed uitgewerkt is, om het zo maar eens te zeggen.'

'Mij interesseert die bijeenkomst met Paco net zo weinig als jou. Ik zeg die nu meteen af als je wilt. Het gaat me om jou. Luister, Ruth, het scenario van *Fea* heb je in krap een middag geschreven en tijdens het draaien hebben we het verder uitgewerkt. We weten allebei dat we de opnamedatum van de nieuwe film niet uitstellen omdat het scenario wel of niet klaar is, maar omdat het jou in de bol is geslagen. De laatste maanden was je praktisch onbereikbaar door je liefdesgeschiedenis met die onbenullige dichter en heb je je werk, en jezelf, volledig verwaarloosd.'

(...) Diep stilzwijgen aan de andere kant van de lijn.

'Ruth, liefje, luister, ik wil dat er schot komt in jouw film, in *onze* film, ik wil met jou aan het werk, ik wil dat je weer de oude wordt...'

'Nou...'

'Maar dat gaan we niet telefonisch bespreken. Ik wil graag in alle rust met je praten. Ik heb je een hele tijd niet gesproken, niet over ons beiden, je begrijpt wel, zoals vroeger... We zien elkaar zo weinig de laatste tijd...'

'Ja...'

'Waarom gaan we niet ergens eten? Heb je vandaag wat te doen?'

'Nee, maar...'

'Geen gemaar. We spreken wat af.'

'Ik voel me eigenlijk niet zo goed...'

'Dat zeg je altijd. Ik kom je over een half uur halen. Maak je maar mooi.'

Hoe moest ze zich mooi maken als ze zich als een vod voelde en er ook zo uitzag? Hoe moest ze de nodige energie opbrengen om in haar kast een jurk uit te zoeken, te douchen, de klitten uit haar haren te halen, haar lippen te stiften terwijl ze nauwelijks op haar benen kon blijven staan? Uitgeput ging ze op bed liggen en voor ze er erg in had was er een uur verstreken en ging de intercom.

'Nog een minuutje,' zei ze tegen Pedro.

Ze had vijf minuten nodig om te douchen, de laatste schone lange broek die ze onder in de kast vond aan te trekken en haar haren provisorisch in een knotje te doen omdat ze geen tijd had om die warboel in orde te brengen. Pedro stond op de stoep op haar te wachten, zoals altijd onberispelijk gekleed.

'Liefje, wat zie je er vreselijk uit,' begroette hij haar.

Normaal gesproken zou ze geprotesteerd hebben, maar daar had ze geen fut voor en ook de argumenten niet. Hij pakte haar arm en sleurde haar praktisch mee, een taxi in. Ze liet zich meevoeren. Voor haar gevoel was ze de liefde en attentie van een dergelijke man niet waard en ze vroeg zich af of hij die levendige belangstelling voor zijn vriendin, die onvoorwaardelijke toewijding, zou kunnen blijven opbrengen wanneer hij erachter kwam dat hij een waanzinnige met moordneigingen mee uit eten nam.

Het zou nu heel leuk zijn om te zeggen dat Ruth een knoop in haar maag had en geen hap door haar keel kreeg maar we zullen de waarheid, hoe prozaïsch en weinig romantisch die ook is, moeten vertellen en bekennen dat Ruth, die bijna twee dagen niet had gegeten, uitgehongerd en bijna onfatsoenlijk gulzig op het eten aanviel. Ondertussen deed Pedro zijn best de conversatie gaande te houden en vertelde over de reclamespots die hij had opgenomen en over hoe mooi zijn slaapkamermuren waren geworden met de witgele verf waartoe hij eindelijk had besloten, terwijl Ruth met een hevig schuldgevoel zat, besefte dat ze open kaart moest spelen en hem moest uitleggen wat er aan de hand was, dat ze zich beroerd voelde en dat ze op dat moment helemaal niet geïnteresseerd was in een kleur waarvan ze nog nooit had gehoord en ze vond het onbegrijpelijk dat ze gekweld werd door een dergelijk beklemmend gevoel, dat ze zich miserabel voelde en dat Pedro maar doorging met zijn verhaal over verfkleuren. Nu en dan gaf ze zich volledig over aan haar eigen verdriet, aan haar angst en beklemming die hardnekkig naar buiten wilden treden ook al probeerde ze dat niet te laten merken, en ze zag zich genoodzaakt Pedro te zeggen dat het haar speet, dat ze in gedachten was en of hij wilde herhalen wat hij net had gezegd.

Toen de ober het dessert bracht, werd ze plotseling overvallen door een hevig verlangen om alles wat ze op haar hart had bij haar vriend uit te storten en tussen de happen mousse door vertelde ze hem alles heel eerlijk, zonder details weg te laten, zonder iets te verzwijgen waardoor ze in Pedro's achting zou kunnen dalen, integendeel, ze dikte haar schuld nog aan. Ruth sprak zonder omhaal van woorden, oprecht en eenvoudig, zoals ze met zichzelf sprak als ze alleen was, verbaasd dat, nu ze eenmaal de moed had opgebracht om het verhaal van haar laatste nacht in Gijón te vertellen, de woorden er zo makkelijk achter elkaar uitrolden. Pedro luisterde rustig en geconcentreerd naar haar, met volle aandacht, maakte geen ophef en toonde zich niet bijzonder verbaasd of verwonderd, als een priester die ambtshalve de grootste zonden moet aanhoren en vergeven. En ten slotte besloot Ruth haar verhaal met een eenvoudig en afdoend: 'Nou ja... dat is alles.'

Pedro onderstreepte haar biecht met een verdrietige zucht, pakte over het tafelkleed haar hand en zei op zijn beurt: 'Dus dat is alles?'

'Jeetje, vind je dat niet genoeg?'

'Wel genoeg, maar ook niet veel.'

'Pedro, ik weet niet of je doorhebt dat je beste vriendin aangeklaagd is wegens agressie.'

'Liefje, je hebt een grote fantasie en een sterk gevoel voor drama en die komen je uitstekend van pas bij het schrijven van scenario's, maar je zou moeten afleren die op je eigen leven toe te passen. Je maakt van een mug een olifant.'

'Zit niet te zwammen. Ik heb het over iets heel ernstigs.'

'Goed, bloedde die kerel? Had hij een snee?'

'Nee.'

'En toen je hem die klap met de fles had gegeven...'

'Klappen, ik heb hem meerdere keren geslagen.'

'Klappen, herstel: toen je hem die klappen met de fles had gegeven, stond hij uit zichzelf op, nietwaar?'

'Ja.'

'Direct daarna, ook nog. Binnen een paar seconden, zoals je me vertelde.' Hij keek haar spottend aan. 'Hij was meteen weer bij zijn positieven en kon opstaan?'

'Ja, maar...'

'Geef alleen antwoord op de vraag.'

'Ja.'

'En toen hij met die twee politieagenten de kamer weer binnenkwam liep hij zelf, nietwaar? Je had hem niet erg toegetakeld of zo.'

'Nee. Wat bloeduitstortingen en builen, denk ik. Hoewel ik dat natuurlijk niet heb gezien.'

'Ruth, schatje, het is vast niet erg hard aangekomen. Met een fles had je hem op zijn minst bewusteloos moeten slaan.'

'Alsof ík dat niet weet. Ga jij maar een klacht indienen bij de bottelarij van Mahou. Waarschijnlijk wilde ik hem niet echt slaan.'

'Verdomme, Ruth, normaal gesproken zou een kerel die duidelijk veel sterker is dan jij, niet alleen omdat hij een man is maar ook veel groter dan jij en behoorlijk fors voorzover ik me kan herinneren... normaal gesproken zou hij je bij je schouders hebben gegrepen en tegen de muur hebben gedrukt, of je in de houdgreep hebben gehouden of je arm verdraaid, wat hij volgens jou al eens heeft gedaan. Als hij dan had willen gaan hoefde hij alleen maar zijn spullen te pakken en te vertrekken. Dat hij de politie waarschuwde is volkomen belachelijk. Hij lijkt wel het rotjochie dat op school in de pauze bij de meester gaat klagen dat zijn klasgenootjes hem bij het voetballen onderuit hebben gehaald. Met andere woorden, jij gedroeg je als een idioot maar hij gebruikte vervolgens jouw zwakheid tegen je op een sadistische wijze. Door die belachelijke aangifte heeft hij zichzelf in diskrediet gebracht.'

'Nee, ik ben niet met je eens...'

'Hoor eens,' viel Pedro haar in de rede, 'ik keur het niet goed dat je met flessen loopt te slaan maar als die vent zo'n ontiegelijke zak is om meteen aangifte te doen ga je toch vanzelf denken dat hij je tot het uiterste heeft getergd zodat hij je daarna kon aanklagen, je kon treiteren, je een schuldgevoel kon aanpraten en hij een definitieve breuk uitlokte waarvan de volledige schuld op jou afgeschoven kon worden.'

'Dat zeg je omdat je mijn vriend bent. Besef wel dat ik een fles in mijn hand had waardoor ik sterk stond.'

'Natuurlijk ben ik je vriend, Ruth, en omdat ik je vriend ben wil ik dat je reageert. Kijk, ik ga niet zoals de politie de feiten reconstrueren, omdat de uiteindelijke motieven voor het gedrag van je vriend en of hij zich wel of niet kon verdedigen er in deze geschiedenis helemaal niet toe doen. Het gaat mij om jou. Ik ken je, Ruth. Ik heb met je samengewoond, ik heb met je samengewerkt, ik ben met je uit geweest, maar ik heb je nooit iemand zien bedreigen of zien beledigen, zelfs niet als alles tegenzat bij het werk. Ik heb meegemaakt dat je in een pesthumeur was, dat je onuitstaanbaar was, dat je tactloos was... vaak ook dat je idioot deed, maar nooit dat je gewelddadig was, dus als je me vertelt dat je zo vreselijk driftig bent geworden denk ik dat de omstandigheden je daartoe hebben gedwongen...'

'Je kunt ook denken dat er een deel van mij is dat jij niet kent.'

'Ik kan ook denken dat wat jij moet doen is stoppen met drinken, stoppen met lijntjes snuiven van Joost weet wat voor klotetroep die je die avond hebt genomen en stoppen met uitgaan met imbecielen die de vrouw met wie ze zijn niet weten te waarderen en haar zo vernederen dat ze woest wordt.'

'Pedro, ik ben je innig dankbaar dat je partij voor mij kiest, maar je zult moeten toegeven dat fysiek geweld iets heel ernstigs is.'

'Natuurlijk, meid, maar het is nu ook weer niet de verschrikkelijke en afschuwelijke misdaad waar eeuwige verdoemenis op staat, zoals jij maar steeds denkt.'

'Wat nou? Heb jij ook weleens een minnaar een klap verkocht?'

'Ik niet, maar jij ook niet tot eergisteren. En als je vanaf vandaag een ander soort vrienden zoekt zul je dat ook niet meer doen. Hou op jezelf te kwellen, gebeurd is gebeurd, en probeer alleen aan jezelf te denken en uit dat diepe dal te komen. Luister, schat, dit is erg belangrijk: ik weet uit ervaring dat er mannen zijn die ervan genieten om vrouwen met een hoge functie, vrouwen die zakelijk succesvol zijn, briljante vrouwen, kapot te maken waardoor ze zichzelf machtig voelen.'

'Het is raar dat het omgekeerde meestal niet gebeurt. Vrouwen zoeken toenadering tot machtige mannen maar zijn er niet op uit om die daarna kapot te maken.'

'Dat is niet zo moeilijk te begrijpen als je even nadenkt. In onze cultuur wordt het geaccepteerd dat een vrouw trouwt met een man die rijker, belangrijker of groter is dan zij, maar andersom wordt moeilijker. Dus kan de minnaar van een maatschappelijk belangrijkere vrouw zo gefrustreerd raken door de situatie dat hij, als hij tenminste wat latente mentale problemen heeft, en bij jouw Juan was op kilometers afstand te zien dat er bij hem een steekje loszat, uiteindelijk agressief wordt, al zijn wrok op zijn partner afreageert en haar vernedert zodat de situatie "zich normaliseert", tussen aanhalingstekens. En met agressief bedoel ik niet alleen fysieke maar ook geestelijke mishandeling. Echte morele intimidatie.'

'Het Álvaro Mesía-syndroom.'

'De naam komt me bekend voor maar ik weet even niet waarvan.'

'De minnaar van La Regenta. Hij verleidt haar alleen om wat zij vertegenwoordigt en niet omdat hij echt in haar is geïnteresseerd.'

'O ja, natuurlijk... La Regenta. Nu weet ik het weer.'

'Hoewel ik eigenlijk niet zeker weet of dat van Juan overeenkomt met de symptomen van het syndroom. Ik weet natuurlijk niet precies welke dat zijn omdat ik het net heb bedacht.'

Pedro kon zijn lachen nauwelijks inhouden.

'De symptomen van het syndroom... Wat klinkt dat mooi! Schat, je weet niets zeker omdat je er nu zo mee bezig bent dat je de situatie niet objectief kunt bekijken. Volgens mij heeft die imbeciel alleen maar een verschrikkelijk minderwaardigheidscomplex, wilde hij beroemd worden om daarvan af te komen, zocht hij alleen toenadering tot jou omdat jij de door hem zo felbegeerde roem had en toen hij vervolgens zag dat die niet besmettelijk is, dat hij in jouw gezelschap niet automatisch zelf ook beroemd werd, begon hij je te haten.'

(*De waarheid is niet voelbaar als die binnen in je zit, maar is enorm groot en schreeuwt heel hard als die naar buiten komt en de armen heft...*)

'Die verklaring is wel erg simpel.'

'Waarschijnlijk niet. Kijk, zonnestraaltje, ik geloof dat sommige mensen het slechtste bij een ander boven kunnen halen. En dat is hem bij jou gelukt. Maar niemand, jij noch ik, niemand is uitsluitend zwart of wit. Je bent behoorlijk driftig en je moet proberen je te beheersen. Dat is zo en ik mag doodvallen als het niet waar is. Maar je hebt ook heel veel goede dingen waar je wat mee moet doen. Kwel je niet zo met de gedachte aan wat je hebt gedaan. Het spijt je ontzettend maar je bereikt er niets mee om het boetekleed aan te trekken, geloof me. Het gaat erom dat je je wilt beteren, niet dat je wordt gestraft. Door deze ervaring zou je moeten inzien dat jij niet kunt functioneren in een relatie met een man die compleet anders is dan jij, die andere normen hanteert, die van je verwacht dat je bent zoals je niet kunt zijn. Jullie zullen altijd dezelfde problemen hebben: jaloezie, concurrentie, onzekerheden van de een en van de ander. Je moet jezelf niet de schuld geven. En hem moet je ook niet de schuld geven, en even terzake, het gaat er nu niet om wie de schuldige is maar wel dat er een eind komt aan jouw lijden.'

'Ik weet niet... Ja, ik snap je en ik weet dat je gelijk hebt, maar het is niet zo gemakkelijk.'

'Verdomme, Ruth, we hebben het over een relatie die gedoemd was te mislukken, over een vent die al een verloofde en andere verplichtingen had. En jij bent nou niet bepaald een vrouw die verlegen zit om minnaars, en al was dat wel zo dan ben je nog niet het soort vrouw dat niet zonder man kan.'

'Wat weet jij daarvan? Jij, wil je dat even niet vergeten, jij hebt er wel een.'

'Maar ik heb er heel lang geen gehad en mijn wereld stortte toen ook niet in elkaar. En dan nog, stel dat je behoefte hebt aan een man, wat ik betwijfel, dan zou het niet Juan zijn. Punt uit. Ik heb me namelijk vandaag bij de kapper verdiept in de horoscoop van de *Cosmopolitan*.'

'*Cosmopolitan*... Je bent een verschrikkelijk mens.'

'Zeer vereerd. Ik lees namelijk niet alleen mijn eigen horoscoop maar ook altijd die van mijn vrienden. En van de Steenbok zeiden ze dat die een periode van crisis, van ingrijpende veranderingen gaat doormaken waar hij als herboren uit zal komen.'

'Ze hebben altijd dat soort clichés. En buiten dat, ik heb me nooit wat aangetrokken van dat gedoe met sterrenbeelden. Trouwens, ik geloof in de Keltische horoscoop.'

'Uiteraard, dat was ik bijna vergeten, onze lieve vriendin is half Schotse en moet de tradities van haar voorouders in ere houden. En die Keltische horoscoop, hoe werkt die?'

'Het is een methode van waarzeggen via bomen. Aangenomen wordt dat iedere man of vrouw een boom in zich heeft die voeding geeft aan zijn verlangen om zich zo goed mogelijk te ontwikkelen. En je geboortemaand komt overeen met een bepaalde boom. Ik ben in januari geboren. Ik ben de lijsterbesvrouw: actief, intelligent en goed gezelschap.'

'Lijst... wat?'

'Lijsterbes: dat is een boom. Hij kan wel vijftien meter hoog worden. Het zal je wel aanspreken dat hij in de lente kleine margrietachtige bloemen krijgt. En jij bent... even denken... december... Ik weet het: prunus. Bezadigd, passief, eerlijk en romantisch.'

'Heel mooi. En hoe kunnen we erachter komen wat de toekomst ons biedt nu we weten welke boom bij ons hoort?'

'Je gaat de stad uit, je zoekt jouw boom op, in mijn geval een lijsterbes of in dat van jou een prunus, de eerste die je tegenkomt, en je bekijkt hem in zijn geheel, van wortels tot kruin, en al naar gelang de kruin bladerrijk of verdord is, de wortels min of meer goed in de aarde gehecht zijn, de boom er gezond of slecht uitziet zal het met jou ook zo gaan.'

'Ten eerste vind ik het makkelijker om de *Cosmopolitan* te lezen dan de gezondheidstoestand van een boom te moeten beoordelen en ten tweede zijn er geen prunussen in het Retiro.'

'Lijsterbessen ook niet. Ik denk dat ik daarom zo'n hopeloos geval ben. Ik heb geen boom die me beschermt. En erger nog, ik heb nooit wortels gehad.'

Waar haalde Ruth dat vandaan dat bij scheidingen vrouwen de neiging hebben zichzelf de schuld te geven en mannen de neiging hebben vrouwen de schuld te geven? De meeste mannen die hun partners vermoorden doen dat wanneer de vrouw al heeft besloten te gaan scheiden of na de scheiding. Vrouwen daarentegen doen de man niets aan, maar doen zichzelf wat aan. Ze eten niet meer of lijden aan boulimia, raken verslaafd aan kalmeringsmiddelen, worden koopziek of gaan naar waarzegsters. Als ze tot de aanval overgaan is hun slachtoffer de rivale, de nieuwe minnares van hun ex-minnaar, een andere vrouwelijke uitvoering die achteraf alleen maar een spiegel, een vervolg van henzelf is, een figuur die hun plaats heeft ingenomen en waarmee ze zich kunnen identificeren. Zíj was echter agressief geweest. Maar dat nam niet weg dat ze zich ongelukkig voelde. Ze besloot de reis met Sara niet af te zeggen, zich niet weer tussen de vier muren van haar huis op te sluiten, de vreemdelinge die ze in zich had mee op reis te nemen, een last waarvan ze zich niet kon ontdoen, bagage die zwaarder en gevaarlijker was dan een guerrillastrijder met twee mitrailleurs.

Ja, doorgaan alsof er niets was gebeurd, de reis naar Barcelona niet afzeggen en een zinloze relatie als beëindigd beschouwen, een geschiedenis waarin ze niet zichzelf was, waarin een getiranniseerde en hysterische dwaas – die misschien wel aan het Stockholm-syndroom leed – de rol van Ruth speelde. Want waren zij het zelf eigenlijk wel, Ruth en Juan, of was het een stel vreemden, een stel ordinaire dubbelgangers, die een tijdlang samen in dat huis woonden en probeerden te voldoen aan de verwachtingen van de ander, maar zich die onmogelijk eigen konden maken? Het begon allemaal als een spel, een tijdverdrijf, een verloofde man gaat met een ongebonden vrouw naar bed: híj gelooft dat zij alleen maar afleiding zoekt en zíj gelooft dat hij, omdat hij al bezet is, geen dingen van haar zal eisen waar ze geen behoefte aan heeft. Ze hadden weinig vertrouwen in zichzelf noch in waar ze mee bezig waren, ze verwachtten absoluut geen innige verbondenheid, ze wisten dat het niet van lange duur zou zijn en desondanks voelden ze dat ze er niet aan konden ontkomen en dat ze steeds weer tegen elkaar moesten zeggen dat het geen zin had om ertegen in te gaan, het was maar van korte duur en stelde niets voor. Want beiden wisten ze dat hun verlangen naar elkaar te groot was om het onvermijdelijke te kunnen ontlopen. In het begin van hun relatie lachten ze naar elkaar als ze wakker werden, als ze elkaar in de badkamer tegenkwamen, alsof alles een spelletje was, maar innerlijk voelden ze zich niet op hun gemak, waren angstig – ze maskeerden dat met geforceerde lachjes en overdreven vriendelijkheid – omdat ze vreesden een beslissing genomen te hebben waardoor ze hun eigen, rechtmatige leven niet zouden kunnen leiden, een ogenschijnlijk plotseling, onbewust besluit dat in werkelijkheid belangrijk en ingrijpend was, hoewel ze dat hardnekkig ontkenden.

Ruth vermoedde dat juist omdat ze weigerden in te zien dat het liefde was, een liefde die groter was dan trouw aan de familie, enthousiasme voor het werk of het benodigde zelfrespect van de betrokkenen, de liefde uiteindelijk doodbloedde. Die liefde die overdadig en uitputtend was omdat ze hem niet konden beteugelen en er geen raad mee wisten. Ruth vroeg zich af of ze de scherven van haar vroegere leven weer bijeen zou kunnen rapen. Het had haar zoveel moeite gekost naar buiten toe integer te lijken terwijl ze vanbinnen zo gebroken was dat ze machteloos stond toen het omhulsel het begaf, ze had geen kracht meer om de val te stoppen en toen die glazen stolp brak waarin Juan en zij zaten opgesloten, vlogen ze er allebei uit, ieder naar zijn eigen kant.

Er zat niets anders op dan te zwijgen, zich in te houden, de tranen te bedwingen en te proberen het hoofd boven water te houden, en ze zou zich overal waar ze naartoe ging hullen in een vederlichte maar zichtbare laag trots, hoe poreus en glad die in wezen ook was. Als ze achteromkeek was alles besmet met vervreemding en angst. Ze herinnerde zich hoe bang ze was geweest voor Juan – bang voor zijn beledigingen, zijn driftaanvallen, zijn onvoorspelbare uitlatingen, zijn scherpe tong – en plotseling veranderde haar verlangen naar Juans terugkeer in angst voor Juans terugkeer. Want als ze de scherven bijeenraapte, zou ze die dan weer kunnen lijmen, of zouden er breuken achterblijven waardoor Ruth zou wegvloeien, levend zou doodbloeden?

Ze kon er heel moeilijk rustig onder blijven. Soms haatte ze zichzelf, soms haatte ze hem en soms probeerde ze verstandig te zijn en steeds als een mantra te herhalen dat niemand schuld had, dat het alleen maar een kwestie van verschillende karakters en omstandigheden was. Het was net als toen ze vroeger naar de psychiater ging en zich beklaagde over haar vader, die afstandelijke vader die nooit affectie of belangstelling voor haar had getoond. Je moet hem de schuld niet geven, zei de psychiater, hij kan niet op een andere manier omgaan met zijn gevoelens, hij weet geen contact met zichzelf te maken, hij kan niet anders, concentreer je op jezelf en op je verdriet en hoe je dat gemis aanpakt of oplost zonder van hem te verwachten dat hij dat doet. Ja, het klonk heel logisch en heel mooi en heel therapeutisch maar ze kon nog zo haar best doen om die inwendige woede te onderdrukken, in wezen was dat geschreeuw in haar onderbewustzijn een primaire klacht, zoals het gehuil van een kind, een diepgewortelde haat, een duidelijke en stugge rancune: wat een ongevoelige egoïst, wat een klootzak die zich niet eens zorgen kan maken om zijn dochter, een dochter die volledig instort, een dochter die hem nodig heeft, een dochter die zijn verantwoordelijkheid zou moeten zijn. Ze was het zat om haar woede te moeten inhouden, te moeten verbergen, in haar eentje te moeten opkroppen, de uiterlijke schijn te moeten ophouden waardoor ze in het bijzijn van anderen niet mocht huilen. Ze had zin om haar woede op de buitenwereld te koelen, terug te slaan en onfatsoenlijk te zijn. Elke liefdesrelatie bevat een overdaad aan emotioneel geweld, bittere wrok, niet vervulde verlangens en het was echt niet gemakkelijk om pragmatisch en realistisch, zo redelijk, zo verstandig, zo hardvochtig en zo rampzalig nuchter te zijn om je gevoelens te kunnen bedwingen die per slot van rekening bepalen wie je bent. Ze voelde er erg veel voor om hardnekkig vast te houden aan haar eigen botte en levendige aard, haar emotionele onvolwassenheid en haar volslagen onvermogen om haar opwellingen te onderdrukken, als een laatste en nutteloze vorm van protest, van opstand tegen een wereld die haar niet begreep, een wereld die altijd van Ruth had verlangd dat ze zich aanpaste aan opvattingen die zij niet deelde, een wereld die haar zo vaak had gezegd dat ze vreemd was dat die haar uiteindelijk in een vreemde had veranderd. Het is toch bizar dat het moderne leven erop hamert dat je verdriet en angst moet negeren, dat van iedere volwassene wordt verwacht dat hij de ene na de andere relatie heeft en er bij elke liefdestragedie ongeschonden uitkomt, de scherven van de gebroken illusies in een hoek veegt, ze onder het kleed verbergt en net doet alsof de bekoeling van de liefde slechts een klein ongemak is waar de productiviteit nooit onder mag lijden, waarbij normen en waarden niet met voeten mogen worden getreden en respect voor fatsoen moet blijven bestaan. Deze tirannieke overwaardering van het rationele, het intellectuele, brengt de critici ertoe liefdesromans te verachten en te benadrukken dat de Grote Literatuur met hoofdletters over de arme sloeber gaat, de kansarme, de hongerlijder en bewerkstelligt dat een blank, jong, gezond en bemiddeld iemand zich schuldig moet voelen wanneer zij merkt dat haar gezondheid noch haar geld haar helpt om dat allesoverheersende gevoel van vervreemding en hulpeloosheid kwijt te raken en ze ervan overtuigd is dat haar liefdestragedie en haar anderszijn net zo ernstig zijn als de conflicten in Servië.

Weinig riskante vriendschappen

Sara stond zoals afgesproken bij de informatiebalie op het vliegveld op haar te wachten, onberispelijk gekleed als altijd. Ruth werd opeens paniekerig toen ze bedacht dat dit vreemd genoeg de allereerste keer was dat ze samen reisden. En dat was natuurlijk ook zo, twee hartsvriendinnen die nooit samen op reis waren geweest, dat was toch raar? Voor de zoveelste keer ging ze twijfelen aan de basis van hun relatie, of hoe je hun band zou moeten noemen. Misschien bleef hun vriendschap bestaan door de herinnering aan wat ze eens was geweest. In hun studententijd was Sara haar lotgenote, medeplichtig in bepaalde zwakheden en geheimen, morele steun en soms toeverlaat. Van Sara had ze truien en aantekeningen geleend en met haar was ze wezen stappen. Sara had de innige vriendschap nooit verder laten komen, niet lichamelijk omdat zij dat niet wilde, niet geestelijk omdat Ruth dat niet wilde. Ruth had de door haarzelf getrokken scheidslijn niet durven passeren en had besloten niet te veel van zichzelf bloot te geven, ze had zich strikt aan het verplichte protocol van een vriendschap tussen twintigjarige meisjes gehouden: uitjes naar de bioscoop en concerten, onbenullige gesprekken over hoe goed of slecht de ene of de andere broek stond (eigenlijk stond alles Sara goed, maar toch had ze altijd ruim een half uur nodig om te kiezen uit duizend mogelijke kledingstukken voor ze uitging), min of meer schaamteloze en/of verwerpelijke zuippartijen, slapeloze nachten voor examens: zonder dat de relatie dieper ging. Waarom had Ruth haar nooit haar hart durven toevertrouwen, was ze niet liever, spontaner, intiemer geweest? Waarom was ze niet openhartig tegen haar geweest, zoals later tegen Pedro? Concurrentie waarschijnlijk. Met

Pedro was er verschil, geen vergelijking. Met hem was er niet de onvermijdelijke bijsmaak van vijandigheid waarmee een jonge onzekere vrouw zich spiegelt aan een andere en een beeld van zichzelf voorgehouden krijgt waarin al haar gebreken en zwakheden worden belicht. Sara had een beter figuur, maar Ruth was knapper; Sara was zachter, maar Ruth leuker; Sara eleganter, Ruth origineler... Degenen die hen kenden zouden het niet weten als ze voor een van beiden moesten kiezen. Dwaasheden van een dwaas meisje zoals alleen jonge meisjes kunnen hebben, dacht Ruth. Een dwaze manier om barrières op te werpen zoals ik dat tussen mijn zus en mij heb gedaan. Maar daar stond Sara, uiterst verzorgd en beschaafd zoals altijd, ze liep al snel op Ruth toe op een paar glimmend gepoetste laarzen die pas nieuw leken en stond al voor haar met een overdreven vrolijke grijns en begroette haar al met de twee obligate zoenen waar Ruth zo'n hekel aan had en ze flapte eruit: 'Je ziet er slecht uit, is er iets?' Natuurlijk was het magere bleke gezicht van de roodharige haar meteen opgevallen. Hoe moet ik dat oplossen, dacht Ruth, een heel weekend mijn mond houden, niet vertellen wat me dwarszit? 'Niets, er is niets, ik ben een beetje moe, dat is alles,' hoorde Ruth zichzelf zeggen.

Ze kwamen bij de balie net toen de toegang tot de slurf dichtging, zodat ze minstens een half uur zouden moeten wachten. Een half uur stelt niets voor natuurlijk, tijd voor een biertje bij de cafetaria volgens Sara. Een Coca-Cola, verbeterde Ruth. De bewering 'ik drink niet meer' dat er luid en duidelijk uitkwam was eerder bedoeld om haarzelf te overtuigen dan Sara die nooit bijhield hoeveel Ruth nu wel of niet dronk. In de cafetaria – afschuwelijke plastic tafeltjes, afschuwelijk tl-licht, afschuwelijke smaak van waterige Coca-Cola – bedacht Ruth dat je wel erg blasé en snobistisch was om een weekendreisje te maken onder het mom van een bezoek aan een tentoonstelling, ook al was die dan van Rothko, ook al heette de Siamees van Sara Rothko naar de schilder. Het was natuurlijk ook blasé en snobistisch om een Siamees te hebben en al helemaal eentje met die naam, en te reizen met een koffer en bijbehorende beautycase. En net te doen of je verstand van schilderkunst had terwijl je nergens verstand van had, niet van film, mannen of van jezelf, als je niet meer was dan een verwend en onvolwassen meisje dat een verhouding had met een nog onvolwassener jongen die je zojuist met een fles op zijn hoofd had geslagen. En wat moet ik in Barcelona of waar dan ook, waarom ben ik niet thuis gebleven?

'Ruth, voel je je wel goed?'

'Neem me niet kwalijk, ik was even afwezig.'

Volgens Ruth waren de schilderijen van Rothko *ideaal* om een T-shirt mee te bedrukken. Tenslotte was alles een kwestie van schaalverdeling. Een Rothko imponeerde omdat hij opviel, omdat hij zo enorm was en je wel meegesleept moest worden door de overdadige afmeting. Je klein voelen tegenover het grootse. Maar je hoefde de schaalverdeling maar te reduceren of de compositie en de kleuren kregen het niveau van een *batik*. Als je het incident met de fles vanuit dat perspectief bekeek had Pedro misschien gelijk en had Ruth een onbeduidend voorval enorm opgeblazen. Haal een kunstwerk uit zijn verband en misschien is het dat dan niet meer. Vertel je vrienden de meest indringende gebeurtenis in je leven en zij zullen het waarschijnlijk als een van je boutades beschouwen.

Naast haar stond Sara in vervoering naar een schilderij te kijken waarvan de kleuren echt deden denken aan de vacht van haar Siamees. Ze vroeg zich onvermijdelijk af of Juan van Rothko zou houden. Tot voor kort zou Ruth steevast hebben beweerd dat Juan weg was van Rothko. Maar nu realiseerde ze zich dat ze het eigenlijk niet wist, dat ze dat niet zo zeker zou kunnen zeggen, omdat ze zich niet herinnerde of Juan zijn voor- of afkeur had getoond en of hij zelfs wel van de schilder en zijn werk had gehoord. Ruth was ervan uitgegaan dat Juan van Rothko hield omdat zij ervan hield. Ze had Juan een goede smaak in kunst toegedicht, maar ze was inderdaad nooit met Juan naar een tentoonstelling geweest. Ze had niet van Juan gehouden maar van het idee dat ze van hem had gevormd. Ze had van een concept, een door Ruth geschapen beeld gehouden. Kortom, ze had van zichzelf gehouden in Juan, en haar liefde voor

Juan was niet meer dan een overdrachtelijke luchtspiegeling, een illusie geweest. Een wel heel nadrukkelijk aanwezige illusie. Zelfs in de seks had ze van haar eigen genot gehouden, van wat haar clitoris haar gaf, niet Juan; Ruths genot, gecreëerd door Ruth, via het lichaam van Juan. Een schrale troost. Die zo vaak gelezen en herhaalde vanzelfsprekendheden, die zo betrouwbare en zo afgezaagde beweringen konden haar niet genezen van de voor haar zo treurige afwezigheid.

Wat voor genoegen verschafte kunst haar? Ze was kunstgeschiedenis gaan studeren in de overtuiging dat ze nooit zou leren schilderen. 'Ieder mens is in staat een kunstwerk te maken omdat ieder mens in staat is lief te hebben.' Wie had dat gezegd? Octavio Paz? Ten eerste is *niet* ieder mens in staat lief te hebben, dacht ze. Niet iedereen. Het vermogen om lief te hebben is een gave, een talent zoals elk ander. Juan was niet in staat mij lief te hebben, of was niet in staat mij lief te hebben zonder me te haten. Ik was ook niet in staat hem lief te hebben, omdat niemand degene van wie hij echt houdt aanvalt. Ik hield niet van Beau, omdat ik niet kon, niet wilde, of niet in staat was bij hem te blijven. Toen Ruth dus besloot dat zij nooit schilderes, beeldhouwster, illustratrice, decorontwerpster, videokunstenares, fotografe, restauratrice of wat dan ook kon worden, toen zij kunstgeschiedenis verkoos boven beeldende kunsten, toen ze erkende dat ze nooit een kunstwerk zou kunnen scheppen en die alleen maar zou kunnen bestuderen erkende ze ook – zonder dat ze dat toen wist – dat ze nooit in staat zou zijn om lief te hebben. Wat haar gaven, haar talenten, haar diepverborgen deugden ook waren, ze begreep duidelijk dat zij nooit zou uitblinken op het gebied van de beeldende kunsten. Ze voelde zich een artieste *manquée*, een persoonlijkheid boordevol energie en ideeën, maar niet in staat een geschikte vorm te vinden om zich uit te drukken. En daarna, toen ze op haar negentiende stopte met haar studie, toen ze begreep dat ze ook niet geïnteresseerd was in het louter aanschouwen en bestuderen van werken en bewegingen, in het gefrustreerd herkauwen en uitweiden over iets wat buiten haar mogelijkheden lag, besloot ze dat ze liever koos voor het echte leven dan voor die kunstuitingen, omdat ze dacht, onnozel als ze was – zo arrogant, zo belachelijk puur in haar zekerheden en eisen – dat ze met haar leven kon doen wat zij wilde, dat ze haar lot in eigen handen had. Toen ze negentien was riepen schilderijen en dromen abstracte gevoelens bij haar op en gaven vorm aan wat ze niet in het leven vond. Maar zowel de dromen als de schilderijen voldeden niet; want ze wilde en had behoefte aan echte tastbare en onstuimige emoties. Toen ze drieëndertig was vermoedde ze, een beetje laat, dat ze niet was geboren om het leven naar haar hand te zetten, maar het gewoon moest nemen zoals het kwam. En het genoegen dat ze toen zou moeten voelen voor een schilderij, de vervoering en bewondering die de schilderkunst bij haar teweeg zou moeten brengen, kwam niet, zoals een orgasme uitblijft bij een liefdesspel waarbij je alle trucjes probeert, alles uit de kast haalt, en alle standjes aanneemt. Toen ze haar toevlucht wilde nemen tot de dromen die ze vroeger verachtte, werkten die niet mee. Toen ze negentien was en alleen maar naar reproducties in boeken keek zou ze het fantastisch gevonden hebben om een echte Rothko te aanschouwen. En nu ze er op haar drieëndertigste voor stond, oog in oog – enorm, imponerend, raak – voelde ze de schoonheid of zoiets dergelijks niet tot haar doordringen. Ze kon alleen de techniek appreciëren. En dat onvermogen om enthousiast te zijn tegenover het sublieme, te reageren op de liefdevolle en intieme overdracht van het schilderij – toen de schepper ervan de barrières van vergetelheid en dood al gepasseerd was – het feit dat ze niet in staat was verrukt te zijn van de schoonheid in pure vorm, vond ze dat het bewijs dat ze een levende dode was. Ruths lichaam was de totale instorting al nabij toen haar geest, haar innerlijke substantie, haar energie of hoe je dat ook noemt, verdwenen leek te zijn en een enorme leegte had achtergelaten die duidelijk werd door de afwezigheid van antwoorden en door desinteresse. Haar bestaan – leven kon je het niet meer noemen – stelde niets voor, ze was alleen nog maar een wandelend skelet. De pijn was nog slechts een poging om die leegte te vullen van een natuur die bevangen werd door een grenzeloze *horror vacui*, want het was alsof Ruth haar geest, haar vermogen tot geluk had verloren, alsof ze dat in een hotelkamer had laten liggen.

'En hoe gaat het met Juan? Je hebt me nog niets verteld over het weekend in Gijón. Hoe vond je het huis?'

De onvermijdelijke vraag die vroeg of laat zou komen. De onvermijdelijke vraag voor in een restaurant. De onvermijdelijke vraag die verloren had kunnen gaan in de gesprekken om hen heen, het gerinkel van borden en bestek en het geroezemoes van een restaurant. Een vraag die Ruth kon negeren als ze wilde, ze kon doen alsof ze hem niet hoorde of op een ander onderwerp overgaan. Maar de gevreesde vraag zou vroeg of laat, evenals vals geld, toch opduiken. Als ze zou zeggen dat het met Juan 'zoals altijd, weet je' ging, zou dat een leugen zijn maar zou ze wel af zijn van de vragen die zouden volgen op het stellige 'we zijn uit elkaar'. Het was zo dat als ze aan een kruisverhoor zou worden onderworpen ze geen plausibel excuus zou kunnen vinden om een drastische breuk te rechtvaardigen. Ja, het zou eenvoudiger zijn om de waarheid te vertellen. Die had ze immers ook al aan Pedro verteld? Dus van de regen in de drup. Later zou het moeilijker zijn, dacht ze. Sara zou haar vast raar aankijken en misschien zou ze er later over gaan kletsen en je weet hoe die dingen gaan: de een vertelt het aan de ander en die weer aan een derde en binnen een week zou half Madrid weten dat Ruth Swanson had geprobeerd Juan Ángel de Seoane om zeep te helpen, niet met een fles maar dreigend met een kettingzaag. Dat deed er niet veel toe. Tenslotte had ze al zo'n slechte reputatie dat het niet erger zou kunnen. Of beter, hoe je het maar bekeek, omdat er beslist mannen en vrouwen waren die zo'n heldhaftige daad zouden bewonderen. Sara wachtte op een antwoord en keek strak naar Ruth, die bleef zwijgen en de voor- en nadelen van een eerlijk antwoord afwoog. Omdat Sara lenzen had, leek het van zo dichtbij of ze met twee paar ogen naar Ruth keek als een macabere truc in tweevoud, en hoe zou ze moeten liegen, als Sara, immers haar beste vriendin, haar het meest dierbaar ondanks de afstand die er tussen hen was ontstaan, de favoriete, ondanks het feit dat Ruth haar best had gedaan niet van haar te houden, haar met vier ogen als lokaas in het diepst van haar ziel keek om uit te vissen wat daar leefde?

Ruth had maar tien minuten nodig om onomwonden te vertellen

wat er in het hotel in Gijón was gebeurd, beknopt en direct als een politierapport. Door het opnieuw te vertellen deed het al bijna geen pijn meer. Ze dacht dat ze in de toekomst, als ze haar best deed, er nog het grappige van in kon zien.

'Arme Ruth, wat heb jij een ellende meegemaakt...'

Ze had van alles verwacht maar dit niet. Hoezo had Sara, de trouwe verdedigster van Juan, medelijden met Ruth? Waar was dat gemene en herhaalde gezeur gebleven van *arme man, je jaagt hem op, je moet je wat inhouden, je bent veel te impulsief?*

'Begrijp je me wel?'

'Ik weet niet of ik je wel of niet begrijp. Ik geloof van niet. Maar je moet niet denken dat ik verbaasd ben over wat je me vertelt. Eerlijk gezegd zag je er de laatste maanden zo slecht uit dat ik heel wat ergers had verwacht. Wat je me vertelt is niets vergeleken bij waar ik aan dacht. En er zit in zekere zin ook iets positiefs in: dat zoals het er nu voorstaat het voorgoed uit is tussen jullie.'

'En je vindt het fijn dat het uit is? Als ik me goed herinner, heb jij Juan altijd door dik en dun verdedigd.'

'Ik mag Juan wel, ik ben echter niet bevriend met hem maar met jou. En als Juan het je moeilijk maakt is het beter dat het uit is, toch? En je moet één ding goed begrijpen: onze vriendschap is iets tussen jou en mij en daar heeft Juan niets mee te maken. Ik bedoel, ik was er niet bij in die hotelkamer dus ik kan er niet over oordelen en dat gaat me ook niet aan. Wat je me vertelt vind ik vreselijk en normaal gesproken zou je ten minste je excuses moeten aanbieden. Maar ik geloof dat Pedro gelijk heeft en het feit dat Juan een aanklacht heeft ingediend bewijst alleen maar dat het voor beide partijen een destructieve relatie is, een soort absurde wedijver om te zien wie het minste mededogen heeft.'

'Nou, dat ben ik, dat is duidelijk...'

'Je wordt niet beoordeeld op één daad. Wat je me hebt verteld is ernstig, maar niet zo ernstig dat het onomkeerbaar is. Trouwens, op een bepaald moment in het verhaal kwam naar voren dat je geen andere keus had. Bekijk het eens van de andere kant: stel je voor dat ik op een dag tegen je zeg dat ik mijn vriendje van dat moment aan het mes heb geregen...'

'Dat zou ik niet geloven.'

'Waarom niet?'

'Verdomme, Sara, omdat ik je ken en weet dat je niemand iets zou aandoen.'

'Datzelfde zou ik vier maanden geleden van jou hebben gezegd. Begrijp je? Het enige wat ik nu kan denken is dat jullie relatie onder spanning stond en dat de laatste maanden een hel voor je zijn geweest anders zou je je zelfbeheersing niet hebben verloren. Ik ga niet over je oordelen, Ruth. Ik wil het niet en ik kan het niet. Ik kan alleen oordelen over hoe je tegenover mij bent geweest, over de Ruth die ik heb gekend. En de Ruth die ik ken is een fantastische vrouw die nooit haar hand tegen mij heeft opgeheven, nooit tegen me heeft geschreeuwd en mij natuurlijk ook nooit met een fles op mijn hoofd heeft geslagen.'

Ruth voelde zich enorm opgelucht, slaakte een zucht van verlichting, alsof ze opeens veel meer fut had. Ze had Sara wel om haar nek willen vliegen en haar uit dankbaarheid en genegenheid stevig willen knuffelen. Maar dat durfde ze niet omdat Ruth – Ruth de provocatrice, de polemiste, *l'enfant terrible* – gewoon geremd was. Wat had je eraan om alles te durven in bed, achter of voor de camera, als je geen tekenen van affectie kon tonen, als je Sara en jezelf bijna overdreven sentimenteel vond, als je met je gevoelens geen raad wist, als je alleen maar als een idioot naar je bijna onaangeroerde bord *tagliatelle* kon kijken?

'Nog een ding, Ruth,' zei Sara. 'Je moet me echt beloven dat je niet meer drinkt of drugs gebruikt.'

Ze besloot nog een paar dagen langer in Barcelona te blijven om Isabel te ontmoeten. Het gevoel dat ze voor Isabel had was heel anders dan dat voor Sara of Pedro, omdat het geen vriendschap was gebaseerd op een voortdurend nauw contact zoals met Pedro, of die zich uitstrekte over vele jaren zoals met Sara. Ze zag Isabel maar af en toe en had te veel respect voor haar om heel erg familiair met haar te worden. Ze bewonderde Isabel. Door polysemische opvattingen als het woord vriendschap ontstaan absurde twijfels. Wie was een echte vriend, wie was een nog betere vriend, voor wie zou ze door het vuur gaan? Plotseling realiseerde ze zich dat ze dat niet voor Juan zou doen. Zelfs als ze geen ruzie maakten zou ze, in het uiterste geval, eerder voor Pedro dan voor Juan kiezen. Verliefdheid is iets dwangmatigs maar minder diep geworteld dan ze had gedacht. Haar verliefdheid was onder andere een vervormde spiegel geweest die haar een vertekend beeld van zichzelf had getoond. Verhoudingen, alle verhoudingen bevatten spiegelbeelden, daarin had Lacan volkomen gelijk. Bij Pedro kwam de creatieve Ruth tot leven, Sara riep een zachte en aardige Ruth op, Isabel vertegenwoordigde wat Ruth wilde zijn, ook al was Ruth zich er goed van bewust hoe gevaarlijk het kon zijn om normen te volgen. Maar Isabel leek het perfecte leven te leiden.

Ze was een succesvol directrice en had nooit kritiek gekregen, had bewezen talentvol te zijn en was de ideale compagnon – knap, gevat, een goed karakter, superintelligent en alsof dat niet genoeg was altijd gekleed volgens de laatste mode – de dochter uit de reclame – heel leuk om te zien, gracieus, slim, rustig – het tijdschriftenbedrijf – groot, licht, smaakvol en origineel ingericht... Soms was Ruth diep onder de indruk van zoveel machtsvertoon. Isabel mag veel geluk hebben gehad maar het is ook zo dat geluk nergens toe dient als daar ook niet andere factoren bijkomen: talent, inzet, doorzettingsvermogen. Ze was onder de indruk van Isabel maar werd ook aangestoken door haar zelfbewustheid, of dat gevoel had Ruth wanneer ze bij haar was, alsof Ruth een beter mens werd alleen al door in de buurt van zo'n vrouw te zijn: een vrouw die kon liefhebben en creëren.

Maar hoe kun je jezelf begrijpen in een taal van reflexen, projecties en schaduwen? De spiegel is onder andere de plaats waarin je je behoeften en verlangens herkent. Maar een spiegel vertekent, vervormt, verlicht of verduistert, vergroot of verkleint. Als hij breekt kan hij het beeld ook verbrokkelen of kapotmaken, oplossen, het streven naar eenheid en evenwicht vernielen. De tegenstrijdige waarheid van de eigen wensen weergeven.

Natuurlijk kreeg Isabel het verhaal uiteindelijk ook te horen. Het leek wel of Ruth de sluizen had geopend en het kolkende water niet meer kon tegenhouden: ze voelde dat ze het verhaal dat haar dwarszat moest spuien, ze wilde vergeving van haar dierbare vrienden, haar zelfbeeld herstellen dat Juan in gruzelementen had gegooid, in duizend stukjes van de spiegel. Maar deze keer vertelde ze alles minder geëmotioneerd, mechanisch alsof ze tijdens een interview de inhoud van een film voor de vijftigste keer uitlegde.

'Die vent is jou niet waard,' oordeelde Isabel dogmatisch, 'en je kunt hem maar beter vergeten. En natuurlijk stoppen met drinken en drugs. Luister Ruth, nu zul je me niet geloven maar binnen twee jaar zul je terugdenken aan dit gesprek en zeggen: "Wat heb ik in die vent gezien?" Nu moet je je concentreren op belangrijke dingen: bijvoorbeeld eindelijk eens dat scenario afmaken dat je Paco hebt beloofd. Hij moet wanhopig zijn.'

'Toch niet, zolang hij Menkes en Albacete heeft zal hij nooit wanhopig zijn. Ik geloof dat hij heel veel geld aan hen verdient.'

'Hoe dan ook, je moet het scenario afmaken, meteen aan het werk gaan... En nieuwe kleren kopen.'

'Nieuwe kleren kopen?'

'Inderdaad, schat. Een vrouw als jij kan geen nieuw leven beginnen zonder een nieuwe garderobe.'

Isabel hield niet erg van sympathiebetuigingen of sentimenteel gepraat, maar was heel genereus met haar tijd en haar geld. Door het bezoek kreeg Ruth weer zelfrespect, een velours mantel, een paar v-halstruien en een zilverkleurige rok. Voordat ze 's avonds in bed stapte in Isabels logeerkamer, betrapte Ruth zich op de gedachte dat Juan de rok prachtig zou hebben gevonden. En daarna dacht ze dat zij hem niet had verdiend. De rok noch het geluk om zulke vrienden te hebben. Want wat zij ook zeiden, Ruth kon het idee maar niet uit haar hoofd zetten dat haar woedeaanval geen kwestie van omstandigheden was geweest, of iets wat zo gemakkelijk te vergeten of te vergeven is, maar dat er bij haar iets mis was, een kortsluiting, een kapot mechanisme. Ze zou een bepaald aantal jaren bescheiden en eenvoudig kunnen leven, ze zou films kunnen maken en vrienden houden, maar niets zou nog leuk en bevredigend zijn, niets zou die constante pijn verlichten, niets was te vergelijken met de luchtspiegeling van Juan. Ze wilde niet leven met de gedachte dat zijzelf elk moment een ramp zou kunnen veroorzaken. Zolang zij de Ander nog in zich had zou ze eigenlijk beter dood kunnen zijn. Als ze niet al dood was.

Alsof het vanavond de laatste keer is

Bij terugkeer uit Barcelona overwoog Ruth om bij Pedro in te trekken omdat ze ertegen opzag alleen te zijn en bang was dat de muren op haar af zouden komen. Ze moest hoe dan ook aan het werk. Werk dat haar voldoening gaf en dat haar bezighield, want al die verloren tijd, die uren die ze had doorgebracht met verstandelijk redeneren, analyseren, hypotheses wagen, verklaringen zoeken, orakelen, bang zijn, blijven piekeren over haar relatie met Juan en die onder een vergrootglas houden, ontleden, al die vruchteloze analyses en overpeinzingen waren in wezen de bron van alle kwaad: eigenlijk werd ze gedeprimeerd omdat ze dacht dat ze het werd. Feitenkennis, gedachten – een combinatie van waarneming, geloof en mentale opstelling – creëerden gemoedstoestanden. Ruths mentale reacties waren niet zozeer het gevolg van acties als wel van haar interpretatie van die acties. Met andere woorden: de gedachte riep emotie op en niet omgekeerd. Ze vond dat alles fout liep, keek dan naar het verleden en zag uitsluitend de ellende die ze had meegemaakt. En als ze zich de toekomst probeerde voor te stellen, zag ze slechts leegte en eindeloos veel problemen in het verschiet liggen. Een in wezen onzinnig gevoel van machteloosheid, maar *schijnbaar* zo reëel, dat Ruth er ten slotte van overtuigd was dat ze het nooit meer zou kwijtraken. Haar depressie was niet het gevolg van exacte waarnemingen van de realiteit maar van een gedachtekronkel, van een mentale stoornis. Een foutieve, synthetische imitatie.

Ze zou zich beslist beter voelen als ze alles wat objectiever bekeek, dus belde ze Pedro en gebruikte het scenario als excuus om niet alleen te hoeven zijn. En zo zat ze het grootste gedeelte van de dag bij

Pedro thuis scènes te herschrijven en de dialogen tot in de kleinste details met hem door te nemen, wat absoluut onzin was omdat Pedro geen enkele regel van het verhaal van *Fea* had geschreven, Ruth had immers het eerste scenario zonder zijn hulp geschreven, dus waarom had ze hem dan voortdurend nodig bij de redactie van het tweede? Maar Pedro zat er niet mee en rustig en vriendelijk liet hij Ruth begaan, hij zorgde dat het eten klaarstond en er steeds Coca-Cola light (nu ze de alcohol had afgezworen) en yoghurt met aardbeien (*met* aardbeien, niet met *aardbeiensmaak*; Ruths favoriet) in de koelkast stond, enerzijds omdat hij snapte dat Ruth liever niet alleen was en anderzijds vond hij het fijn bij haar te zijn als ze aan het werk was en te horen hoe het verhaal verliep, want zo kon hij ruim op tijd onderdelen van de productie plannen.

's Nachts kreeg ze het moeilijk. Julio's aanwezigheid en zijn eeuwige rivaliteit met Ruth, die weliswaar onder een laag keurige beleefdheid en geforceerde begroetingen verborgen bleef maar die als een elektrische lading in de lucht hing, hadden Ruth ervan weerhouden onderdak te vragen. Ze wist dat ze zo lang ze wilde in de logeerkamer had kunnen bivakkeren. Het was uiteindelijk het huis van Pedro en niet van Julio en Pedro had er duidelijk geen bezwaar tegen dat ze bleef. Maar Ruth wilde geen ruzie tussen de geliefden op haar geweten hebben en daarbij was ze te trots om te vragen bij hen te kunnen blijven: ze wilde niet toegeven hoeveel verdriet ze had en wilde al helemaal niet accepteren dat dat verdriet enkel en alleen door Juan kwam.

Maar de nachten waren verschrikkelijk en duurden eeuwig. Ze kon diep weggedoken onder de lakens niet in slaap komen, terwijl de stilte de sterren hun licht gaf en heel veel wrede en verzwegen onthullingen met zich meebracht die overdag niet te horen waren omdat ze overschreeuwd werden door de bij daglicht uitgesproken woorden; tot eindelijk de ochtend aanbrak, die de sterren doofde en met zijn licht de beklemming enige rust gunde. Misschien moet de verklaring voor Ruths angst gezocht worden in die vreselijke nachten in haar jeugd, wanneer ze uit een bijzonder akelige nachtmerrie ontwaakte

– brullende monsters die met ontblote tanden achter de kleine Ruth aanzitten – en haar moeder riep die nooit kwam, nooit kon komen, het kind herinnerde zich echter een aanwezigheid met dezelfde kleur ogen en haar als zij, die heel zachtjes een slaapliedje voor haar zong waarvan ze de woorden nog kende of dacht te kennen: *If I had words to make a day for you, I'd sing you a morning shiny and new*... Omdat Ruth er niet achter kon komen waarom ze zich juist dat liedje herinnerde, dat liedje dat verder niemand scheen te kennen, nam ze aan dat ze het als baby haar moeder had horen zingen. Dat nam ze aan maar wist het niet zeker. In Ruths leven bestonden geen zekerheden.

Ze had slaappillen nodig maar daar was moeilijk aan te komen. Na de zelfmoordpoging in februari kon ze Pedro onmogelijk weer om Orfidal of Lexatin vragen. Ze zou natuurlijk naar de verzekeringsarts kunnen gaan maar niemand kon haar garanderen dat de arts die ze kreeg niet van dat voorval op de hoogte was.

'Hoe zou hij dat moeten weten?' zei de ene Ruth tegen de andere. 'Doe niet zo dwaas.'

'En waarom niet? Als hij op de computer kijkt en je ziektegeschiedenis ziet?'

'Mijn godin, Ruth, dit is de realiteit, niet een van jouw scenario's. We hebben het over het ziekenfonds en niet over de CIA.'

Hoe dan ook, het omhulsel Ruth (de persoon die een aantal met elkaar ruziënde Ruths herbergde) besloot niet naar de arts te gaan, niet omdat die arts onthullende gegevens van een denkbeeldige alwetende computer onder ogen zou kunnen krijgen, maar omdat ze het niet kon opbrengen om drie uur in La Paz op haar beurt te gaan wachten tot de meneer in de witte jas – bemiddelaar tussen hemel en hel, kwelling en rust, slapen en waken – het kostbare recept voor de rode pilletjes voor haar zou uitschrijven, de vrijgeleide naar een droomloze rust die alleen slaapmiddelen kunnen bezorgen, terwijl ze Donormyl in elke apotheek zonder recept kon krijgen of Orfidal – dat veel beter werkt dan Donormyl – in een bepaalde apotheek kon kopen waar ze een van de assistentes kende, een stamgaste van de bars in Chueca en fervent en overtuigd bewonderaarster van de regisseuse, die er niet zo mee zat om medicijnen zonder recept mee te geven.

Zo vulde ze haar dagen met woorden en haar nachten met pillen. De woorden overdag leefden op herinnering, vroegere gesprekken met Juan, vroegere beelden van Juan, vroegere trieste herinneringen, verlangens en heimwee naar Juan. Gereconstrueerde en verzonnen beelden van Juan. Leugens van en over Juan. Leugens die vroeger van Juan waren maar nu van haar. Ruth die zich leugens toe-eigent, haar enige redmiddel. Een reddingsvest van leugens. Blind is zij die het leven niet weet te zien en alleen maar vanuit het verleden weet te kijken.

Ze had een week in dit ritme geleefd toen ze een e-mail van Sara ontving:

Hallo lieverd, waar zit je toch? Ik heb je thuis proberen te bellen en zoals altijd gaat de telefoon eindeloos over, maar geen Ruth die zich verwaardigt om op te nemen. Dus heb ik ten slotte maar besloten om je te schrijven, hoewel ik een hekel heb aan dat e-mailen zoals je weet. Goed... Ik heb er lang over nagedacht of ik je zou zeggen wat ik nu ga zeggen, omdat ik weet dat het je pijn zal doen, maar ik geloof dat je het maar beter kunt weten. Gisteren belde onze gemeenschappelijke vriend Juan (gemeenschappelijk in beide betekenissen) en vertelde me zijn versie van de laatste nacht in Gijón die, zoals je wel zult begrijpen, wat afwijkt van die van jou. Zoals ik je in Barcelona al zei is het niet aan mij om te oordelen wie er hier gelijk heeft, maar na dat gesprek ben ik bijna geneigd partij te kiezen. Ik vond dat je in Barcelona de gebeurtenissen rustig en verstandig uiteenzette. (Die verstandige uiteenzetting verbaast me niets, omdat ik op de universiteit altijd al tegen je zei dat je theoretica zou worden. Ik heb me vergist.) Maar Juan vond ik gemeen over de telefoon gisteren. Heel erg gemeen. Ik zal je alle grofheden besparen die hij uitkraamde maar de tendens van dat telefoongesprek van een half uur komt in één zin samengevat hierop neer dat voor Juan de wereld beter af zou zijn zonder jou. En zoals jij me al vertelde, het gaat niet zozeer om wat hij zei maar om hoe hij het zei. Wat een agressieve toon! Je zou bijna denken dat hij drugs of zo had genomen, zo opgewonden was hij. Hij schreeuwde alleen maar en struikelde over zijn eigen woorden.

Ik ben nu absoluut overtuigd van wat ik je in Barcelona zei. Jullie passen niet bij el-

kaar. Maar ik vond dat het goed met je ging dat weekend en daarom weet ik zeker dat je alleen beter af bent, dat je niet zit te wachten op een destructieve relatie. Maak jezelf geen verwijten, want ik ken je, en zit niet te piekeren en oorzaken, schuldigen of oplossingen te zoeken. Gebeurd is gebeurd. Denk alleen aan de toekomst, die in jouw geval stralend is. En stop met drinken! En stop met stimulerende middelen (in beide betekenissen) als je niet weet waar die vandaan komen en die je aangeboden krijgt door een figuur van wie je niet weet waar hij vandaan komt.
Bel me alsjeblieft of stuur een e-mail. Ik wil weten of het goed met je gaat. En haal het vooral niet in je hoofd om Juan te bellen als je dat soms van plan was.
Ik hoop wat van je te horen. Liefs,
Sara
P.S.: Ik vond het heel gezellig in Barcelona. We moeten vaker dat soort culturele uitstapjes maken.

Ruth drukte op 'afzender beantwoorden' en schreef een brief terug:

Waar ik zit? Nou ja, ik zit hoofdzakelijk bij Pedro thuis en in gedachten. Het gaat goed met me hoewel ik vreselijk druk bezig ben met het schrijven van een scenario voor onze nieuwe film ('onze' wil zeggen van Pedro en Ruth). Ik zit de hele dag bij mijn coregisseur als een bezetene te tikken op de computer, hoewel hij, zoals je wel weet, niet durft toe te geven dat hij mijn coregisseur is, voorlopig wil hij dat nog niet weten en laat hij ons liever in de waan dat hij alleen maar cameraman is. Vraag me niet of het een goed of slecht scenario is, want ik heb geen idee. Ik weet alleen dat het nu al erg lang is: dialogen en nog eens dialogen. Mijn personages lijden aan verbale incontinentie, mijn scenario lijkt wel een film van Rohmer. Speaking of which, heb je zin om deze week mee te gaan naar de film? Ik vond het ook heel gezellig in Barcelona en nu 'onze gemeenschappelijke vriend' van het toneel is verdwenen zou ik graag onze vriendschap die IK (mea culpa) de laatste tijd heb verwaarloosd weer willen aanhalen. Ik ken je en ik weet zeker dat je het niet dat typische opportunisme zult vinden van 'de vriend verlaat me, dus ga ik maar weer naar de vriendin die ik even op een zijspoor heb gezet'. Ik had je al op een zijspoor gezet voor de bewuste vriend opdook (mea culpa bis) en na het weekend in Barcelona besefte ik dat ik je onbewust erg miste. Ik ben sentimenteel aan het worden en dat gaat me slecht af (heb je de nuchtere Ruth weer, die op de universiteit theoretica zou worden). Als je zin hebt in culturele uitstapjes sta ik tot je beschikking om mee te

gaan naar Toledo, Aranjuez, Móstoles of een narcosala in Parla :) Liefs xxxxxxxxxxx.*
Ruth

De volgende dag kwam er een e-mail van Juan:

Ik vertrek aanstaande vrijdag naar Bilbao en wil graag mijn boeken terug die nog bij jou liggen. Omdat ik je niet vertrouw kunnen we het best op neutraal terrein afspreken of je geeft ze aan Sara. Zeg het maar.

Hij had niet eens zijn naam eronder gezet.

Pas na een dag besloot ze te antwoorden. Hij had inderdaad een paar boeken bij haar thuis laten liggen, maar nooit een tandenborstel. Een tandenborstel associeerde hij waarschijnlijk met intimiteit en huiselijkheid maar boeken niet. Iedereen heeft thuis wel boeken van een vriend. Weinig mensen hebben echter een tandenborstel of een scheerapparaat van een vriend liggen. Het was ook vreemd dat hij, zoals het er nu voorstond, met alle geweld die boeken terug wilde. Juan had heel wat boeken bij Ruth thuis laten liggen, want hij had altijd een boek in zijn jaszak zitten en omdat hij voor het slapengaan graag nog las, liet hij het soms op het nachtkastje liggen. Maar was het dan, nu alles over was, zo belangrijk om tien of vijftien boeken terug te krijgen? Of was het soms een smoes om haar voor de laatste keer te zien? Ze wilde Sara niet bellen om te bemiddelen. Ze had haar vriendin al genoeg lastiggevallen. Daarbij was ze bang voor wat Juan zou kunnen doen, dat hij haar weer zou manipuleren, zou provoceren, weer tweedracht zou zaaien in een veld dat zo lang had braakgelegen en waar eindelijk weer enkele bloemen leken te groeien. 'Haal het niet in je hoofd om Juan te bellen,' had Sara geschreven. Oké, Ruth had niet gebeld. Maar een 'haal het niet in je hoofd om

* Een van de lokalen die het gemeentebestuur van Madrid aan drugsverslaafden heeft toegewezen, zodat ze een vaste plek hebben waar ze onder enigszins hygiënische omstandigheden kunnen spuiten.

Juan te bellen' betekende duidelijk een 'haal het niet in je hoofd om een afspraak te maken'. Het zou normaal zijn geweest niet eens dat briefje te beantwoorden of hem de boeken per koerier te sturen of ze niet te sturen of ze te verbranden. Wat een mooie *performance* zou dat zijn: een rituele verbranding van de boeken van de minnaar, een herziene *Fahrenheit* 451. Ruth hield zoals gewoonlijk zichzelf voor de gek en zei dat een laatste afspraak geen kwaad kon, dat hij na die slotontmoeting naar Bilbao zou gaan en het voor altijd afgelopen was. Het zou niet afgelopen zijn, waarschijnlijk zou het nooit afgelopen zijn omdat het voor altijd onuitwisbaar in het geheugen gegrift stond en zelfs al zou Ruth het op een dag ergens diep in haar geheugen kunnen wegstoppen, waar Juan niet zo erg opviel, dan zou er nog veel tijd overheen gaan voor het over was. Vooralsnog zou een ontmoeting tussen hen beiden absoluut niet ongevaarlijk of onschuldig zijn, want óf ze zouden een van hun gebruikelijke ruzies krijgen, óf hij had een van zijn charmante buien waarbij de vriendelijkheid van hem afdroop en hij haar een laatste herinnering opdrong waardoor ze hem zelfs niet af en toe zou kunnen haten, bij zichzelf kon zeggen dat ze niets had verloren, dat ze beter af was zonder hem.

Ze tikte een kort en bondig antwoord:

> *Aanstaande donderdag,* 19.00 *uur, Café Comercial (voor de verandering). You can keep me at a distance if you don't trust my resistance, but I swear I won't touch you.*
> R.

En ze verstuurde het. Toen besefte ze twee dingen. Ten eerste, dat Café Comercial wel een buitengewoon melodramatische keuze was en omdat hun eerste ontmoeting en hun verzoening in het café hadden plaatsgevonden zou het briefje de indruk kunnen wekken dat Ruth op een romantische ontmoeting hoopte die meer was dan alleen maar het overhandigen van een paar boeken (dat was ook zo, maar zoals gewoonlijk hield Ruth zichzelf voor de gek). Ten tweede, dat

Juan te jong was om te weten welk liedje Ruth bedoelde.* En zelfs als hij net zo oud was als zij zou hij het nog niet kennen. Hoewel die plaat een hit was in Engeland werd hij in Spanje toentertijd niet erg verkocht. Maar de woorden van het liedje kwamen evenals die van het slaapliedje zomaar bij haar op. Waar waren ze al die tijd gebleven, in welk verborgen hoekje van de herinnering, tot een concrete situatie ze had opgeroepen en ze met associaties opnieuw naar boven had gelokt: *All I wanna do is see you. Don't you know that it's true?* Ze wilde hem alleen maar zien. En voor deze keer was dat ontegenzeggelijk helemaal waar. Ruth snakte ernaar hem te zien, waarom zou ze dat ontkennen.

Donderdag, 19.00 uur, Café Comercial... Een halve regel in het hoofd geprent, als een mantra steeds weer herhaald, een halve regel, scheidslijn tussen overwinning en nederlaag, ze wil me zien, ze wil me nog steeds zien, ze wil me beslist zien, ze houdt van me. Juan stapte met opgeheven hoofd de bar binnen, ervan overtuigd dat hij Ruth in zijn macht had. En dat was zo, althans zo leek het. Stilletjes en beschroomd zag ze hem binnenkomen en ineens trok ze wit weg en werd zo bleek (nog bleker dan ze al was) dat haar huid wel vloeipapier leek. Hij glimlachte en verschoot ook van kleur. Bij het getemperde licht in de bar konden ze niet goed van elkaar zien welke emoties, welke gevoelens op hun gezichten te lezen waren. Ruth wist niet wat ze moest zeggen, alles wat bij haar opkwam vond ze te triviaal of overdreven melodramatisch.

'Hallo...'

'Hoe is het?'

Meer dan deze twee briljante zinnetjes schoot die twee jonge talenten niet te binnen, die grote beloften uit de kunstwereld van hun generatie, die twee van pure angst verkrampte zielen, die twee harten die een en al tegenstrijdige gevoelens waren.

'Ik heb de boeken bij me.'

* *See you*, van Depêche Mode.

'Goed...'

Juan ging bij Ruth zitten en wenkte de ober met zijn hoofd. Naast hem verkeerde een vermoeide Ruth met wallen onder haar ogen in een pijnlijke tweestrijd: zo waardig mogelijk de bar verlaten en daarmee de laatste kans verspelen zich weerspiegeld te zien in die zinnelijke ogen, in vervoering te raken van de felle glans van dat zacht golvende zwarte haar, die rechte neus te bewonderen, die lippen die haar begeerte stem en speeksel hadden gegeven... of blijven zitten en de kwelling ondergaan dat dergelijke schatten binnen handbereik waren terwijl ze wist dat ze die nooit meer zou zien. Haar wilskracht, haar onderscheidingsvermogen en haar vastberadenheid lieten haar steeds meer in de steek.

Juan vergeleek op zijn beurt de situatie met de opruiming en uitverkoop in een winkel: je gaat er vol verwachting naartoe om alleen maar tot de ontdekking te komen dat er nog slechts restanten, beschadigde spullen, kleding met foutjes in de zaak liggen. Hij had gedacht een gebroken en onderdanige Ruth aan te treffen. Nee, hij wilde niet meer naar haar terug, beslist niet, maar hij wilde op zijn minst naar Bilbao vertrekken in de overtuiging dat de roodharige nog steeds van hem hield. Hij had willen zien dat ze berouwvol, verdrietig en lijdzaam was, maar had een nuchtere en waardige Ruth getroffen die weliswaar niet het zonnestraaltje in huis leek maar evenmin een verslagen indruk maakte. Ze zouden alle twee verbijsterd zijn geweest als ze elkaars gedachten hadden kunnen lezen, die hadden kunnen vergelijken en de verbazingwekkende overeenkomsten hadden kunnen zien, omdat Ruth zich eigenlijk een restant, een uitverkoopje voelde: een kledingstuk met slordig gestikte zomen en afgerukte knopen, betast en teruggegooid door heel wat handen, gedragen en kapot.

De excuses die Juan had verwacht kwamen niet. Ruth zat alleen maar rustig naast hem en dronk met nerveuze slokjes haar dagelijkse Coca-Cola, haar lijfdrank sinds ze radicaal de alcohol had afgezworen. Een oplettende toeschouwer zou aan de nauwelijks zichtbare trilling van haar handen gemerkt hebben dat ze zenuwachtig was.

Maar Juan, die nog nerveuzer was dan zij, zag niets. Bij binnenkomst in de bar had hij verwacht dat Ruth op zijn minst op haar knieën zou vallen en vergiffenis zou vragen, maar ze zei geen woord en dat werkte op zijn zenuwen.

'Nou... hoe gaat het met je?'

'Goed... Goed, ik ben bijna klaar met het scenario. En je roman?'

'Goed...' Hij had uiteraard niets aan de proefversie gedaan sinds hij terug was uit Gijón. Vol goede voornemens ging hij achter de computer zitten, maar de woorden kwamen niet. 'Ik ben van plan de hele maand augustus te besteden aan het herschrijven van de proefversie. Met een beetje geluk kan ik de roman eind september inleveren.'

'Over twee maanden? Ben je al zo ver?'

'Ja, echt.'

'Goh, fijn voor je.'

Toen Juan Ruth achterliet in die hotelkamer geloofde hij werkelijk dat hij met zijn vertrek een punt zette achter die verstoorde relatie. Hij was er heilig van overtuigd dat het uiteindelijk de zekerheid was die licht had gebracht in de dichte nevel van zijn twijfels: Ruth was alleen maar een hysterische dwaas en hun relatie zou nooit wat worden. Het was nu alleen zaak alles op een rijtje te zetten en als hij weer de oude was er stevig tegenaan te gaan en zich op zijn werk te concentreren. Hij dacht dat hij eroverheen was. Hij dacht de pijn te hebben begraven maar het graf was niet diep genoeg of iemand had het zojuist geopend, want de nabijheid van de roodharige, haar bloedkleurige haardos, het metaalachtige licht van haar ogen die het verdriet niet had kunnen doven, die intense geur van kaneel die zijn neus binnendrong, riepen pijnlijke en gevoelige herinneringen bij hem op en maakten tegenstrijdige verlangens in hem los om haar te omhelzen of te wurgen.

'Ik moet gaan...' zei Ruth. 'Ik heb een beetje haast.'

'Heb je een afspraak?'

'Nou ja, ik ga naar een première.'

'Natuurlijk, dat was ik vergeten. Juffrouw Swanson wil voor geen goud haar hectische sociale leventje opgeven.'

Hij had haar weer bij haar achternaam genoemd, wat inhield dat hij kwaad was.

'En welke bofkont mag met je mee?' ging Juan verder.

'Er is geen bofkont, het is maar dat je het weet,' antwoordde Ruth nadrukkelijk, 'tenzij jij je daarvoor wilt lenen...' voegde ze er op het laatste moment aan toe in een wanhopige poging het verleden terug te halen, als wanneer je de gloeiende kooltjes van een bijna gedoofd vuur aanblaast om de vlammen te doen oplaaien.

Juan aarzelde. Aan de ene kant was het dwaas om na die toestand in Gijón met Ruth ook maar ergens naartoe te gaan. Maar aan de andere kant, wat had hij te vrezen? Er zouden allemaal mensen om hen heen zijn, zodat hij niet bang hoefde te zijn voor een gewelddadige actie van de roodharige: ze verloor nooit haar zelfbeheersing in het openbaar. Trouwens, hij zou binnenkort teruggaan naar Bilbao en wie weet wanneer hij weer de gelegenheid kreeg om naar Madrid te komen. En zelfs als hij terugkwam zou hij zonder Ruth toch geen premières kunnen bijwonen, geen lichten, geen spots en geen televisiecamera's meer zien, geen decolletés van de starlets, noch dat frivole gedoe dat hij zo leuk vond.

'Luister, we hadden in een café afgesproken zodat hij zijn spullen kon meenemen, daarna hebben we een tijdje zitten praten en ging hij met mij mee naar de première van de film van Santesmases, De bron... Ik weet niet hoe die heette. Iets met een bron in ieder geval. Een beetje onbegrijpelijke film, maar dat heeft er niets mee te maken. Daarna gingen we naar het bekende premièrefeestje en kwamen we Juanito tegen.'

'Welke Juanito?'

'Je weet wel, Juanito; Juanito Zonder Vrees, de acteur.'

'O die.'

'En ik had gedronken, je weet dat ik tenslotte altijd drink als ik naar dat soort feestjes ga, en ja, ik weet wat je gaat zeggen, dat ik niet had moeten drinken, maar zodra ik ergens binnenkom waar het stampvol is word ik waanzinnig bang, krijg ik ruimtevrees of hoe je dat noemt en als ik niet drink gaan mijn handen heel erg trillen.'

'Ik heb je al gezegd dat je niet meer naar premières moet gaan.'

'Ja, maar ik was het niet van plan. Juan wilde zo graag. Je weet dat hij het geweldig vindt tussen bekende mensen te verkeren.'

'Je bent nou eenmaal een verhouding begonnen met de ergste streber die er in de hofstad rondloopt.'

'Ik heb geen verhouding met hem.'

'In ieder geval besef je nog wel wat voor figuur hij is.'

'Ja, ik weet hoe hij is, ik weet dat hij graag naar dat soort gelegenheden gaat en daarom heb ik hem meegenomen, dat heb ik altijd gedaan... Toen ik dus drie glaasjes ophad kwam Juanito eraan, die allerliefst was, en begonnen we bij wijze van grap wat te flirten, eigenlijk deed ik dat alleen maar om Juan jaloers te maken.'

'Maar, hoe kon je hem jaloers maken met Juanito, een superhomo?'

'Ja, dat weet ík, maar Juan niet. En Juanito is een knappe man en hij heeft geen vriend, dus leek hij me er perfect voor.'

'Nou, ik begrijp niet waar die rare spelletjes goed voor zijn.'

'Luister, ik ook niet, maar als ik drink ben ik niet de rationele Ruth, maar de overmoedige Ruth, en ik ben ziek van jaloezie geweest vanwege de vriendin die hij in Bilbao heeft en nu, hoe zal ik het zeggen, wilde ik het hem graag betaald zetten, zodat hij zou beseffen dat ik wel zonder hem kon, dat ik een nieuw leven kon beginnen...'

'Ik betwijfel heel erg of jij of welke vrouw dan ook dat met Juanito Zonder Vrees kan.'

'Nou, na een tijdje was ik heel erg klef aan het doen met Juanito en ik hoef je niet te vertellen dat hij het spelletje graag meespeelde. Ik besefte dat de ogen van Juan uit zijn kassen vielen en waarschijnlijk ging ik te ver. In ieder geval bracht hij me toch naar huis en midden in de hal begon hij me enorm, gigantisch op mijn donder te geven, en hij vroeg of ik wilde neuken met Juanito, waarop ik zoals je zult begrijpen antwoordde met welk recht hij me dat vroeg, en opeens gaf hij me een duw waardoor ik op de grond viel en hij rende weg, inderdaad hij rende met enorme grote stappen weg en ik probeerde achter hem aan te gaan, maar tevergeefs, en toen zag ik dat hij een taxi nam en wist ik dat hij naar het studentenhuis ging...'

'De rest weet ik.'

'Hoe weet je dat?'

'Dat weet ik omdat jouw lieve vriend de brutaliteit had om op het colloquium te verschijnen en aan eenieder die het maar wilde horen vertelde hoe jij de avond daarvoor naar het studentenhuis was gekomen om luidkeels de boel op stelten te zetten.'

'Dat klopt. Ik was hem gevolgd en begon onder zijn raam te schreeuwen dat hij naar beneden moest komen. Maar hij kwam niet, terwijl de lichten in alle kamers aangingen. Ik moet de halve wereld wakker gemaakt hebben en ten slotte kwam er een bewaker naar buiten die me eruit gooide en ging ik naar huis.'

'Hij is een klootzak. Waarom moet hij zo'n privé-verhaal rondbazuinen. Bovendien droop de trots als zweet van die rotzak af. Hij vond het prachtig om overal te verkondigen dat Ruth Swanson in hoogsteigen persoon was gevallen voor hem, een vent van niks. Wat ik je zeg, een etterbak en een waardeloze streber. En waag het niet het hem te vergeven, want ik ken je.'

'Dat was ik niet van plan. Nou goed, ik kwam stomdronken thuis en op dat moment ging de telefoon. Hij was het en schold me uit voor alles wat mooi en lelijk was. Dat ik een hysterische gek was en een exhibitioniste, dat ik met mijn leven hetzelfde deed als met mijn films, dat ik een verbitterde oude vrijster was, dat ik waardeloos was, als artieste en als mens...'

'En waarom hing je niet op?'

'Dat kon ik niet. Want ik geloofde alles wat hij zei. Soms geloof ik dat echt. Dat ik nergens voor deug, niet als mens en evenmin als artieste. En het was alsof de stem van mijn geweten sprak, van mijn kwade geweten, van mijn zwartste geweten, dat het minst van mij houdt, de duisterste kant van mijzelf, en ik liet hem maar praten en zei niets. En het gekke is dat hij niet ophield, ik weet niet waar hij het allemaal vandaan haalde, het was een woordenvloed; de woorden stroomden naar buiten, ze buitelden over elkaar heen en zo ging hij bijna een half uur door en het ergste was niet wat hij zei maar de toon, de agressieve toon waarop hij sprak was nog dreigender dan zijn woorden, en opeens was het mij volkomen duidelijk dat mijn leven geen enkele zin had. Je weet niet hoe pijn alles mij deed, mijn hart, mijn hoofd, mijn oren; ik voelde mijn slapen kloppen, het deed me pijn te denken, te weten dat hij gelijk had, en toen hoorde ik opnieuw heel duidelijk dezelfde stem die in het Engels tegen me sprak en heel zachtjes zei, dat het 't beste was om er een eind aan te maken, en ik wist waar de pillen lagen, in het laatje van mijn nachtkastje, en opeens herkende ik de stem, ik weet niet hoe ik wist dat zij het was, ik weet niet of ik de klank van die stem ergens in een diep verborgen plekje van mijn onderbewustzijn had opgeslagen, maar ik wist dat het haar stem was, dat het haar stem was...'

'Wier stem?'

'De stem van mijn moeder.'

3

Het zichtbare en het onzichtbare

Mijn existentie is trouw aan de essentie die verdwijnt:
De enige werkelijkheid; in het zichtbare leeft (...)
En leeft in het onzichtbare dat vlees wordt.

Francisco Brines, *La ronda del aire*

Wat de psychoanalyticus Ruth vertelde

Hoewel Ruths tweede zelfmoordpoging vergeleken bij de eerste slechts een te verwaarlozen overdosis was, waarbij haar maag niet leeggepompt hoefde te worden en alleen de schrik overbleef, vatte Judith het op als een buitengewoon ernstige zaak die dringend haar zusterlijke inmenging vereiste. 'Je kunt niet alleen in dat huis blijven, Ruth,' hield ze vol door de telefoon. 'In geen geval. Papa en ik zullen geen rustige dag meer hebben.'

De zomervakantie kwam eraan en Judith had al plannen gemaakt, dezelfde als elk jaar. Ze had een huis gehuurd in Zahara de los Atunes, hetzelfde als elk jaar, voor de maand augustus, zoals elk jaar en daar zou ze met haar man, haar vader en de kinderen, dezelfde rataplan als elk jaar, naartoe gaan. Maar Ruths overdosis had roet in het eten gegooid. Als Ruth in Madrid bleef, hoe konden zij dan op zeshonderd kilometer afstand zitten, overdacht Judith, die ervan overtuigd was dat Ruth hen vroeg of laat weer de schrik op het lijf zou jagen en dan was er niemand in de buurt om met haar naar het ziekenhuis te gaan.

'Mijn godin, Judith, je praat alsof ik dagelijks pillen slik.'

'Neem me niet kwalijk dat ik het zeg, maar daar komt het wel een beetje op neer. En schei uit met dat mijn godin want dat klinkt afschuwelijk. Zeg mijn god of zeg niets.'

'Je begint de ochtend goed...'

'Je moet begrijpen dat ik het eng vind om je alleen in Madrid achter te laten. Waarom ga je niet met ons mee naar Zahara? Dat zal je goed doen, je zult het zien. En je leert een heleboel mensen kennen...'

De kennissenkring beperkte zich tot een *troupe* veertigers met kinderen waar Ruth niet zo erg in geïnteresseerd was. Elk jaar kreeg ze dezelfde uitnodiging en elk jaar sloeg Ruth haar af door met verschillende redenen aan te komen: werk, lopende afspraken, een reis naar Londen die Ruth voor die gelegenheid verzon. Soms ging ze om Judith en haar vader te plezieren een weekend naar Zahara, maar omdat ze niet zo gewend was om plek en privé te delen, had ze er na een paar dagen al genoeg van om na te denken bij alles wat ze zei, niet te vloeken in het bijzijn van haar vader of haar nichtjes en geen netelig onderwerp aan te snijden (politiek, feminisme, abortus, geloof...) in het bijzijn van haar zwager die vanaf dat hij mocht stemmen op de PP* stemde en erop stond dat zijn dochters naar een nonnenschool gingen. Ruth kon niet eens lekker langs het strand lopen omdat ze als natuurlijke roodharige meteen verbrandde.

'Ik heb het je al twintig keer gezegd. Ik kan niet naar Zahara komen omdat ik in september een scenario moet inleveren.'

'Dan neem je een laptop mee en schrijf je het daar. Een betere omgeving zul je niet vinden, meisje.'

'Ja, ik kan lekker schrijven met de meisjes die heen en weer rennen, de televisie die keihard aanstaat, het lijkt wel of papa doof is...'

'Hij is inderdaad doof...'

'Nou, dat bedoel ik, ik kan alleen maar onder bepaalde omstandigheden werken, dat moet je begrijpen, trouwens ik werk met Pedro, ik moet vaak met hem overleggen dus hij moet in de buurt zijn...'

'Maar Ruth, hoe kun je in augustus in Madrid blijven? Je smelt! Zelfs kakkerlakken houden het niet uit bij veertig graden in de schaduw! Die arme beesten rennen halfdood over de trottoirs op zoek naar frisse lucht omdat ze worden geroosterd in de rioleringen...'

'Als de kakkerlakken het uithouden, kan ik dat ook.'

Maar Judith hoorde niet tot het soort dat gemakkelijk te overtuigen was. Ze stelde haar vertrek dat op 2 augustus was gepland zelfs uit om een driekoppige vergadering te beleggen – vader en zijn twee dochters – in het vroegere ouderlijk huis. Ruth vond dat familie-etentje

* Noot v.d. vert.: Partido Popular.

een beetje een vreemd idee, ze kwamen immers altijd in Judiths huis bij elkaar, soms een weekend of ter gelegenheid van een feestelijke gebeurtenis in de familie zoals verjaardagen, Kerstmis of vaderdag.

Ruth veronderstelde dat de redenen dat haar vader in het huis in Puerta de Hierro was blijven wonen dezelfde waren als die waarom zij ervan afzag de vakanties in Zahara door te brengen: dat haar vader gewoon een eigen plek nodig had en zich niet prettig voelde tussen al dat rumoer en ook omdat hij een man was die gewend was te doen en te laten wat hij zelf wilde en niet afhankelijk wilde zijn. Haar vader was nog goed bij de tijd en redde zich prima in zijn eentje en vond dat waarschijnlijk ook fijn. Hij las, wandelde, had veel sociale contacten. Je gaf hem zijn leeftijd niet, hij had nauwelijks kwaaltjes en vanaf zijn pensionering zou je bijna zeggen dat hij jonger werd in plaats van snel te verouderen en zienderogen te verschrompelen zoals veel anderen. Als Ruth niet zo goed wist hoe sober haar vader was, zou ze bijna denken dat hij een of andere behandeling had ondergaan. Om kort te gaan, haar vader was gelukkig – zo gelukkig als een gereserveerd man als hij kon zijn – alleen en als hij zijn eigen gang kon gaan. Eigenlijk leek Ruth veel meer op hem dan ze wilde toegeven. Een vader van twee verschillende, totaal verschillende vrouwen, tenminste op het eerste gezicht. Of alleen op het eerste gezicht?

Het huis in Puerta de Hierro was bijna nog hetzelfde als toen Ruth er wegging. Er kwam dagelijks een hulp en nu er nog maar één persoon woonde zag de woonkamer er keurig opgeruimd uit. Het diner was besteld bij *Mallorca* omdat haar vader niet kon koken. Hij had weleens een ei gebakken. Het was natuurlijk gemakkelijker geweest om bij Judith thuis te eten, maar het onderwerp waarover Ruths zus het wilde hebben, leende zich daar blijkbaar niet voor of misschien wilde ze daar in het bijzijn van haar man niet over praten. Dus daar zaten ze dan, in die ruimte die ze jarenlang hadden gedeeld, hun vader zat in de woonkamer zoals gewoonlijk, Judith liep bedrijvig heen en weer naar de keuken om de tafel te dekken (ze had Ruths hulp geweigerd omdat ze het alleen wel af kon) en Ruth (de Ruth die volgens haar eigen zus niet eens zoiets eenvoudigs kon onthouden als hoe bestek op tafel neergelegd moest worden) zat in een ongemakkelijke houding, met haar rug kaarsrecht tegen de leuning van de stoel, de knieën bij elkaar, alert en afwachtend, terwijl ze zich afvroeg wat voor belangrijks ze haar in 's hemelsnaam te vertellen hadden en het laatste zonlicht melancholisch uit de kamer verdween.

Eindelijk was de tafel gedekt en Judith die speelde of ze in een feestelijke stemming was maar dat overduidelijk niet was (Judith miste het acteertalent van Ruth), ontkurkte een fles Vega Sicilia.

'Nou... op ons dan, hè? Op de familie,' proostte ze na de glazen gevuld te hebben.

Haar zus stond op het punt niet mee te proosten en te zeggen dat ze niet meer dronk maar ze vond dat niet gepast, dus hief ze haar glas met een gelegenheidsgezicht en maakte alleen haar lippen vochtig met de wijn. Niet meedoen met proosten zou aanleiding geven tot misverstanden, en de toestand was er niet naar dat Ruth met alles tegen de familie in kon gaan.

Daarna serveerde Judith heel stijlvol de salade zoals het een oudleerlinge van de Irlandesas betaamt. Het moest Ruth wel opvallen dat haar vader er bijna niets van at.

Het was Judith die zoals te verwachten viel het ijs brak.

'Over jouw plan om in augustus in Madrid te blijven...'

'Daar hebben we het al vijfhonderd keer over gehad. Ik zal me voorbeeldig gedragen, ik zal je elke dag bellen om te bewijzen dat ik nog leef en doorwerk, ik zal alleen maar schrijven, eten en slapen en ik verzeker je dat Pedro mij in de gaten zal houden, hoewel ik je dat op mijn leeftijd niet zou hoeven uitleggen. Ik geloof dat ik volwassen ben en aan niemand rekenschap hoef af te leggen.'

'Je praat of wij daar schuldig aan zijn,' zei haar vader. Zijn stem klonk hol en bedroefd, al gebroken door zijn leeftijd en het leek of er in zijn mond, in die holte met dat porseleinen gebit, duizenden belletjes speeksel tegen elkaar aankwamen, een vreemd geluidseffect dat verdubbeld leek te worden door een verborgen microfoon. 'Je zult moeten begrijpen dat het heel normaal is dat wij ons zorgen over je maken. Sterker nog, ik geloof dat je ons dankbaar zou moeten zijn, vooral je zus. Nog daargelaten dat je, hoe volwassen je ook bent, zonder mij nog op de psychiatrische afdeling van een ziekenhuis zou liggen, en daar zou je zeker geen scenario kunnen schrijven.'

De krulandijvie bleef in Ruths keel steken. Door een onverklaarbare emotie kreeg ze een knoop in haar maag, tranen welden op en ze werd vuurrood. Ze nam een slokje wijn om zich niet te verslikken en tijd te rekken omdat een eventuele confrontatie met haar vader zo heftig zou zijn dat ze opeens drank nodig had, waar ze de laatste weken van af had gezien. Op dat moment leek het wel of ze haar vader haatte (niemand waardeert degene die de waarheid recht in je gezicht zegt), maar dat gevoel kon zij zich nu niet permitteren: zoals hij haar er zojuist aan herinnerde (heel cru natuurlijk) had ze ten slotte niet alleen haar leven aan hem te danken (want het was zijn sperma – tot iemand het tegendeel bewees – dat het eitje had bevrucht waaruit Ruth later zou ontstaan), maar ook haar vrijheid.

'Hoe dan ook,' Ruth sprak met een stem die uit een geheim plekje te voorschijn kwam waar ze haar zelfbeheersing had opgeslagen voor uitzonderlijke gevallen zoals deze, 'zoals ik Judith al duizend keer heb uitgelegd moet ik in september een scenario inleveren en in Zahara heb ik niet de mogelijkheden, de ruimte of de rust om te schrijven, en Pedro kan zonder mij niet verder...' Haar stem begaf het en haar belerende toon werd smekend. 'Je moet het begrijpen. Ik moet werken om te leven.'

'Niet echt. Je kunt financieel op mij rekenen, dat weet je wel.'

'Jouw geld is van jou en niet van mij. En wanneer ik zeg dat ik moet werken om te leven, bedoel ik dat niet alleen financieel. Begrijp je dat niet? Ik weet dat het afgezaagd klinkt dat je je wilt ontplooien, maar werk is altijd mijn uitlaatklep, mijn motor geweest. Als ik niet werk dan moeten jullie je echt zorgen gaan maken, dan ben ik pas echt depressief.'

'Doe geen moeite, ik begrijp je. En ik weet niet of het je is opgevallen maar vandaag hebben we niet geprobeerd je over te halen naar Zahara te komen. Daar wilden we het niet met je over hebben. Maar je viel je zus in de rede voordat zij de gelegenheid had om je te vertellen wat ze wilde vertellen.'

'Sorry, toe maar Judith, zeg maar wat je me wilde vertellen.'

'Nee, laat maar, ik doe het,' onderbrak hun vader.

Hij was steeds dichter naar Judith toe gekomen alsof hij zich lichamelijk zo wilde opstellen dat hij dichter bij zijn bondgenote stond.

Het viel Ruth op hoeveel vader en dochter op elkaar leken: dezelfde zwarte ogen, dezelfde dunne lippen, haviksneus, hoog voorhoofd, schichtige blik: de trekken en gebaren van de een herhaalden zich in de ander. Ruth was daar het buitenbeentje en was zich bewust van de verontrustende nabijheid van die twee alsof zij een vijandig leger vormden.

'Ik geloof dat je vriend je al heeft verteld wat er in het ziekenhuis is voorgevallen, is het niet?'

'Zo ongeveer.'

'Het personeel daar stond erop dat je op de psychiatrische afdeling bleef. Maar ik heb een heel goede vriend van me uiteindelijk kunnen bereiken. Misschien heb je weleens van hem gehoord: dokter Alcázar del Pino.'

'De naam komt me bekend voor.'

'Hij was directeur van het Gómez Ulla. Hij is professor psychiatrische geneeskunde op de Complutense. Heeft diverse boeken geschreven over psychiatrie en ook een paar over psychoanalyse en literatuur en is medewerker van diverse gespecialiseerde tijdschriften...'

'Een grootheid, dus.'

'Hij heeft veel talent en is heel ruimdenkend, geloof me. Hij is een van de intelligentste mannen die ik ken. Hij is met het ziekenhuispersoneel gaan praten. Daarom hoefde je niet ter observatie te blijven. Dat heb je toch wel begrepen, hè?'

'Ja... ja, dat heb ik begrepen. Dank je. Ik ben je echt heel dankbaar. Maar in het ziekenhuis overdreven ze. Ik hoefde daar echt niet te blijven.'

'Daar kunnen wij niet zeker van zijn, Ruth. Vooral omdat het niet de eerste keer was.'

'Maar...'

'Geen gemaar. Kijk Ruth, ik wil je het volgende voorstellen: ik ga ermee akkoord dat je niet naar Zahara komt maar dan moet je me beloven dat je met Alcázar del Pino gaat praten. Hij kan je het soort therapie aanraden, of wat in jouw geval het meest geschikt is, omdat hij er meer verstand van heeft dan wij, dan Judith, ik of jijzelf. Hij gaat vrijdag met vakantie maar wil je ontvangen wanneer het jou uitkomt. Morgen al, als dat moet. Wij zijn al heel lang bevriend en ook al kent hij je niet persoonlijk, toch wil hij tijd voor je vrijmaken.'

'En als ik met die meneer ga praten beloof je me dan dat je niet meer aandringt over Zahara?'

'Ik kan niets beloven, maar als hij er geen bezwaar tegen heeft dat je hier blijft zal ik niet langer aandringen.'

'Oké dan. Geef me zijn telefoonnummer, dan beloof ik dat ik hem morgenvroeg meteen bel. Ben je dan geruster?'

'Veel geruster.'

Het kantoor of de praktijk of hoe je in vredesnaam de ruimte van die dokter moet noemen lag in de Calle Zurbano. Ruth had weinig zin om ernaartoe te gaan, deels omdat haar vorige therapeutische ervaringen nogal vruchteloos waren gebleken, deels omdat ze nooit veel vertrouwen had gehad in een mannelijk therapeut. Een vooroordeel natuurlijk, maar het is niet makkelijk te vechten tegen vooroordelen. Van een vrouw kon je meer begrip op bepaalde gebieden verwachten (multi-orgasmen, premenstrueel syndroom, ontharingscrèmes, laag zelfbeeld...) waar mannen a priori geen benul van hadden.

Toen die meneer de deur opendeed viel zijn leeftijd haar op: een gerimpeld gezicht als verfrommeld papier dat (op zoek naar een verloren telefoonnummer) weer uit de prullenbak was gehaald waar iemand het als een propje in had gegooid; een volkomen maar nog volle en zelfs sexy witte bos haar, een haardos die een bepaalde erotische aantrekkingskracht had op het soort vrouwen dat last had van bovarysme of een oedipuscomplex en viel op oudere mannen. Daar had Ruth natuurlijk geen last van. Later bedacht ze dat als de dokter een vriend van haar vader was hij rond de zeventig moest zijn. Maar tegenwoordig gaan de mensen met vijfenzestig met pensioen, zei Ruth tot zichzelf. Hij moest dus wel iets jonger zijn. Daarom gaf ze hem ongeveer zestig jaar.

'Goedemiddag. Ik ben Ruth Swanson,' zei ze. 'Ik bedoel Ruth de Siles.'

'Het is me een genoegen. Ik verwachtte u al.' Hij stak een slappe rimpelige hand uit; een hand met ouderdomsvlekken op rug en knokkels die zij bezorgd drukte om tot haar verwondering te ontdekken dat hij buitengewoon warm en teder was. 'Komt u verder, alstublieft,' en hij gebaarde met zijn hoofd naar Ruth dat zij binnen kon komen.

Er was daar geen verpleegster, geen speciale ruimte voor een receptioniste, geen wachtkamer en geen andere patiënten. Hij was dus geen arts die spreekuur houdt. Het was ook geen privé-huis, maar een kleine studio met grote ramen en functionele vormgeving en slechts een vertrek. Dat soort *loft* was smaakvol ingericht, had iets Amerikaans en *arty* dat helemaal niet paste bij de leeftijd die Ruth dacht dat de dokter moest hebben. Misschien heeft hij deze studio gehuurd om rustig te kunnen werken, want ze dacht niet dat zo'n man een liefdesnestje had. Ze stelde zich thuis een vrouw en een paar opgroeiende kinderen voor, huishoudelijke beslommeringen, geluiden die hem zouden hinderen bij zijn onderzoeken of zijn essays. In een hoek stond een grote zwarte sofa en een laag tafeltje waarop her en der wat tijdschriften lagen. In de andere hoek stond een L-vormig bureau met aan een kant een leren fauteuil en een stoel aan de andere. Als ik in die fauteuil ga zitten wordt het een vriendschappelijk gesprek, dacht Ruth. Als wij aan het bureau gaan zitten wordt het een consult. Hij besloot dat ze aan het bureau gingen zitten en vroeg haar in de stoel plaats te nemen, terwijl hij zich in zijn fauteuil nestelde.

De studio werd verlicht door de zomerse middagzon, warm, zacht en perzikkleurig. Alles zag er schoon en gezellig uit, maar Ruth had weinig aan dat binnenvallende licht en de minimalistische omgeving omdat ze bloednerveus was. Ze vond het jammer dat ze niet rookte. Een sigaret zou nu heel goed van pas komen, zou de spanning wat wegnemen en een excuus geweest zijn voor een niet verbaal gesprek in zo'n uitzonderlijke situatie wanneer twee onbekenden het moeten hebben over het privé-leven van een van hen.

'Nou, wat wilt u weten...' zei Ruth.

'Allereerst wil ik duidelijk stellen, juffrouw De Siles, dat ik hier niet beroepsmatig zit maar als vriend van uw vader.'

Het was jaren, echt jaren geleden, sinds haar schooltijd, dat iemand Ruth bij haar vaders achternaam noemde. Ze vond het moeilijk zichzelf daarin te herkennen.

'Dat is belangrijk,' ging de dokter verder, 'omdat u hier niet bent gekomen voor een diagnose maar omdat uw vader vond dat ik misschien, als vriend van de familie, in staat zou zijn om u te adviseren over een eventueel te volgen therapie zoals de artsen u na de laatste keer dat u medicijnen had ingenomen hebben aangeraden en zoals uw vader graag wil... Wat die therapie betreft geloof ik dat u goed moet begrijpen dat, ook al lijkt me dat een goede oplossing en ik de eerste ben om zoiets voor te stellen, u daar zelf achter moet staan en het niet moet doen omdat uw vader dat wenst.'

Ruth knikte. Ze wist niets te zeggen.

'Maar ik geloof dat u moet praten en niet ik.'

'En waar moet ik het over hebben?'

'Misschien is het het beste als we beginnen met de redenen waarom u een einde aan uw leven wilde maken.'

'Ik heb geen zelfmoord willen plegen, althans niet de tweede keer.'

'Goed, wilt u dan zo vriendelijk zijn mij het verschil tussen de eerste en de tweede keer uit te leggen. Ik veronderstel dat u het over uw twee zelfmoordpogingen heeft. Twee binnen vijf maanden, heb ik begrepen.'

'En ik veronderstel dat alles wat ik u vertel binnenskamers blijft.'

'Dat spreekt vanzelf. Dat is beroepsgeheim.'

'Ik dacht dat we hadden gezegd dat het geen consult zou zijn.'

'Ook dan.'

'Trouwens, wilt u me tutoyeren? Dat ben ik zo gewend.'

'Ik zal het proberen. Wil je me nu alsjeblieft uitleggen wat je zojuist probeerde te vertellen. Ik heb begrepen dat je zei dat het niet de bedoeling was om zelfmoord te plegen toen je de pillen nam. Of de tweede keer in ieder geval niet zoals je zei.'

'Niet echt nee. Ik weet niet hoe ik het moet uitleggen. Eigenlijk heb ik er zelf geen verklaring voor... Nou, ik veronderstel dat u als vriend van de familie, zoals u zegt, weet dat mijn moeder is overleden toen ik vier jaar oud was.'

'Ja, natuurlijk. Ik heb haar gekend.'

'Echt waar?'

'Ja, maar laten we daar een andere keer over praten als je het niet erg vindt. Ga door met je verhaal.'

'Goed, de avond dat ik de pillen nam, ik... ik... Eigenlijk weet ik niet goed hoe ik het moet zeggen. Het is zo dat... ik mijn moeders stem hoorde.'

'En hoe wist je dat het de stem van je moeder was? Je kunt je haar stem toch onmogelijk herinneren?'

'Ik wist dat zij het was. Ik ben er eigenlijk van overtuigd dat zij het was. Ze sprak in het Engels tegen me. En bovendien herinner ik me haar stem. Ik heb me die al die jaren herinnerd. Toen ik klein was zong ze een slaapliedje voor me. Een liedje dat ik nog ken, het eerste couplet in ieder geval, een liedje dat ik niet ben vergeten, evenmin als haar stem.'

If I had words to make a day for you, I'd sing you a morning shiny and new... Ze had het bijna hardop gezongen, maar ze neuriede het alleen maar zachtjes in zichzelf. Ze moest zich goed gedragen zodat deze meneer naderhand haar vader niet zou bellen om te vertellen dat zijn dochter inderdaad gek was, nog gekker dan zij al vermoedden.

'Goed, laten we aannemen dat het mogelijk is dat je je zoiets moeilijks als de toon en het timbre van een stem herinnert, te meer daar het een herinnering van zo lang geleden is, nog van voor dat je vier jaar was. Volgens u, ik bedoel volgens jou, wat zei je moeder volgens jou?'

'Dat ze op me wachtte, dat ik bij haar moest komen, dat het beter was dat ik dat zou doen.'

'En je denkt dat het echt de stem van je moeder was? Weet je zeker dat je moeder je riep?'

'Ik geloof niets meer. Rationeel gezien zou de enige uitleg zijn dat het een hallucinatie was. Ik zou moeten denken dat ik mijn moeder niet heb gehoord maar dat ik ijlde. Maar als de halve mensheid in God en het eeuwige leven gelooft, en in zaken zoals verschijningen van de Maagd, wonderen, de onfeilbaarheid van de paus, heilige koeien, reïncarnatie, bloed van de Heilige Pantaleon dat elk jaar op een bepaalde datum vloeit... waarom zou ik dan niet geloven dat mijn moeder mij riep vanuit het hiernamaals waar zoveel mensen in geloven?'

'Dat is een goede vraag. Een vraag die de deur opent naar twee mogelijke hypotheses en naar nog meer waarschijnlijk. De eerste hypothese zou zijn dat, zoals jij zegt, die stem toebehoort aan de geest van je moeder. De tweede dat het om een projectie gaat. Dat wil zeggen dat in een crisissituatie, in een plotselinge ondraaglijke angst, waarin je niet in staat bent de verantwoordelijkheid te nemen voor zoiets als een zelfmoord, je eigen geest een luchtspiegeling creëert om iets te doen dat een deel van jou afkeurt. Kun je me volgen?'

'Ja natuurlijk. Ik ben niet achterlijk.'

'Dat heeft niemand gezegd. Integendeel, ik ben me er goed van bewust dat je heel intelligent bent.'

'Dank u. Ik zie niet in waarom.'

'Geen dank. Het is geen vleierij maar de erkenning van een objectieve eigenschap. In elk geval, Ruth, laten we voorlopig hypothese nummer een terzijde leggen en ons houden aan nummer twee, niet omdat we zeker weten dat die waar is maar omdat die mij als werkhypothese op het ogenblik bruikbaarder lijkt dan de eerste, kun je me volgen?'

'Uitstekend.'

'Goed, dan moet ik je vragen of je op het moment dat je je moeders stem hoorde onder erge spanning stond of een pijnlijke beklemming voelde die moeilijk te verdragen was.'

'Ja, dat was zo.'

'En had je gedronken of was je onder invloed van een of ander psychofarmacon?'

'Ik had gedronken.'

'Veel, neem ik aan.'

'Behoorlijk.'

'Goed... Ruth, ook al sluiten we de eerste mogelijkheid niet helemaal uit, zul je het met me eens zijn dat het wel heel toevallig is dat je moeder tegen je praat juist op de dag dat je heel gedeprimeerd bent en hebt gedronken. Dat neigt dus meer naar hypothese twee.'

'O nee. Als we ons aan de eerste hypothese houden, dat wil zeggen dat de geest van mijn moeder tegen mij sprak en dat het niet een projectie in mijn hoofd was, zou het helemaal niet zo vreemd zijn dat mijn moeder met een oplossing komt op het moment dat ik me ellendig voel. Dat zou ze niet doen als ik me goed voelde, gelukkig en blij was, en haar niet nodig had. En wat dat drinken betreft, dat doe ik wanneer ik gedeprimeerd ben.'

'Dat is niet goed. Dat zal iedere therapeut je vertellen. Aan de andere kant praat je over de dood als een oplossing, ik weet niet of je dat beseft.'

'Ik volg u in het spel met de hypothetische argumenten. Eigenlijk geloof ik ook en wil ik geloven dat het een hallucinatie was. Maar dat zal ik nooit helemaal zeker weten.'

'Niemand probeert je hier van wat dan ook te overtuigen. We praten alleen nog maar, werken met hypotheses, dat heb ik je verteld. Nu wil ik je een andere vraag stellen: wat herinner jij je van je moeders dood? Ik bedoel, herinner je je de precieze dag van haar overlijden.'

'Niets, daar herinner ik me niets van.'

'Je herinnert je niet meer de dag waarop zij stierf? De situatie, wat je voelde?'

'Nee, daar weet ik niets meer van, dat heb ik u al verteld.'

'Goed, vertel me dan over je moeders dood. Alles wat er in je opkomt over haar dood. Het eerste dat je te binnen schiet.'

'Mijn moeder stierf door een auto-ongeluk. Dat hebben ze me altijd verteld. Meer weet ik niet. Ik weet niet waar ze vandaan kwam of waar ze naartoe ging, in welke auto ze reed, of die van haar was of van mijn vader, het type niet, of er iemand bij haar in de auto zat, of ze buiten reed of in de stad, ik weet niet eens of ze zelf reed of naast de bestuurder zat. Ik wil u wel vertellen dat alles bij elkaar het verhaal van het auto-ongeluk zwak overkomt, onnatuurlijk, onecht, het zit slapjes in elkaar als een kartonnen huis dat op een toneeldecor zweeft. Het lijkt het werk van een slecht scenarioschrijver. Er zijn geen andere personen in het spel, de plot zit slecht in elkaar, het verhaal klopt niet...'

'Dat wil zeggen, je twijfelt of het verhaal van het ongeluk waar is?'

'Ja, dat heb ik vaak gedacht. Daar ontkwam ik niet aan. Het is net zoals het verhaal dat ik duizend keer heb gehoord over het jongetje tegen wie ze vertelden dat zijn vader dood was en dat toen hij groter werd en er geen enkele foto van zijn vader te vinden was, niemand die hem had gekend, niemand die hem kon vertellen waar zijn vaders graf was, begint te twijfelen aan de uitleg van zijn moeder over zijn overleden vader, en gaat recapituleren en uiteindelijk tot de ontdekking komt dat er nooit een vader was of beter gezegd dat hij er wel was maar dat hij nooit met zijn moeder is getrouwd en dat ze hem hadden verteld dat zijn vader was overleden om hem niet te hoeven zeggen dat hij de zoon van een ongehuwde moeder was.'

'Maar er zijn geen ongehuwde vaders, Ruth. Jouw moeder was wel getrouwd met jouw vader.'

'Ja, dat neem ik aan. Maar al die geheimzinnigheid rond de dood van mijn moeder zette mij ook aan het denken. En het feit dat niemand over haar sprak, dat we mijn grootouders van moederskant niet kenden... Dat was allemaal heel vreemd. Lange tijd heb ik geloofd dat mijn moeder leefde, dat ze weg was gegaan bij mijn vader, dat ze er met zijn beste vriend vandoor was of zoiets... U kunt zich niet voorstellen hoe beklemmend de gedachte is dat mijn moeder nog ergens zou leven. Maar later bedacht ik dat als mijn moeder nog leefde ze mij, ons, was komen halen, geprobeerd had om ons te zien, dan was ze niet zo definitief dertig jaar lang weggebleven...'

Haar stem sloeg over en klonk hoog en piepend. Ruth bedwong haar snikken en sloeg haar handen voor haar ogen. Ze wilde tegenover een onbekende niet huilen. De dokter zei niets, hij probeerde haar niet te troosten, deed geen enkele toenaderingspoging. Hij bleef alleen maar rustig wachten wat Ruth ging doen.

'Toen ik achttien jaar was vroeg ik aan Estrella, mijn kindermeisje, ons kindermeisje, een vrouw die haar halve leven bij ons was en die is overleden, zoals ik zei, vroeg ik haar of ze me naar mijn moeders graf wilde brengen omdat ik dat nooit had gezien, niemand was daar ooit met mij naartoe geweest, wij hadden er nooit bloemen gelegd en ik verwachtte eigenlijk dat mijn kindermeisje met een of ander excuus zou komen, dat hoopte ik bijna, want dat zou betekenen dat mijn moeder nog in leven was, dat er geen graf was, maar dat was er wel, er was een grafsteen op het Almudena-kerkhof, een steen die niemand in al die jaren had verzorgd, een steen waar Estrella me naartoe bracht, bijna beschaamd dat ze dat niet eerder had gedaan, dat ze medeschuldig was aan de verwaarlozing van het graf van mijn moeder, van de mevrouw die ze had gediend, hoewel dat niet erg lang was geweest en ze niet bepaald goed met haar kon opschieten, geloof ik... Nou, daar lag de steen dan, gebarsten door de wortels van ik weet niet welke plant die onder de grafzerk groeide en er dwars doorheen was gegaan, en ik dacht zoiets dat de wortels van de plant zich gevoed hadden met de beenderen van mijn moeder, en u zult het wel luguber vinden maar ik dacht daar heel anders over, ik dacht dat er tenminste iets levends uit mijn moeder groeide, dat mijn moeder in iets weer tot leven was gekomen... Voor een perfect beeld had de plant eigenlijk bloemetjes moeten hebben, en het liefst witte bloemen, dan zou dat zoiets als een teken zijn. Maar nee, er waren geen witte bloemen; ook niet van een andere kleur, om precies te zijn. Er waren helemaal geen bloemen, de plant waarin de geest van mijn moeder reïncarneerde was slechts onkruid, maar zo hardnekkig en zo sterk dat er barsten in het marmer zaten... Om kort te gaan, het was duidelijk dat mijn moeder dood was, dat ze niet met haar minnaar in een of ander tropisch paradijs zat, dat ze er niet met een vriend van mijn vader of met iemand anders vandoor was gegaan, want er stond heel duidelijk op de grafsteen: Margaret Swanson. Nu kon ik er zeker van zijn dat mijn moeder dood was. En nu... nu... nu, wat wilt u dat ik denk wanneer ik aan de dood van mijn moeder denk?' Ze probeerde door te gaan, maar het onderwerp brandde in haar mond als een rode peper. 'Nu, ik ben er bijna zeker van dat mijn moeder zelfmoord pleegde. Dat is de enig mogelijke verklaring voor zoveel stilte en mysterie. Maar het is niet dat ik dat daaruit heb afgeleid. *Ik weet het*. Ik voel het vanbinnen. Ik *weet* op de een of andere manier dat ze zelfmoord heeft gepleegd.'

'Waarschijnlijk heb je dat altijd al geweten.'

'Wat wilt u daarmee zeggen?'

'Wat ik daarmee wil zeggen, Ruth, is dat de beelden van het verleden volledig voltooid zijn in ons onderbewustzijn, zoals de gedrukte bladzijden in een boek. Herinneringen verdwijnen niet, Ruth. Die blijven daar, in het onderbewuste, in wat er leeft onder de vergetelheid. Ongetwijfeld reconstrueren we, maar die reconstructie geschiedt volgens lijnen die al gemarkeerd en getekend zijn door veel andere herinneringen of door de herinneringen van anderen. Kun je me volgen?'

'Verdomme ja, natuurlijk kan ik u volgen! Ik begrijp het! Ik heb er genoeg van dat u me dat om de drie seconden vraagt alsof ik achterlijk ben!' Ze besefte dat ze te ver ging, dat ze haar agressiviteit afreageerde op de dokter omdat ze zichzelf daar niet opnieuw mee wilde belasten. 'Het spijt me, het spijt me, neemt u mij niet kwalijk. Ik ben een beetje nerveus. Deze situatie, u begrijpt het wel... Het is een beetje vreemd.'

'Maak je geen zorgen, je hoeft je niet te verontschuldigen. Jouw reactie is begrijpelijk. Om terug te komen op wat ik zei: retrospectieve beelden zijn niet betrouwbaar vanaf het moment dat het alleen maar reconstructies zijn. Door tijdsbesef en tijdsperspectief zijn er vele combinaties en kruisingen mogelijk. Als alles bepaald is, is de enig mogelijke vrijheid de verbeelding. Dus ondanks het feit dat we de ware feiten kennen, vinden we troost in het besef dat alles anders had kunnen zijn en het herscheppen van de niet gerealiseerde mogelijkheden wordt onze redding. Als jij je al die jaren het slaapliedje kon herinneren dat je moeder voor je zong, was jij potentieel ook in staat je de omstandigheden van haar dood te herinneren, maar waarschijnlijk was de herinnering zo pijnlijk en zo traumatisch dat je geest besloot het te verdringen als een afweermechanisme. Op dat moment was het gemakkelijker de verklaringen van de anderen te accepteren dan de waarheid die je diep in je geheugen hebt verborgen.'

'Weet mijn zus het ook? Ik bedoel, dat mijn moeder zelfmoord heeft gepleegd? Hebben mijn vader en mijn zus al die jaren tegen me gelogen? Dat is iets wat ik niet wil en kan begrijpen.'

'Ik kan niet voor je zus spreken, ik weet niet of zij het zich wel of niet herinnert. Ze was tien jaar toen dat met je moeder gebeurde, is het niet... Het meest waarschijnlijke is dat ze het bij jouw thuis probeerden te verzwijgen. Als ze jou de waarheid niet hebben verteld is het logisch dat ze het je zus ook niet hebben verteld. En het is mogelijk dat zij de waarheid niet weet of zichzelf net zoals jij voor de gek houdt. En wat je vader betreft, die nam het besluit dat hem het beste leek. Hij dacht waarschijnlijk en denkt misschien nog steeds dat het beter was voor jullie om niet te weten wat er is gebeurd.'

'Toen wij kinderen waren, dat begrijp ik. Maar toen we volwassen werden... had hij het ons op een bepaald moment moeten vertellen.'

'Wanneer, Ruth? Misschien vond hij dat het beter was om het te vergeten. Misschien is die herinnering voor hem zo pijnlijk dat hij hem niet weer wilde oprakelen.'

'U zei dat u haar hebt gekend... Mijn moeder, bedoel ik.'

'Heel oppervlakkig. Ik zag haar niet vaak en natuurlijk niet beroepsmatig als je daaraan denkt.'

'Maar u kunt toch wel bevestigen dat ze zelfmoord heeft gepleegd?'

'Het is dertig jaar geleden, Ruth, toen en nu wil de familie van iemand die zelfmoord heeft gepleegd niet dat zoiets bekend wordt. Het enige wat ik je kan vertellen is dat je moeder ernstige depressies had en dertig jaar geleden was zo'n soort ziekte veel moeilijker vast te stellen en te behandelen dan tegenwoordig. Ik heb haar nooit als specialist behandeld omdat, zoals je weet, de ethiek verbiedt dat een therapeut buiten het professionele circuit connecties heeft met een patiënte of dat hij een patiënte behandelt die hij van vroeger kent. Dat betekent dat ik je moeder niet kon behandelen omdat ik haar man kende en ik haar af en toe tegenkwam bij sociale gelegenheden. Dat is de reden waarom ik je moeder niet heb behandeld en waarom ik ook jouw therapeut niet kan zijn, omdat ik als vriend van je vader moeilijk onpartijdig en objectief zou kunnen blijven.'

'Ja... ik begrijp het.'

'Maar ik heb wel altijd aangenomen, of liever geconcludeerd, dat je moeder zelfmoord heeft gepleegd. Ik kan het natuurlijk niet met volledige zekerheid bevestigen omdat je vader zoals je weet het er nooit over heeft. Ik stel voor dat je er eens met je vader over spreekt, want het houdt je heel erg bezig en dan zou je achter de waarheid kunnen komen.'

'Ik praat bijna nooit met mijn vader. En als hij al die jaren zijn mond heeft gehouden zie ik niet in waarom hij nu wel wat zou vertellen. Bovendien weet ik niet of ik het wel wil of dat ik er klaar voor ben. U zegt dat ik het altijd heb geweten van mijn moeder maar ik heb het eigenlijk nooit geweten tot vandaag, tot vijf minuten geleden toen ik het eindelijk hardop tijdens dit consult durfde te zeggen.'

'Wat niet genoemd wordt bestaat niet, Ruth.'

'Precies, zo is het. Alles komt onverwachts op me af. En zoals u zult begrijpen is het reuze moeilijk om met een vader te gaan praten die je je hele leven heeft voorgelogen.'

'Hij heeft je niet voorgelogen, Ruth. Hij heeft de waarheid voor je verzwegen en dat is niet hetzelfde. En daar had hij zijn redenen voor. In ieder geval is de dood van je moeder, ook al is dat een belangrijk thema, niet de reden dat je hier bent. Niet de dood van je moeder maar het leven van haar dochter interesseert ons. Wat ons interesseert is dat je op het punt stond er een einde aan te maken, ook al beweer je nog zo dat het niet gekwalificeerd kan worden als een zelfmoordpoging. Maar ik denk dat de meeste mensen het niet met je eens zullen zijn. Allereerst je vader niet. Je vader dacht dat ik je een goede therapeut zou kunnen aanraden en het lijkt me dat we daar eens over moeten praten.'

'Gelooft u echt dat al mijn problemen op te lossen zijn met een therapie? Gelooft u dat ik alleen door te praten over wat mij overkomt opeens weer zin in het leven zou kunnen krijgen? Wat moet ik daarop zeggen? Was het maar waar dat ik dat ook kon geloven.'

'Ik weet het niet. Ik ben niet alwetend. Dat is alleen God als Hij bestaat. Maar beroepsmatig geloof ik dat het goed mogelijk is dat je baat hebt bij een therapie. Sterker nog, ik geloof dat als je het mij eerlijk vraagt ik je moet aanraden om een therapie te volgen. En je een paar namen moet geven, niet alleen omdat ik geloof dat ik dat aan je vader verplicht ben, maar omdat ik geloof, ook al ken ik je helemaal niet, dat je zou moeten beginnen met van jezelf te houden en jezelf wat beter te behandelen. Doe jezelf een plezier en ga naar een goede specialist.'

'Die manier van praten is wel grappig: van jezelf houden en jezelf een plezier doen... Alsof er een ik en nog een ik is. Weet u dat ik me zo voel, alsof er een Ik is en een Ander, en soms zelfs alsof er oneindig veel verschillende Ruths zijn?'

'Zo voelen wij ons allemaal, Ruth. Zo vreemd is dat helemaal niet.'

Bijna anderhalf uur later ging een bleke Ruth een cafetaria in de Calle Zurbano binnen en bestelde een Coca-Cola light. Iedere beetje oplettende toeschouwer kon met een vluchtige blik op haar rode ogen meteen zien dat dat meisje had gehuild. Maar het dramatische contrast van de rode oogleden met haar groene ogen zag er heel aantrekkelijk uit, hoewel misschien een beetje extra tragisch. Ruth zag zichzelf in de spiegel achter de bar en schrok er bijna van. Het lijkt wel of ik regelrecht uit de Averno kom. *Red and green should never be seen*, zeggen de Britten. Nu begreep ze waarom. Daarna liep ze naar een openbare telefoon op de hoek van de bar en draaide het nummer van haar vader. Ze was eigenlijk blij om het antwoordapparaat te horen, want een boodschap inspreken was altijd makkelijker dan rechtstreeks met haar vader te praten, vooral op dat moment.

'Papa,' zei ze. 'Met Ruth. Ik ben net bij je vriend geweest. Ik ben in orde, echt waar, en dat vindt hij ook, dus ik zie geen enkele reden waarom jullie niet zonder mij op vakantie kunnen gaan. Ik zal bijna de hele dag bij Pedro zijn, zoals ik je al zei. Zelfs je vriend vindt dat ik alleen kan blijven. Nou, ik leg het je later wel uit als je weer thuis bent. Dat was het, ik probeer het nog wel een keer. Kusje.'

Daarna draaide ze het mobiele nummer van Judith. Toen haar zus opnam zei ze hetzelfde maar iets uitgebreider; ze was in orde, was bij die dokter geweest, zou een therapie gaan volgen bij een therapeut die in augustus werkte, zou er elke dag naartoe gaan als dat nodig was, Pedro zou voor haar zorgen en ze moesten haar ook niet te veel beschermen, want dan zou het haar nooit alleen lukken, ze was geen kind meer, had lange tijd alleen gewoond, je moest ook niet overdrijven, ze was drieëndertig, moest een scenario afmaken, had nog andere verplichtingen en zou hen elke dag bellen... En na bijna duizend peseta geofferd te hebben aan de uitzuigers van de telefoonmaatschappij wist ze Judith gerust te stellen. Toen pakte ze de Coca-Cola die de ober voor haar op de bar had neergezet, ging aan het meest afgelegen tafeltje zitten, ver weg in een donker hoekje van de cafetaria waar op dat uur bijna niemand was en besloot zichzelf een half uur complete rust te gunnen.

Nee, op het ogenblik was ze nog niet in staat om haar vader of haar zus te trotseren, hen op de man af een zo eenvoudig te formuleren maar zo moeilijk te uiten vraag te stellen, slechts vijf woorden: heeft mijn moeder zelfmoord gepleegd?

Misschien zou ze het in de toekomst wel durven, op een geschikt moment en een geschikte plek, maar nu was ze niet in staat nog meer olie op het vuur te gooien van de gespannen familiebetrekkingen, vooral niet na wat zijzelf had gedaan. Ze hoefde trouwens geen bevestiging van wat ze al wist. Wat ze al jaren wist maar niet had willen zien. Haar gesprek met de psychiater was het laatste stukje van een puzzel dat nog ontbrak om het volledige plaatje te krijgen, de betekenis daarvan was duidelijk, in ieder geval zelfs als het laatste stukje ontbrak. Ruth dacht in het Engels. In het Engels kon ze dat fenomeen een naam geven: *a sudden flow of recognition*. De metafoor leek heel geschikt omdat het echt zo was alsof plotseling de waarheid naar buiten kwam, als een stroom die jarenlang achter dijken van ontkenningen was tegengehouden. Er waren heel veel voor de hand liggende aanwijzingen geweest die zij niet had willen erkennen. Gesprekken die niet voor haar oren bestemd waren. Tussen Estrella en Tomasa, het meisje van het huis ernaast, die goed bevriend was met het kindermeisje en soms koffie kwam drinken. 'Maar vertel me niet dat zoiets te begrijpen is, zeg maar, dat het goed te praten is, ook al beweer je dat je mevrouw gek was, zeg maar, dan moet je wel heel erg gek zijn om zoiets te doen als je in zo'n huis woont, zeg maar, zonder problemen, omdat haar man haar niet sloeg, niet dronk of wat dan ook.' 'Nee, absoluut niet, hoe kom je erbij, die arme meneer is een heilige.' 'En dan nog met twee kleine kinderen, dat begrijp ik al helemaal niet, want daar denk je toch bij na, zeg maar, je denkt er toch over na wat je achterlaat, of niet?' 'Hou je mond, want dit kind begrijpt alles...' En dan de woorden van haar grootvader tijdens kerst, woorden die ze lange tijd was vergeten en die opeens weer duidelijk en helder terugkwamen: 'En je trouwde niet alleen met dat gekke mens terwijl we je allemaal hebben gewaarschuwd dat het niet goed zou aflopen, maar je wilde haar ook nog met alle geweld op een kerkhof begraven, dat is een zonde, zij kon niet in gewijde grond begraven worden, en ik weet wel dat het geloof jou niets zegt, maar je had tenminste het geloof van je vader kunnen respecteren...' 'Wat moest ik dan doen?' antwoordde zijn zoon die al overeind was gekomen en naar zijn vader wees met zijn vork die hij vasthield alsof het een toverstokje was of een heilige scepter. 'Zeg eens, wat had ik moeten doen? Haar onder een paaltje langs de kant van de weg begraven?' 'In godsnaam!' kwam de grootmoeder tussenbeide, terwijl ze een veelbetekenende schuine blik op de twee meisjes wierp die met grote ogen toekeken zonder er iets van te begrijpen maar het wel allemaal in zich opnamen, 'de meisjes!'

Ja, het was beter geweest dat allemaal te vergeten, de nachten te vergeten die ze bij hun grootouders doorbrachten nadat iemand hun moeder had gevonden, de gesprekken waarin zo vaak valium en pillen werden genoemd, te vergeten om geen schuldgevoel te krijgen, de onvermijdelijke schuld die hun vader zo gemakkelijk aangerekend werd, want wat voor een man is hij die het zijn vrouw zo tegenmaakt dat zij zich van het leven berooft? Of haar, een kleine Ruth die niet genoeg haar best had gedaan, die niet lief of mooi of slim of aanhankelijk genoeg was zodat haar moeder voor haar in leven wilde blijven. Maar het was belachelijk om zo te denken, want Ruth wist wel dat de depressie geen geestestoestand maar een ziekte was en dat haar moeder waarschijnlijk niet in staat was om de dingen in perspectief te zien, te oordelen, te waarderen of te begrijpen. En opeens ontstond de primaire haat die ze altijd voor haar vader had gevoeld, omdat ze steeds had gedacht, hoewel ze dat niet toegaf, hoewel die gedachte heel diep weggestopt zat onder lagen en lagen en nog eens lagen van vergetelheid en leugens, dat hij waarschijnlijk iets had gedaan, dat die klootzak iets had gedaan zodat zij zich van kant had gemaakt, misschien iets niet had gedaan, had nagelaten bijvoorbeeld naar haar te luisteren, haar geen aandacht had gegeven of haar niet had getroost. Maar na die haat kreeg Ruth medelijden, hoe vaak had die arme man zichzelf geen verwijten gemaakt, hoe moet hij zichzelf hebben gehaat in die dertig jaar; en daarna kwam liefde, omdat ze gek op hem was geweest, zoals alleen kinderen dat maar kunnen, en later had ze nog steeds van hem gehouden, hem bewonderd, zijn soberheid en beheersing bewonderd, zijn vermogen om er ongeschonden uit te komen, zijn bekwaamheid, zijn autonomie, zelfs zijn koelheid, maar door de paradox die ontstond, omdat ze vreselijk veel van hem hield en hem beschuldigde van de dood van haar moeder, kwam Ruth in tweestrijd te staan, zodanig dat het conflict alleen nog maar opgelost kon worden door de liefde om te zetten in haat, hetgeen net zo gemakkelijk was als van een ei een tortilla maken, er is alleen meer warmte nodig dan er al is, en daarna kwam de schuld, hoe had zij hem hetzelfde kunnen aandoen, hoe had ze zo stom kunnen zijn om die arme man het weer te laten meemaken, haar eigen vader, twee, drie keer dezelfde kwelling, de zelfmoord van de moeder en de twee pogingen tot zelfmoord van de dochter, hoe had ze zo gevoelloos kunnen zijn om hem niet op haar knieën om excuses te vragen; en nog later had ze niet kunnen verhinderen dat de haat weer terugkwam, deze keer vermomd en anders en werd haar moeder uitgescholden: kreng, trut, loeder, hoe heb je me dit aan kunnen doen? Ik was pas vier, verdomme, en ik had je nodig. En als jij het echt was die mij 's nachts riep, weet je wat ik dan zeg? Dat ik je niet langer volg. Dat je maar in de hel blijft waar je waarschijnlijk zit of in het hemelruim of in het afschuwelijke voorgeborchte waar je verblijft en reken niet op mij. Ze was het beu om twee personen te zijn, om de hele dag als een pak, de last van de herinnering aan haar moeder mee te dragen, haar om alles toestemming te vragen, over straat te lopen met twee schaduwen op haar hielen. Na zo lang bezield en heimelijk vertrouwd te zijn geweest met de dood, vreesde Ruth het vluchtige contact van de haar zo geliefde dode niet meer.

Op dat moment kwam Ruth duidelijk in de verleiding om haar dode moeder verantwoordelijk te stellen voor al haar problemen. Als Ruth zelfmoord wilde plegen kwam dat omdat ze imiteerde wat ze maar niet kon vergeten, omdat ze gedoemd was dat na te doen. Of je zou kunnen zeggen dat ze zich nutteloos voelde, inferieur toen haar moeder haar in de steek liet, dat ze zich tot destructieve relaties dwong als een soort boetedoening. Ze kon niet houden van degenen die van haar hielden omdat ze niet van zichzelf hield en ze zich aangetrokken voelde tot degene die haar mishandelde en haar verachtte omdat op die manier het idee dat ze van zichzelf had werd versterkt. Gezwam? Waarschijnlijk. Volgens de klassiekste psychoanalytische theorie is de Ontdekking van het Primaire Trauma het begin van de genezing en als iemand een verborgen waarheid die de oorzaak van zijn angsten vormt oprakelt, verandert zijn leven volledig, zo'n enorm effect heeft de ontdekking. Zo bezien is psychoanalyse niet meer dan alchemie. Of magie, of religie. Zoals bij elke andere cultus werd de verlossing door het Woord gepredikt. Psychoanalyse, evangelie, poëzie: verschillende aspecten van dezelfde waarheid. Een waarheid waar Ruth aan meedeed. Maar Ruth geloofde niet in het bestaan van een enkel voorval dat toekomstige houdingen en angsten zou bepalen, maar ze dacht eerder dat het bestaan wordt gesponnen, dat je door het leven gaat via een oorzakelijk netwerk, een heleboel elkaar overlappende feiten die allemaal bepalend zijn. Het toeval, het onbegrijpelijke, viel haar gedachtewereld binnen met zijn licht en zijn duister, en maakte dat alles wel en ook weer niet begrijpelijk was. Een geheime logica ontging de reden. Opgroeien zonder moeder is moeilijk, maar dat was niet het enige wat haar leven had bepaald. In haar leven was van alles: een afwezige moeder, een afstandelijke vader, een familie met geld, een omgeving van gekken en later, vrienden, liefdes, reizen, buitenkansjes, Beau, Pedro, Juan, Sara, Isabel en zelfs Judith, feiten en namen die leidden naar anderen en verwezen naar nog meer anderen. En waarschijnlijk kwam er ook iets anders bij kijken, iets magisch, de primaire ik, de echte persoonlijkheid, de genetische last, wat dan ook, iets wat Ruth vormde en dat van haar een uniek persoon maakte, iets wat bestand was geweest, had verwerkt en soms zelfs had genoten van haar kindertijd en jeugd en dat nu geconfronteerd werd met een volwassenheid die interessant kon zijn, leuk, verrijkend, vol, wie zal het zeggen.

Nee, ze wilde haar moeder niet van alles de schuld geven. Ze wilde niet geloven in het verdomde primaire trauma. De wonderlijke genezing door het woord van Anna O. was nooit het grote therapeutische succes waar Freud later mee zou pronken. Was het Freud niet die fragmenten van zijn zelfanalyse verdoezelde als objectieve gevallen van zijn patiënten? Hij die zijn patiënten 'vrije associaties' toeschreef die hijzelf vormde, hij die zijn successen overdreef als een fysicus die de resultaten van zijn experimenten verdraaide, hij die probeerde de cultus van de persoonlijkheid binnen de beweging die hij zelf had geschapen te promoten? De leugen is de oorsprong van de psychoanalyse. En kan de psychoanalyse niet een andere voedingsbodem van leugens zijn? Ja, Freud was een onverbeterlijke leugenaar die geen moment zou twijfelen om de werkelijkheid te herschrijven als hij daardoor uit de problemen zou zijn.* De dokter die Ruth in

* Han Israëls: *De Weense kwakzalver.*
Mikkel Borch-Jacobsen: *Remembering Anna O.: A Century of Mystification.*

Londen had behandeld hield bijvoorbeeld hardnekkig vol dat ze hoogstwaarschijnlijk in haar jeugd slachtoffer was geweest van misbruik, omdat Ruth volledig beantwoordde aan een typisch gedrag: promiscue, impulsief, onderhevig aan frustratie, geneigd te huilen tijdens het orgasme... Het deed er niet toe dat Ruth haar verzekerde dat ze zich voor haar veertiende geen enkele seksuele scène herinnerde, met noch zonder misbruik. Het feit dat Ruth zich helemaal niets herinnerde bewees alleen maar, paradoxaal genoeg, dat er sprake was geweest van misbruik omdat ze, nog steeds volgens de dialectiek van de analyse, een muur van vergetelheid als afweermechanisme had opgetrokken, hoewel de herinnering op bepaalde momenten opborrelde en zich door de eerdergenoemde symptomen manifesteerde als een spottende geest. Ruth begon haar vader te verdenken, daarna de tuinman, later dacht ze dat het misschien een onbekende was geweest en uiteindelijk besloot ze dat de psychiater gewoon alleen maar onzin uitkraamde. En allemaal omdat die vervelende vent, die Freud, verkondigde dat hysterie toe te schrijven is aan seksueel misbruik in de kindertijd.* Ruth geloofde algauw niet meer in de psychiatrie en het bestaan van het primaire trauma en zelfs niet in het bestaan van hysterie. Is hysterie een uitsluitend vrouwelijke ziekte? Ruth had tijdens de opnamen zoveel acteurs, macho's en nog grotere macho's gezien die stuk voor stuk zouden beantwoorden aan alle vereiste symptomen voor die diagnose, zodat die bewering haar niet erg geloofwaardig leek.

En omdat Ruth niet geloofde in het bestaan van het primaire trauma weigerde ze, weigerde ze ronduit en definitief, te geloven dat haar leven bepaald werd door de zelfmoord van haar moeder, dat haar bestaan een ramp was geweest terwijl de zelfmoord niet vermeld was en dat het nu wonderbaarlijk en goddelijk zou zijn vanaf het moment dat Ruth eindelijk hardop de waarheid had durven zeg-

* 'Bij achttien gevallen van hysterie heb ik het verband kunnen vaststellen, stuk voor stuk bij alle symptomen, en daar waar de omstandigheden dat toestonden, kunnen bevestigen door middel van therapeutische successen.' S. Freud. *Ethologie van de hysterie*, 1896.

gen. Omdat Ruth het recht opeiste om een eigen leven op te bouwen, om elke dag zoals tot dan toe tot een nieuwe conclusie te komen over zichzelf en de reden die achter haar gedrag verborgen zat. Ja, soms wist ze waarom ze deed zoals ze deed, maar informatie was geen vermogen, ze hoefde de motieven van haar gedrag niet te weten om iets niet te doen. Nee, jarenlang had ze vastgehouden aan haar destructieve gewoonten, aan haar opwellingen, aan de rampen die haar troostten, omdat de emotionele band die ze daarmee had te stevig was, omdat de stommiteiten die ze beging haar vormden en haar op de juiste plaats en in contact met de wereld hielden, en ze bedacht dat ze zonder dat alles Ruth niet zou zijn, zonder haar emotionele afhankelijkheid, zonder haar alcoholprobleem, zonder haar driftbuien, dat ze Ruth niet zou zijn zonder een man aan haar zijde die haar deed lijden, een glas in haar hand om zich in te verliezen, een spiegel voor haar neus om medelijden met zichzelf te hebben. Ze dacht dat ze niet verder zou komen als ze niet bleef zoals de anderen verwachtte dat ze was. Maar dat kwam ze wel. En of ze verder kwam.

Ik ben Ruth de Siles. Dat moet ik elke dag tegen mezelf zeggen.

Ik heet niet langer Ruth Swanson. Ik heb mijn eigen naam weer terug.

4

De moraal van elke geschiedenis

HATE dogma
LOVE freedom
LEARN by experience
BELIEVE in yourself

Ruth Swanson vertelt de geschiedenis van een destructieve hartstocht

De regisseuse start met de opnamen van haar nieuwe film: De twee gezichten van de liefde

PEDRO M. VÍLLORA, MADRID

Met als decor het wereldje van critici en uitgevers en dat van filmproducers beoogt Ruth Swanson met haar nieuwe film *De twee gezichten van de liefde* een beeld te geven van 'de duistere kanten van een destructieve hartstocht tussen twee personen die ieder op heel verschillende manier te maken hebben met roem en publiciteit, die niet alleen op de betrokkenen maar ook op hun naaste omgeving hun weerslag hebben'.

Hoewel het verhaal op fictie berust is veel van wat de cineaste vertelt geënt op haar eigen ervaringen met het Madrileense artistieke milieu, want tijdens het schrijven van het scenario was ze nauw betrokken bij de literaire kringen die in de film worden weergegeven. 'Ik wil een eenvoudige maar pakkende film maken, zonder speciale effecten,' zegt de drieëndertigjarige filmmaakster. 'Het is geen genrefilm. Het is een tragedie, met komische momenten. Het is ook een film over obsessies. Hij gaat voornamelijk over ethische dilemma's waar de personages voor komen te staan wanneer ze moeten kiezen tussen de hartstochtelijke liefde en eerder aangegane sociale verplichtingen.'

De hoofdrollen worden vertolkt door de Argentijnse actrice Leticia Brédice en de Spanjaard Juan Diego Botto. De film, geproduceerd door Alquimia, beschikt over een budget van vierhonderd miljoen peseta en wordt in zes weken opgenomen in Madrid.

Een litteken in de herinnering

Augustus, de maand waarin Madrid geen Madrid meer is maar een ellendige eenzame braadpan...

Augustus was de maand waarin Ruth en Pedro hun vroegere leventje van 'wijn en rozen' weer oppakten.* Julio was naar het buitenhuis in Santa Pola vertrokken waar zijn familie traditiegetrouw de zomer doorbracht. Pedro was uiteraard niet uitgenodigd, want Julio's familieleden – de eigenaars van de winkel met keukenmeubilair die Julio beheerde en daarom direct of indirect zijn werkgevers en broodheren – zagen Pedro slechts als Julio's huisgenoot en maakten zichzelf wijs dat de jongen alleen maar een moderne vrijgezel was die op zichzelf woonde tot hij eindelijk een meisje zou tegenkomen dat hij leuk vond en dan zou besluiten serieus te worden, te trouwen en een gezin te stichten. Natuurlijk wist iedereen wel dat Julito nooit een gezin zou stichten maar wie durft tegenover ooms en tantes, grootouders en andere familie voor de waarheid uit te komen? Dus hulden ze zich daar allemaal – jongen, vriend van de jongen, directe en verre familie – in een schaamtevol stilzwijgen zodat Ruth Pedro een maand lang helemaal voor zich alleen had. Julito had die familieverplichting natuurlijk aan zijn laars kunnen lappen of op zijn minst een paar weekjes voor Pedro uit kunnen trekken, maar Pedro was zogenaamd heel geïnteresseerd en betrokken bij Ruths scenario en zei dat ze beiden de hele maand moesten besteden aan het schrijven en corrigeren

* Oké, ik moet mijn lezers bekennen dat het geen bijzonder originele zin is, maar ik kan er ook niets aan doen dat *Days of wine and roses* zowel de titel van een van Ruths lievelingsfilms als de titel van een plaat was.

van de definitieve versie en dat Julio zich niet schuldig hoefde te voelen dat hij hem in de steek liet, want in zijn eentje kon hij zich beter concentreren. Nog meer leugentjes om bestwil. Zowel Julio als Pedro wist heel goed dat het Ruth was die het scenario schreef en dat het niet uitmaakte of Pedro, die nauwelijks twee regels en een paar persoonlijke grappen aan het verhaal toevoegde, er wel of niet was. Ruth had Pedro echter wel nodig, maar niet zozeer voor het scenario als wel omdat hij als een vuurtoren licht en een baken voor haar betekende, zodat ze in het donker niet gek werd van eenzaamheid en angst.

Augustus was de maand waarin Ruth bij Pedro introk met als enige bagage een laptop en een tas met twee spijkerbroeken, vier T-shirts, een zwarte trui, drie setjes ondergoed, hydraterende crème, een tandenborstel en een haarborstel. Augustus was de maand waarin Pedro weer zin in koken kreeg en allerlei nieuwe gerechten voor Ruth uitprobeerde. Door deze hernieuwde gastronomische inspiratie van Pedro werd augustus ook de maand waarin Ruth weer net zoveel kilo's aankwam als ze tijdens haar relatie met Juan was kwijtgeraakt. Ze verloor de elegante apathie die met verdriet gepaard gaat en die in zekere zin charme verleent, maar in ruil daarvoor kreeg ze haar klassieke vitaliteit en schoonheid terug, dat volle, gladde, honingzoete lichaam van voorheen. Ze was om zo te zeggen weer om op te eten.

Augustus was de maand waarin Ruth de Siles Swanson in één ruk een scenario van honderdvijftig pagina's schreef waarvan de inhoud, zoals u wel geraden zult hebben, draaide om de problemen van een behoorlijk neurotische maar toch innemende dertigjarige vrouw die, terwijl ze het mysterie van de dood van haar moeder probeerde te ontrafelen, verwikkeld raakte in een destructieve relatie met een jongeman en die er tot slot achter kwam dat ze met wat minder navelstaren en wat meer oog voor haar omgeving haar familie en haar vrienden weer zou terugkrijgen. Heel ontroerend. Ik veronderstel dat u de titel van het verhaal ook al geraden zult hebben: *De twee gezichten van de liefde*.

Door een vreemde alchemie kon Ruth verdriet in kunst omzetten, of althans in iets wat op kunst leek (of wat kunst was, als we met Duchamp geloven dat alles wat iemand als kunst presenteert dat ook is), zoiets als een schilderij van Rothko op een T-shirt. Toen het verdriet over haar relatie niet meer zo verweven was met haar eigen ik, toen ze het niet meer als iets van zichzelf zag, kon ze het objectiveren, nuchter bekijken, analyseren, er een verhaal van maken, schoonheid in haar relatie ontdekken, een morele les uit het verleden trekken. Ze kwam erachter dat de kwelling die ze had doorstaan verlossend werkte en beschouwde haar ellende als een louterende ervaring. Per slot van rekening was Ruth katholiek opgevoed en ook al zweert iemand het geloof af waarmee hij is grootgebracht, dan nog zal hij zich niet van de ene op de andere dag kunnen losmaken van de denkpatronen die als stutten de constructie van zijn persoonlijkheid ondersteunen. Want wie ooit in het sacrale heeft vertoefd blijft altijd in het sacrale voortleven.

Want wie ooit in het sacrale heeft vertoefd ontdekt de kunst als verblijfplaats van het sacrale. En hij weet dat als er een leven bestaat buiten het zichtbare, dat alleen te bevatten is vanuit de abstractie en de reductie. Dat de schoonheid van een zieltogende Cleopatra of van een schilderij van Rothko de afspiegeling is van een ultieme, totale schoonheid die alle bekende schoonheid in zich opneemt en inlijft. God noch godin, alleen het besef deel uit te maken van een systeem, een tandrad van een immens mechanisme dat gemaakt noch vernietigd wordt maar voortdurend verandering ondergaat. Misschien was dat de betekenis van het witte licht waarin Ruth terugkeerde: de teruggave aan de totaliteit. Er zou geen nieuwe Ruth de Siles Swanson ontstaan, dat maakte echter niet uit want er zou een eind komen aan Ruths leven maar niet aan de energie van de planeet, van het systeem, van het universum, van Ruths oorsprong. Wanneer Ruth was verdwenen zouden haar atomen weer worden opgenomen in het systeem en zich weer ordenen, dat was alles. Niet meer en niet minder. In die zin bestaat de dood niet: het Alles is levend. Dus Ruth de Siles Swanson vond dat ze, zo lang ze leefde, in ieder geval moest genieten van wat ze had, en als ze geen kunst kon maken dan hield ze het maar bij een bescheiden bijdrage, ook al viel die in dezelfde categorie als een schilderij van Rothko op een T-shirt. Het maakt niet uit wat je doet, als je het maar doet, vond ze zelf.

Het creatieve proces verliep steevast volgens het geijkte patroon: Ruth zocht haar eigen ik bij zichzelf en niet bij anderen. Bij een leven waarvan ze wist dat ze het had geleefd maar dat haar het belangrijkste nog niet had gegeven, en ze stortte zich vanuit het heden op het verleden om een idee van de toekomst te kunnen krijgen. Ze probeerde geen nieuwe personages te creëren of een voortgaande lijn te volgen over nog niet eerder verkende gebieden. Ze wilde niet origineel of vernieuwend zijn, ze haalde geen inspiratie of aanmoediging uit innovatie of experimentalisme. Tegenover haar vroegere uitingen op creatief gebied, die ze nooit van tevoren kon inschatten, groeide haar nieuwe scenario meer in de lengte dan in de breedte. Als een boom: loof en wortels.

Ruth deed dus wat ze haar vader had beloofd en ging in therapie. Maar het was een bijzondere therapie: in plaats van dat ze haar geschiedenis vertelde aan een arts, vertelde ze die aan zichzelf en daarna aan iedereen die haar maar op het witte doek zag. Ze schreef een bitter, scherp scenario, somber en duister van toon maar waarin ondanks alles optimisme, leven en verlossing doorschemerde. De dood, die eindelijk onder controle was, reikte haar welwillend de hand.

Het is niet zo dat ze niet aan Juan dacht, integendeel. Ze dacht voortdurend aan hem. Ze belde hem zelfs af en toe op vanuit de telefooncel tegenover Pedro's huis. (Ze belde niet met Pedro's telefoon anders zou Juan zijn nummer herkennen.) Ze zei niets, luisterde alleen naar Juans stem en had soms het idee dat hij het doorhad en het spelletje meespeelde, want hij hing niet meteen op maar bleef tegen een zwijgend iemand praten en 'Ja?' herhalen zonder antwoord te verwachten, alsof hij die vreemde woordloze conversatie zo lang mogelijk wilde rekken. Maar Ruth durfde haar mond niet open te doen en haar naam te zeggen. Ik zou dodongelukkig en verdrietig worden als hij begint te schelden en zegt dat hij genoeg van me heeft of blij is van me af te zijn, dacht Ruth. En het zou nog erger, nog pijnlijker zijn als hij aardig tegen me doet. Ik wil er niet aan hoeven denken wat ik allemaal kwijt ben en ik wil al helemaal niet de deur op een kier zetten voor een verzoening. Ook al dwong Ruth zich om geen schuldigen te zoeken, toch bleef ze zichzelf kwellen met steeds weer dezelfde vragen als: heb ik me vergist? Heb ik het verkeerd gedaan? Heb ik niet genoeg gegeven? Zal ik ooit weer van iemand houden, zal iemand ooit weer van mij houden, en dan op die manier?

Maar van liefdesverdriet ben je al half genezen zodra je wilt genezen. Vanaf dat moment maakt de herinnering geen nieuw verdriet los maar begint oud verdriet te slijten. In die augustusmaand kwamen de dagen Ruth te hulp en streken ze de een na de ander met hun zachte vingers liefdevol over haar rode haren, namen steeds een beetje verdriet weg tot ze voelde dat de wond begon te genezen. Dag na dag verdween een heden en veranderde in een verleden, herinneringen vervaagden met de tijd, de toetsen van de computer vulden leegten op, de nabijheid van de altijd zorgzame Pedro, zijn aanwezigheid zonder er te zijn, zijn manier van zorgen dat alles in orde was, dat de airconditioning op de goede stand stond, dat Ruth niet bevroor, dat ze geen kou zou vatten, dat ze altijd Coca-Cola binnen handbereik had, die haar alert en wakker hield, ervoor zorgde dat ze haar siësta niet oversloeg op het terras dat naar zomer en munt rook. Ze droeg Juans beeld nog steeds in zich zoals de zee nog ruist in een lege schelp, maar dacht niet langer dat het leven zonder hem niet de moeite waard was; integendeel, opeens kreeg ze weer zin in het leven, alsof haar angst was verdwenen, stilletjes op zijn tenen was weggeslopen, net zoals augustus langzaam overging in september, omdat ze zich op een dag realiseerde dat ze geen behoefte meer had aan Juan, maar ze had geen idee sinds wanneer dat was. De behoefte was verdwenen maar niet de liefde. Ze had steeds van hem gehouden en zou dat blijven doen, echter op een andere manier.

Ze had eindelijk de waarheid ingezien, die ze tot dan toe niet had willen accepteren. Het verging haar met de liefde ongeveer net zoals met de waarheid over de dood van haar moeder. Ze had zich steeds voorgehouden dat ze behoefte had aan een conventionele relatie terwijl ze die in wezen niet nodig had, niet wilde en haar geen goed zou doen. Hoe moest Ruth haar dagindeling, haar thuiskomen, haar uitgaan, haar privacy, haar levensruimte afstemmen op die van een ander? Nee, zij was bij haar geboorte al anders, uiterlijk en innerlijk, roodharig en gevuld, koppig en onafhankelijk. Vanaf haar geboorte was ze anders en de rest van haar leven zou ze dat blijven, ten goede of ten kwade. Ze zocht een doodgewone man, een geboren echtgenoot, maar dat was gedoemd te mislukken omdat ze geen echtgenoot wilde, alleen maar een maatje, een minnaar. Getrouwd was ze al: met haar werk. Ruth kreeg door haar werk wat veel vrouwen bij een man vinden: geld, sociale positie, status, zekerheid, reizen. En daarbij ook nog liefde. Door haar werk had ze geleerd van zichzelf te houden. Privé kon zij daardoor haar verdriet vergeten, in het openbaar kreeg ze de kans het met anderen te delen. Ze was gelukkig wanneer ze schreef, plande, opnam, monteerde. Dan hield de ene Ruth de andere bezig, maakte haar aan het lachen, aan het huilen, zette haar aan het denken. Ze was vergeten hoe leuk, hoe opwindend, hoe intens bevredigend het was om te creëren, te voelen hoe er uit haar vingers leven kwam, weer een ander leven, andere geschiedenissen. En in tegenstelling tot een echtgenoot of een minnaar zou haar werk haar nooit in de steek laten: het zou overal met haar mee naartoe gaan.

Het was triest dat haar films haar geen kinderen konden geven. Natuurlijk, ze zou er als het ware in voortleven, iets mee doorgeven, zoals veel mensen dat in hun nageslacht zien. Maar dat was niet wat ze miste. Het was haar een raadsel maar van het ene op het andere moment was ze dol op kinderen geworden. Ze keek naar alles wat er jong uitzag: baby's in kinderwagens, peuters die aan de hand van hun moeder meedribbelden, zesjarige meisjes met staartjes, ondeugende achtjarige praatjesmakers, en wanneer een groepje op de schoolbus stond te wachten, met hun Simpson rugzakjes, eigenwijs en piekfijn gekleed, mini-uitgaven van popzangers, kon ze haar ogen niet van hen afhouden. Ze vond hen allemaal leuk. Vroeger vond ze het enig om haar nichtjes te verwennen en dure cadeaus voor hen te kopen, videospelletjes en cd's van Britney Spears, voor haar waren die nichtjes een compensatie voor de kinderen die ze zelf niet had: ze kon hen zien opgroeien, met hen spelen, met hen lachen en hoefde niet op te draaien voor geld, tijd en inspanning die de meisjes vergden, maar op dat surrogaat had ze zich een beetje verkeken, want ze moest er voortdurend voor waken dat ze niet te intiem werd en de meisjes die superslim waren haar niet meteen in verlegenheid brachten. 'Tante, wat is een abortus?' had de kleinste haar een keer gevraagd. Ze zou haar met alle liefde de waarheid hebben verteld, maar durf dat maar eens als je daarna van je zwager de wind van voren krijgt. Daarbij kwam dat er altijd een onoverbrugbare afstand zou bestaan tussen haar en haar nichtjes. Het waren niet haar kinderen, zij had hen niet opgevoed, ze voelde zich niet met een mysterieuze draad met hen verbonden en bovendien werd Judith boos als ze te veel cadeautjes kocht, hen te veel knuffelde, hen van haar Coca-Cola liet drinken, hen verwende. 'Je moet ze niet verpesten, niet jij maar ik zit er later mee,' zei haar zus. Ruth wilde zich helemaal niet zien voortleven in iemand, ze verwachtte ook niet voor de rest van haar leven zeker te kunnen zijn van een bron van liefde en affectie (ze vond dat zelfs een belachelijk idee als je zag hoeveel mensen hun ouders zonder al te veel scrupules of wroeging in een bejaardenhuis stopten), net zomin als ze meende te moeten afgaan op een biologische klok waarin ze niet geloofde. Soms dacht ze dat het louter grillen van een onvervulde liefde waren en soms dat ze alleen maar door het moederschap werd geobsedeerd omdat ze wilde meemaken wat de meeste mensen kennen en haar ontzegd was: natuurlijk is het zo dat een vrouw die zonder moeder is opgegroeid dolgraag zelf moeder wil worden.

En wat Juan betreft, die ging zoals te verwachten was terug naar Bermeo en zat zoals ook te verwachten was de maand augustus net als Ruth gekluisterd aan het beeldscherm van zijn computer. Hij had Indalecio beloofd om 15 september de eerste versie van de roman in te leveren zodat hij noodgedwongen een verhaal in elkaar moest zetten met behulp van aantekeningen, schema's en losse zinnen die hij in zijn logboeken had genoteerd. Maar dat was niet de enige reden waarom hij zich op het werk stortte: hij moest werken om de ene obsessie door de andere te vervangen en Ruth voor eens en voor altijd uit zijn hoofd te zetten, en daarbij voelde hij zich eigenlijk verplicht om Indalecio en het studentenhuis terug te geven wat hij hen schuldig was. Niet alleen het geld, maar vooral het vertrouwen dat ze in zijn talent hadden gehad. Dus pakte hij het idee van de uit vele steden samengestelde stad weer op en plaatste daarin de twee hoofdrolspelers (je zou beter van tegenspelers kunnen spreken) van het verhaal: Esteban, genoemd naar Stephen Dedalus uit *Ulysses* en Anna Livia, naar de Anna Livia Plurabelle uit *Finnegan's Wake*. De originele Anna Livia werd door Joyce zo genoemd naar de Lyffey, de rivier die door Dublin stroomt. Joyce heeft nooit vermeld dat die naam een tweede betekenis had, en Juan wist het ook niet, namelijk dat Livia in het Latijn 'boosaardigheid' betekent. Juan had het beslist schitterend gevonden als hij het had geweten, want de Anna Livia van zijn roman was echt een slecht creatuur: lichtzinnig, driftig en onbezonnen, het tegendeel van Esteban, die ongecompliceerd was en hevig leed onder de terughoudende schoonheid van zijn geliefde, die als een Tantaluskwelling altijd in zijn nabijheid maar altijd onbereikbaar was. Esteban en Anna Livia waren hoofdrolspelers in een compacte roman met veel gekunstelde retoriek (af en toe zelfs onbegrijpelijk taalgebruik) en een ontzettend oninteressant verhaal, want van de eerste tot de laatste letter sprak er zoveel bitter en bits verdriet uit dat de meest optimistische lezer gedeprimeerd zou raken, als hij al niet eerder van verveling had afgehaakt. Juan werd zich namelijk pijnlijk bewust van zijn falen toen hij met de werkelijkheid werd geconfronteerd, zoals je een brandend gevoel krijgt als je brandnetels aanraakt. Van het ene op het andere moment had hij zich eenzamer gevoeld dan een baby in een bos, in de steek gelaten door alles waarin hij vroeger geloofde. Om te beginnen verloor hij het geloof in de traditie en normen die hij van zijn moeder had meegekregen, omdat hij na zijn ontmoeting met Ruth al begon te twijfelen aan de zin van het traditionele huwelijk of aan trouw als stabiele waarde. En vervolgens verloor hij het geloof in hartstocht en echte liefde omdat de vrouw die hij als een godin had vereerd stapelgek bleek te zijn. Toen hij zijn gevoel voor de normen en waarden die hij had meegekregen volledig kwijt was, manifesteerde zijn angst zich in alle hevigheid in wat hij schreef, waarbij in de ruïnes van zijn denkbeeldige stad – een stad met hoge muren en getraliede vensters, een stad van vertwijfelde zoektochten en onmogelijke ontmoetingen waarin duizenden mannen en vrouwen samenleefden zonder elkaar te kennen of met elkaar te praten, een dreigende, duistere, onheilspellende, onherbergzame, onbewoonbare stad – frustratie, ongenoegen, moedeloosheid, ontgoocheling rondwaarden om samen niets dan ellende te veroorzaken in de agressieve medeplichtige nacht. Nadat Juans liefdesleven ineen was gestort had hij de scherven niet bij elkaar kunnen rapen en was hij een aanhanger geworden van een geheime cultus van het niets: verdriet vond hij onzinnig en vrolijkheid vruchteloos. Hij was een existentialist geworden toen het begrip al tientallen jaren uit de mode was.

Hij kwam weer terug bij Biotza, hoewel 'terugkomen' misschien niet de juiste term is omdat hij haar nooit had verlaten. Hij had hooguit een tijdje afstand genomen. De verzoening kwam dus zonder veel bidden en smeken tot stand, zelfs zonder verklaringen of excuses (excuses zou Juan nooit hebben aangeboden, hij was immers te trots om zijn fouten toe te geven). Ze pakten eenvoudigweg de draad weer op. Zij kwam hem zoals vroeger weer opzoeken en hij liet zich meevoeren. Als een ambtenaar werkte hij elke dag zijn acht uur en sprak om negen uur af met zijn verloofde die hem als vroeger met de auto kwam halen voor een ritje. Om half een lag hij meestal in bed, hij had zijn slaap nodig om het Spartaanse ritme dat hij zich had opgelegd te kunnen volhouden. Er is trouwens door de week na half een 's nachts weinig te beleven in Bilbao of Bermeo of het moet bij iemand thuis zijn of in een besloten club. Carmen was natuurlijk dolgelukkig haar zoon eindelijk weer bij zich te hebben, de serieuze en ijverige jongen die keihard werkte en ten slotte dat dwaze gedoe waar hij in Madrid mee bezig was uit zijn hoofd had gezet en had beseft welk meisje echt bij hem paste. Hij deed echter wel een beetje vreemd, stug en nors, zei de hele dag geen woord, was verdiept in gedachten en zijn papieren, maar hij was als kind altijd al een beetje vreemd, dat kon ze niet ontkennen, en hij zou mettertijd wel weer wat opfleuren, ze kon beter alles laten voor wat het was en niet aan hem gaan zitten trekken anders zou hij weer naar Madrid gaan verlangen.

Juans liefde voor Biotza ging niet gepaard met vurige passie en vlinders in de buik, maar was eerder gebaseerd op routine, gewoonte en kalmte. Om Biotza hoefde je niet te vechten of te lijden. Ze was er gewoon. Juan waardeerde het enorm dat ze hem nooit aan zijn ontrouw herinnerde en voelde zich eigenlijk uit schuldgevoel met haar verbonden. Hij wist niet dat zij het ook in hem waardeerde dat hij was teruggekomen en er daarom met geen woord over repte dat ze hem had kunnen verliezen. Biotza wilde in geen geval Ruths naam noemen om geen herinneringen naar boven te halen of het noodlot over zich af te roepen. En zo verstreken de dagen in alle rust en behoorde Juan weer tot het slag kalme en keurige mensen die het zekere voor het onzekere nemen. Die rust was maar schijn, want inwendig werd Juan verteerd door twijfel. Moest hij met een vrouw trouwen van wie hij niet hield? En waarom zou zo'n huwelijk niet een oplossing kunnen zijn voor zijn problemen? Ja, waarom niet... Liever een rustig huwelijk dan een vlammende passie. Juan was tot de conclusie gekomen dat alleen dagen zonder liefde dagen zonder verdriet zijn, ook al had hij soms het idee dat zijn hart van steen was geworden en er al groene aanslag en mos op kwam.

Toen hij het manuscript eindelijk klaar had, tweehonderdvijftien pagina's gedrukt in korpsgrootte twaalf, mooi ingebonden, met een duidelijk en keurig titelblad, kwam hij in de verleiding om er een opdracht in te zetten en de eerste pagina te beginnen met een *Voor Ruth* om duidelijk te maken voor wie die boodschap in code was bestemd, die brief in romanvorm, wier stem hem de zinnen en punten en komma's had gedicteerd, maar hij verwierp dat idee meteen, hij moest er niet aan denken hoeveel heibel hij door een dergelijke opdracht met Biotza en Carmen zou krijgen. *Voor R.*, *Voor de roodharige* of *Voor de margrietenverzamelaarster* zouden te duidelijk zijn. Bovendien, waarom zou hij die trut laten merken dat hij nog steeds aan haar dacht? Dus loste hij het op met een *Voor Carmen en Biotza:* weer een leugen, weer een schep aarde op het graf van de waarheid.

Ruth leverde het scenario 5 september in. Paco Ramos las het in één avond door en belde haar 6 september 's morgens om haar te vertellen dat hij het een schitterend verhaal vond (afgezien van een paar veranderingen die hij wilde voorstellen en waar ze het op de voorbesprekingen wel over zouden hebben) en het zo vlug mogelijk verfilmd wilde hebben. De opnamen begonnen op 1 oktober en duurden tot 15 november: geen dag langer dan de zes weken waarmee in het productieplan rekening was gehouden.

De opname van *De twee gezichten van de liefde* verliep ongewoon ordentelijk en heel anders dan normaal bij filmopnamen. Over het algemeen begonnen ze om negen uur 's morgens en waren voor tien uur 's avonds klaar. Ruth wilde zo min mogelijk 's morgens vroeg draaien. Ze schitterde door afwezigheid bij de repetities met uitzondering van een paar onsamenhangende korte cameratests. Ruth zei de acteurs wat ze moesten doen en als het nodig was speelde ze zelf een scène voor zodat zij het konden nadoen en liet hen daarna hun eigen gang gaan. De regisseuse zag ervan af om de scènes vanuit diverse standpunten op te nemen: geen totalen, close-ups en overshouldershots van de acteurs, maar vanuit een of hooguit twee standpunten, en op die manier lukte het Ruth de scènes binnen de tijd te draaien: een prestatie. Het nadeel van deze manier van werken was dat ze zich geen fouten konden permitteren: omdat er van de acteurs niet veel tussenshots waren, was latere bewerking tijdens het monteren bijna niet mogelijk. Dat wil zeggen dat de scène niet ingekort, een volledig mislukte uitspraak niet weggelaten, de ene acteur niet door een andere vervangen kon worden als de eerste niet uit de verf kwam in een scène. Maar door de beperkte hoeveelheid shots was het monteren een peulenschil. Ruth voorzag de band van muziek uit haar eigen cd-collectie.

Montage, geluid en postproduction namen twee maanden in beslag.

Paco Ramos, die zich helemaal niet had kunnen vinden in Ruths eigenzinnige interpretatie van het *Dogma Protocol*, hield zijn hart vast.

Juan leverde het manuscript van zijn roman de vijftiende in. Indalecio had het dolgraag in december willen uitgeven, zoals hij aanvankelijk had gepland. Maar gezien de missers in het manuscript vond hij het raadzaam dat Juan het corrigeerde en herschreef. De publicatie werd uitgesteld tot maart, een ideaal tijdstip, want zo kon de promotie van de jonge auteur samenvallen met Sant Jordi en de Boekenbeurs van Madrid. Indalecio haalde alles uit de kast om het pad te effenen voor de verschijning van wat het belangrijkste romandebuut in de literaire wereld moest worden: hij stuurde drukproeven naar alle critici die hij kende en belde hen ieder afzonderlijk met het verzoek om het boek zoveel mogelijk onder de aandacht te brengen. In de weken voorafgaand aan de presentatie van de roman haalde hij Juan bij hem in huis in Madrid en zorgde ervoor dat de jongen overal werd gezien waar hij gezien moest worden. Hij liep met de veelbelovende jongeman alle mogelijke boekpresentaties af en stelde hem voor aan critici, uitgevers, journalisten, auteurs en perschefs, hij organiseerde zelfs etentjes met hoofdredacteuren van culturele bijlagen en literaire tijdschriften zodat deze de primeur hadden van de kennismaking met het nieuwe wonder. Eindelijk werd op 25 februari tijdens het verplichte etentje met de pers in een van de beste restaurants van Madrid de eerste roman van Juan Ángel de Seoane, *Vísperas de nada*, gepresenteerd die volgens Luis Alberto de Cuenca die bij die gelegenheid enkele treffende passages voorlas, werd beschouwd als 'een van de meest briljante debuten van de nieuwe Spaanse romanliteratuur en we kunnen zonder enige twijfel beweren dat voor deze recent ontdekte rasverteller een indrukwekkende literaire carrière in het verschiet ligt'.

Op 8 maart, internationale vrouwendag, ging *De twee gezichten van de liefde* in heel Spanje in première.

Het was redelijk voorspelbaar hoe boek en film werden ontvangen. Juans roman werd door de critici de hemel in geprezen – voor een keer zaten de culturele bijlagen in unanieme bewondering op een lijn – en door het publiek volledig genegeerd. Ruths film oogstte geen enkel goede kritiek. En kreeg uiteraard geen enkele nominatie voor de Goya maar bleek een kassucces: een maand na de première had hij al meer dan een miljoen bezoekers getrokken, die blijkbaar verrukt waren van die 'bijzonder slecht in elkaar gezette sentimentele commerciële smartlap' volgens de criticus van *El Espectador*.

Ruth zag je overal. Elk radioprogramma, elke televisiecamera of elk modern blad wilde iets over de roodharige brengen. Ze was weer even fel en onbarmhartig in haar uitspraken, met net zo'n scherpe tong en vlotte manier van doen als vroeger. Op foto's of op de buis, voor de radio of geciteerd in de roddelbladen, leek Ruth altijd alles onder controle te hebben en alle clichés weg te vagen, al die gemeenplaatsen waarmee ze door de media met hun leugenachtige berichtgeving werd opgezadeld. Ze werd weer net zo neurotisch als vroeger: ze weigerde ergens heen te gaan als Pedro niet meeging, zette het antwoordapparaat uit dat ze had aangeschaft om Juans berichtjes op te nemen, barstte meteen in vloeken uit als iemand haar op de zenuwen werkte (en dat gebeurde bij Ruth nogal snel), vergat haar zonnebril, tas, portemonnee in radiostudio's, taxi's en bars, overal liet Ruth een spoor achter dat het gekwelde personeel van Alquimia daarna moest verzamelen. Kortom, de Ruth uit haar beste dagen was weer in beeld, de Ruth van altijd, aanbiddelijk en ongenietbaar tegelijk.

Juan bracht het er slechter af in de media. Bij interviews zat hij te hakkelen. Hij kon de juiste woorden niet vinden, verloor zich in oeverloos gezwam over een onderwerp en kwam nooit tot de essentie. Zodra hem een beetje pijnlijke vraag werd gesteld als bijvoorbeeld: 'Gelooft u niet dat veel jonge auteurs met een dergelijk gekunstelde vorm meestal een armzalige inhoud willen verbergen?' of 'Vindt u niet dat onder die enthousiaste steun van uitgeverijen aan veelbelovende jonge mensen als u, die nog niets blijvends hebben bijgedragen, een schaamteloos commercieel trucje onder het mom van cultuur schuilgaat?' begon hij te stotteren, zenuwachtig met zijn gezicht te trekken en werd hij zo rood als een tomaat. Omdat hij niet voor de waarheid durfde uit te komen, dat bijvoorbeeld een vrouw die ouder was dan hij en op wie hij verliefd was geworden hem tot de roman had geïnspireerd, dat voor zijn Anna Livia veeleer een bestaand persoon model had gestaan dan een figuur van Joyce, of zelfs dat hij *Finnegan's Wake* helemaal niet had gelezen, omdat hij met zijn gebrekkige Engels niets snapte van die ingewikkelde woordspelingen, moest hij zich beheersen, zijn mond houden, omdat de woorden die hem op de lippen lagen al die geheimen zouden kunnen verraden, al die leugens ontmaskeren.

We hebben nog een belangrijk voorval vergeten te vermelden: Juan, fervent liefhebber van premières, had die van Ruths film bijgewoond. Hij had in de krant gelezen dat de première een paar dagen na zijn boekpresentatie zou plaatsvinden en belde Paco Ramos, die hem met alle liefde enkele uitnodigingen wilde sturen.

'Maar zeg niet tegen Ruth dat ik ernaartoe ga,' drukte Juan hem op het hart. 'Het moet een verrassing zijn.'

'Maak je geen zorgen,' stelde Paco hem gerust. 'Van mij zal ze het niet horen, dat verzeker ik je.'

Dat klopte niet helemaal, want in een eerste opwelling had hij dit meteen aan Ruth willen vertellen maar met de drukte van zalen huren, de distributie van de film en de promotie was het hem ontschoten en had hij helemaal niet meer aan Juans telefoontje gedacht.

Op de avond van 8 maart verdrong zich een luidruchtige menigte reikhalzend voor de deuren van het Muziekpaleis. Onder de felle schittering van de schijnwerpers bewoog de opgedofte en opgewonden mensenmassa zich als een stroom voort, een enorm gezoem als van een onrustige bijenzwerm overstemde de gesprekken: het groepsgevoel dat in de foyer hing leek zichzelf te voeden en met de minuut te groeien. Overal bleekroze glimlachjes en stralende ogen van opwinding. Alles schitterde: de gretige ogen van de starlets, de vurige emotie in de blikken van de jongste fans, de strasschouderbandjes van de jurken, de namaakedelstenen van de lange oorhangers, de zilveren manchetknopen, de dasspelden, de door de laser verblindend witte tanden; en te midden van al die dwaallichten, van dat helse enthousiasme stelde Juan zich ineens voor dat al dat licht in duisternis was veranderd, het kabaal in stilte, het leven teruggebracht tot de leegte en zag hij in plaats van al die wezens met diepe decolletés en gesteven frontjes geraamten voor zich die heel lang samen onder dezelfde grond begraven zouden liggen, bij een andere voorstelling, die elkaar konden blijven bewonderen en een naamloze komedie bijwonen die zijzelf, eeuwige en roerloze acteurs, opvoerden.

Op dat moment stapte Ruth uit de auto samen met Paco, Pedro en Leticia Brédice, haar hoofdrolspeelster. Ze zag nog bleker dan anders, alsof ze doodop was en elk moment kon flauwvallen. Maar het was Juan die bijna flauwviel toen hij de jurk herkende die de regisseuse droeg: het was dezelfde groene fluwelen jurk die ze op haar verjaardagsfeest aanhad. Hij was aanvankelijk niet van plan geweest om haar te gaan begroeten maar zodra hij haar zag, middelpunt van de belangstelling, epicentrum van de heksenketel van de première, werd hij als door sirenenzang aangelokt en als een slaapwandelaar, als door een automatische piloot bestuurd, liep hij naar haar toe zonder te beseffen wat hij deed, zonder te weten hoe of wat hij moest zeggen en juist toen hij vlak bij haar was, toen hij alleen maar zijn hand hoefde uit te steken om haar met zijn vingertoppen aan te raken, stortte een meute journalisten zich op Ruth en verdween de roodharige in een mallemolen van camera's en microfoons die haar omringden en meesleurden. Een vloedgolf van lichamen met spastische schaduwen, vormloze gestalten die met elkaar versmolten, scheidde Juan van Ruth en belette hem dichter bij haar te komen en voor hij zich realiseerde wat er gebeurde was alles in een oogwenk voorbij: Ruth was uit het zicht verdwenen en had hem niet eens opgemerkt, dat wist hij zeker, ze had niet eens beseft dat haar oude liefde was gezwicht, verslagen in het stof had gebeten, dat hij uitgeput van de veldtocht was teruggekeerd en de lauwerkrans aan haar voeten had geworpen, dat hij vroegere gebieden wilde heroveren en dat die laatste, hele korte veldslag hem niets had opgeleverd, amper een vluchtige indruk van een zenuwachtige en mollige roodharige in een groene fluwelen jurk die haar duidelijk te strak zat, een beeld dat hem met een harde klap in het verleden had teruggeworpen.

Hij bleef verbijsterd op de stoep staan en wist niet wat hij moest doen. Hij voelde er niets voor zich in het gewoel te mengen. Hij merkte dat het rumoer afnam en de menigte langzaamaan door de deuren van de bioscoop verdween als een leger mieren dat naar zijn nest onder de grond verdwijnt. Het vuur dat enkele minuten eerder de foyer in volle gloed had gezet smeulde nog wat na. Hij aarzelde of hij naar binnen zou gaan maar meende dat hij het niet zou kunnen opbrengen, dat hij daarmee zijn gemoedsrust en gezond verstand op het spel zette, dat hij met de roodharige in de buurt in alle opzichten met vuur speelde, dat de roodharige bij aanraking ontvlamde en hij voor hij het wist weer in vuur en vlam stond, dat hij niet kon riskeren zijn zojuist begonnen carrière, zijn herwonnen stabiele liefdesleven, zijn trots, zijn evenwicht, zijn geweten, zijn leven in de waagschaal te stellen.

Dus besloot Juan, die nooit een premièrefeest had willen missen, de eeuwige gangmaker op feestjes, Juan die je amper zes maanden ervoor altijd met een glas in zijn handen zag, met een glimlach om de mond, die nooit om een praatje verlegen zat, met iedereen begon te kletsen die bij hem in buurt kwam, rechtsomkeert te maken en naar Indalecio's huis terug te gaan, hij voelde zich opeens oud toen hij dat fletse licht in Ruths ogen had gezien. Een afweerreactie op de genadeloze overrompeling, de nekslag, want zo voelde het toen hij haar weer zag.

Of Ruth de roman van Juan had gelezen? Natuurlijk. Ze las niet objectief, zoals je zou verwachten, maar zocht in elke beschrijving en in elk bijvoeglijk naamwoord naar zichzelf en herkende zich in de tweede Anna Livia beter dan Juan had kunnen voorspellen toen hij die persoon creëerde. Ze begreep dat het boek uit rancune was geschreven, maar las tussen de regels door ook over liefde, hartstocht, verlangen, vuur, heimwee naar wat was geweest. De opdracht aan Biotza was haar niet ontgaan, heel onlogisch voor een verhaal dat geheel en al over Ruth ging of over de voorstelling die Juan zich van haar had gemaakt. De tweede Anna Livia was niet roodharig maar donker met zwarte ogen, had echter zoveel trekjes van Ruth – driftig, impulsief, scherpe tong, levenslust, het roerige verleden, de vreemde hartstochten die zij opwekte – dat het overduidelijk was om wie het ging. In plaats van Livia had hij haar eigenlijk Lesbia moeten noemen, hij vond het immers zo erg dat ze zich had verkocht.* In twintig eeuwen was er niets veranderd: Juan haatte en beminde, net als Catullus. Ze vond de cover van het boek erg conceptueel, absoluut niet mooi, een soort telefoonpaal die schijnbaar niets te maken had met het verhaal noch de stad die in het boek werd beschreven, ze vond het hoogverraad dat de werkelijke Juan zich niet hield aan de denkbeeldige Juan van wie ze had gehouden, dat hij geen fraaiere afbeelding had gekozen, eentje die zij mooi had kunnen vinden. Ze wist niet wat ze met het boek aan moest. Als ze het in de boekenkast zette, zou Pedro het vroeg of laat ontdekken en ze had geen zin in de spottende opmerkingen die ze dan te horen zou krijgen. Bovendien zou ze het waarschijnlijk toch niet kunnen laten om steeds weer obsessief de heftigste en persoonlijkste fragmenten te gaan zitten lezen. Ten slotte herinnerde ze zich een van de tovermiddeltjes van Estrella, die altijd zei dat je als mensen je uit afgunst of uit haatgevoelens kwaad wilden berokkenen dat kon voorkomen door hun bedoelingen te *bevriezen*, eenvoudig door iets in de vriezer te leggen wat die bedreigende en gevreesde persoon vertegenwoordigde, of het nu een foto was of een zevenmaal dubbelgevouwen papiertje met zijn naam of een door hem gedragen kledingstuk of een voorwerp dat hem dierbaar was. Ruth schoof het boek dus achter in het vriesvak van haar koelkast, legde er een stuk of wat ijsblokbakjes bovenop zodat ze het niet zag

* Lesbia, de minnares van Catullus, werd courtisane.

als ze ijs pakte en liet er een ijslaagje op komen, de uit stukjes stad bestaande stad gedoemd tot een eeuwigdurende winter.

In Madrid werd het echter weer lente. Ruth had een viertal door Pedro aanbevolen schilders ingehuurd – harde werkers en waarschijnlijk beunhazen – die behalve dat ze haar een week lang overdonderden met de grootste hits van de bachata en de cumbia uit de cassetterecorder, ook haar muren in abrikoos- en zalmtinten schilderden, waardoor het huis er feestelijk ging uitzien, als een kind in zijn zondagse kleren. Op de markt kocht ze tien potten margrieten die ze op de balkons zette. De bloemen draaiden gretig hun kopjes naar het schaarse licht dat daar kwam en leken op te bloeien, alsof ze dolgelukkig waren – wie weet waarom – met het plekje dat ze hadden gekregen.

'Het is veel beter zo, wat een verschil,' vond Pedro. 'Dit appartement lijkt nu tenminste een beetje lichter, het was net het huis van de familie Munster.'

'Ik ga in ieder geval, en dat meen ik, meteen na afloop van die vervloekte filmpromotie een ander huis zoeken, eentje met een terras.'

'Maar je hebt een kapitaal uitgegeven aan het schilderen van je muren!'

'Kan me niet schelen. Dat huis brengt me ongeluk en als ik de huisbaas de laatste maand huur niet betaal is dat ook opgelost.'

'Je moet het zelf weten, liefje. Maar je weet dat je wat mij betreft bij mij in kunt trekken. Ik heb je altijd gezegd dat het slecht voor je is om alleen in dat hol te wonen. Geen wonder dat je depressief werd. Weet je, in Zweden krijgen de mensen op doktersrecept ultraviolette stralen voorgeschreven, omdat bewezen is dat de menselijke hersenen zonlicht nodig hebben voor de aanmaak van dopamine of fenitelamine of weet ik wat voor stof op ine, waardoor mensen die geen zonlicht krijgen in een depressie raken.'

'Ik vind dat een mooie wetenschappelijke verklaring van je. Ik betwijfel echter ten zeerste of Julito het fijn vindt me voortdurend om zich heen te hebben.'

‘Het huis is van mij, niet van Julio, vergeet dat niet. En het is maar de vraag of Julio nog lang blijft...’

‘Wat nou? Hebben jullie ruzie?’

‘Daar wil ik het nu niet over hebben, alsjeblieft, ik ben niet in de stemming. Ik zal het je nog weleens vertellen. Het is trouwens wel duidelijk dat wij korter doen met een vriend dan een dwaas met een potlood.’

Juan bracht de lente in Bilbao door. Hij ging een weekend naar Madrid voor de Boekenbeurs, waar hij erachter kwam dat goede kritieken heel nuttig kunnen zijn maar blijkbaar niet om lezers te trekken. In de stille uurtjes zat hij vanuit het hokje naar de kinderen te kijken die hun moeders probeerden mee te tronen naar de mevrouw die de boeken van Manolito Gafotas signeerde en hij droomde van de dag dat een menigte om hem heen zou drommen voor een handtekening zoals in het hokje tegenover hem gebeurde, waar Manuel Vázquez Montalbán of wie weet Boris Izaguirre misschien wel aan het signeren was. Die uren waarin hij niets te doen had dacht hij na over de toekomst. Hij kon niet in Madrid blijven. Indalecio had hem aangeboden voor de uitgeverij te blijven werken, maar dat leverde nauwelijks genoeg op om zijn huur betalen. Hij had bij kranten en bijlagen aangeklopt maar de begeerde aanstellingen kwamen niet: de kranten hadden al talloze jonge schrijvers in dienst maar eigenlijk hadden ze journalisten nodig die gespecialiseerd waren in economie en computersoftware, twee onderwerpen waar Juan geen snars verstand van had. Er bleef hem niets anders over dan terug te gaan naar Bermeo, maar wat moest hij daar doen? Hij kon zich natuurlijk niet in huis opsluiten om nog een roman te schrijven en ondertussen op andermans zak te teren. Zijn moeder had er uiteraard niets op tegen om hem in de kost te hebben, maar hij had geen zin om elke week als een puber om zijn zakgeld te vragen en Biotza zou dat ook niet goedvinden. Afgezien daarvan, hoe moest hij thuis schrijven als hij geen onderwerp voor een tweede roman kon bedenken? Na het eerste boek leek zijn inspiratiebron opgedroogd. Hij overwoog voortdurend mogelijke onderwerpen maar realiseerde zich dan dat ze in wezen oudbakken waren, versies van geschiedenissen die hij al had gelezen en allemaal leken ze uitgekauwd en afgezaagd. Hij vreesde dat je niet alleen veel moet hebben gelezen om te kunnen schrijven maar dat je ook veel moet hebben meegemaakt, of dat je op zijn minst veel fantasie moest hebben, zijn leven had hij echter uitgebreid verteld en hij kon geen ander leven bedenken om te vertellen.

Het kwam er dus op neer dat hij als juridisch adviseur in het bedrijf van zijn schoonvader zou gaan werken zoals ze hem hadden aangeboden, om im- en exportcontracten op te stellen en zijn oude boeken over handelsrecht weer te voorschijn moest halen, een vak waar hij toentertijd uitstekende cijfers voor had gehaald maar dat hem niet in het minst had geïnteresseerd. Hij zou van negen tot zeven werken en te moe thuiskomen om nog te schrijven. En na verloop van tijd zou hij met Biotza trouwen, misschien af en toe wat schrijven in *El Correo* of de *Deia* of misschien zou hij zelfs vaste medewerker kunnen worden, want de relaties en invloed van de vader van zijn vriendin moesten toch ergens goed voor zijn, en zo zou zijn leven verder verlopen, kalm en gestructureerd, met een altijd rustige en lieve Biotza, die hem altijd op zijn wenken bediende en daarna zouden ze kinderen krijgen en nog later kleinkinderen, en op een dag zou hij ze vertellen dat hun grootvader een roman had geschreven en een groot schrijver had kunnen worden. En dat zou zijn leven zijn, zijn geschiedenis, mager en middelmatig als zijn carrière: een bestaan in voorwaardelijke vrijheid, omdat hij zich slaafs aan de moraal en goede zeden hield. Zou dat zijn toekomst zijn? Zou hij gelaten de dromen opgeven die hij zoveel jaren had gekoesterd? Zou hij dat uit gemakzucht over zich heen laten komen? Zou hij zijn energie verspillen aan nietsdoen, aan niet werkelijk leven? Nee, zo gemakkelijk kon hij niet opgeven en zich bij de eerste tegenslag neerleggen. Hij had ergens gelezen dat roeping afgemeten wordt naar falen, naar de vastberadenheid om zelfs bij de grootste tegenslagen door te willen gaan. En als er iets zijn leven had bepaald was het wel zijn roeping, zo sterk als die van een novice. Zonder roeping stelde hij niets voor. Hij kon niet zomaar ineens opgeven.

De boom van Ruth

Het succes van de film maakte Ruth niet gelukkig. Natuurlijk was ze blij dat ze een of twee jaar lang geen geldzorgen zou hebben, dat ze geen les hoefde te geven op een derderangsschool voor 1500 peseta per uur, dat ze niet om half acht 's morgens op moest om tussen een zweterige meute in de metro platgedrukt te worden, dat ze niet langer de hysterische verwijten hoefde aan te horen van een chef die een gezag deed gelden dat hij zoals hij heel goed wist in wezen niet had, een opgelegd en niet verdiend gezag en die alleen maar schreeuwt tegen zijn ondergeschikten omdat hij weet dat ze het geld hard nodig hebben en hem niet tegenspreken, die schreeuwt omdat hij dat nergens anders kan doen en niemand heeft om zijn frustratie op af te reageren. Ruth was blij dat ze zich niet opnieuw hoefde te verkopen voor een tijdelijk contract dat een waardig protest of tegenaanval onmogelijk maakte: als het je niet bevalt, meisje, dan ga je maar en krijg je ook geen uitkering, want er zijn genoeg mensen die graag jouw plaats innemen. Ruth was blij met het stukje vrijheid dat het succes garandeerde, maar het stemde haar bedroefd dat haar films bij niemand in goede aarde schenen te vallen, behalve bij een groot aantal onbekenden die haar niets zeiden. Judith en haar vader gaven nooit hun mening over haar films, wat verhulde dat ze er niets aan vonden maar dat ze te beschaafd waren om dat te zeggen. Juan die van Ruth een tape van haar korte film had gekregen, zei nooit dat hij hem had bekeken en toonde geen enkele belangstelling om *Fea* te zien. Sara sprak ook nooit over Ruths films. De meningen van Pedro en Paco telden niet mee, omdat zij belanghebbenden waren en zo was de stand van zaken. Wat had het voor zin dat een anonieme en onverschillige massa haar adoreerde terwijl het leek of haar enige verlangen in het leven niet in vervulling was gegaan, namelijk dat de mensen om haar heen haar accepteerde en van haar hielden? Ze voelde dat er aan alle kanten aan haar werd getrokken: een deel van de mensen wilde dat ze doorging met films maken, een ander deel wilde dat ze ermee stopte, een deel wilde dat Ruth verdween, een ander sloot haar in de armen. Soms dacht Ruth dat ze een tijdje rust moest nemen, weer wat meer lucht moest krijgen. Zich afzijdig moest houden en luisteren, zelfs te midden van de chaos die haar leven was.

Vooral 's nachts kreeg ze vaak pijn in haar maag als ze dacht aan het leven dat ze leidde. Er ontbrak iets. Ruth miste stabiliteit, iets voorspelbaars in haar leven. Het gevoel te weten, zonder te hoeven weten, zoals ademhalen zonder dat je eraan hoeft te denken dat te doen, dat ze elke nacht in hetzelfde bed sliep, en dat er iemand was, altijd dezelfde, die het bed met haar deelde. Hetzelfde huis met dezelfde inrichting, steeds dezelfde verlichting van het gehavende nachtlampje, dezelfde geur van wasverzachter van de lakens, het gevoel van bescherming dat het voorspelbare en bekende met zich meedraagt. Nee, Beau had haar dat niet gegeven, maar haar jeugd wel, de twee bedjes naast elkaar in de kamer die Judith en zij deelden, de gebeden die Estrella uitsprak voor het slapengaan, dezelfde route van de schoolbus, elke morgen en avond dezelfde muren, een saaie en onopvallende jeugd, nooit overdreven gelukkig, maar niet vervelend, rustig in zijn somberheid, die absoluut niet de kronkelige, onvoorspelbare overgang voorspelde naar het volwassen leven, met zijn ups en downs en zijn omwegen die soms uitmondden in impasses.

Ze ging zelfs denken dat haar films zo slecht waren dat ze zich ervoor schaamde ze opgenomen te hebben. Wanneer ze werd uitgenodigd op diners of feesten en een warhoofd die haar niet had herkend vroeg wat ze deed, zei ze nooit dat ze regisseuse was en verzon ze andere levens van vrouwen voor wie elke dag hetzelfde was of identiek aan de dag ervoor of de dag erop: ik ben advocate, zei ze, of verpleegster, of secretaresse of intercedente bij een reisbureau. Beroepen waarbij geen reizen of gevoelsuitingen in het geding waren, maar waar trauma's of problemen in rechtszaken, statussen, begrotingen, in alcohol gebette tampons voorkwamen.

Bovendien verscheen er door het succes weer een Andere Ruth, een uitwendige die toegevoegd moest worden aan de andere innerlijke Ruths. De media hadden een Ruth Swanson gecreëerd die haar ogen en haar haren, haar lach en zelfs haar stem had, maar die totaal niet op haar leek. De interviews met de schrijvende pers werden gepubliceerd, zinnen ingekort en overlapt door andere, zodat het eindproduct niets te maken had met het origineel, hoewel je in feite niet kon zeggen dat Ruth dit of dat niet had gezegd. Soms was het echt zo dat er dingen gepubliceerd werden die Ruth nooit had gezegd, maar het was moeilijk een aanklacht in te dienen (Ruth had daar tijd noch geld voor, want de advocaten voor een rechtszaak kostten een vermogen en die vereiste financiële reserve had ze niet), zodat er niets te doen was tegen de macht van de Mediagenieke Ander. De televisie-interviews werden ook uitgezonden en uit een opname van een half uur werden twee minuten gehaald waarin die ene arrogante zin werd gepropt die volledig uit zijn context was gerukt, zodat de ironie verloren ging en het de grootste onzin werd. En zo kwam een menigte onbekenden op Ruth af op zoek naar een Ruth die zij niet was, zodat Ruth mensen aantrok die zij helemaal niet leuk vond en nu juist degenen met wie ze meer affiniteit zou hebben afstootte, degenen die vluchtten voor de mediagenieke Ruth, die totaal niet beseften wat de echte Ruth voelde, dat ze huilde en leed zoals ieder mens.

Om nog maar te zwijgen over de voortdurende kritiek die iedereen en zijzelf op haar werk en haar persoon leverden en haar het leven zuur maakten. Was ze een goed mens? Was ze slecht? Was ze goed genoeg? Op school was het veel eenvoudiger geweest. Ze deed examen en slaagde met goede cijfers. Ze was slim, dat was waar: daar viel niet over te twisten. In haar jeugd en puberteit was ze enorm onzeker geweest over haar uiterlijk, over haar persoonlijkheid of haar aanpassingsvermogen, maar nooit over haar intelligentie of haar talent. Alle leraren vonden dat Ruth intelligent was, heel bekwaam. Eigenlijk was deze mening paradoxaal genoeg het belangrijkste argument bij de ruzies en de verwijten: 'Jij bent zo intelligent dat je zou moeten weten dat je je in de nesten werkt als je spijbelt.' Of: 'Een meisje met zoveel talent als jij zou dat niet moeten verprutsen met het tekenen van karikaturen van de leraren, hoe geslaagd die ook zijn.' Ja, tot haar negentiende had ze zich slim en talentvol gevoeld, omdat de anderen dat voor haar hadden beslist. Maar op haar inmiddels vierendertigste kon ze niet meer uitgaan van andermans mening, maar had ze te maken met een heleboel tegenstrijdige meningen. De Spaanse critici vonden haar werk slechts 'de absurde puberale oprisping van een bijzonder leeghoofdig meisje dat in de verste verte niet op de hoogte is van wat wij beschouwen als het abc van de filmgrammatica' (dat had ze pas gelezen in *El Mundo*). De brief die ze ontving van het Comité van Sundance vermeldde echter heel iets anders: 'Graag ontvangen wij uw film die een solide kennis van de filmtaal combineert met een dappere en baanbrekende boodschap waar wij in deze tijd enorme behoefte aan hebben.' Hoe moest ze nu weten wat ze waard was met deze tegenstelling? Het enige waar ze hoe dan ook houvast aan had was haar eigen oprechtheid: ik ben zoals ik ben en zou nooit anders kunnen zijn. Liegen was nergens goed voor zoals het afgelopen helse jaar had bewezen, het was beter om eerlijk te blijven ook al werd ze daardoor afgekraakt.

Toen Pedro hoorde dat het Festival van Sundance *De twee gezichten...* had geselecteerd danste hij bijna van vreugde. Een hele dag hing hij aan de telefoon om het nieuws te vertellen aan vrienden, bekenden, familie, vrienden van vrienden, bekenden van familie, familie van bekenden en zelfs aan een ex-vriend van een familielid van een bekende, hij was zo opgewonden dat het leek of hij vijftien doosjes amfetaminen had ingenomen. Ruth werd er daarentegen warm noch koud van. Ze besefte natuurlijk wel dat het belangrijk was, het was haar echter ook niet ontgaan dat Laura Mañá het tot Sundance had gebracht maar dat haar deelname aan het Festival bijna geen weerklank in Spanje had gevonden, terwijl de film subliem was. Alsof het niet doorgedrongen was. Bovendien was ze niet dol op een transatlantische reis. Vanaf het moment dat de film in roulatie was had ze de helft van de tijd in vliegtuigen doorgebracht, van festival naar festival, van de ene persconferentie naar de andere. Ze had genoeg van interviews, was moe van de vragen, de foto's, de vliegtuigen, de hotelkamers, verklaringen te moeten geven en zichzelf elke dag opnieuw te moeten bewijzen. Om zeven uur opstaan, om acht uur de deur uit, om negen uur op het vliegveld om het vliegtuig van tien uur te nemen en om half twaalf op haar bestemming aan te komen om op tijd in het hotel te zijn waar om half één een persconferentie is, een persconferentie die Ruth half slaperig en doodmoe geeft terwijl de dag nog nauwelijks is begonnen en ze geen tijd had haar bagage in haar kamer te zetten (dat heeft de liftjongen gedaan) en dat ze in die staat geconfronteerd wordt met de gebruikelijke vragen en beschuldigingen, of haar filmconcept niet gevaarlijk neigt naar doodgewoon exhibitionisme zonder boodschap, of dat het thema feminisme niet slechts een commercieel lokkertje is als zoveel andere, of de duizend keer herhaalde en stomvervelende vragen, zoals haar mening over de andere collega's van haar generatie, collega's die Ruth helemaal niet kent en van wie ze de films vaak niet eens heeft gezien – en allemaal omdat Leticia niet op promotie gaat buiten de week die in haar contract staat en Ruth dat moet doen wanneer de film in de provincie wordt vertoond – en daarna van het ene radiostation naar het andere, foto's maken voor de lokale pers, uit eten gaan met de desbetreffende distributeurs, het restaurant uit rennen met een nog volle maag om naar een radiostation te gaan en gevat te antwoorden op elke onbeschofte vraag, ook al vallen je ogen dicht vanwege de zware spijsvertering, dan in een taxi naar de andere kant van de stad om bij een ander radiostation te praten, en daarvandaan weer op een holletje naar de bioscoop waar de film wordt vertoond, in de taxi je mascara bijwerken – de pers wil graag dat ze zich voor de foto's opmaakt, ook al is het minimaal – en een paar woordjes zeggen voor de vertoning, en eindelijk om twaalf uur, na een diner met de geijkte journalisten, naar het hotel, dronken van de wijn en vermoeidheid, en jezelf steeds opnieuw afvragen: waarom doe ik dit, waarom ga ik op promotiereizen waar ik niets aan vind, en steeds hetzelfde antwoord, omdat je geen andere film kunt maken als deze niet aanslaat, als je er geen bekendheid aan geeft en als je de mensen er niet van overtuigt dat je iets interessants te vertellen hebt gaan ze hem niet bekijken, en omdat jijzelf het meest geschikt bent om je films te promoten, je flirt met de camera, je bent om op te vreten voor de microfoon, de woorden die Paco Ramos duizend keer heeft herhaald en omdat jij, Ruth, eigenlijk een exhibitioniste bent, en zonder jezelf te bewijzen en jezelf te promoten je het moet doen met de beklemmende stilte van de vier muren in je huis, een grijs leven zoals dat van veel anderen, van school naar huis en van huis naar school, en de weekends naar de bioscoop om films te zien die jij beter zou kunnen maken en omdat je de wereld naar je hand wilt zetten, een alternatieve realiteit creëren waarin jij godin en demiurge bent, waarin jij kunt beslissen hoe het afloopt, de slechteriken straffen en de goeden redden, of althans waarvandaan je een bericht in een fles van celluloid kunt sturen: zo ben ik en ik geloof dat er andere mensen zijn zoals ik en ik wil dat ze naar mij kijken als in een spiegel om te bevestigen dat ik besta en dat het zin heeft dat ik besta.

Ze had genoeg van interviews, was altijd moe van de vragen, de foto's, de vliegtuigen, de hotelkamers, verklaringen te moeten geven en zichzelf elke dag opnieuw te moeten bewijzen. Vermoeid van haar eigen vermoeidheid die ze meezeulde. Ze had absoluut geen zin om naar Sundance te gaan.

'Ik waarschuw je: alleen ga ik beslist niet naar Sundance.'

Ángel, de nieuwe perschef van Alquimia, een betrekkelijk knappe en behoorlijk bekakte jongeman keek haar met grote ogen aan.

'Maar Leticia is aan het opnemen met Menkes en Albacete en kan er niet naartoe.'

'Nou, dan gaat Pedro, dat is duidelijk.'

'Doe niet zo raar. Hoe moet ik die mensen van het Festival uitleggen dat jij je cameraman meeneemt? Als het nu een acteur was, dan...' zegt Paco Ramos die ook bij het gesprek aanwezig is.

'Dan zeg je de waarheid: hij is mijn coregisseur. Dat wij als de Cohens zijn. Of anders zeg je maar dat hij mijn man is. Wat kan mij dat schelen.'

'Zoals je wilt. Ik denk dat we hem wel als partner of zoiets kunnen inschrijven,' beloofde Ángel op verzoenende toon. 'We kunnen het proberen. Maar dan zullen jullie in dezelfde kamer moeten slapen. Begrijp goed, Ruth, dat het een transatlantische vlucht is. Ze strooien niet zomaar met tickets en hotelkamers.'

De nieuwe perschef van Alquimia leek al met al een redelijke vent. Hij was nog maar kort bij de productiemaatschappij. Het was een ogenschijnlijk bescheiden jongen, gereserveerd en beschaafd. Toen Paco Ramos zich verontschuldigde omdat hij naar een heel belangrijke vergadering van Sogetel moest om te praten over een mogelijk productieplan en hen alleen liet, werd de jongen wat milder.

'Ik begrijp je helemaal, echt waar. Ik geloof dat het inderdaad een goed idee is dat Pedro met je meegaat,' sprak hij lijmerig en rustig, hij hield de klinkers overdreven lang aan, draalde bij elke lettergreep en verbond ze met de volgende zonder dat er een pauze tussen de woorden viel, zodat hij ouder leek dan hij was en alles wat hij zei belerend klonk als van iemand die veel weet of veel meent te weten en een meisje wil overhalen de juiste beslissing te nemen. 'En neem van mij aan dat ik er alles aan zal doen. Je hebt geluk, weet je? Om op hem te kunnen rekenen. Ik ken geen vriendelijker mens. Ik heb heel veel aan hem te danken...'

'Jij? Wat heb jij aan Pedro te danken?' vroeg Ruth heel onbeleefd, dat moet gezegd worden, omdat ze die ochtend in een bijzonder slecht humeur was.

'O, weet je dat niet? Nou, in de eerste plaats dat ik hier werk. Ik ben een buurman van Pedro, ik woon op de vijfde verdieping.'

'O ja? Ik heb je daar anders nog nooit gezien.'

'Ja, het is vreemd dat we elkaar niet zijn tegengekomen.'

'Tja...'

'Ik woon bij mijn ouders, weet je? En ik zat altijd in een wereldje dat hier niets mee te maken had. Ik studeerde aan de ICADE, kun je je voorstellen, jongens die al hun zinnen eindigen met een *weet je?*, die in hele dure auto's rijden vanaf de dag dat ze achttien jaar worden, die hemden met geborduurde paardjes erop dragen, die PP stemmen...'

'Vertel mij wat... Ik ben opgegroeid in Puerta de Hierro.'

'Dan begrijp je wel hoe belangrijk het voor mij was om met Pedro in aanraking te komen, omdat ik, tot ik hem leerde kennen, alleen maar *gays* op de televisie had gezien. Je weet wel, die series voor tieners waar ze allemaal heel vriendschappelijk en leuk met elkaar omgaan omdat ze de bewuste homoseksueel zonder vooroordelen accepteren, maar waarin je, uit voorzorg, de homoseksueel nooit iemand ziet zoenen, terwijl de anderen elkaar de hele dag aflebberen.'

'Nee, ik kijk niet vaak televisie. Maar ik kan het me voorstellen.'

'Natuurlijk voelde ik me vreemd, volkomen geïsoleerd.'

'Dus jij begrijpt dat...'

'Zo ongeveer.'

'Zo ongeveer?'

'Nou, wat ik je zeg. Dat ik er in mijn kringetje niet voor uit durfde te komen, dus ik gaf er niet aan toe. Ik heb wel een paar meisjes versierd, dat wel.'

'En jongens?'

'Jongens niet. Alleen Pedro.'

'Hoezo Pedro? Pedro is met Julio...'

'Was...' Zijn wangen werden opeens vuurrood. 'Dat met Julio is over en uit. Ik geloof dat Julio op zoek is naar een andere woning...'

'En waarom weet ik daar allemaal niets van? Ik neem toch aan dat ik Pedro's allerbeste vriendin ben, nietwaar? Ik vertel hem alles, mijn meest intieme dingen die ik tegen niemand vertel en nu moet ik toevallig van een derde horen dat het ineens uit is.'

'Ik weet het niet... Ik kan er niets aan doen. Hij zal je er niet mee hebben willen lastigvallen. Omdat je de laatste tijd zo hysterisch doet...'

'Hysterisch??? IK?'

Maar ze stelde Pedro geen vragen. Hij had haar niets verteld, dus zou zij er echt niet over beginnen, geen sprake van. Wekenlang lagen de vragen op het puntje van haar tong en meer dan eens was ze bijna gezwicht, maar haar trots weerhield haar: waarom zou ze erom smeken als hij haar toch niet in vertrouwen nam. Inwendig ziedde ze echter van woede die elk moment tot uitbarsting kon komen. Ze voelde zich verraden: hoe was het mogelijk dat hij vergat wat zij waren geweest, maatjes en vrienden, elkaars steun en toeverlaat, zonder iets te hoeven vragen vonden ze steun bij elkaars gezelschap, ze voelden de aanwezigheid van de ander ook al was die er niet, ook al kwamen en gingen ze, net hoe het uitkwam? Wat restte haar nog, behalve melancholie en terugkerende oude herinneringen als Pedro haar in de steek liet? In welke spiegel moest ze kijken, op welke schouder uithuilen, welk nummer bellen als ze 's nachts door angst, eenzaamheid, herinneringen en beklemming werd overvallen? Ze kon niet nalaten zich af te vragen waarin ze had gefaald, wat ze had gedaan dat hij had besloten haar op zo'n manier aan de kant te zetten. En daarna zei ze bij zichzelf dat ze de dingen overdreef, uit hun verband rukte, dat ze weer doordraafde, dat het helemaal niet zo erg was, dat hij meer dan genoeg goede redenen voor zijn terughoudendheid zou kunnen hebben, dat hij misschien niet over de breuk wilde praten zolang die niet definitief was of dat hij een eigen, precies afgebakend, territorium veiligstelde waar Ruth geen toegang tot had, of misschien had Ángel de zaak wel aangedikt en hoefde ze zich helemaal niet druk te maken om onbenulligheden, weer overmand te worden door verdriet, weer de Ruth te worden die zich over alles kwaad maakte. Maar de angst om Pedro te verliezen opende haar de ogen voor het feit dat je weinig waarde hecht aan waar je zeker van denkt te zijn, aan wat je niet waardeert tot het moment dat je meent het te zullen verliezen.

Zoals Ángel al had voorspeld was er een tweepersoonskamer voor hen besproken, omdat de hotels tijdens het festival in Sundance altijd volgeboekt waren, en als ze niet in dezelfde kamer wilden slapen zou Pedro moeten uitwijken naar een armetierig hotelletje buiten het dorp. Ruth en Pedro zaten er uiteraard niet mee om een kamer te moeten delen en namen het de organisatie ook niet kwalijk dat ze niet twee kamers voor hen had gereserveerd. Ruth vond het eigenlijk heerlijk. Over het algemeen deelde ze niet graag haar ruimte met een ander maar met Pedro zou het anders zijn, want ze kende hem en zijn gewoonten door en door, ze was eraan gewend dat het Pedro was die elke avond voor het slapengaan de kleren opruimde die Ruth op de grond liet slingeren, die hij binnensmonds mopperend opvouwde en op een stoel legde, dat het Pedro was die haar midden in de nacht toedekte wanneer Ruth in haar slaap de dekens had losgewoeld, kortom dat het Pedro was die als Ruths moeder fungeerde, ook al kon Ruth die zorg niet als zodanig benoemen omdat ze in haar jeugd geen zorgende moeder had gekend.

Van de vertoning van haar film werd weinig ophef gemaakt. Het was allemaal heel sober vergeleken bij de premières in Madrid en Barcelona. Ze hoefde voor de buitenwereld niet met een gemaakt lachje, te midden van schijnwerpers en flashes, te doen alsof ze heel blij was, ze kon volstaan met een paar woorden voor de vertoning. Ruth stal het hart van het publiek met haar strakke jurk, haar Engels met Brits accent en haar gevoel voor humor. De vertoning werd beloond met applaus en gefluit: een succes. Gelukkig waren er daarna niet de geijkte wurgende omhelzingen en zoenen in de lucht, de mierzoete woorden uit de mond van een aankomend actrice wier naam niemand kent, de lawine van zoetsappig gevlei noch het gevoel verpletterd te worden door de gretige horde toeschouwers die je willen gelukwensen, omdat ze of werk zoeken of met de ster gezien willen worden, of denken dat het zo hoort of – alles is mogelijk – omdat ze de film werkelijk goed vonden. Maar daar was het allemaal heel ingetogen, veel minder luidruchtig en feestelijk, alles volgens een protocol van Angelsaksische vormelijkheid en correct gedrag: handdrukken in plaats van zoenen.

Ruth stelde voor het met champagne te vieren.

'Ik dacht dat je niet meer dronk,' zei Pedro.

'Ik heb ruim zes maanden zo goed als niets gedronken. Het is nu welletjes geweest. Ik heb wel een feestje verdiend.'

Ze maakten niet een maar drie flessen Möet soldaat in de bar van het hotel waar ze door producers, journalisten en acteurs werden belaagd die zich om hen heen verdrongen. Naarmate Ruth meer dronk veranderde haar gezichtsuitdrukking en kregen haar ogen hun vroegere kleur weer terug, de schittering van water, de beroemde zee die woelig en groen in haar oceaanogen deinde en die Juan nog had kunnen zien voor hij troebel werd. Een producer wilde met alle geweld champagne uit haar schoen drinken, wat iedereen om hen heen toejuichte, Ruth trok niet alleen haar schoenen maar ook haar kousen uit en begon met haar blote voeten Pedro's kruis te strelen tot grote hilariteit van degenen die zich bij het geïmproviseerde feestje hadden gevoegd. Ruth herkende de wellustige schittering in de ogen van de producer, de glans die in al die ogen om haar heen werd herhaald, dezelfde glans als in de ogen van haar klanten in Londen. Ruth wist dat die producer er veel, echt heel veel geld voor overhad om bij haar te zijn. Ze liep hangend aan Pedro's arm terug naar hun kamer met de schoenen in haar hand, terwijl beiden meegesleept door hun vroegere hartstocht voor Madonna *Like a Virgin* neurieden. Toen Ruth op bed neerviel kreeg ze de slappe lach. Pedro plofte naast haar neer en moest ook lachen en zo vielen ze met hun kleren aan en een lach om hun mond in slaap: hij met schoenen en al, nog in zijn Armani-pak dat hem een rib uit zijn lijf had gekost en onvermijdelijk zou kreuken; zij met haar zware, massief zilveren Burés-oorhangers en bijpassende ketting, en de rok van haar jurk tot haar middel opgekropen en verkreukeld; beiden zo dronken als torren, zo gelukkig als wat, zo uitgeput als kinderen.

Toen Ruth haar ogen weer opende was het al bijna dag en een zwak roze licht viel door het raam naar binnen. Alles was rustig, de drukte en opwinding van het festival en mensen die heen en weer liepen door de gangen en in hun kamers napraatten waren voorbij, je hoorde niet eens de lift op en neer gaan: een dichte, bijna gestolde stilte. Ze stond op om het licht uit te doen dat ze hadden laten branden en toen voelde ze de kater, ze had zo'n zwaar hoofd dat ze nauwelijks kon lopen. Ze rilde en moest kokhalzen waardoor haar maag samentrok, een ongewilde reflex waarmee haar lichaam aangaf dat het op de weg terug was vanuit een ver gebied waar de drank haar naartoe had geleid. Ze stond rechtop met het licht uit, de kamer zwak verlicht door het nevelige ochtendgloren en probeerde Pedro zijn schoenen uit te trekken, maar hij sliep als een blok, snurkte zachtjes en werkte absoluut niet mee, en toen Ruth er eindelijk in slaagde om na enkele vergeefse pogingen een schoen uit te krijgen schoot ze door haar eigen kracht achterover en belandde op haar achterste op het kleed, in zo'n lachwekkende houding dat ze, zo dronken als ze was, in schaterlachen uitbarstte. Op dat moment deed Pedro, waarschijnlijk wakker geworden door de smak die Ruth maakte, zijn ogen open en toen hij Ruth daar, als een kever op zijn rug, op het kleed zag liggen, met de schoen in haar hand en gillend van de lach, moest hij ook lachen hoewel hij niet begreep wat er zo grappig was. Ruth krabbelde overeind en liep zigzaggend naar het bed, stuntelig maar toch met een zekere natuurlijke gratie, als van een licht aangeschoten danseres, en ging naast hem op een punt van het bed zitten, de schoen in haar hand en nog steeds lachend, nu niet meer met gierende uithalen maar met korte hiklachjes, een soort kinderlijk gekir, en nog dronken van de champagne en het feestje begon ze Pedro te kietelen en toen hij zich verzette en haar armen probeerde vast te pakken zodat ze niets meer kon doen, rolden ze in elkaar verstrengeld over het bed. Voor ze het wisten kusten ze elkaar, eerst nog onbeholpen, amper een lichte en onhandige beroering van de lippen, en daarna inniger waarbij ze met hun tong de mond van de ander verkenden en elkaars speeksel proefden. Ruth durfde echter niets te zeggen, niet eens te lachen opdat hij niet plotseling zou beseffen waar hij mee bezig was, dronken gedoe natuurlijk, iets onbenulligs dat niets te betekenen had bij twee vrienden die al tijden geleden het idee van erotiek in hun relatie hadden laten varen, maar iets onbenulligs waarnaar ze verlangde en daarom liet ze hem haar jurk omhoogtrekken, stak zelfs haar armen in de lucht om hem behulpzaam te zijn en toen hij vervolgens de sluiting van haar beha niet loskreeg, die constructie van satijn en metaal die de indruk moest wekken dat haar supervrouwelijke borsten, die van een vrouw uit een stuk, zich niets aantrokken van de zwaartekracht, alsof het borsten van een puber waren, die beha bedoeld om zijn zachte inhoud zogezegd op een presenteerblaadje aan te bieden, galerij van het decolleté en overvloed aan warme zachtheid, maakte ze zelf de haakjes los met de handigheid van iemand die dagelijks strijd levert met dergelijke gewrochten en toen haar twee borsten uit hun gevangenis werden bevrijd en ongehinderd hun oorspronkelijke weke vorm terugkregen, vroeg Ruth zich onwillekeurig af of een dergelijke overdaad aan vlees hem niet zou afstoten, omdat hij gewend was aan brede platte mannenborsten. Maar tot haar verbazing begon hij haar tepels te kussen, haar slappe hangborsten schenen hem dus niet af te schrikken maar zelfs op te winden, en vervolgens was zij het die hem moest helpen met zijn jasje dat hij moeilijk uitkreeg, die enthousiast maar onhandig zijn zijden overhemd losknoopte; ze stond verbaasd van zijn gladde borstkas als van een wasbord, van die biceps die ze zich niet herinnerde en die misschien zo gespierd was door training of het voortdurend gesjouw met de camera op zijn schouder, van de zachte huid die bijna net zo blank was als die van haar, van zijn met sproeten bezaaide schouders, en dan, wat een verrassing, dat harde, grote en warme ding tussen zijn benen, zo groot dat het aanvankelijk moeite kostte om binnen te dringen, veel groter dan Ruth ooit had kunnen denken, krachtig, vastberaden, stijf, gereed, bereid, zonder terug te schrikken voor Ruths overduidelijke, onmiskenbare, bijna excessieve vrouwelijkheid, en vervolgens de strelingen, de kussen, de omhelzingen, de korte zuchten, het intense gekreun van een bronstig dier, de handen die bedreven de grenzen tussen vlees en geest wegvaagden, de heftigheid en de tederheid, lichaam en verstand, mannelijk en vrouwelijk, Ruth en Pedro, huid en emotie, het zichtbare en het onzichtbare. Ze vormden een wezen met twee gelijkwaardige middelpunten waarin het strijdige in overeenstemming werd gebracht. Het zachte strelen legde geheimen bloot en bracht verloren beelden naar boven. Het lichaam dat bij Pedro's aanraking te voorschijn kwam was niet het lichaam van Ruth maar dat van de Ander, de Ander die eindelijk begrepen werd en waarmee ze zich verzoende. Die hallucinatie, die luchtspiegeling, dat uit het lichaam treden om in de ander over te gaan, die kleine dood bij leven, voorloopster van duizend keer doodgaan en duizend keer opnieuw geboren worden, bood heel eenvoudig de mogelijkheid om het Alles te zien, om het witte licht weer binnen te treden.

Wie het kent zwijgt, en wie spreekt heeft het niet gekend.

Een wolk van gemengde luchtjes: het kaneelachtige parfum van Ruth, de Chanel-aftershave van Pedro, een vleugje zweet en feromonen en als ultiem overheersend accent bij het hoogtepunt een scherpe chloorlucht: de doordringende geur van sperma.

'Ik dacht dat wij alleen maar vrienden waren,' zei hij.

'Beschouw seks maar als een extraatje van de vriendschap,' antwoordde zij.

'Maar ik hou van je.'

'Ik ook. Ik hou veel van je.'

'Met "ik hou veel van je" zou ik niet precies uitdrukken wat ik voel. Ik bedoelde eigenlijk een eenvoudig "ik hou van je" zonder het "veel" erbij.'

'Weet je, ik ga haast geloven dat ik zo iemand ben die in staat is van zichzelf of van een ander te houden maar nooit van allebei tegelijk.'

'Wat een onzin.'

Een persconferentie moeten houden is erg, maar met een kater een persconferentie moeten houden is nog veel erger. Ze hadden voor Ruth een zaaltje in het hotel gereserveerd waar de journalisten hun opwachting maakten, sommigen waren duidelijk zenuwachtig, anderen zagen er moe uit, weer anderen verklaarden fervente bewonderaarsters te zijn, zusters in de gemeenschappelijke zaak van het feminisme, een enkeling was onbeschoft opdringerig, maar allemaal vroegen ze min of meer hetzelfde, in verschillende bewoordingen. Het was normaal dat ze aan het eind van de dag uitgeput en triest was, doodop, omdat ze zich steeds weer moest bekendmaken en bewijzen, steeds weer dezelfde antwoorden geven, alsof ze buiten zichzelf stond. Minder normaal was het angstige voorgevoel dat haar dwarszat, die voortdurende gedachte aan Juan terwijl zijn beeld en zijn naam al tijden geleden uit haar hoofd waren verdwenen en hoe kwam het dat ze plotseling, zonder duidelijke reden, gekweld werd door de dringende noodzaak om te weten hoe het met hem ging? Het was sterker dan zijzelf. Het was niet hetzelfde als toen ze in een romantische opwelling in de zomer naar de telefooncel liep om zijn nummer te draaien, zijn stem te horen terwijl de lijn stil bleef, in een verlaten stad waar het asfalt om haar heen leek te smelten. Dit was een andere drang die haar kwelde, het was een soort dringende roep, die ze niet kon negeren, iets wat sterker was dan alleen maar nostalgie. Toen dacht ze aan wat Estrella zei als ze haar de kaart legde: vertrouw altijd op je voorgevoel, meisje, want je hebt visie. Met visie bedoelde Estrella dat ze een zesde zintuig had en het is waar dat Ruths voorgevoelens altijd uitkwamen: toen ze dacht dat Pedro zou bellen belde hij, net als toen ze wist dat het verloren gouden kettinkje onder het bed lag. Of het nu intuïtie of toeval was, Ruth had er in ieder geval altijd op vertrouwd.

Ze durfde Juan niet rechtstreeks te bellen maar wilde het evenmin van zich afschuiven. Ze wilde weten hoe het met hem was. Ze hadden echter geen gemeenschappelijke vrienden, er was niemand die ze kon bellen om het te vragen, om erachter te komen of het goed of slecht met hem ging, of dat wat ze voelde slechts heimwee was en geen voorgevoel en ineens schoot haar de enig mogelijke oplossing te binnen, hoe absurd die ook leek. De volgende dag koos ze, rekening houdend met het tijdsverschil, een tijdstip uit waarop in Spanje Indalecio op kantoor zou zijn en hakte de knoop door. Bij inlichtingen zouden ze haar het nummer van uitgeverij Paradigma wel kunnen geven.

Toen ze hem belde leek hij heel verbaasd haar aan de lijn te krijgen.

Hij had waarschijnlijk wel begrepen dat er iets tussen haar en Juan was geweest maar hoe ver die relatie ging kon hij niet weten en bovendien interesseerde haar geen zier wat Indalecio wel of niet wist. Omdat ze hem niets van haar voorgevoel wilde laten blijken verzweeg ze dat ze in Sundance zat, want hij zou vreemd opkijken dat ze vanuit de Verenigde Staten belde om alleen maar terloops naar een oude vriend te informeren. Er bleef niets anders over dan te liegen, of op zijn minst de waarheid een beetje te verdoezelen.

'Indalecio? Met Ruth Swanson, misschien herinner je me nog. Juan heeft ons aan elkaar voorgesteld... Juan Ángel de Seoane bedoel ik, tijden geleden bij de presentatie van het boek van Marcos Giralt.'

'Ja, ja, natuurlijk weet ik dat nog.'

Hij klonk stomverbaasd. Hij vroeg zich ongetwijfeld af wat de roodharige op het onzalige idee bracht om hem te bellen terwijl ze beiden onverenigbare standpunten innamen: wat hij lichtzinnigheid noemde, beschouwde zij als het neerhalen van barrières tussen de Kunst met een grote K en die met een kleine k.

'Ik bel je om te informeren naar Juan, naar Juan Ángel de Seoane, je weet waarschijnlijk wel dat we... bevriend waren. Het is namelijk zo dat ik van gemeenschappelijke vrienden in Bilbao hoorde dat hij ziek is, ze hadden gehoord dat hij een ongeluk heeft gehad (*helemaal gelogen*), maar weet je, omdat ik niet weet of het alleen maar geruchten zijn en ik zijn nummer in Bilbao niet heb en hem nu niet kan bereiken (*gedeeltelijk waar: ze had zijn nummer in Bilbao niet maar wel zijn mobiele nummer*) en ik hem bovendien ook niet wilde lastigvallen als er niets aan de hand was (*helemaal waar*) dacht ik dat als hem iets was overkomen jij wel op de hoogte zou zijn. Ik neem aan dat je het raar vindt dat ik jou bel, maar ik ken niemand anders die me wat meer zou kunnen vertellen en omdat jullie goede vrienden zijn...'

'Het gaat als een lopend vuurtje zo te zien. Wanneer heb je het gehoord?'

'Vanmorgen.' (*keihard gelogen*)

'Ik snap niet hoe iemand het al zo vlug kon weten.'

'En, hoe is het met hem. Wat is er gebeurd?'

'Ik weet niet of ik het je mag vertellen, maar nu ik dit van je hoor zul je er hoe dan ook toch achter komen en ik kan het je beter zelf zeggen voor je allerlei verdraaide versies te horen krijgt. Hij is aan de dood ontsnapt.'

'Maar wat is er gebeurd?'

'Hij was bijna verdronken. Echt iets voor hem om in dit jaargetijde in zee te gaan zwemmen, en nog wel in ruwe zee.'

'Maar wie haalt het nu in zijn hoofd om midden in de winter in de Golf van Biskaje te gaan zwemmen?'

'Basken kennelijk, het schijnt traditie in hun dorp te zijn. Sommigen zwemmen naar een eiland dat een paar kilometer uit de kust ligt.'

'Izaro.'

'Izaro, klopt. Goddank was er een vissersboot in de buurt en werd hij gered. Ik hoorde het ook toevallig, weet je. Ik belde hem gisteren op zijn mobiel maar hij antwoordde niet en ik besloot ten slotte zijn vader thuis te bellen, en die vertelde me dat hij in het ziekenhuis lag. Maar het is niets ernstigs, maak je geen zorgen, hij is buiten levensgevaar. Hij heeft alleen veel water binnengekregen. En hij is uitgeput, wat logisch is.'

'Tja... (*Lange stilte: ze weten geen van beiden wat ze hierop moeten zeggen*) Goed, nou ja... heel erg bedankt. (*Ruths kin begint licht te trillen, ze probeert uit alle macht de opkomende tranen en snikken te bedwingen*) Goed... we zien elkaar... nog weleens. Tot dan.'

'Ja, denk ik wel. We zien elkaar nog weleens. Tot ziens.'

'Tot ziens.'

Ze aarzelde of ze het Pedro zou vertellen. Ze hadden het in maanden niet over hem gehad en als ze plotseling Juans naam noemde zou ze op een bijna stuitende manier een pact van stilte, een zwijgende overeenkomst verbreken. Vreemd genoeg had Pedro hem nooit genoemd en daarom deed Ruth het ook niet, ze had voor zichzelf een onware en abrupte onverschilligheid verzonnen en liet niets van haar zielenroerselen merken, ze was hem er dankbaar voor dat hij nooit degene bij naam noemde die zo snel van geliefde in schim was overgegaan. Maar na zes maanden zweeg Pedro nog steeds en zij legde zich neer bij dat stilzwijgen, uit lafheid, uit angst om geen oude jaloezie of rancune op te rakelen, want ze wist – en had altijd geweten – dat achter Pedro's afkeer iets diepers, iets intensers, iets duisterders schuilging dan alleen de behoefte om zijn vriendin te beschermen. In hun taalgebruik was een verboden terrein ontstaan, waarbij grenzen waren verlegd, niemandsland was geschapen, een verlaten gebied, een rotsachtige en stoffige kloof waar zelfs distels geen vocht krijgen, dat hen van Juan had geïsoleerd, zijn naam en herinnering met prikkeldraad omgeven, de gedachte aan Juan gedegradeerd tot iets waarover men niet spreekt, omdat wat je niet noemt niet bestaat, zoals die psychiater Ruth te kennen had gegeven. En zo hadden ze, gezworenen in het stilzwijgen, steeds de onuitspreekbare naam vermeden, zelfs bij gelegenheden dat het logisch was geweest om hem te noemen, wanneer ze het over feesten en premières hadden waar hij bij was geweest. Ze spraken ook nooit over de roman, alsof de verschijning van het boek aan hen was voorbijgegaan, alsof ze het niet in de etalages van de boekwinkels of op de schappen met nieuwe uitgaven hadden zien liggen, of de recensies in de culturele bijlagen niet hadden gezien. Ze deden de waarheid geen geweld aan, ze verdoezelden die alleen maar, ze veinsden een onverschilligheid die in feite benadrukte dat Juan hen nog intrigeerde en ze het er moeilijk mee hadden, want als ze rustig over hem hadden kunnen praten, zoals ze het in hun gesprekken over Paco Ramos of Ángel of zelfs over Julio hadden, zou dat betekenen dat Juans aanwezigheid op afstand eindelijk geen pijn meer deed, dat ze zich eindelijk aan zijn invloed hadden onttrokken, dat zijn schaduw niet meer dreigend boven hen hing die een Ruth opriep die tot voor kort nog bestond, die misschien ergens bestond in de donkere krochten van de verdrongen herinneringen, teruggetrokken en verscholen in een verborgen hoekje, een Ruth die niet lachte maar huilde als ze dronken was.

Er waren al maanden verstreken en Ruth vond het tijd worden de naam hardop te zeggen, toe te geven dat ze nog in hem geïnteresseerd was, dat ze hem inwendig nog voelde, dat ze nog met een onzichtbare draad verbonden waren, dat ze Juans kreten om hulp in haar hoofd had kunnen horen, dat er in haar hele liefdesleven niemand was geweest met wie ze zich in bed zo verbonden had gevoeld, zo eigen, en zo'n intens deel van haarzelf, zo in staat om wat weggestopt was, het beste en het slechtste, te doorgronden, om verborgen demonen op te roepen door overdag onuitspreekbare zinnetjes in haar oor te fluisteren of 's nachts een andere toverformule te gebruiken, geheimen die altijd tussen hem en haar bleven en die geen van beiden ooit aan iemand zou vertellen en niet omdat ze het niet durfden maar omdat ze geen idee hadden hoe ze dat moesten doen, *want wie het kent zwijgt, en wie spreekt heeft het niet gekend.*

'Dat is duidelijk een zelfmoordpoging geweest,' meende Pedro. 'Moet jij me eens zeggen waarom iemand midden in de winter een duik in zee neemt.'

'Dat zei ik je toch, dat is traditie in zijn dorp.'

'Kom nou, Ruth, alsjeblieft. Wat een idiote traditie. Maar dat gedicht is er ook nog. Ik weet zeker dat het romantische idee om je uit liefde te verdrinken een obsessie voor hem was.'

'Nee, hij zou zich nooit van kant maken. Dat heeft hij heel vaak gezegd. Hij veracht zelfmoordenaars, volgens hem zijn het lafaards.'

'Hij loog, Ruth. Zoals altijd. Zijn dichtbundel hangt van leugens aan elkaar. Behalve dat gedicht over de monnik die verdrinkt. Daar was hij eerlijk.'

'Wat een onzin...'

Ruth vloog zo vaak dat ze geloofde voldoende punten te hebben gespaard om, als ze had gewild, een reis rond de wereld te kunnen maken. Ze had een vreemde haat-liefdeverhouding met vliegtuigen. Eigenlijk had ze een hekel aan vliegen, een hartgrondige hekel aan het wachten op vliegvelden, aan het vermoeiende reizen, aan de spanning bij de bagageband, elke keer dezelfde knoop in haar maag als er een koffer uit dat gat kwam en het weer niet die van haar was, de vrees dat haar koffer voor de zoveelste keer kapot of niet te voorschijn kwam. Maar eenmaal in de lucht voelde ze zich tijdens de reis, niet ervoor of erna, op haar gemak in die vreemde wieg met vleugels, in een niemandsland waarin de dingen slechts konden bestaan in het absolute heden, omdat in de hemel alles tot rust leek te komen, alsof alles in zijn eigen beweging bevroor, en Ruth dacht niet meer aan wat daarbeneden was, of dat wat daarbeneden was dacht niet meer aan haar. Ze vond het heerlijk door het raampje naar buiten te kijken en dat andere zonlicht helemaal in zich op te nemen, licht dat niet werd weerkaatst door daken, lantaarns of muren, een horizontaal en helder licht alsof het zich van zijn eigen baan bewust was. Op dat moment van de reis, op duizenden voet boven de aarde, bekroop haar een vreemd en aangenaam gevoel van gelatenheid, alsof ze drugs had genomen, zoals ze zich vroeger na haar eerste ecstasy had gevoeld. Ze hadden haar verteld dat die kalmte werd veroorzaakt door het faseverschil in de luchtdruk, hoogteziekte, bergziekte, maar ze geloofde liever dat het door het licht kwam, dat het licht haar omspoelde, bij haar naar binnenstroomde, omdat haar gedachten langzaamaan in licht oplosten, in slaperigheid, een bedrieglijke halfslaap. Ruth raakte stukje bij beetje los van de werkelijkheid, maar lekker in haar stoel genesteld kon haar lichaam zich ontspannen. Nee, ze was niet diep in slaap, nu en dan was ze zich er vluchtig van bewust dat ze in een vliegtuig zat, half in slaap, op die lauwe grens tussen waken en dromen, bewust van Pedro's aanwezigheid, een stille compensatie daar naast haar, een zwijgende medeplichtige, wat interesseren haar nog al die vroegere geschiedenissen, de pijnlijke beledigingen of de schaamte, als dat alles aan de andere kant ligt, aan de andere kant van haar gesloten ogen, van de slaap die haar met kracht naar beneden trekt, en Ruth laat zich gaan, komt dichter bij het beloofde niemandsland, ze voelt haar gedachten oplossen in het zonlicht, geeft zich over aan een diepe slaap die langzaamaan wordt bevolkt met beelden, met figuren die met elkaar gaan harmoniëren, vorm, kleur en beweging krijgen, glanzend groene bladeren, ruwe takken, kleine zijtakjes, omlaag, omlaag,

Omlaag

Omlaag

Omlaag

Ik ben een boom, de kern van de wereld, de essentie van het leven. Ik zorg voor huisvesting, hout, schaduw, een huis voor de vogels. Ik regenereer voortdurend. Elk jaar kom ik tot leven, sterf ik af en kom ik weer tot leven, een blijvend opstijgen naar de hemel, ik ben wijs. Ik communiceer met de drie niveaus van de kosmos: mijn wortels wroeten in de ondergrond, mijn stam staat in de aarde, mijn kruin verheft zich naar de hemel. Ik verenig alle elementen in mij: het water stroomt door me heen, de aarde vermengt zich met mijn wortels, de lucht voedt mijn bladeren, het vuur ontstaat door mijn wrijving. Ik ben geen laurier, ik ben een lijsterbes. Ik ben een boom, een volkomen wezen, de kern van de wereld, een complete en volmaakte structuur...

Een complete en volmaakte structuur.

Madrid – Aberdeen – Barcelona – Altea

Dankwoord

Deze roman werd al reizend op tal van plaatsen geschreven, wat niet mogelijk zou zijn geweest zonder: De universiteit van Aberdeen, die mij een werkkamer, een huis en de nodige rust om te schrijven verschafte, en bovendien een heleboel vrienden. Speciale dank aan Philip Swanson, Pilar Escabias en Julia Biggane, die zich bezighielden met het benodigde papierwerk om dit mogelijk te maken.

Sonia Núñez Puente fungeerde als het noodzakelijke klankbord, gaf me weer enorm veel zelfrespect als ik in de put zat en verbeterde mijn foutieve gebruik van *le* en *lo*.

Dunia Ayaso en Félix Sabroso leerden me hoe een film met een minimaal budget wordt gemaakt.

Espido Freire bracht me een aantal dingen bij over de studentenwereld op Deusto (de universiteit, waar tussen twee haakjes, mijn eigen vader is afgestudeerd).

Carmen Nestares en Faby Galleto zorgden tijdens mijn afwezigheid voor Rita, mijn trouwe hondje. Alsof dat nog niet genoeg is, brengt Carmen haar halve leven door met mij naar het vliegveld te brengen of op te halen.

Rubén Alonso hoorde mijn eindeloze monologen aan met een engelengeduld en een niet minder religieuze toewijding.

Het Casa de Cultura van Altea gaf mij een plek in hun bibliotheek. Eduard en Ignasi zorgden ervoor dat ik toegang had tot mijn e-mail en bepaalde boeken.

Juan Pedro López Agulló stond mij niet alleen een kamer af in Altea, maar fungeerde ook als *Petra, het dienstmeisje*, en schiep orde in de chaos die ik gewoonlijk om mij heen produceer. Bovendien zorgde hij voor Nacho (de onvergetelijke hond) en Mimi (de lepe kat), en voorzag me van het linnen, de materialen en de benodigde technische aanwijzingen om Ruth te portretteren. Bovendien verschafte hij me gespreksstof en geluk.

Gemma Beltrán opende de deuren voor mij in Barcelona.

Stéphan bracht me naar Parijs. Mate maakte dat mogelijk. Mercedes Odina en Gabriel Halevi, die ik helemaal niet ken, schreven een uitstekend essay, *El factor fama* (Uitgeverij Anagrama, bundel Argumentos), dat diende als leidraad bij de opbouw van het hoofdstuk 'De bekendheid van Ruth'. Een gedetailleerde studie over het gedrag van de perverse narcissussen is te vinden in het boek *El acoso moral* van Marie-France Hirigoyen (Uitgeverij Paidós, bundel Contextos).

Ik beschik niet over voldoende ruimte, maar die heb ik wel in mijn hart, voor het oneindige aantal vrienden die mij tijdens de moeilijkste momenten hebben gesteund, hebben gevoed, een kamer in hun huis hebben afgestaan, hebben gediend als steun en toeverlaat of me opbeurden als het moeilijk werd.

In memoriam: Pedro Javier Echevarría, Bermeo, 1926-1998